씨뮬이 제안하는 가장 효율적인 학습법!

온·오프 블렌디드 러닝 (on/off Blended Learning)

1 STEP ONE OFF-LINE

기출은 수능 대비의 기본!
기본에 가장 충실한 씨뮬로 실전연습하자

- 다양한 구성의 기출문제집으로 목표에 맞는 학습 가능
- 씨뮬 교재를 풀면 온라인에서 자동채점 & 성적분석 가능

2 STEP TWO ON-LINE

스터디센스 ⑤ STUDY SENSE

QR 찍고 회원가입 → 씨뮬 문제 풀기 → 자동채점 → 성적분석

- 내 등급컷과 취약 유형까지 완벽 분석
- AI 문제 추천으로 취약 유형을 한 번 더 학습
- 오답노트로 복습 또 복습해서 틀린 문제 정복하기

3 STEP THREE OFF-LINE

모의고사 맞춤제작 OneUP

'원하는 문제만 골라서 맞춤 교재'를 만들고 싶다면? OneUP

- 원하는 제본 형태로 제작 가능
- 학평, 모평, 수능, 종로 사설 모의고사 맞춤 제작

CONTENTS

고1 ▶ 국어 —— 독서

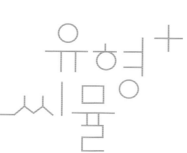

구 성 + 특 징

01

내신 대비 서브 노트

글의 구성과 유형, 표현 방식에 관한 개념을 체계적으로 정리한 학습 자료입니다. 독서 문제를 풀기 위한 배경지식을 쌓는 데 도움이 되며, 중간·기말고사를 대비할 수 있습니다. 서브 노트를 활용하여 시험 직전에 빠르게 개념을 익혀 봅시다.

02

24일의 기적! 유형도 실전처럼

최신순으로 엄선한 약 5년간의 기출 문제를 24일 동안 공부할 수 있습니다. 하루 2~3지문 분량으로 압축적이고 효율적인 학습이 가능합니다. 각 지문마다 표시된 난이도와 소요 시간을 참고하여 문제를 풀고, 체크 박스로 간단한 채점까지 완벽하게 마무리할 수 있습니다.

03

출제 트렌드와 1등급 꿀팁

인문, 사회, 과학, 기술, 예술 및 복합 분야의 최신 출제 경향과 문제를 푸는 팁을 제공합니다. 또한 각 제재별 대표 기출 문제를 통해 출제의 핵심을 파악하고 빈출 문제 유형을 익힐 수 있습니다.

04

미니 Test

마지막 24일은 간단하게 미니 테스트를 할 수 있습니다. 23일간 독서 지문을 마스터한 후 화법과 작문, 문법, 문학까지 빈틈없이 학습하여 모의고사에 대한 감을 잃지 않도록 합시다.

05

알차고 상세한 해설

출제 의도와 문항에 대한 자세한 분석을 통해 문제 해결의 핵심 내용을 정확하게 제시했습니다. 쉬운 문항은 명료하게 풀이하고, 어려운 문항은 '왜 많이 틀렸을까?' 코너를 통해 오답을 고르는 이유와 이를 대비하는 방법에 대해 상세하게 설명했습니다.

06

Big Event 1+3

교재를 구입하신 분들께 고1, 2, 3 한국사 · 사회탐구 · 과학탐구 과목 중에서 학년에 상관없이 원하는 세 과목의 최신 모의고사(과목별 4~12회 구성) PDF 파일을 메일로 보내 드립니다. 교재 표지 안쪽에 있는 'Big Event' 페이지의 설문지를 작성하여 골드교육 홈페이지에 올려 주세요.

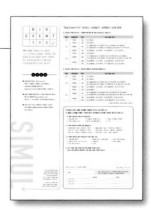

문장

하나의 완결된 생각이나 느낌을 글로 나타낸 단어의 집합으로 독립된 의미를 가진다. 문장에는 최소한 하나의 주어와 하나의 서술어가 나타나야 하는데 이때 주어는 생략되기도 한다. 문장의 하위 문법 단위로는 어절과 단어, 형태소가 있다.

문장의 역할

주지	글쓴이가 말하는 중심 내용
전제	어떤 주장이나 판단을 이끌어 내기 위해 제시되는 입장이나 근거
예시	중심 문장에 대한 구체적인 사례
도입	독자의 주의를 끌기 위한 내용
전개	앞에 제시한 내용을 토대로 본격적으로 진술하는 내용
상술	중심 문장의 내용에 대한 자세한 진술

문장 간의 의미 관계

대등적 관계	앞뒤 문장이 서로 동등하게 연결됨.
병렬적 관계	유사한 기능을 하는 문장들이 나열됨.
역접의 관계	서로 대조되는 의미를 갖는 문장들이 연결됨.
종속적 관계	중심 내용을 담은 문장과 중심 내용을 구체화하거나 한정하는 다른 문장이 연결됨.

문단

하나의 완결된 생각이나 느낌을 담은 여러 개의 문장들이 일정한 원리에 따라 하나의 중심 생각을 표현하는 덩어리를 말한다. 문단을 이루는 각 문장들이 공통적으로 다루고 있는 화제나, 여러 가지 화제 중에서 가장 중심이 되는 문장이 다루고 있는 것이 그 문단의 중심 생각이 된다.

문단의 구성 원리

통일성	한 문단을 구성하는 모든 문장들은 주제문의 내용에 수렴되어야 함.
완결성	한 문단은 주제문과 그것을 뒷받침하는 문장이 충분히 제시되어야 함.
일관성	한 문단의 모든 문장은 서로 유기적으로 구성되어야 함.

문장의 기능에 따른 특징

도입 문단	화제를 소개하거나 글의 실마리를 제시하는 문단
전제 문단	글쓴이의 주장에 대한 논리적 전개를 위해 먼저 내세우는 문단
보충 문단	내용을 보충하거나 이해하기 쉽게 덧붙여 설명하는 문단
예시 문단	중심 문장의 내용을 쉽게 이해할 수 있는 구체적인 보기를 드는 문단
상술 문단	중심 문단의 내용을 상세화하여 이해하기 쉽게 풀어 설명한 문단

글

단어들이 모여서 하나의 완결된 문장을 만들고, 하나 이상의 문장이 모여서 하나의 문단을 이룬다. 그리고 하나 이상의 문단이 통일성 있게 모여서 완성된 것이 글이다. 글의 구성이란 글의 내용을 효과적으로 전달하기 위해 글의 특성에 맞게 체계화한 틀을 말하는데, 어떤 글의 구성을 알기 위해서는 각 문단의 중심 내용, 그리고 문단과 문단 간의 관계를 파악해야 한다.

중심 내용에 따른 글의 구성 방식

두괄식 구성	글의 앞에 중심 내용을 배치하여 의도를 명확하게 밝히는 구성
미괄식 구성	글의 끝에 중심 내용을 배치하여 글의 내용을 종합하는 구성
중괄식 구성	글의 중간에 중심 내용을 배치하는 구성
양괄식 구성	글의 앞과 뒤에 중심 내용을 배치하여 내용을 강조하는 구성
병렬식 구성	여러 항목을 병렬적으로 나열하여 내용을 제시하는 구성

전개 방식에 따른 글의 구성 방식

시간적 구성	시간적 흐름이나 순서에 따라 글을 전개하는 구성
열거식 구성	일정한 순서 없이 글감을 첫째, 둘째 등으로 나누어 전개하는 구성
단계식 구성	글의 성격이나 글쓴이의 의도에 따라 문단을 전개하는 구성

↓

단계식 구성의 종류

단일 구성	글의 단계를 나눌 수 없는 하나의 글
2단 구성	인과적 구성(원인-결과), 연역적 구성(일반적 결론-구체적 사례), 귀납적 구성(구체적 사례-일반적 결론), 문제와 해결의 구성 등
3단 구성	세 개의 큰 내용 단락으로 구성되며 가장 일반적인 형식 '머리말-본문-맺음말', '처음-중간-끝', '서론-본론-결론' 등
4단 구성	'기-승-전-결', '도입-전개-발전-정리' 등
5단 구성	'주의 환기-문제 제기-문제 해명-해명의 구체화-결론' 등

접속어의 종류와 역할

순접	앞의 내용과 같은 맥락으로 내용을 연결함.	예 이와 같이, 그리고
역접	앞의 내용과 반대되는 내용을 연결함.	예 그러나, 하지만, 반면, 그렇지만
예시	앞의 내용을 설명하기 위해 구체적인 예를 들어 연결함.	예 예를 들어, 예컨대, 가령, 이를테면
전환	새로운 생각이나 사실 등으로 화제를 바꾸어 연결함.	예 한편, 다음으로, 그런데
대등	앞뒤의 내용을 동등한 자격으로 연결함.	예 혹은, 및
인과	앞뒤의 내용을 원인과 결과에 따라 연결함.	예 그래서, 그러므로, 왜냐하면, 따라서
요약	중요한 내용을 줄여서 정리하여 연결함.	예 즉, 곧, 결국, 요컨대
첨가	앞의 내용에 보충하거나 덧붙여 연결함.	예 또한, 게다가, 더구나

글의 서술 방식

정의	대상이나 용어, 사물 등의 개념을 규정하는 서술 방식	예 인간은 사회적 동물이다.
비교	둘 이상의 대상이나 사물의 공통점을 드러내는 서술 방식	예 시조와 가사는 운율이 드러난다는 특징이 있다.
대조	둘 이상의 대상이나 사물의 차이점을 드러내는 서술 방식	예 영화는 스크린에서 상영되지만, 연극은 무대 위에서 상연된다.
예시	어떤 사실이나 현상에 대해 구체적인 예를 드는 서술 방식	예 예를 들어 아이에게 매일 칭찬을 하면 아이는 긍정적 태도를 보인다.
분석	어떤 대상이나 사물을 구성 요소로 나누는 서술 방식	예 자전거는 체인과 바퀴, 핸들과 안장으로 나뉜다.
분류	어떤 대상을 일정한 기준에 따라 구분하여 설명하는 서술 방식	예 학교는 초등학교, 중학교, 고등학교, 대학교로 나뉜다.
유추	같은 종류의 것 또는 비슷한 것에 기초하여 다른 개념을 미루어 추측하는 서술 방식	예 우리말을 제대로 세우지 않고 영어를 들여오는 일은 우리 개구리들을 돌보지 않은 채 황소개구리를 들여온 우를 또다시 범하는 것이다.
서사	대상의 변화나 사건의 전개, 인물의 행동 등을 시간의 흐름에 따라 진술하는 서술 방식	예 나는 아침에 일찍 일어났다. 그래서 천천히 밥을 먹고 집을 나섰다. 학교에 도착하였더니 아직도 이른 시간이었다.
묘사	어떤 대상을 그림을 그리듯이 재현하는 서술 방식	예 원목 위에 양각된 우아한 넝쿨무늬, 은은한 광택의 금속 페달, 건반 위에 깔린 레드 카펫은 또 얼마나 선정적인 빛깔이던지.
인과	대상의 원인과 결과를 밝혀 진술하는 서술 방식	예 그는 아침에 늦잠을 자서 회사에 지각을 했다.

★ 독서의 사고 과정

독자가 독서를 할 때는 상향식 과정과 하향식 과정을 통해 글의 의미를 구성한다.

● 상향식 과정: 글을 이루는 작은 단위들에서 큰 단위에 대한 이해로 이동하는 것을 말한다. 이는 단어에 대한 이해를 통합하여 문장을 이해하고, 문장에 대한 이해를 바탕으로 문단을 이해하는 방식으로 나타난다.

● 하향식 과정: 글 자체보다 독자 요인을 중요시한다. 독자의 지식이나 경험, 가치관 등을 활용하여 글의 내용을 예측하고 추론하는 활동이 나타난다.

★ 독서의 전략 'SQ3R'

Survey	글의 중요 부분을 훑어보고 글의 내용을 예측하는 단계
Question	글의 중심 내용이나 궁금한 점을 스스로 묻는 단계
Read	글을 처음부터 끝까지 읽으면서 내용을 확인하고 파악하는 단계
Recite	읽은 내용을 떠올리며 정리해 보고 문장, 문단의 내용을 재구성하는 단계
Review	전체 내용을 정리하고 글을 읽기 전에 질문했던 내용에 대해 충분한 답을 얻었는지 확인하는 단계

DAY 01 »»»

1 ②	2 ④	3 ④	4 ⑤	5 ④
6 ③	7 ③	8 ②	9 ③	10 ②
11 ③	12 ②	13 ④	14 ④	15 ①

DAY 02 »»»

1 ②	2 ④	3 ④	4 ①	5 ②
6 ②	7 ④	8 ⑤	9 ③	10 ②
11 ⑤	12 ⑤	13 ①	14 ①	

DAY 03 »»»

| 1 ② | 2 ④ | 3 ③ | 4 ⑤ | 5 ① |
| 6 ③ | 7 ⑤ | 8 ③ | 9 ② | 10 ③ |

DAY 04 »»»

| 1 ① | 2 ② | 3 ③ | 4 ② | 5 ③ |
| 6 ③ | 7 ② | 8 ③ | 9 ④ | 10 ① |

DAY 05 »»»

1 ④	2 ⑤	3 ⑤	4 ③	5 ②
6 ③	7 ⑤	8 ④	9 ③	10 ⑤
11 ②				

DAY 06 »»»

1 ④	2 ⑤	3 ②	4 ②	5 ⑤
6 ②	7 ③	8 ②	9 ②	10 ①
11 ③	12 ④	13 ①	14 ③	

DAY 07 »»»

| 1 ② | 2 ① | 3 ② | 4 ⑤ | 5 ④ |
| 6 ⑤ | 7 ② | 8 ③ | 9 ⑤ | 10 ① |

DAY 08 »»»

| 1 ① | 2 ⑤ | 3 ④ | 4 ③ | 5 ④ |
| 6 ⑤ | 7 ① | 8 ③ | 9 ③ | 10 ④ |

DAY 09 »»»

1 ④	2 ⑤	3 ②	4 ⑤	5 ③
6 ②	7 ②	8 ⑤	9 ④	10 ⑤
11 ②	12 ④	13 ⑤	14 ⑤	

DAY 10 »»»

| 1 ④ | 2 ④ | 3 ① | 4 ⑤ | 5 ③ |
| 6 ② | 7 ⑤ | 8 ⑤ | 9 ⑤ | 10 ① |

DAY 11 »»»

| 1 ② | 2 ② | 3 ③ | 4 ③ | 5 ③ |
| 6 ⑤ | 7 ① | 8 ② | 9 ⑤ | 10 ③ |

DAY 12 »»»

1 ⑤	2 ①	3 ③	4 ⑤	5 ①
6 ③	7 ⑤	8 ①	9 ②	10 ②
11 ⑤	12 ③	13 ②		

DAY 13 »»»

| 1 ⑤ | 2 ① | 3 ④ | 4 ④ | 5 ④ |
| 6 ① | 7 ⑤ | 8 ④ | 9 ③ | 10 ③ |

DAY 14 »»»

| 1 ① | 2 ③ | 3 ④ | 4 ④ | 5 ② |
| 6 ⑤ | 7 ① | 8 ① | 9 ⑤ | 10 ③ |

DAY 15 »»»

| 1 ⑤ | 2 ⑤ | 3 ③ | 4 ③ | 5 ⑤ |
| 6 ① | 7 ③ | 8 ⑤ | 9 ① | 10 ⑤ |

DAY 16 »»»

| 1 ⑤ | 2 ⑤ | 3 ③ | 4 ① | 5 ① |
| 6 ② | 7 ③ | 8 ② | 9 ④ | |

DAY 17 »»»

1 ②	2 ④	3 ⑤	4 ①	5 ④
6 ④	7 ①	8 ③	9 ⑤	10 ④
11 ③				

DAY 18 »»»

| 1 ③ | 2 ④ | 3 ① | 4 ③ | 5 ① |
| 6 ① | 7 ② | 8 ⑤ | 9 ④ | 10 ④ |

DAY 19 »»»

| 1 ③ | 2 ④ | 3 ① | 4 ③ | 5 ③ |
| 6 ① | 7 ④ | 8 ④ | 9 ① | |

DAY 20 »»»

| 1 ① | 2 ② | 3 ③ | 4 ⑤ | 5 ① |
| 6 ④ | 7 ③ | 8 ③ | 9 ④ | |

DAY 21 »»»

| 1 ③ | 2 ② | 3 ⑤ | 4 ④ | 5 ④ |
| 6 ③ | 7 ① | 8 ④ | | |

DAY 22 »»»

| 1 ④ | 2 ② | 3 ② | 4 ⑤ | 5 ④ |
| 6 ① | 7 ② | 8 ④ | 9 ③ | |

DAY 23 »»»

| 1 ⑤ | 2 ③ | 3 ⑤ | 4 ④ | 5 ① |
| 6 ③ | 7 ① | 8 ② | 9 ④ | 10 ② |

DAY 24 »»»

1 ④	2 ②	3 ⑤	4 ③	5 ①
6 ②	7 ③	8 ①	9 ④	10 ③
11 ②	12 ③			

I
인 문

• 고1 국어 독서 •

I 인문

출제 트렌드

인문은 철학, 윤리, 사상, 역사, 심리학, 논리 등을 다루는 분야입니다. 그러므로 인간이 가지고 있는 다양한 사상과 가치관, 세상을 보는 관점 등을 비교하고 심층적으로 이해할 수 있어야 합니다. 인간의 존재와 삶은 과학이나 기술과는 달리 추상적이고 사변적인 성격을 띠기 때문에 분석적인 접근보다는 추론 능력이 필요합니다. 인문 분야에서는 동·서양 철학자들의 입장과 주장을 비교하는 지문이 많이 출제되고 진리, 명제 등의 한 이론이 성립하는 과정 혹은 보편적 원리를 파악하는 지문도 종종 출제됩니다. 2022학년도 시험에서는 3월 학력평가가 다소 어렵게 출제되었으며, 나머지 지문은 비교적 평이했습니다. 인문 분야의 문제를 풀 때 철학자(학파)들의 견해나 주장은 공통점과 차이점을 중심으로 핵심어를 체크하여 지문 구조를 선명하게 이해해야 합니다. 또한 추상적인 정보를 통해 글에 숨어 있는 내용까지 추론할 수 있어야 헷갈리는 선택지를 분별할 수 있습니다.

시행	출제 지문	문제 수	난이도
2022학년도 11월 학평	관중과 율곡의 통치론	6문제 출제	★☆☆
2022학년도 9월 학평	에리히 프롬이 고찰한 현대 사회의 행복	4문제 출제	★★☆
2022학년도 6월 학평	홍대용의 사상과 그 의의	5문제 출제	★★☆
2022학년도 3월 학평	플라톤과 아리스토텔레스의 예술론	5문제 출제	★★★

1등급 꿀팁

하나 _ 역사 지문은 시간의 흐름에 따른 변화 과정에 주목하자.

두울 _ 철학과 윤리 지문은 다양한 사상가들의 견해 차이에 초점을 맞추자.

세엣 _ 그래서, 따라서, 그러나 등의 접속사 표지를 놓치지 말자.

네엣 _ 어떤 학자나 학파의 주장은 반드시 근거와 함께 파악하자.

다섯 _ 한 관점을 특정 사례에 적용하는 연습을 하자.

여섯 _ 추상적인 단어나 용어가 많이 등장하므로 맥락을 통해 뜻을 유추하자.

일곱 _ 지문에 숨은 이면적 내용을 추론해서 주제를 이해하자.

다음 글을 읽고 물음에 답하시오.

⊙중화(中華)사상은 한족(漢族)이 자신들을 세계의 중심을 의미하는 중화로 생각하고, 주변국들이 자신들의 발달된 문화와 예법을 받아들여야 한다고 생각한 사상이다. 조선은 중화사상을 수용하여 한족 왕조인 명나라의 문화를 받아들이는 것을 당연시하였다. 17세기에 이민족이 ⓐ세운 청나라가 중국 땅을 차지하였지만, 조선은 청나라를 중화라고 생각하지 않고 명나라의 부활을 고대하였다. 당시 송시열은 '오랑캐는 중국을 차지할 수 없고 금수(禽獸)는 인류와 한 부류가 될 수 없다.'라고 하였는데, 이는 청나라를 공격하자는 북벌론과 청나라를 배척하자는 척화론으로 이어졌다.

18세기에 청나라가 정치적 안정을 이루고 조선이 북벌을 통해 명나라를 회복하기 어렵게 되자, 조선의 유학자들 사이에서는 조선이 중화의 계승자라는 인식이 보편화되었다. 이때 청나라가 가진 발달된 문물을 도입하자는 북학파가 등장하였다. 그중 홍대용은 청나라의 발달된 문물은 오랑캐인 청나라가 만든 것이 아니라, 청나라가 중국 땅을 차지하며 가지게 된 한족의 문물로 보았다. 이런 생각은 청나라와 청나라의 문물을 구별한 것으로, 그가 저술한 「을병연행록」에서도 발견된다. 이를 통해 이때까지도 그는 조선이 중화의 계승자라는 인식과 중화사상에서 벗어나지 못했음을 알 수 있다. 하지만 청나라 여행을 계기로 그곳에서 만난 학자들과 교류를 이어 가며 선진 문물과 새로운 학문을 탐구한 결과, 사상적 전환을 이루었고 이를 바탕으로 「의산문답」을 저술하였다.

홍대용의 사상적 전환을 잘 보여 주는 것은 「의산문답」에 실려 있는 ⓛ지구설과 무한 우주설이다. 그는 하늘이 둥글고 땅이 모나다는 전통적인 천지관을 비판하고, 땅이 둥글다는 지구설을 주장하면서 그 근거로 일식과 월식을 이야기하였다. 일식과 월식이 둥글게 나타나는 것은 달과 우리가 사는 땅이 둥글기 때문이라는 것이다. 우리가 사는 땅은 둥글기 때문에 상하나 동서남북은 정해져 있지 않고, 개개인이 서 있는 곳이 각각 기준이 될 수 있다고 주장하였다. 또한 그는 하늘은 무한하여 형체를 알 수 없고 지구와 같은 땅이 몇 개가 되는지 알 수 없다는 무한 우주설을 주장하였다.

지구설과 무한 우주설은 세상의 중심과 그 주변을 구별하는 중화사상과 다른 생각이다. 홍대용은 하늘에서 우리가 사는 세상을 본다면 이 땅이 무한한 우주에 비해 티끌만큼도 안 되며, 안과 밖을 구별하거나 중심과 주변을 나눌 수 없다고 보았다. 따라서 중국 안과 밖을 구별할 수 없고 중화와 오랑캐라는 구별도 상대적이라고 생각했다. 이에 따라 중화와 오랑캐로 여겨졌던 국가가 모두 동등하며, 사람들이 각자 제 나라와 제 문화를 기준으로 살아가는 것이 당연하다고 생각하였다. 이러한 그의 생각은 모든 사람들이 중심이 될 수 있고 존재 가치가 있다는 생각으로 이어졌고, 이를 바탕으로 그는 당시 유교적 명분을 내세우며 특권을 누리려 했던 양반들을 비판하였다. 또한 재주와 학식이 있는 자는 신분이 낮은 농부의 자식이라도 높은 관직에 오를 수 있어야 한다고 주장하였다.

어떤 국가와 문화, 사람도 각자 중심이 될 수 있고 존재 가치가 있다고 생각한 홍대용의 사상은 평등주의와 다원주의를 우리 역사에서 선구적으로 보여 주었다는 점에서 의의가 있다.

18. ⊙과 ⓛ을 이해한 것으로 가장 적절한 것은?

① ⊙은 ⓛ을 통해 조선의 중심 사상으로 자리 잡았다.
② ⊙과 ⓛ은 청을 오랑캐라 여기는 생각의 근거가 되었다.
③ ⊙은 북벌론의 바탕이 되었고, ⓛ은 척화론의 바탕이 되었다.
④ ⓛ은 홍대용이 ⊙에서 벗어났음을 보여 주는 학설이다.
⑤ ⓛ은 조선의 유학자들이 가지고 있던 ⊙을 홍대용이 발전시킨 것이다.

12분 | 2022학년도 11월 학평 16~21번 | ★☆☆ | 정답 002쪽

【1~6】 다음 글을 읽고 물음에 답하시오.

(가)

관중은 춘추 시대 제(齊)나라의 재상으로 군주인 환공을 도와 약소국이던 제나라를 부강한 국가로 성장시켰다. 관중이 생각한 이상적인 국가의 모습과 국가를 통치하는 방법은 『관자』를 통해 살펴볼 수 있다. 그는 자신이 살던 현실의 문제에 실리적으로 ⓐ대처하고 정치적인 분열을 적극적으로 막아 나라의 부강과 백성의 평안을 이루고자 하였다.

관중은 백성이 국가 경제의 근본이라는 경제적 관점을 바탕으로 법의 필요성을 강조하였다. 그에 따르면, 군주는 법을 만들 수 있는 자격을 천부적으로 지닌 사람이다. 하지만 군주가 마음대로 법을 만들면 백성의 삶이 ⓑ피폐해질 수 있으므로 군주는 이익을 추구하는 백성의 본성을 고려해 백성의 삶이 윤택해질 수 있는 법을 만들어야 한다고 보았다. 이때 관중이 강조한 백성의 윤택한 삶은 도덕적 교화와 같은 목적을 위한 것이 아닌, 부강한 나라의 실현을 위한 것이라는 실리적 관점에서 이해할 수 있다.

또한 관중은 군주가 자신에 대해서는 존귀하게 여기지 않는 것을 '패(覇)'라고 ⓒ규정하였는데, 이를 바탕으로 군주도 법의 적용에서 예외가 되지 않아야 한다고 주장하였다. 그에 따르면 군주는 '권세'를 지녀야 국가를 다스릴 수 있는데, 이때 군주가 패를 실천해야 백성이 권세를 인정하게 된다. ⊙결국 군주가 법을 존중하는 것은 백성이 군주를 존중하는 것으로 이어지게 되는 것이다.

관중은 권세를 가진 군주는 부강한 나라를 이루는 통치, 즉 '패업(覇業)'을 위한 통치를 펼쳐야 한다고 주장하고, 법을 통한 통치의 중요성을 강조하였다. 이때 군주는 능력 있는 신하를 공정하게 등용하되 신하들이 군주의 권세를 넘보거나 법질서를 혼란스럽게 하지 못하도록 자신의 권세를 신하에게 위임하지 말아야 하며 백성의 경제적 안정을 위한 정책들을 시행해야 한다고 보았다. 이러한 관중의 사상은 백성들의 경제적 안정을 기반으로 부강한 나라를 이루기 위해 법을 통한 통치를 도모한 것으로 평가할 수 있다.

(나)

율곡은 유학적 사상을 기반으로, 자신이 생각하는 군주상을 제시하였다. 그는 『성학집요』에서 개인의 수양을 통해 앎을 늘리고 인격을 완성하는 것을 군주의 자격으로 보았다. 율곡은 군주가 인격을 완성하고 아는 것을 실천하면 백성의 선한 본성을 회복하는 도덕적 교화가 가능해진다고 본 것이다. 율곡은 자신이 이상적으로 생각하는 왕도정치가 실현되기 위해서는 군주가 신하를 통해 백성을 다스려야 한다고 생각했는데, 만약 군주가 포악한 정치를 펼쳐 신하들의 지지를 얻지 못하거나 민심을 잃으면 교체될 수 있다고 여겼다.

율곡은 군주의 통치에 따라 태평한 시대인 치세와 혼란스러운 시대인 난세가 구분된다고 보고, 이를 중심으로 군주의 유형과 통치 방법을 나누어 설명했다. 치세를 만드는 군주는 재능과 지식이 출중해 신하를 능력에 맞게 발탁하여 일을 분배할 줄 알거나, 재능과 지식은 ⓓ부족하지만 현명한 신하를 분별하여 그에게 나라의 일을 맡길 줄 안다. 이들의 통치 방법은 '왕도(王道)'와 '패도(覇道)'로 나뉜다. 왕도는 군주의 인격 완성을 통해 백성의 도덕적 교화까지 이루어 내는 것이고, 패도는 군주의 인격이 완성되지 않아 백성의 도덕적 교화까지는 이루어지지 않았지만 백성의 경제적 안정은 이루어 내는 것이다.

[A]

난세를 만드는 군주는 자신의 총명만을 믿고 신하를 불신하거나, 간신의 말을 믿고 의지하여 눈과 귀가 가려진 군주이다. 이들은 백성을 괴롭히고 충언을 받아들이지 않아 스스로 멸망에 이르는 폭군, 간사한 자를 분별하지 못하고 총명함이 없으며 무능력한 혼군, 나약하여 자신의 뜻을 세우지 못하고 우유부단한 용군으로 분류된다. 이들의 통치 방법은 포악한 정치를 의미하는 '무도(無道)'이므로 율곡의 관점에서 무도를 행하는 군주는 교체되어야 할 존재이다.

율곡은 백성의 도덕적 교화를 이루는 왕도정치를 위해서는 백성들의 삶이 경제적으로 편안한 것이 전제되어야 한다고 보았다. 이는 군주의 존재 근거가 백성이라고 보는 민본관에 의한 것으로, 조세 부담을 줄이는 등 백성의 경제적 기반을 유지할 수 있는 정책을 펼쳐야 함을 ⓔ역설한 것이다. 이처럼 율곡의 사상은 왕도정치를 실현하는 과정에서 백성의 현실적 삶에 주목하려는 시도로 볼 수 있다.

1. (가), (나)에 대한 설명으로 가장 적절한 것은?

① (가)와 (나)는 모두 특정한 사상가가 주장하는 군주의 통치술의 변화 과정을 소개하고 있다.

② (가)와 (나)는 모두 특정한 사상가가 주장하는 군주의 통치술에 담긴 내용을 중심으로 그 의의를 밝히고 있다.

③ (가)와 달리 (나)는 특정한 사상가가 주장하는 군주의 통치술이 갖는 한계를 드러내고 새로운 통치술을 제안하고 있다.

④ (나)와 달리 (가)는 특정한 사상가가 주장하는 군주의 통치술을 군주의 유형에 따라 범주화하여 제시하고 있다.

⑤ (나)와 달리 (가)는 특정한 사상가가 주장하는 군주의 통치술에 대한 상반된 입장을 제시하고 장단점을 비교하고 있다.

2. ⊙의 이유로 가장 적절한 것은?

① 군주가 마음대로 법을 만들 수 있는 패를 실천할 수 있기 때문이다.

② 군주가 법을 존중하면 법을 제정할 수 있는 기회를 얻을 수 있기 때문이다.

③ 군주가 법의 필요성을 인식해야 백성을 국가의 근본으로 여기게 되기 때문이다.

④ 군주가 자신에게도 법 적용에 예외를 두지 않음으로써 권세를 인정받게 되기 때문이다.

⑤ 군주가 백성의 본성을 고려하지 않고 나라의 부강을 우선시하는 법을 만들어야 하기 때문이다.

3. (나)에서 알 수 있는 '율곡'의 견해로 적절하지 <u>않은</u> 것은?

① 군주는 앎을 늘리는 것뿐 아니라 앎을 실천하는 것도 중요하다.

② 군주가 포악한 정치를 펼쳐 신하들에게 지지를 얻지 못하면 교체될 수 있다.

③ 군주는 왕도정치를 실현하기 위해 자신의 존재 근거를 백성으로 보아야 한다.

④ 백성의 도덕적 교화가 이루어져야 백성의 삶이 경제적으로 편안해질 수 있다.

⑤ 백성의 조세 부담을 줄이는 것은 백성의 경제적 기반을 유지할 수 있는 방법 중 하나이다.

5. <보기>는 동서양 사상가들의 견해이다. <보기>와 (가), (나)를 읽은 학생이 보인 반응으로 적절하지 <u>않은</u> 것은? [3점]

┌─────────────────── 〈 보 기 〉 ───────────────────┐

㉮ 군주는 권력을 얻기 전까지는 수단과 방법을 가리지 않는 것이 오히려 백성을 위한 것입니다. 하지만 권력을 얻은 후에는 법을 통해 통치함으로써 자신의 권력을 유지할 수 있습니다.

㉯ 군주에 따라 치세와 난세가 되는 것을 지양하기 위해 법을 제정하고 기준을 세우는 것이 필요합니다. 그리고 법을 통해 통치할 수 있는 권한은 군주만이 갖고 있어야 권력을 유지할 수 있습니다.

㉰ 군주는 타락한 현실에 의해 잃어버린 인간의 선한 본성인 도덕성을 회복시켜야 합니다. 이때 군주는 도덕성의 회복을 목적으로 백성의 기본적인 경제적 욕구를 충족시키고 인간다운 교육을 실시해야 합니다.

└──┘

① 관중과 ㉮는 모두 법을 통한 통치의 중요성을 인식했다고 볼 수 있겠군.

② 관중과 ㉯는 모두 국가를 다스릴 수 있는 권한이 오로지 군주에게 있어야 함을 강조했다고 볼 수 있겠군.

③ 관중은 ㉰와 달리 백성의 경제적 안정의 목적이 도덕성 회복이 아니라고 보았군.

④ 율곡은 ㉯와 달리 군주의 인격 완성 여부에 따라 치세와 난세가 구분된다고 보았군.

⑤ 율곡과 ㉰는 모두 백성의 본성을 선한 것으로 인식했다고 볼 수 있군.

4. (가)의 관점에서 [A]를 판단한 것으로 가장 적절한 것은?

① [A]에서 눈과 귀가 가려진 군주는, 정치적 분열을 막아 백성을 평안하게 하므로 패업을 이룰 수 있는 존재로 볼 수 있다.

② [A]에서 군주가 충언을 받아들이지 않는 것은, 법을 만들 수 있는 자격을 천부적으로 지닌 것이므로 패업으로 볼 수 있다.

③ [A]에서 군주가 자신의 총명을 믿고 신하를 불신하는 것은, 백성의 삶을 윤택하게 하려는 것이므로 패업으로 볼 수 있다.

④ [A]에서 군주가 자신의 뜻을 세우지 못하는 것은, 자신을 존귀하게 여기지 않은 것이므로 패업을 위한 통치의 방법으로 볼 수 있다.

⑤ [A]에서 군주가 신하를 능력에 맞게 발탁하여 일을 분배한 것은, 능력에 따라 신하를 공정하게 등용한 것이므로 패업을 위한 통치의 방법으로 볼 수 있다.

6. ⓐ ~ ⓔ의 사전적 의미로 적절하지 <u>않은</u> 것은?

① ⓐ: 어떤 정세나 사건에 대하여 알맞은 조치를 취함.

② ⓑ: 지치고 쇠약해짐.

③ ⓒ: 바로잡아 고침.

④ ⓓ: 필요한 양이나 기준에 미치지 못해 충분하지 아니함.

⑤ ⓔ: 자신의 뜻을 힘주어 말함.

[7~10] 다음 글을 읽고 물음에 답하시오.

인간은 누구나 행복을 추구하며 살아간다. 그런데 과학기술의 발전을 통해 유례없는 풍요를 누리고 있는 현대인은 과연 행복한가? 현대 사회에서의 행복에 대해 고찰한 철학자 에리히 프롬은 행복을 무엇이라고 했는지 알아보자.

프롬의 사상을 파악하기 위해서는 먼저 그의 인간관을 이해해야 한다. 프롬은 인간과 다른 동물을 구분 지을 수 있는 특성이자 인간의 본질을 이성이라고 파악했다. 그에 따르면 이성이 있는 인간은 세계와 분리되어 있음을 인지하고 불안과 고독을 느낀다. 이는 인간의 실존적 한계이다. 프롬은 인간은 세계와 합일을 이루고자 하며, 이러한 열망이 충족될 때 행복을 느낄 수 있다고 보았다. 그는 인간이 세계와 관계 맺는 방식을 소유적 실존양식과 존재적 실존양식으로 구분하고 어떤 실존양식을 따르는지에 의해 인간의 사고, 감정, 행동이 결정된다고 보았다.

먼저 ㉠소유적 실존양식은 자신을 소유물과 동일시함으로써 세계와 일체감을 느끼고자 하는 삶의 방식이다. 소유적 실존양식 아래에서 사람들은 소유를 통해 감각적 욕망을 충족시킬 수 있지만, 욕망이 충족된 후에도 소유에 대한 탐욕을 느낀다. 자신과 세계와의 합일이 자신이 소유한 것에 의해 결정된다고 보기 때문이다. 프롬에 따르면 이러한 탐욕은 소유물을 차지하기 위한 경쟁의 욕구와 타인의 소유물을 빼앗기 위한 폭력의 욕구, 자신의 소유물을 잃을 수도 있다는 불안감을 불러일으킬 수밖에 없다. 그렇기에 소유적 실존양식 아래에서 사람들은 더 많이 소유하는 것, 자신의 소유물을 지키며 타인의 소유물을 빼앗을 수 있는 권력을 차지하는 것에서 행복을 찾으려고 한다. 프롬은 생존을 위해 필요한 최소한의 소유를 부정하지는 않았지만 소유를 통해 행복의 원천을 발견하려는 집착적 욕망을 비판했다. 프롬이 보기에 이러한 욕망에는 포화점이 없다. 이미 소유한 것은 더 이상 충족감을 줄 수 없으며, 소유를 통해서는 인간의 근원적 불안과 외로움은 극복되지 않기 때문이다.

프롬은 이러한 소유적 실존양식이 아닌 ㉡존재적 실존양식으로 살아갈 것을 제안했다. 존재적 실존양식은 소유에서 벗어나 세계와 하나가 되는 삶의 방식이다. 프롬은 세계와 합일을 이루기 위해서는 이성적 능력을 생산적으로 사용해야 한다고 했는데, 이때 '생산적'이라는 것은 쓸모 있는 결과물을 만들어 내는 능력이 아니라 내면의 능동적인 상태를 의미한다. 예를 들어 프롬은 시를 읽고 의미를 깊이 있게 고민하는 사람의 내면에서는 능동적인 작용이 일어나고 있다고 보았다. 존재적 실존양식 아래에서 사람들은 자신이 세계와 긴밀하게 결합해 있다고 느끼므로 가진 것을 잃을 수 있다는 불안에 시달리지 않는다. 그래서 다른 존재에 대해 호의적이다. 이때 사람들은 타인을 사랑하고 자신이 가진 것을 나눔으로써 다른 존재의 성장을 도우려 하는데, 프롬은 이러한 삶의 모습을 궁극적 행복이라 보았다.

한편 프롬에 따르면 두 실존양식에서는 우리가 일상생활에서 사용하는 물건들과 지식·사상 등이 모두 그 대상으로 나타난다. 예를 들어 소유적 실존양식을 따르는 사람에게 학습은 권력 추구의 수단이 되지만 존재적 실존양식을 따르는 사람에게 학습은 내면의 새로운 사고를 촉발하는 과정이 된다고 보았다.

그렇다면 프롬은 현대 사회에서의 행복 문제를 어떻게 진단했을까? 프롬이 보기에 현대인은 물질적 풍요를 통한 감각적 욕망의 충족을 누리고 있지만, 고독과 불안에 시달리고 있다. 그에 따르면 이 같은 현대 사회의 병리적 현상이 일어나는 원인은 끝없는 소비를 조장하여 무한한 이윤을 추구하는 소유지향적인 사회이다. 프롬은 현대 사회의 병리적 현상과 같은 위기는 개인이 존재지향적 삶을 사는 것만으로는 극복하기 어려우며, 근본적 해결을 위해 사회적 변혁이 필요하다고 역설했다. 그는 사회의 구조와 규범에 따라 주된 실존양식이 무엇인지 결정된다고 보았기 때문이다.

이처럼 프롬은 무한 소비를 조장하는 현대 사회의 병리적 현상을 고찰하고 인간에 대한 신뢰를 바탕으로 해결책을 제시한 휴머니스트로 평가받는다.

7. 윗글을 통해 답을 찾을 수 없는 질문은?

① 프롬은 현대 사회의 병리적 현상의 원인을 무엇이라고 진단했는가?

② 프롬은 실존양식에 따라 학습의 의미가 어떻게 달라진다고 보았는가?

③ 프롬은 동물과 달리 인간이 이성을 가지는 이유를 무엇이라고 보았는가?

④ 프롬은 사회의 주된 실존양식을 결정짓는 요인을 무엇이라고 보았는가?

⑤ 프롬은 존재적 실존양식 아래에서 사람들이 타인에게 호의적인 이유를 무엇이라고 보았는가?

8. 다음은 A와 B가 나눈 대화의 일부이다. 윗글을 바탕으로 할 때, ㉮에 들어갈 내용으로 가장 적절한 것은?

> A : 내가 어제 책을 읽었는데, 행복을 위해서 아무것도 소유하지 않아야 한다고 하더라고. 그런데 현실적으로 생각하면 인간이 생존에 필수적인 의식주 없이 어떻게 살겠어? 또 난 얼마 전에 최신 휴대폰을 구매했는데 행복했어. 이처럼 소유를 통해 행복을 느낄 수도 있는 것 아닐까?
>
> B : 그 문제에 대해서 프롬은 [㉮]고 이야기를 했어.

① 소유물은 소유하고 있는 동안 충분한 만족감과 행복을 제공하므로 소유를 통한 행복이 필요하다

② 삶을 영위하기 위한 기본적인 소유는 불가피한 것이지만 소유를 통해 행복을 찾으려는 욕망은 완전히 채워질 수 없다

③ 소유를 통해 만족감을 얻거나 행복의 원천을 발견하려는 집착적 욕망을 극복할 수 없으므로 모든 소유의 방식을 부정해야 한다

④ 생존을 위한 소유는 필요하지만 소유물과 자신을 동일시하는 태도는 세계와의 대립을 유발하므로 행복에 대한 욕망을 버려야 한다

⑤ 소유를 통한 행복을 부정하지는 않지만 처음 소유했을 때의 만족감은 시간이 지나면 사라지기 때문에 최소한의 소유도 필요 없다

9. ㉠, ㉡에 대한 이해로 적절하지 않은 것은?

① ㉠에서 소유에 대한 탐욕은 경쟁심을 불러일으키는 요인이다.

② ㉠은 권력을 차지하는 것을 통해 소유의 충족감을 얻고자 하는 삶의 방식이다.

③ ㉡에서 유용한 결과물을 생산하는 것은 행복을 실현할 수 있는 조건이다.

④ ㉡은 상실에 대한 불안에서 벗어나 타인을 사랑하고 자신이 가진 것을 나눌 수 있는 삶의 방식이다.

⑤ ㉠과 ㉡은 모두 일상의 사물과 관념적 대상에 적용되는 삶의 방식이다.

10. 윗글과 <보기>를 비교한 내용으로 적절하지 않은 것은? [3점]

> ─ <보 기> ─
>
> 인간의 본질인 이성이 탁월하게 실현된 상태가 덕이며, 덕이 구현된 상태가 행복이다. 행복은 세 가지로 나눌 수 있다. 첫 번째는 감각적 욕망의 충족을 통해 누릴 수 있는 행복이다. 하지만 이것은 찰나이며 지나칠 경우 거부감을 줄 수 있다. 두 번째는 사회에 책임을 지는 시민으로서의 정치적 행복이다. 이때 인간의 덕은 공동체의 훈육을 통해 개발되므로 인간은 사회를 떠나서 행복할 수 없다. 마지막은 이성적 사고를 통해 세상의 질서를 깨닫는 철학자로서의 행복이며, 최고의 행복이다. 인간이 행복한 삶을 누리기 위해서는 이 세 가지 행복을 함께 구현해야 한다. 행복이란 한순간의 감정이 아니라 덕의 실현이 습관화됐을 때 도달할 수 있는 경지이므로 어떤 사람이 행복한 사람인지를 알기 위해서는 그 사람이 일생에 이룩한 인격적 성숙에 따라 평가해야 한다.

① 프롬과 <보기>는 모두 인간의 행복은 사회의 영향을 받는다고 보았군.

② 프롬과 <보기>는 모두 행복을 위해서 개인이 사회에 책임을 짐으로써 사회적 변혁을 이끌어야 한다고 보았군.

③ 프롬은 궁극적인 행복이 내면의 능동적인 작용을 통해, <보기>는 최고의 행복이 이성적 사고를 통해 가능하다고 보았군.

④ 한 인간이 행복한지 알기 위해서 프롬은 세계와 합일을 이루었는지를, <보기>는 인격적으로 성숙했는지를 살펴보아야 한다고 보았군.

⑤ 감각적 욕망의 충족을 프롬은 행복이 아니라고 보았으나, <보기>는 지나치지만 않으면 행복한 삶을 누리기 위한 조건이 된다고 보았군.

【11~15】 다음 글을 읽고 물음에 답하시오.

　㉠중화(中華)사상은 한족(漢族)이 자신들을 세계의 중심을 의미하는 중화로 생각하고, 주변국들이 자신들의 발달된 문화와 예법을 받아들여야 한다고 생각한 사상이다. 조선은 중화사상을 수용하여 한족 왕조인 명나라의 문화를 받아들이는 것을 당연시하였다. 17세기에 이민족이 ⓐ세운 청나라가 중국 땅을 차지하였지만, 조선은 청나라를 중화라고 생각하지 않고 명나라의 부활을 고대하였다. 당시 송시열은 '오랑캐는 중국을 차지할 수 없고 금수(禽獸)는 인류와 한 부류가 될 수 없다.'라고 하였는데, 이는 청나라를 공격하자는 북벌론과 청나라를 배척하자는 척화론으로 이어졌다.

　18세기에 청나라가 정치적 안정을 이루고 조선이 북벌을 통해 명나라를 회복하기 어렵게 되자, 조선의 유학자들 사이에서는 조선이 중화의 계승자라는 인식이 보편화되었다. 이때 청나라가 가진 발달된 문물을 도입하자는 북학파가 등장하였다. 그중 홍대용은 청나라의 발달된 문물은 오랑캐인 청나라가 만든 것이 아니라, 청나라가 중국 땅을 차지하며 가지게 된 한족의 문물로 보았다. 이런 생각은 청나라와 청나라의 문물을 구별한 것으로, 그가 저술한 「을병연행록」에서도 발견된다. 이를 통해 이때까지도 그는 조선이 중화의 계승자라는 인식과 중화사상에서 벗어나지 못했음을 알 수 있다. 하지만 청나라 여행을 계기로 그곳에서 만난 학자들과 교류를 이어 가며 선진 문물과 새로운 학문을 탐구한 결과, 사상적 전환을 이루었고 이를 바탕으로 「의산문답」을 저술하였다.

　홍대용의 사상적 전환을 잘 보여 주는 것은 「의산문답」에 실려 있는 ㉡지구설과 무한 우주설이다. 그는 하늘이 둥글고 땅이 모나다는 전통적인 천지관을 비판하고, 땅이 둥글다는 지구설을 주장하면서 그 근거로 일식과 월식을 이야기하였다. 일식과 월식이 둥글게 나타나는 것은 달과 우리가 사는 땅이 둥글기 때문이라는 것이다. 우리가 사는 땅은 둥글기 때문에 상하나 동서남북은 정해져 있지 않고, 개개인이 서 있는 곳이 각각 기준이 될 수 있다고 주장하였다. 또한 그는 하늘은 무한하여 형체를 알 수 없고 지구와 같은 땅이 몇 개가 되는지 알 수 없다는 무한 우주설을 주장하였다.

　지구설과 무한 우주설은 세상의 중심과 그 주변을 구별하는 중화사상과 다른 생각이다. 홍대용은 하늘에서 우리가 사는 세상을 본다면 이 땅이 무한한 우주에 비해 티끌만큼도 안 되며, 안과 밖을 구별하거나 중심과 주변을 나눌 수 없다고 보았다. 따라서 중국 안과 밖을 구별할 수 없고 중화와 오랑캐라는 구별도 상대적이라고 생각했다. 이에 따라 중화와 오랑캐로 여겨졌던 국가가 모두 동등하며, 사람들이 각자 제 나라와 제 문화를 기준으로 살아가는 것이 당연하다고 생각하였다. 이러한 그의 생각은 모든 사람들이 중심이 될 수 있고 존재 가치가 있다는 생각으로 이어졌고, 이를 바탕으로 그는 당시 유교적 명분을 내세우며 특권을 누리려 했던 양반들을 비판하였다. 또한 재주와 학식이 있는 자는 신분이 낮은 농부의 자식이라도 높은 관직에 오를 수 있어야 한다고 주장하였다.

　어떤 국가와 문화, 사람도 각자 중심이 될 수 있고 존재 가치가 있다고 생각한 홍대용의 사상은 평등주의와 다원주의를 우리 역사에서 선구적으로 보여 주었다는 점에서 의의가 있다.

11. 다음은 학생이 윗글을 읽는 중 작성한 독서 활동지이다. 학생의 활동 내용 중 적절하지 <u>않은</u> 것은?

◈ 2문단까지 읽고 내용을 정리한 후, 이어질 내용을 예측하고 확인하며 읽어 보자.

읽은 내용 정리
○ 청나라가 중국 땅을 차지한 후 조선에서는 북벌론과 척화론이 나타남. ·· ①
○ 청나라가 정치적 안정을 이루고 북벌이 힘들어지자 조선의 유학자들은 조선이 중화의 계승자라고 생각함. ················· ②
○ 청의 문물을 배우자는 북학파가 등장하였고, 그중 홍대용은 선진 문물과 새로운 학문을 탐구하여 사상을 전환하고 「의산문답」을 저술함.

이어질 내용 예측	확인 결과
○ 홍대용이 선진 문물과 새로운 학문을 탐구하여 깨달은 점이 언급될 것이다.	하늘이 둥글다는 것을 깨달음. ········ ③
○ 「의산문답」의 내용이 언급될 것이다.	지구설과 무한 우주설을 설명함. ····· ④
○ 홍대용이 아닌 다른 북학파 학자들의 사상이 언급될 것이다.	언급되지 않음.··· ⑤

12. <보기>의 대화를 윗글과 관련지어 이해한 것으로 적절하지 <u>않은</u> 것은?

― <보 기> ―

갑 : 천지 사이의 생물 가운데 오직 사람만이 귀합니다. 동물과 초목은 지혜가 없고 깨달음도 없으며, 오륜도 모릅니다. 그러므로 사람은 동물보다 귀하고, 초목은 동물보다 천합니다.

을 : 오륜은 사람의 예의입니다. 무리 지어 다니고 소리를 내어 새끼들을 불러 먹이는 것은 동물의 예의입니다. 그리고 떨기로 나서 무성해지는 것은 초목의 예의입니다. 사람의 관점을 기준으로 하면 사람이 귀하고 사물이 천하지만, 사물의 관점을 기준으로 하면 사물이 귀하고 사람이 천한 것입니다. 하늘에서 보면 사람과 사물은 똑같습니다.

① 갑은 귀한 대상과 천한 대상을 나누어 생각한다는 점에서 송시열과 공통점이 있다.

② 갑이 동물보다 사람을 높게 평가한 것은 신분이 낮은 농부의 자식이라도 높은 관직에 오를 수 있어야 한다는 생각으로 이어질 수 있다.

③ 을이 동물과 초목이 각자의 예의가 있다고 한 것은 세상 사람들이 자기 나라와 자기 문화를 기준으로 살아가는 것이 당연하다는 생각과 연결될 수 있다.

④ 을이 사물의 관점을 기준으로 하면 사물이 귀하다고 한 것은 모든 사람이 존재 가치가 있다는 생각과 연결될 수 있다.

⑤ 을이 하늘에서 보면 사람과 사물이 똑같다고 한 것은 우리가 사는 이 땅에서 중심과 주변을 나눌 수 없다는 홍대용의 생각과 일맥상통한다.

13. ⊙과 ⓒ을 이해한 것으로 가장 적절한 것은?

① ⊙은 ⓒ을 통해 조선의 중심 사상으로 자리 잡았다.
② ⊙과 ⓒ은 청을 오랑캐라 여기는 생각의 근거가 되었다.
③ ⊙은 북벌론의 바탕이 되었고, ⓒ은 척화론의 바탕이 되었다.
④ ⓒ은 홍대용이 ⊙에서 벗어났음을 보여 주는 학설이다.
⑤ ⓒ은 조선의 유학자들이 가지고 있던 ⊙을 홍대용이 발전시킨 것이다.

14. <보기>는 심화 학습을 위해 조사한 자료이다. (가), (나)에 대해 보인 반응으로 적절하지 <u>않은</u> 것은? [3점]

─── <보 기> ───

(가)
　중국 의관이 변한 지 이미 100년이 넘은지라 지금 천하에 오직 우리 조선만이 오히려 명나라의 제도를 지키거늘, 청나라에 들어오니 무식한 부류들이 우리를 보고 웃지 않는 사람이 없으니 어찌 가련치 않겠는가? (중략) 슬프다! 번화한 문물을 오랑캐에게 맡기고 백 년이 넘도록 회복할 방법이 없구나.
　　　　　　　　　　　　　　　－ 홍대용, 「을병연행록」 －

(나)
　피와 살이 있으면 다 똑같은 사람이고, 강토를 지키고 있으면 다 동등한 국가이다. 공자는 주나라 사람이므로 그가 쓴 『춘추』에서 주나라 안과 밖을 구분한 것은 당연하다. 그가 바다를 건너 주나라 밖에 살았더라면 주나라 밖에서 도를 일으켰을 것이고, 그곳을 기준으로 생각하는 『춘추』가 나왔을 것이다.
　　　　　　　　　　　　　　　－ 홍대용, 「의산문답」 －

① (가): 청나라를 오랑캐라고 말하고 있는 것에서, 홍대용이 중화사상을 가진 적이 있었다는 것을 확인할 수 있군.
② (가): 조선만이 명나라의 제도를 지킨다는 것에서, 홍대용이 조선을 중화의 계승자라고 생각했음을 알 수 있군.
③ (가): 번화한 문물을 오랑캐에게 맡겼다고 한 것에서, 홍대용이 청나라와 청나라가 가지고 있는 문물을 구별하려 했음을 확인할 수 있군.
④ (나): 『춘추』에서 주나라 안과 밖을 구분한 것이 당연하다는 것에서, 중국 안과 밖을 구별하려는 홍대용의 생각이 드러나는군.
⑤ (나): 공자가 주나라 밖에 살았다면 그곳에서 도를 일으켰을 것이라는 부분에서, 중화와 오랑캐의 구별이 상대적이라는 홍대용의 생각이 드러나는군.

15. 문맥상 ⓐ와 의미가 가장 유사한 것은?

① 그는 새로운 회사를 <u>세웠다</u>.
② 국가의 기강을 바로 <u>세워야</u> 한다.
③ 집을 지을 구체적인 방안을 <u>세웠다</u>.
④ 두 귀를 쫑긋 <u>세우고</u> 말소리를 들었다.
⑤ 도끼날을 잘 <u>세워야</u> 나무를 쉽게 벨 수 있다.

I

총 문항					문항	맞은 문항				문항
개별 문항	1	2	3	4	5	6	7	8	9	10
채점										
개별 문항	11	12	13	14	15	16	17	18	19	20
채점										

11분 | 2022학년도 3월 학평 21~25번 | ★★★ | 정답 005쪽

【1~5】 다음 글을 읽고 물음에 답하시오.

(가)

플라톤은 초월 세계인 이데아계와 감각 세계인 현상계를 구분했다. 영원불변의 이데아계는 현상계에 나타난 모든 사물의 근본이 되는 보편자, 즉 형상(form)이 존재하는 곳으로 이성으로만 인식될 수 있는 관념의 세계이다. 반면 현상계는 이데아계의 형상을 바탕으로 만들어진 세계로 끊임없이 변화하는 사물이 감각에 의해 지각된다. 플라톤에 따르면 ㉠현상계의 모든 사물은 형상을 본뜬 그림자에 불과하다.

이러한 관점에서 플라톤은 예술을 감각 가능한 현상의 모방이라고 보았다. 예를 들어 목수는 이성을 통해 침대의 형상을 인식하고 그것을 모방하여 침대를 만든다. 그리고 화가는 감각을 통해 이 침대를 보고 그림을 그린다. 결국 침대 그림은 보편자에서 두 단계 떨어져 있는 열등한 것이며, 형상에 대한 참된 인식을 방해하는 허구의 허구에 불과하다. 이데아계의 형상을 모방하여 생겨난 것이 현상인데, 예술은 현상을 다시 모방한 것이기 때문이다.

플라톤은 시가 회화와 다르다고 보았다. 고대 그리스에서 음유시인은 허구의 허구인 서사시나 비극을 창작하고, 이를 작품 속 등장인물의 성격에 어울리는 말투, 몸짓 같은 감각 가능한 현상으로 연기함으로써 다시 허구를 만들어 냈다. 이 과정에서 음유시인의 연기는 인물의 성격을 드러내는데, 이는 감각 가능한 외적 특성을 모방해 감각으로 파악될 수 없는 내적 특성을 드러내는 것이다.

플라톤은 음유시인이 용기나 절제 같은 덕성을 갖춘 인간이 아닌 저급한 인간의 면모를 모방할 수밖에 없다고 주장했다. 가령 화를 잘 내는 인물은 목소리가 거칠어지고 안색이 붉어지는 등 다양한 감각 가능한 현상들을 모방함으로써 쉽게 표현할 수 있지만, 용기나 절제력이 있는 인물에 수반되는 감각 가능한 현상은 표현하기 어렵기 때문이다. 따라서 플라톤은 음유시인의 연기를 보는 관객들이 이성이 아닌 감정이나 욕구와 같은 비이성적인 것들에 지배되어 타락하게 된다고 보았다.

(나)

아리스토텔레스는 이데아계가 존재한다고 보지 않았다. 예컨대 사람은 나이가 들며 늙는데, 만약 이데아계의 변하지 않는 어린아이의 형상과 성인의 형상을 바탕으로 각각 현상계의 어린아이와 성인이 생겨났다면, 현상계에서 어린아이가 성인으로 성장하는 것을 설명할 수 없기 때문이다.

아리스토텔레스는 형상 이 항상 사물의 생성과 변화의 바탕이 되는 질료 에 내재한다고 보고, 이를 가능태와 현실태라는 개념을 통해 설명하였다. 가능태란 형상을 실현시킬 수 있는 가능적 힘이자 질료를 의미하며, 현실태란 가능태에 형상이 실현된 어떤 상태이다. 가령 도토리는 떡갈나무가 되기 위한 가능태라면, 도토리가 떡갈나무가 된 상태가 현실태이다. 이처럼 생성·변화하는 모든 것은 목적을 향해 움직이므로 가능태에 있는 것은 형상이 완전히 실현된 상태인 '완전 현실태'를 향해 나아가는데, 이 이행 과정이 운동이다. 즉 운동의 원인은 외부가 아닌 가능태 자체에 내재한다.

아리스토텔레스에게 있어 예술의 목적은 개개의 사물에 내재하고 있는 보편자, 즉 형상을 표현해 내는 것이다. 이런 점에서 그는 시가 역사보다 우월하다고 주장했다. 역사는 개별적 사건들의 기록일 뿐이지만 시는 개별적 사건에 깃들어 있는 보편자를 표현한 것이기 때문이다.

아리스토텔레스는 인간이 예술을 통해 쾌감을 느낄 수 있다고 보았다. 특히 비극시는 파멸하는 주인공을 통해 인간의 근본적 한계를 다루기 때문에, 시를 창작하면 인간 존재의 본질을 인식하는 앎의 쾌감을 느낄 수 있다고 하였다. 비극시 속 이야기는 음유시인이 경험 세계의 개별자들 속에서 보편자를 인식해 내어, 그것을 다시 허구의 개별자로 표현한 결과물인 것이다. 또한 관객은 음유시인의 연기를 통해 앎의 쾌감을 느낄 수 있을 뿐 아니라 그와 다른 종류의 쾌감도 경험할 수 있다. 관객은 고통을 받는 인물의 이야기를 통해 그에 대한 연민과 함께, 자신도 유사한 고통을 겪을 수 있다는 공포를 느낀다. 이러한 과정에서 감정이 고조됐다가 해소되면서 얻게 되는 쾌감, 즉 카타르시스를 경험한다.

1. (가)와 (나)에 대한 설명으로 가장 적절한 것은?

① (가)와 (나)는 모두 특정 사상가의 예술을 바라보는 관점이 변화하게 된 이유를 설명하고 있다.

② (가)와 (나)는 모두 특정 사상가가 예술을 평가하는 데 바탕이 된 철학적 관점을 설명하고 있다.

③ (가)와 달리 (나)는 특정 사상가가 생각하는 예술의 불완전성을 설명하고 있다.

④ (나)와 달리 (가)는 특정 사상가의 예술관에 내재한 장점과 단점을 제시하고 있다.

⑤ (가)는 특정 사상가의 예술관이 보이는 한계를, (나)는 특정 사상가의 예술관이 주는 의의를 제시하고 있다.

2. (가)의 '플라톤'의 사상을 이해한 내용으로 적절하지 <u>않은</u> 것은?

① 예술은 형상에 대한 참된 인식을 방해한다.

② 형상은 감각이 아닌 이성을 통해서만 인식할 수 있다.

③ 현상계의 사물을 모방한 예술은 형상보다 열등한 것이다.

④ 예술의 표현 대상은 사물이 아니라 사물 안에 존재하는 형상이다.

⑤ 이데아계는 현상계에 나타난 모든 사물의 형상이 존재하는 곳이다.

3. (나)의 '아리스토텔레스'의 관점에서 형상 과 질료 에 대해 이해한 내용으로 적절하지 <u>않은</u> 것은?

① 형상은 질료와 분리되어 존재할 수 없다.
② 질료는 형상을 실현시킬 수 있는 가능적 힘이다.
③ 형상이 질료에 실현되는 원인은 가능태 자체에 내재한다.
④ 형상과 질료 사이의 관계는 현실태와 가능태 사이의 관계와 같다.
⑤ 생성·변화하는 것은 형상이 질료에 완전히 실현된 상태인 완전 현실태를 향한다.

4. (가)와 (나)를 참고할 때, '아리스토텔레스'의 입장에서 ㉠을 비판한 것으로 가장 적절한 것은?

① 현상계의 사물이 형상을 본뜬 것이라면 현상계의 사물이 생성·변화하는 이유를 설명할 수 없다.
② 형상이 변하지 않는 것이라면 현상계에 존재하는 사물들이 모두 제각기 다른 이유를 설명할 수 없다.
③ 형상과 현상계의 사물이 서로 독립적이라면 현상계에서 사물이 시시각각 변화하는 현상을 설명할 수 없다.
④ 형상이 현상계를 초월하여 존재하는 것이라면 형상을 포함하지 않는 사물을 감각으로 느끼는 것은 불가능하다.
⑤ 현상계의 모든 사물이 형상의 그림자에 불과하다면 그림자만 볼 수 있는 인간이 형상을 인식하는 것은 불가능하다.

5. (가)의 '플라톤'과 (나)의 '아리스토텔레스'가 <보기>에 대해 보일 반응으로 적절하지 <u>않은</u> 것은? [3점]

— < 보 기 > —

고대 그리스의 비극시 『오이디푸스 왕』의 주인공 오이디푸스는 자신에게 주어진 숙명에 의해 파멸당하는 인물이다. 비극시를 공연하는 음유시인은 목소리, 몸짓으로 작품 속 오이디푸스를 관객 앞에서 연기한다. 음유시인의 연기에 몰입한 관객은 덕성을 갖춘 주인공이 특별한 잘못이 없는데도 불행해지는 모습을 보고 연민과 공포를 느낀다.

① 플라톤 : 오이디푸스는 덕성을 갖춘 현상 속 인물을 본떠 만든 허구의 허구이며, 그에 대한 음유시인의 연기는 이를 다시 본뜬 허구이다.
② 플라톤 : 음유시인은 오이디푸스의 덕성을 연기하는 데 주력하겠지만, 관객은 이를 감각으로 파악할 수 없기 때문에 감정과 욕구에 지배되어 타락하게 된다.
③ 플라톤 : 음유시인의 목소리와 몸짓을 통해 오이디푸스의 성격이 드러난다면, 감각 가능한 외적 특성을 모방하는 과정에서 감각되지 않는 내적 특성이 표현된 것이다.
④ 아리스토텔레스 : 음유시인이 현상 속 인간의 개별적 모습들에서 보편자를 인식해 내어, 이를 다시 오이디푸스라는 허구의 개별자로 표현한 것이다.
⑤ 아리스토텔레스 : 오이디푸스가 숙명에 의해 파멸당하는 것을 본 관객들은 인간 존재의 본질을 이해하는 쾌감을 느낄 뿐 아니라 카타르시스를 경험할 수 있다.

 10분 | 2021학년도 11월 학평 37~41번 | ★★☆ | 정답 006쪽

【6~10】 다음 글을 읽고 물음에 답하시오.

(가)

사랑의 본질에 대한 토마스 아퀴나스의 설명은 인간의 사랑인 아모르에 대한 분석에 기초한다. 그는 인간이 선을 추구하려는 욕구를 지닌 존재인데, ㉠욕구를 추구하는 인간 행위의 원천이 바로 사랑이라 말한다. 이때 선이란 자신에게 좋은 것으로 자신의 본성에 적합하거나 자신에게 기쁨을 주는 것을 뜻한다.

아퀴나스에 ⓐ따르면 인간의 욕구는 감각적 욕구와 지적 욕구로 구별되는데, 이는 선을 추구한다는 점에서는 동일하지만 크게 두 가지 차이점이 있다. 첫째, 감각적 욕구에 의한 추구 행위는 대상에 의해 촉발되어 이에 수동적으로 반응하는 것이다. 반면 지적 욕구에 의한 추구 행위는 지성의 능동적인 활동과 주체의 선택에 의해 일어나는 보다 적극적인 것이다. 둘째, 감각적 욕구는 감각적 인식능력에 의해 선으로 인식된 것을 추구하는 반면, 지적 욕구는 지성에 의해 선으로 이해된 것을 추구한다. 왜냐하면 감각적 인식능력은 대상의 선악 판단에 개입할 수 없지만, 지성은 대상이 무엇이든 이해한 바에 따라 선악 판단을 다르게 할 수 있기 때문이다. 예를 들어 단맛이 나에게 기쁨을 준다면 감각적 욕구는 사탕을 추구하겠지만, 지적 욕구는 사탕이 충치를 유발할 수도 있으므로 선이 아니라고 판단한다면 추구하지 않을 수도 있다.

아퀴나스는 감각적 욕구와 지적 욕구가 있는 곳에는 항상 사랑이 있다고 말하며, 사랑이 선을 향한 감각적 욕구와 지적 욕구에 의한 추구 행위를 일으키는 힘이라고 설명한다. 특히, 아퀴나스는 감각적 욕구에 의한 추구 행위를 '정념'이라고 칭하며, 사랑을 전제하지 않는 정념은 없으며 선을 향한 사랑에서부터 여러 정념이 비롯된다고 하였다. 만약 여러 대상에 대한 감각적 욕구들이 동시에 일어난다면 어떻게 될까? 인간은 가장 먼저 추구할 감각적 욕구를 지성에 의해 판단하고 선택한다. 다른 것보다 더 선이라고 이해된 것을 우선 추구하기 때문이다. 결국 아퀴나스가 말하는 인간의 사랑은 선에 대한 자신의 이해에 입각하기 때문에 자신에게 선인 것에 대한 사랑을 근본으로 한다.

(나)

칸트는 감성적 차원의 사랑과 실천적 차원의 사랑이 다르다고 설명한다. 감성적 차원의 사랑은 남녀 간의 사랑같이 인간의 경향성에 근거한 사랑이며, 실천적 차원의 사랑은 의무로서의 사랑이라 할 수 있다. 칸트는 감성적 차원의 사랑보다는 실천적 차원의 사랑에 더 주목하고 가치를 부여한다.

칸트에 따르면 인간은 도덕법칙을 실천하려고 하는 선의지를 지닌 존재이다. 여기서 선의지란 선을 지향하는 의지로 그 자체만으로 조건 없이 선한 것이다. 그는 인간이 도덕적 존재가 될 수 있는 것은 이성이 인간에게 도덕법칙을 의무로 부여하기 때문이라고 말한다. 칸트에게 의무란 도덕법칙에 대한 존경심 때문에 어떤 행위를 필연적으로 해야만 하는 것이다. 이때 보편적으로 적용할 수 있는 도덕법칙은 '너는 무엇을 해야 한다'라는 명령의 형식으로 나타나며, 칸트는 선의지에 따라 의무로부터 비롯된 행위를 실천하는 것만이 도덕적 가치가 있다고 보았다.

칸트의 관점에서 감성적 차원의 사랑은 욕구나 자연적 경향성에 이끌리는 감정이기 때문에, 의무로 강제하거나 명령을 통해 일으킬 수 있는 것이 아니다. 그는 어떤 경향성과도 무관하거나 심지어 경향성을 거스르지만, 도덕법칙을 ⓑ따르려는 의무로서의 사랑을 실천하는 것만이 참된 도덕적 가치를 지닌다

고 보았다. 그리고 실천적 차원의 사랑만이 보편적인 도덕법칙으로 명령될 수 있으며, 인간에 대한 실천적 차원의 사랑은 모든 인간이 갖는 서로에 대한 의무라고 말한다.

6. (가)와 (나)의 공통점으로 가장 적절한 것은?
① (가)와 (나)는 모두 문제점에 대한 해결 방안을 모색하고 있다.
② (가)와 (나)는 모두 용어의 개념을 정의하며 내용을 전개하고 있다.
③ (가)와 (나)는 모두 두 가지 이론의 장단점을 비교하며 설명하고 있다.
④ (가)와 (나)는 모두 두 가지 관점을 절충하며 하나의 결론을 도출하고 있다.
⑤ (가)와 (나)는 모두 특정 학자의 견해가 지닌 논리적 오류를 지적하고 있다.

7. ㉠에 대한 설명으로 적절하지 <u>않은</u> 것은?
① 선을 추구한다.
② 인간이 지니고 있는 것이다.
③ 감각적 욕구와 지적 욕구로 구별된다.
④ 감각적 욕구들은 동시에 일어날 수 없다.
⑤ 감각적 욕구에 의한 추구 행위는 정념이라 부른다.

8. (가)와 (나)를 읽은 학생이 <보기>에 대해 보인 반응으로 적절하지 <u>않은</u> 것은? [3점]

〈 보 기 〉

갑은 잠에서 깨어나 방안 가득한 카레 냄새를 맡고 카레가 먹고 싶어져 식탁으로 갔다. 그런데 오늘 예정된 봉사활동에 늦지 않기 위해 카레를 먹지 않기로 하고 봉사활동을 하러 갔다. 봉사활동을 마치고 집에 가는 길에 카페에 들렀더니 진열장에 시원한 생수와 맛있는 케이크가 있었다. 그것들을 보니 목도 마르고 배도 고팠지만 생수를 먼저 주문해 마신 후, 케이크를 주문해 먹었다. 그러다 갑은 카페에 들어오는 이성인 을의 미소를 보고 첫눈에 반했다. 평소 갑은 부끄러움이 많았지만 용기를 내어 을에게 다가갔다.

① 아퀴나스에 따르면, 갑이 카레가 먹고 싶어진 것은 카레 냄새에 의해 촉발된 감각적 욕구에 의한 추구 행위이겠군.
② 아퀴나스에 따르면, 갑이 카레를 먹지 않은 것은 지성이 카레를 먹는 것을 선이 아니라고 판단했기 때문이겠군.
③ 아퀴나스에 따르면, 갑이 생수와 케이크 중 생수를 먼저 주문해 마신 것은 갈증을 해결하는 것이 더 선이라고 이해했기 때문이겠군.
④ 칸트에 따르면, 갑이 을의 미소에 첫눈에 반한 것은 자연적 경향성에 이끌린 것이겠군.
⑤ 칸트에 따르면, 갑이 을에게 다가간 것은 감성적 차원의 사랑에서 실천적 차원의 사랑으로 나아간 것이겠군.

9. (가)와 (나)에 대해 이해한 내용으로 적절하지 <u>않은</u> 것은?
① (가)의 아퀴나스는 인간이 선악을 판단할 수 있다고 보았고, (나)의 칸트는 인간에게 그 자체로 선한 선의지가 내재되어 있다고 보았다.
② (가)의 아퀴나스는 모든 정념이 사랑을 전제한다고 보았고, (나)의 칸트는 감성적 차원의 사랑은 명령을 통해 일으킬 수 없다고 보았다.
③ (가)의 아퀴나스는 사랑을 통해 기쁨을 얻을 수 있다고 보았고, (나)의 칸트는 사랑이 인간에게 도덕법칙을 의무로 부여한다고 보았다.
④ (가)의 아퀴나스는 사랑을 욕구와의 관계에 따라 설명하였고, (나)의 칸트는 사랑을 감성적 차원과 실천적 차원으로 구분하여 설명하였다.
⑤ (가)의 아퀴나스는 인간의 사랑이 자신에게 선인 것에 대한 사랑을 근본으로 한다고 보았고, (나)의 칸트는 보편적으로 적용할 수 있는 도덕법칙이 있다고 보았다.

10. 다음 중 ⓐ와 ⓑ의 의미로 쓰인 예가 바르게 짝지어진 것은?
① ⓐ: 경찰이 범인의 뒤를 <u>따랐다</u>.
  ⓑ: 춤으로는 그를 <u>따를</u> 자가 없다.
② ⓐ: 그는 법에 <u>따라</u> 일을 처리했다.
  ⓑ: 우리는 의회의 결정을 <u>따르겠다</u>.
③ ⓐ: 개발에 <u>따른</u> 공해 문제가 심각하다.
  ⓑ: 우리 집 개는 아버지를 유난히 <u>따른다</u>.
④ ⓐ: 아무도 그의 솜씨를 <u>따를</u> 수 없었다.
  ⓑ: 그는 유행을 <u>따라서</u> 옷을 입었다.
⑤ ⓐ: 사용 목적에 <u>따라서</u> 물건을 분류했다.
  ⓑ: 나는 강을 <u>따라</u> 천천히 내려갔다.

【11~14】 다음 글을 읽고 물음에 답하시오.

북아메리카 원주민들에게는 독특한 방식으로 선물을 ⓐ주는 '포틀래치(potlatch)'라는 관습이 있다. 행사를 연 마을의 수장은 자신이 쌓아온 재물을 초대받은 다른 마을의 수장들에게 무료로 나누어 주기도 하고, 심지어 그것을 파괴하기도 한다. 손님들은 선물을 받고 자기 마을로 돌아와 '복수'를 맹세하는데, '복수'의 방법이란 그동안 선물을 준 사람들에게 답례 포틀래치를 열어 자기가 받은 것보다 더 많은 선물을 제공하는 것이다.

초기 인류학자들은 이러한 포틀래치라는 관습을 자신의 재산을 대가 없이 자발적으로 주는 일반적인 증여로 파악하고, 위신을 얻기 위해 재산을 탕진하는 비합리적인 생활양식으로 이해하였다. 하지만 모스와 레비스트로스 같은 후대 인류학자들은 포틀래치를 호혜적 교환 행위로 바라보았다. 호혜적 교환이란 일반적인 경제적 교역, 즉 사물의 가격을 측정하여 같은 값으로 교환하는 행위와는 달리, 돌려받을 대가나 시기를 분명하게 정하지 않고 사물을 교환하는 방식을 말한다. 모스는 포틀래치가 자발성을 띤 증여로 보이지만 실제적으로는 교환의 성격을 지닌다고 보았다. 왜냐하면 선물을 받은 사람은 의무적으로 답례를 해야 할 뿐만 아니라 더 많은 선물을 돌려주어야 하기 때문이다. 모스는 이러한 포틀래치가 집단 간의 유대 관계를 형성하는 역할을 한다고 보았다.

레비스트로스는 여기에서 더 나아가 포틀래치에 나타나는 호혜적 교환을 사회가 성립되는 원리로 제시하였다. 폐쇄적인 집단은 환경의 변화나 주변의 침략에 쉽게 무너질 수 있으므로, 인간은 생존하기 위해서 교환을 하며 다른 집단과 사회적 유대를 맺어야 한다는 것이다. 이때 포틀래치와 같이 상대방에게 선물을 주는 행위가 상대방에게 부채감을 ⓑ주고, 이 부채감이 다시 선물을 주는 행위로 이어지게 만들어 결국 교환이 이루어지도록 한다는 것이다. 한편 다른 집단과 동맹을 맺는 가장 좋은 방법은 그 집단과 결혼을 하는 것이므로, 레비스트로스는 교환을 위해 ㉠'친족 간의 결혼 금지'가 만들어졌다고 말한다. 그는 친족 간의 결혼 금지로 인해 우리 부족의 사람이 다른 부족으로 넘어가고, 새로운 사람이 우리 부족에 들어오는 호혜적 관계가 형성되었으며, 이를 통해 부족 간의 호혜적 교환이 가능해져 사회적 공동체가 형성되었다고 주장한다. 또한 그는 친족 간의 결혼 금지라는 규칙을 바탕으로 공동체에 필요한 다른 규칙들이 형성됨으로써 인간이 자연 상태에서 문명 상태로 접어들게 되었다고 말한다.

이처럼 레비스트로스는 포틀래치를 교환의 구조나 사회 규칙이라는 체계의 틀에서 이해하고자 하였다. 그의 견해에 따르면 인류의 보편적인 현상인 친족 간의 결혼 금지와 같은 결혼 제도도 인간의 본성이 아닌 사회적 유대 관계를 형성하는 구조 속에서 만들어진 결과이다. 이렇게 인간을 비롯한 대상의 의미나 본질을 하나의 개체로서가 아니라 전체 안에서 다른 것들과 맺은 관계 때문에 결정된다는 관점을 '구조주의'라고 한다. 이 관점에 따르면 인간은 결단의 주체가 아니며 인간의 특성과 정체성은 인간 스스로 결정하는 것이 아닌 그가 속한 사회 구조에 의해 결정된다.

구조주의 인류학자 레비스트로스는 인간은 어떤 고립된 개인으로 이해되어서는 안 된다고 말한다. 사회 구조가 인간을 만들기 때문에, 인간을 이해하려면 인간의 구체적인 행동보다는 그 인간이 속한 사회 구조를 살펴야 한다는 것이다. 그의 관점에 따르면 소유를 중시하고 치열한 경쟁을 하며 살아가는 현대인의 모습 역시 현대 사회의 구조 아래에서 형성된 특성에 불과하다. 그런 점에서 그의 연구는 현대 사회의 구조 변화가 현대인들의 삶의 변화로 이어질 수 있다는 가능성을 보여 주었다는 평가를 받고 있다.

11. 윗글을 통해 알 수 있는 내용으로 적절하지 <u>않은</u> 것은?
① 후대 인류학자들은 포틀래치가 유대 관계를 형성하는 역할을 한다고 보았다.
② 초기 인류학자들은 포틀래치를 위신을 얻기 위해 재산을 탕진하는 비합리적인 행위로 보았다.
③ 일반적인 증여는 자신의 재산을 상대방에게 대가 없이 자발적으로 제공하는 행위에 해당한다.
④ 일반적인 경제적 교역은 사물의 가치를 따져 같은 값으로 교환한다는 점에서 포틀래치와 차이가 있다.
⑤ 후대 인류학자들은 포틀래치를 선물을 받은 사람이 답례의 시행 여부를 선택할 수 있는 호혜적 행위라고 보았다.

12. ㉠에 대한 '레비스트로스'의 견해로 가장 적절한 것은?
① 다른 부족과의 결혼을 유도하여 부족 간의 동맹을 약화시키는 규칙이다.
② 인류의 보편적인 현상이 아닌 인간의 본성에 의해 개별적으로 형성된 규칙이다.
③ 사람을 받아들인 부족은 부채감을 덜게 하고, 보낸 부족은 부채감을 갖게 하는 규칙이다.
④ 인간이 자연 상태를 벗어나 문명 상태로 발전한 상황에서 사회적 구조에 의해 성립된 규칙이다.
⑤ 다른 집단과 동맹을 맺기 위한 목적으로 활용되어 호혜적 교환이 일어날 수 있게 하는 규칙이다.

13. 윗글의 '구조주의'와 <보기>의 사상을 비교한 내용으로 적절하지 <u>않은</u> 것은? [3점]

<보기>

'전통철학'에서는 인간이 선천적인 원리에 의해 미리 규정된 '특성'과 '본질'을 갖는다고 보았다. 그리고 인간은 그 특성과 본질을 이 세계에서 충실하게 실현해야 한다는 것이다. 하지만 '실존주의'에서는 인간은 결단의 주체이며 자신의 특성과 정체성을 스스로 결정할 자유로운 의식과 권리가 있고, 스스로 자신의 결정에 책임을 질 필요가 있다고 보았다. 따라서 실존주의에서는 인간을 하나의 현상이자 개별적인 존재로 보고 인간의 구체적인 행동에 관심을 두었다.

---

① 구조주의와 실존주의에서는 모두 인간을 자신의 결정에 책임을 지는 결단의 주체로 보는군.

② 구조주의에서는 실존주의와 달리 인간은 자신의 정체성을 스스로 결정하지 않는다고 보는군.

③ 실존주의에서는 구조주의와 달리 인간을 이해하기 위해서는 인간의 구체적인 행동에 주목해야 한다고 보는군.

④ 전통철학에서는 구조주의와 달리 인간에게는 충실하게 실현해야 할 본질이 미리 규정되어 있다고 보는군.

⑤ 구조주의에서는 전통철학과 달리 인간의 특성은 집단 안에서 다른 것들과 맺는 관계에 따라 결정된다고 보는군.

14. ⓐ, ⓑ의 의미로 쓰인 예가 바르게 짝지어진 것은?

① ⌈ ⓐ : 그는 아이에게 용돈을 <u>주었다</u>.
 └ ⓑ : 지나친 기대는 학생에게 부담을 <u>준다</u>.

② ⌈ ⓐ : 선생님께서 학생에게 책을 <u>주셨다</u>.
 └ ⓑ : 그는 개에게 먹이를 <u>주고</u> 집을 나섰다.

③ ⌈ ⓐ : 오늘부터 너에게 3일의 시간을 <u>주겠다</u>.
 └ ⓑ : 나는 너에게 중요한 임무를 <u>주겠다</u>.

④ ⌈ ⓐ : 여행은 우리에게 기쁨을 <u>주는</u> 일이다.
 └ ⓑ : 손에 힘을 더 <u>주고</u> 손잡이를 돌려야 한다.

⑤ ⌈ ⓐ : 그 사람은 모두에게 정을 <u>주는</u> 사람이다.
 └ ⓑ : 어머니는 우리에게 조건 없이 사랑을 <u>주는</u> 분이다.

총 문항					문항	맞은 문항				문항
개별 문항	1	2	3	4	5	6	7	8	9	10
채점										
개별 문항	11	12	13	14	15	16	17	18	19	20
채점										

10분   2021학년도 6월 학평 21~25번   ★☆☆   정답 008쪽

【1~5】 다음 글을 읽고 물음에 답하시오.

정약용은 조선 후기의 실학자로, 인간의 본성에 대한 탐구를 통해 인간의 선한 행위를 설명하고자 하였다. 그는 이전까지 절대적 권위를 가지고 있던 주희(朱熹)의 주자학을 비판하며 인간의 본성에 대한 자신의 이론을 정립했다는 점에서 주희와는 다른 관점을 보여 주었다.

주희는 인간의 본성을 '본연지성(本然之性)'과 '기질지성(氣質之性)'으로 설명하였다. '본연지성'은 인간이 하늘로부터 부여받은 순수하고 선한 본성이고, '기질지성'은 본연지성에 사람마다 다른 기질이 더해진 것으로 사람에 따라 다양하게 나타난다. 그래서 주희는 인간의 기질이 맑으면 선한 행위를 하고 탁하면 악한 행위를 할 수 있다고 보았다. 그러나 정약용은 선한 행위와 악한 행위의 원인을 기질이라는 선천적 요인으로 본다면 행위에 인간의 의지가 개입되지 않으므로 악한 행위를 한 사람에게 윤리적 책임을 물을 수 없다고 주희의 관점을 비판하였다.

정약용은 인간의 본성을 '기호(嗜好)'라고 보았다. 기호란 즐기고 좋아한다는 뜻으로, 생명이 있는 모든 존재는 각각의 기호를 본성으로 갖는다고 보았다. 꿩은 산을 좋아하는 경향성을 갖고 벼는 물을 좋아하는 경향성을 갖는 것처럼, 인간도 어떤 경향성을 갖는다는 것이다. 정약용은 인간에게 ㉠'감각적 욕구에서 비롯된 기호'와 ㉡'도덕적 욕구에서 비롯된 기호'가 있다고 보았다. 먼저, 감각적 욕구에서 비롯된 기호는 생명이 있는 모든 존재가 지니는 육체의 경향성으로, 맛있는 것을 좋아하고 맛없는 것을 싫어하는 것을 예로 ⓐ들 수 있다. 다음으로, 도덕적 욕구에서 비롯된 기호는 인간만이 지니는 영혼의 경향성으로, 선을 좋아하거나 악을 싫어하는 것을 예로 들 수 있다. 정약용은 감각적 욕구가 생존에 필요하고 삶의 원동력이 된다는 점에서 일부 긍정했으나, 감각적 욕구에서 비롯된 기호를 제어하지 못할 경우 악한 행위가 나타날 수 있고, 도덕적 욕구에서 비롯된 기호를 따를 경우 선한 행위가 나타난다고 보았다. 정약용은 선한 행위를 하거나 악한 행위를 하는 것이 온전히 인간의 자유 의지에 달려 있으므로, 악한 행위를 한 사람에게 윤리적 책임을 물을 수 있다고 보았다.

그래서 정약용은 자유 의지로 선한 행위를 선택하고 이를 실천하는 것이 중요하다고 보았는데, 구체적인 실천 원리로 '서(恕)'를 강조하였다. 그는 '서'를 용서(容恕)와 추서(推恕)로 구분하고, 추서를 특히 강조하였다. 용서는 타인을 다스리는 것과 관련되어 '타인의 악을 너그럽게 보아줌'을 의미하고, 추서는 자신을 다스리는 것과 관련되어 '내가 대접받고 싶은 대로 타인을 대우함'을 의미한다. 친구가 거짓말을 했을 때 잘못을 덮어 주는 행위는 용서이고, 내가 아우의 존중을 받고 싶을 때 내가 먼저 형을 존중하는 모습을 보여주는 행위는 추서인 것이다. 그런데 용서는 타인의 악한 행위를 용인해 주는 문제가 발생할 수 있지만, 추서는 자신의 마음을 미루어 타인의 마음을 이해할 수 있으므로, 정약용은 추서에 따라 선한 행위를 실천해야 한다고 보았다.

1. 윗글의 내용 전개 방식으로 가장 적절한 것은?

① 인간의 본성에 대한 여러 관점이 사회에 미친 영향을 설명하고 있다.

② 인간의 본성에 대한 기존의 관점을 비판하는 다른 관점을 소개하고 있다.

③ 인간의 본성에 대한 관점의 타당성 여부를 다양한 입장에서 분석하고 있다.

④ 인간의 본성에 대한 상반된 관점을 절충한 새로운 관점의 특징을 밝히고 있다.

⑤ 인간의 본성에 대해 대비되는 관점이 등장하게 된 시대적 배경을 설명하고 있다.

2. 윗글의 내용과 일치하지 않는 것은?

① 주희는 인간에게 하늘로부터 부여 받은 본연지성이 있다고 보았다.

② 주희는 기질의 맑고 탁함에 따라 선하거나 악한 행위가 나타날 수 있다고 보았다.

③ 정약용은 추서에 따라 선한 행위를 실천하는 것이 중요하다고 보았다.

④ 정약용은 감각적 욕구가 악한 행위를 유도하므로 제거해야 한다고 보았다.

⑤ 정약용은 주희의 관점으로는 악한 행위를 한 사람에게 윤리적 책임을 물을 수 없다고 보았다.

3. ㉠과 ㉡에 대한 이해로 가장 적절한 것은?

① ㉠은 인간이 제어할 수 없는 기호이다.
② ㉡은 생존에 필요한 욕구에서 비롯된 것이다.
③ ㉠은 ㉡과 달리 생명이 있는 모든 존재가 지닌다.
④ ㉡은 ㉠과 달리 욕구를 즐기고 좋아하는 경향성이다.
⑤ ㉠과 ㉡은 모두 타인의 잘못을 덮어 주는 행위와 직결된다.

4. 윗글을 바탕으로 <보기>를 이해한 내용으로 적절하지 않은 것은? [3점]

<보 기>

학급에서 복도 청소를 맡은 학생 A와 B가 있었다. A는 평소 청소를 잘 하지 않았고, B는 항상 성실히 청소를 하였다. 복도가 깨끗한 것을 본 선생님이 복도 청소 담당인 두 학생을 모두 칭찬하였는데, 이때 A는 자신이 B보다 더 열심히 청소를 했다고 거짓말을 하였다. B는 A가 거짓말을 했다는 것을 알고 있었지만 이를 내색하지 않고 평소대로 열심히 청소하였고 A는 그러한 B를 보면서 부끄러움을 느꼈다. 이후, A는 B에게 자신의 행동을 사과하였으며, 책임감을 갖고 청소하였다.

① 주희는 거짓말을 한 것과 무관하게 A에게는 순수하고 선한 본성이 있다고 보겠군.
② 주희는 평소 청소를 잘 하지 않는 A와 항상 성실히 청소하는 B의 기질이 서로 다르다고 보겠군.
③ 정약용은 A가 책임감 있게 청소하게 된 것이 A의 자유 의지에 의한 것이라고 보겠군.
④ 정약용은 A가 도덕적 욕구에서 비롯된 기호를 따랐기 때문에 행동의 변화가 나타났다고 보겠군.
⑤ 정약용은 B가 추서로 A의 마음을 이해해 주었기 때문에 A의 거짓말을 용인하게 되었다고 보겠군.

5. ⓐ와 문맥적 의미가 가장 유사한 것은?

① 명확한 증거를 들었다.
② 감기가 들어 약을 먹었다.
③ 마음에 드는 사람이 있다.
④ 우리 집은 햇볕이 잘 든다.
⑤ 상자 안에 선물이 들어 있다.

[6~10] 다음 글을 읽고 물음에 답하시오.

조선 시대의 유학자들은 왕권의 기반이 민심에 있으며 민심을 천심으로 받아들여야 한다고 보는 민본(民本) 사상을 통치 기조로 삼을 것을 주장했다. 이러한 관점에서 군주는 백성의 뜻을 하늘의 뜻으로 받들며 섬기고 덕성을 갖춘 성군으로서 백성의 모범이 되어야 하며, 백성을 사랑하는 애민의 태도로 백성의 삶을 안정시키고 백성을 교화해야 하는 존재라고 강조했다. 또한 백성은 보살핌과 가르침을 받는 존재로서 통치에 ⓐ순응해야 한다고 보았다.

군주와 백성에 대한 이러한 관점은 조선 개국을 주도하고 통치 체제를 설계한 정도전의 주장에도 드러난다. 정도전은 군주나 관료가 백성에 대한 통치권을 지닌 것은 백성을 지배하기 위한 것이 아니라 백성을 보살피고 안정시키기 위한 것이라고 보았다. 군주나 관료가 지배자가 아니라 백성을 위해 일하는 봉사자일 때 이들의 지위나 녹봉은 그 정당성이 확보된다고 여긴 것이다. 또한 왕권이 정상적으로 작동하기 위해서는 왕을 정점으로 하여 관료 조직을 위계적으로 ⓑ정비하는 것과 더불어, 민심을 받들어 백성을 보살피는 자로서 군주가 덕성을 갖추는 것이 중요하다고 보았다. 백성을 위한 관료의 자질 향상 및 책무의 중요성을 강조한 한편, 관료의 비행을 감독하는 감사 기능의 강화를 주장하기도 했다. 이러한 정도전의 주장은 백성을 보살핌의 대상으로 바라본 민본 사상의 관점에 입각한 것이라 할 수 있다.

조선 중기의 학자 이이 역시 군주의 바람직한 덕성을 강조한 한편 군주와 백성의 관계를 부모와 자식의 관계에 빗대어 백성을 보살펴야 하는 대상이라 논했다. 이이는 특히 애민은 부모가 자녀를 가르치듯 군주가 백성들을 도덕적으로 교화함으로써 실현되며, 교화를 ⓒ순조롭게 이루기 위해서는 우선 백성들을 경제적으로 안정시켜야 한다는 점을 강조했다. 또한 백성은 군주에 대한 신망을 지닐 수도 버릴 수도 있는 존재이므로, 군주는 백성을 두려워하는 외민(畏民)의 태도를 지녀야 함을 역설했다. 백성을 보살피고 교화해야 할 대상으로 여긴 점은 정도전의 관점과 상통하는 지점이다. 다만 군주가 백성에 대한 두려움을 가지고 백성의 신망을 유지하기 위해 노력해야 한다는 것을 강조한 점에서 차이가 있다.

조선 후기의 학자 정약용은 환자나 극빈자, 노인과 어린이 등 사회적 약자에 속하는 백성을 적극적으로 보호하는 것이 애민의 내용이라고 주장했다. 이는 백성을 보살핌의 대상으로 바라보는 시각을 구체화한 것이라 할 수 있다. 한편 정약용은 백성을 통치 체제 유지에 기여해야 하는 존재라 보고, 백성이 각자의 경제적 형편에 ⓓ부합하는 역할을 수행해야 한다고 주장하여 백성에 대한 기존의 관점과 차이를 드러냈다. 그는 가난한 백성인 '소민'은 교화를 따름으로써, 부유한 백성인 '대민'은 생산 수단을 제공하고 납세의 부담을 맡음으로써 통치 질서의 안정에 기여해야 한다고 논했다. 이는 조선 후기 농업 기술과 상·공업의 발달로 인해 재산을 축적한 백성들이 등장한 현실을 고려한 것으로, 백성이 국가를 유지하는 근간이라고 보는 관점에 ⓔ기반한 주장이었다.

조선 시대 학자들의 이와 같은 주장은 군주를 비롯한 통치 계층이 백성을 존중하는 정책을 펼치는 바탕이 되었다. 백성을 대상으로 한 교육 제도, 관료의 횡포를 견제하는 감찰 제도, 민생 안정을 위한 조세 및 복지 제도, 백성의 민원을 수렴하는 소원 제도 등은 백성을 위한 정책이 구현된 사례라 할 수 있다. [A]

6. 윗글에 대한 설명으로 가장 적절한 것은?

① 조선 시대 관료 조직의 위계를 분석하고 있다.
② 조선 시대 조세 제도의 문제점을 나열하고 있다.
③ 조선 시대 학자들의 백성에 대한 관점을 비교하고 있다.
④ 조선 시대 군주들의 통치관을 비판적으로 서술하고 있다.
⑤ 조선 시대 상업의 발달 과정을 통시적으로 기술하고 있다.

7. 외민(畏民) 에 대한 이해로 가장 적절한 것은?

① 백성이 군주에 대해 지녀야 할 마음가짐이다.
② 관료의 비행을 감독하기 위해 마련한 제도이다.
③ 군주와 백성을 부모와 자식의 관계에 비유하는 근거이다.
④ 민생이 안정되었을 때 드러나는 백성의 이상적 모습이다.
⑤ 백성이 군주에 대한 신망을 버릴 수 있다고 보는 관점이다.

8. 윗글을 바탕으로 <보기>를 이해한 내용으로 적절하지 <u>않은</u> 것은? [3점]

> ─────── < 보 기 > ───────
>
> ㄱ. 옛날에 바야흐로 온 세상을 제압하고 나서 천자가 벼슬을 내리고 녹봉을 나누어 준 것은 신하들을 위해서가 아니라 백성들을 위한 것이었다. … 임금이 관리에게 책임을 지우는 것도 한결같이 백성에 근본을 두고, 관리가 임금에게 보고하는 것도 한결같이 백성에 근본을 두면, 백성은 중요한 존재가 된다.
>
> ─ 정도전, 『삼봉집 』─
>
> ㄴ. 청컨대 전하의 식사와 옷에서부터, 바치는 물건들과 대궐 안에서 일상적으로 쓰는 물건들 일체를 삼분의 일 줄이십시오. 이런 방식으로 헤아려서 모든 팔도의 진상・공물들도 삼분의 일 줄이십시오. 이렇게만 하신다면 은택이 아래로 미치어 백성들이 실질적인 혜택을 받게 될 것입니다.
>
> ─ 이이, 『율곡전서』─
>
> ㄷ. 만일 목화 농사가 흉작이 되어 면포의 가격이 뛰어 오르는데 수백 리 밖의 고장은 풍년이 들어 면포의 값이 매우 쌀 경우 수령은 일단 백성에게 군포를 납부하지 말도록 해야 한다. 그리고 아전 중 청렴한 자를 골라 풍년이 든 곳에 가서 면포를 구입해 오도록 하여 군포를 바친다. 그리고 면포를 구입하는 데 쓴 돈은 백성들이 균등하게 부담케 하면 백성에게 큰 혜택이 돌아갈 것이다.
>
> ─ 정약용, 『목민심서』─

① ㄱ은 관료의 녹봉이 백성을 위해 일하는 봉사자로서 얻는 것이라는 주장과 관련된다.
② ㄴ은 군주가 백성을 보살피는 존재라는 시각을 바탕으로 한다.
③ ㄷ은 대민과 소민에 따라 납세 부담에 차이가 있어야 한다는 주장을 구현하는 방법이다.
④ ㄱ과 ㄷ은 민본 사상의 관점에서 바람직한 관료의 면모를 보여준다.
⑤ ㄴ과 ㄷ은 백성의 경제적 안정을 중시하는 관점에서 제안된 방안에 해당한다.

9. 다음은 윗글을 읽은 학생의 독후 활동이다. ㉮에 들어갈 내용으로 가장 적절한 것은?

> **독후 활동**
>
> 유사한 화제를 다룬 다음 자료를 읽고, 관점의 차이를 정리해 보자.
>
> [자료]
>
> > 조선 시대의 교육은 신분 질서 유지를 통해 통치 계층의 우위를 확보하는 데 기여했다. 현실적으로 통치 계층이 아닌 백성은 정치에 참여하는 관료가 되기 어려웠는데, 이는 신분에 따라 교육 기회가 제한된 것과 관련된다. 한편, 백성을 대상으로 하는 교육은 대체로 도덕적 교화를 위한 것에 한정되었다.
>
> [결론]
>
> [자료]와 [A]는 조선 시대의 (㉮)에 대하여 관점의 차이를 보이고 있다.

① 백성이 교육 기회를 얻고자 노력했는지
② 교육이 본질적으로 백성을 위한 것인지
③ 교육 방식이 현대적으로 계승되었는지
④ 신분 질서가 어떤 의미를 지니는지
⑤ 백성이 어떻게 정치에 참여했는지

10. 문맥상 ⓐ ~ ⓔ와 바꿔 쓰기에 적절하지 <u>않은</u> 것은?

① ⓐ : 따라야
② ⓑ : 가다듬는
③ ⓒ : 끊임없이
④ ⓓ : 걸맞은
⑤ ⓔ : 바탕을 둔

총 문항					문항	맞은 문항				문항
개별 문항	1	2	3	4	5	6	7	8	9	10
채점										
개별 문항	11	12	13	14	15	16	17	18	19	20
채점										

10분 | 2020학년도 11월 학평 34~38번 | ★★☆ | 정답 010쪽

[1~5] 다음 글을 읽고 물음에 답하시오.

인간은 지식 체계의 형성을 위해 개념을 필요로 하는데, 개념이란 여러 관념 속에서 공통 요소를 뽑아내어 종합해 얻어 낸 보편적인 관념을 말한다. 이러한 개념을 통해 체계와 기준을 머릿속에 먼저 정해 놓고 그것을 현실에 적용하는 개념주의적 태도를 지닌 근대 사상가들이 있었다. 하지만 들뢰즈는 이 세상에 동일한 것은 없다는 전제하에 세상을 개념으로만 파악하려는 태도를 비판하고 개별 대상의 다양성에 주목하는 '차이'의 철학을 제시했다.

일반적으로 차이란 서로 같지 않고 다르다는 의미로 쓰이지만 들뢰즈는 차이를 '개념적 차이'와 '차이 자체'로 구분하여 자신이 말하고자 하는 차이의 의미를 명확히 했다. 이때 개념적 차이란 개념적 종차*를 통해 파악될 수 있는, 어떤 대상과 다른 대상의 상대적 다름을 의미하며, 차이 자체란 개념으로 드러낼 수 없는 대상 자체의 절대적 다름을 의미한다. 예를 들어 소금의 보편적 특성은 짠맛이나 흰색 등으로 볼 수 있는데 이러한 특성은 소금과 설탕의 맛을 비교하거나, 소금과 숯의 색깔을 비교함으로써 파악될 수 있다. 즉 소금과 다른 대상들과의 상대적인 비교를 통해 소금의 개념적 차이가 형성되는 것이다. 그런데 ㉠소금이라는 개념으로 동일하게 분류되는 각각의 입자들은 그 입자마다의 염도와 빛깔 등이 다를 수밖에 없다. 어떤 소금 입자들은 다른 소금 입자보다 조금 더 짤 수도 있고, 흰색이 조금 더 밝을 수도 있다. 이때 각 ㉡소금 입자가 가지는 염도, 빛깔의 고유한 정도 차이에 해당하는 특성이 바로 개별 소금 입자의 차이 자체인 것이다.

들뢰즈는 개념적 차이로는 대상만의 고유한 가치나 절대적 다름이 파악될 수 없다고 하였다. 왜냐하면 개념적 차이는 다른 대상과의 비교를 통해 파악된 결과로 다른 대상에 의존하는 방식이어서, 그 과정에서 개별 대상의 고유한 특성이 무시되기 때문이다. 또한 들뢰즈는 개념이 개별 대상들을 규정함으로써 개별 대상을 개념에 포섭시키는 상황이나, 개념에 맞추어 세상을 파악함으로써 세상을 오로지 개념의 틀에 가두는 상황을 우려했다. 왜냐하면 이와 같은 상황에서는 미리 정해 둔 개념에 부합하는 개별 대상은 좋은 것으로, 그렇지 못한 개별 대상은 나쁜 것으로 규정되는 개념의 폭력 이 발생할 수 있기 때문이다.

한편 들뢰즈는 개별 대상의 차이 자체를 드러낼 수 있는 작용 원리를 '반복'과 '강도'라는 용어로 설명했다. 일반적으로 반복은 같은 일을 되풀이한다는 의미로 쓰이지만 들뢰즈가 말하는 반복이란 되풀이하여 지각된 강도의 차이를 통해 개별 대상의 차이 자체를 발견해 나가는 과정을 의미한다. 이때 강도란 정량화하기 힘든, 개별 대상의 고유한 크기이자, 다른 것과 비교될 수 없는 개별 대상에 대한 감각적 경험을 의미한다. 예를 들어 어떤 사람이 피아노로 같은 악보를 반복해서 연주한다고 할 때, 각각의 ㉢연주는 결코 동일할 수 없으므로 연주가 반복될수록 연주자와 관객 모두 연주마다의 서로 다른 강도를 느끼게 된다. 즉 각각의 연주는 차이 자체를 드러내게 되는 것이다. 이처럼 들뢰즈에게 차이 자체란 반복에 의해 경험하게 되는 강도의 차이를 의미한다.

일반적으로 인간은 의사소통을 위해 서로가 동일하게 인정할 수 있는 개념을 필요로 하며, 개념을 통해 형성되는 인간의 지식 체계가 세상을 변화시킨다는 점을 고려하면 개념은 인간에게 필수적인 것이다. 들뢰즈도 이와 같은 개념의 기능을 전면적으로 부정한 것은 아니다. 다만 들뢰즈의 철학은, 개념을 최고의 가치로 숭상하면서 이 세상을 개념으로 온전히 규정하려는 기존 철학자들의 사상을 극복하고자 한 것이며 철학의 시선을 개념에서 현실 세계의 대상 자체로 돌리게 했다는 점에서 의의를 지닌다.

*종차: 상위 개념에 속한 동일한 층위의 하위 개념들 중 어떤 하위 개념이 다른 하위 개념과 구별되는 요소.

1. 윗글의 내용 전개 방식에 대한 설명으로 가장 적절한 것은?
① 기존의 관점을 비판한 특정 견해를 예를 들어 설명하고 그 의의를 밝히고 있다.
② 두 이론의 공통점과 차이점을 분석하고 이를 절충한 새로운 이론을 소개하고 있다.
③ 특정 이론의 변천 과정을 설명하고 해당 이론의 발전 방향에 대해 예측하여 전망하고 있다.
④ 특정 견해의 특징을 드러낼 수 있는 역사적 사건을 언급하고 그 견해의 장단점을 비교하고 있다.
⑤ 특정 견해를 뒷받침하는 다른 견해를 제시하고 사회적 현상을 분석하여 두 견해의 유사점을 부각하고 있다.

2. 윗글을 바탕으로 ㉠~㉢을 이해한 내용으로 가장 적절한 것은?
① ㉠과 달리 ㉡은 개념에 해당한다.
② ㉠과 달리 ㉢은 개별 대상에 해당한다.
③ ㉢과 달리 ㉡은 개별 대상에 해당한다.
④ ㉠과 ㉢은 모두 개별 대상에 해당한다.
⑤ ㉡과 ㉢은 모두 개념에 해당한다.

3. 개념의 폭력 에 대한 이해로 적절하지 않은 것은?
① 개념에 개별 대상을 포섭시킴으로써 일어난다.
② 개념에 맞추어 세상을 보았을 때 생기는 문제이다.
③ 개별 대상이 지닌 고유한 특성만을 중요시할 때 나타난다.
④ 대상에 대한 보편적 관념만을 강조했을 때 발생할 수 있다.
⑤ 개별 대상이 개념과 일치하는지 여부에 따라 개별 대상의 가치가 결정되는 것이다.

4. <보기>는 온라인 수업 게시판의 일부이다. 윗글을 바탕으로 학생들이 과제를 수행했다고 할 때 ㉮와 ㉯에 들어갈 말로 가장 적절한 것은?

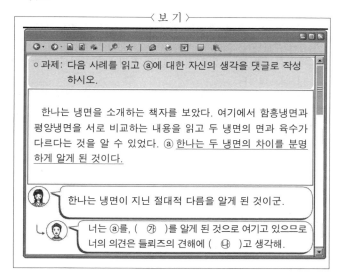

─〈 보 기 〉─

○ 과제: 다음 사례를 읽고 @에 대한 자신의 생각을 댓글로 작성하시오.

한나는 냉면을 소개하는 책자를 보았다. 여기에서 함흥냉면과 평양냉면을 서로 비교하는 내용을 읽고 두 냉면의 면과 육수가 다르다는 것을 알 수 있었다. @ 한나는 두 냉면의 차이를 분명하게 알게 된 것이다.

한나는 냉면이 지닌 절대적 다름을 알게 된 것이군.

너는 @를, (㉮)를 알게 된 것으로 여기고 있으므로 너의 의견은 들뢰즈의 견해에 (㉯)고 생각해.

	㉮	㉯
①	차이 자체	부합한다
②	차이 자체	부합하지 않는다
③	개념적 차이	부합한다
④	개념적 차이	부합하지 않는다
⑤	개념적 종차	부합한다

5. <보기>에 대해 '들뢰즈'가 보일 수 있는 반응으로 적절하지 <u>않은</u> 것은? [3점]

─〈 보 기 〉─

○ 헤겔은 세상을 개념적으로 파악하기 위한 방법론으로 변증법을 제시했다. 가령 '아인슈타인'이라는 개별 대상은 '남자', '과학자' 등과 같은 더 많은 개념들을 활용한다면 완벽하게 규정될 수 있다고 본 것이 헤겔 변증법의 핵심이다.

○ 앤디 워홀은 실크스크린을 통한 대량 인쇄 작업을 거쳐 공장에서 한 가지 상품의 동일한 이미지를 작품으로 제작하였다. 이 작품들은 언뜻 보면 동일해 보였지만 실제로는 윤곽선의 번짐이나 색상에서 조금씩 차이를 느낄 수 있었다. 이러한 앤디 워홀의 작업은 같음을 생산하는 과정을 되풀이함으로써 오히려 어떠한 결과물도 같을 수 없음을 보여 준다.

① 헤겔의 변증법을 활용하더라도 아인슈타인이라는 개별 대상을 온전히 규정할 수 없겠군.

② 헤겔이 세상을 보는 방법론은 미리 만들어진 개념이 현실 세계의 개별 대상들을 규정하는 것이겠군.

③ 앤디 워홀은 같음을 생산하는 과정을 되풀이하며 제작한 결과물을 통해 동일한 강도가 지각될 수 있음을 보여 주려 한 것이겠군.

④ 앤디 워홀이 대량 인쇄 작업으로 제작한 작품들은 다른 것과 비교될 수 없는 개별 대상에 대한 감각적 경험을 가능하게 하겠군.

⑤ 앤디 워홀의 실크스크린 작품들에서는 다른 대상에 의존하는 방식으로는 파악할 수 없는 특성이 색상과 윤곽선에 대한 지각을 통해 드러나게 되는 것이겠군.

【6~10】 다음 글을 읽고 물음에 답하시오.

한나 아렌트는 정치를 어떤 관점에서 사유해야 하는지, 그래서 어떻게 현실을 이해해야 하는지에 대한 정치철학적 지평을 열어 준 철학자이다. 아렌트의 정치철학을 이해하기 위해서는 그녀가 생각하는 정치의 본질을 이해할 필요가 있다. 아렌트에 따르면 정치는 사적인 것이 아닌, 공적인 것에서부터 출발하고 공적인 것을 추구한다. 그렇다면 공적인 것과 사적인 것은 어떤 점에서 구별되는가? 아렌트가 이것과 관련하여 제기하는 핵심 문제는 바로 행위의 가능성이다. 그녀는 인간의 활동으로 '노동', '작업', '행위'를 제시하고 이 세 가지 활동이 서로 긴밀하게 연결되어 인간의 실존을 가능하게 한다고 말한다. 그녀가 생각하는 노동은 생물학적 욕구를 충족시키는 동물적 활동이다. 노동은 자기 보존의 수단일 뿐이고 생존을 위해 필요한 생산과 소비의 끊임없는 순환 과정 속에 종속된 것이다. 작업은 단순한 생존을 넘어서 삶의 편의를 위해 물건과 결과물을 만드는 것으로 자연과 구분되는 인간 세계를 구축하는 활동이다. 마지막으로 행위는 다른 존재들과 상호소통하며 자신의 존재를 드러내는 것으로 다수의 사람들과 공동의 관심사에 대해 의견을 나누는 활동을 의미한다. 그녀는 행위가 노동, 작업과 달리 혼자서는 할 수 없기에 오직 행위만이 타인의 지속적인 현존을 전제 조건으로 삼는다고 밝힌다. 그리고 노동과 작업을 사적인 것으로, 행위를 공적인 것으로 구분하고 행위가 이루어지는 곳을 공적 영역으로 규정한다.

아렌트는 이러한 공적인 것과 사적인 것이 이루어지는 영역이 공간적으로 분리된다고 보았다. 그리고 이러한 생각의 모델을 고대 그리스의 가정과 폴리스*의 구분에서 찾았다. 그녀는 고대 그리스인들의 가정을 노동과 작업이 이루어지는 사적 영역으로 인식했으며 가정에서 이루어지는 모든 활동은 필연성의 지배를 받는다고 보았다. 노동은 인간이 생명을 보존해야 한다는 필연성의 구속을 받고, 작업은 인간의 필요에 따라 유용한 것만을 생산해야 한다는 필연성의 구속을 받는다는 것이다. 또한 가정은 가장을 중심으로 의견이 일치하는 획일성이 지배하는 불평등의 공간으로 인식했다. 이에 반해 폴리스는 공적 영역으로서 행위가 이루어지는 자유의 공간으로 인식했다. 아렌트는 사적 영역과 공적 영역을 엄격하게 분리했지만, 그렇다고 사적 영역을 부정하지는 않았다. 사적 영역은 공적 영역을 위해 존재한다고 보았고, 가정에서 삶의 필연성을 충족한 시민들이 폴리스라는 공적 영역으로 나아갈 수 있다고 여겼다. 가정 밖으로 나온 시민들은 폴리스에서 다른 시민들을 만나 함께 공적인 문제를 자유롭게 논의하고 결정했다. 이때 자유롭다는 것은 삶의 필연성에서 벗어나 어떠한 강제나 강요도 없이 시민 모두가 평등한 위치에서 각자의 서로 다른 의견을 표현하고 공유하는 것을 의미한다. 그들은 폴리스라는 공적 영역에서 언어적 소통을 통해 타인과 관계를 맺으며 내가 누구인지, 내 의견과 다른 사람들의 의견이 어떻게 다른지를 확인할 수 있었다. 아렌트는 이러한 행위가 바로 정치라고 보았다. 결국 고대 그리스인들이 공적 영역에서 행위를 통해 자유를 실현한 것처럼 아렌트는 정치의 본질을 자유의 실현이라고 생각했다.

그런데 아렌트는 근대 이후에 '사회'가 출현했고, 이 사회의 출현으로 말미암아 정치의 의미가 왜곡되었다고 진단한다. 왜 아렌트는 사회의 출현을 부정적으로 생각한 것일까? 그것은 그녀가 사회를 경제적으로 조직된 여러 구성원의 거대한 가족 결합체로 보았기 때문이다. 고대 그리스에서 가정의 활동은 생계 유지에 필요한 재화나 용역을 생산하고 소비하는 노동 활동을 중심으로 이루어졌었기에 경제 활동은 본래 사적 영역에서의 활동이었다. 그런데 이러한 가정에서의 경제 활동이 근대에 이르러 사회가 출현하고 시장이 발달하면서 공적 영역으로 옮겨 갔고 이로 인해 공적 영역과 사적 영역의 경계가 허물어졌다. 경제 활동이 행위의 공간이었던 공적 영역에 자리하게 되면서 공적 영역이 사라지게 되었다는 것이 아렌트의 분석이다.

결국 아렌트가 말하는 사회의 문제점은 행위가 일어날 수 있는 가능성이 배제된다는 것이다. 그녀는 이러한 사회가 등장하며 새롭게 나타난 활동 양식을 '행동'이라 부른다. 행동은 행위가 일어났던 공적인 공간에서 사람들이 오로지 사적인 이익만을 추구하는 것을 말한다. 인간 삶의 모든 것을 경제적 가치가 지배하는 근대 이후의 사회에서 사람들은 더 이상 다양한 관점을 가질 수 없게 되었다. 사람들은 다른 사람들과 함께 공동의 문제를 위해 행위하지 않고 자신의 경제적 이익의 극대화를 위해 행동하기 때문이다. 그로 인해 철저하게 경제화된 근대 이후의 사회에서 사람들은 시장 경제 논리에 따라 움직이고, 궁극적으로 행위가 일어날 가능성도 박탈당한다. 이런 의미에서 사회에서의 행동은 결코 행위가 될 수 없다. 사람들은 오직 공적 영역에서만 자신의 행위 가능성을 보존하고 자유 실현의 가능성을 찾을 수 있다. 이것이 바로 아렌트가 말하는 공적 영역을 우리가 회복하고 보존해야 하는 이유인 것이다.

* 폴리스: 고대 그리스에서 지역별로 도시 국가의 형태로 이루어진 정치 공동체.

7. 윗글에 대한 이해로 적절하지 <u>않은</u> 것은?
① 자유는 다른 사람과 관계를 맺는 행위를 통해 실현되는 것이다.
② 정치는 사람들이 자유를 실현하기 위해 개인의 행위를 강제하는 것이다.
③ 정치는 인간들이 평등한 위치에서 공적인 문제에 대해 논의하는 것이다.
④ 행위는 언어적 소통을 통해 다른 사람에게 자신의 존재를 드러내는 것이다.
⑤ 행위는 인간의 생존을 위한 필연성의 구속을 벗어난 곳에서 이루어지는 것이다.

6. 윗글의 내용 전개 방식으로 가장 적절한 것은?
① 특정 철학자의 정치 이론의 변화 과정을 설명하고 그의 견해가 지니는 의의를 강조하고 있다.
② 특정 철학자가 제시하는 인간 활동의 유형을 비교하고 그의 정치 이론이 지닌 한계를 평가하고 있다.
③ 특정 철학자가 밝힌 정치와 관련된 이론을 제시하고 그가 비판하는 근대 이후 사회의 문제를 설명하고 있다.
④ 특정 철학자의 정치와 관련된 가설을 소개하고 다양한 역사적 사례를 통해 가설의 타당성을 검토하고 있다.
⑤ 특정 철학자가 분석하는 정치 체제의 발달 단계를 고찰하고 근대 이후 사회에서 필요한 정치 체제를 제시하고 있다.

8. '한나 아렌트'의 견해에 대해 <보기>의 견해를 가진 사람이 비판한 내용으로 가장 적절한 것은?

— <보 기> —

인간은 노동을 통해 자아를 실현하는 창조적 존재이다. 인간에게 노동은 물질적 생활을 충족시키고, 자연과 상호작용하는 인간의 세계를 만드는 활동이다. 또한 노동은 동물과 구별되는 인간의 고유한 삶의 방식으로 노동을 통해 인간은 다른 사람들과 관계를 맺고 공동체의 구성원으로서의 자신의 삶을 깨닫게 된다. 이러한 노동으로 인간은 자유를 실현할 수 있고 인간다운 삶을 살 수 있게 된다.

① 당신은 노동을 자기 보존의 수단으로 보지만, 노동은 인간에게 자유를 가능하게 합니다.
② 당신은 노동을 정치적 활동으로 보지만, 노동은 인간의 물질적 생활을 충족시켜 줍니다.
③ 당신은 노동을 삶의 편의를 위해 물건을 만드는 활동으로 보지만, 노동으로 인간은 자아를 실현할 수 있습니다.
④ 당신은 노동을 다른 사람들과 관계를 맺는 활동으로 보지만, 노동은 다른 사람의 존재를 필요로 하지 않습니다.
⑤ 당신은 노동을 인간만이 할 수 있는 활동으로 보지만, 노동으로는 인간과 동물의 삶의 방식을 구분 지을 수 없습니다.

9. '한나 아렌트'가 말하는 사회에 대한 이해로 적절하지 <u>않은</u> 것은?

① 사람들은 사회에서 행위를 하기 어렵겠군.

② 사람들은 사회에서 공동의 문제에 관심을 가지지 않겠군.

③ 사람들은 고대 그리스의 가정에서 했던 경제 활동을 사회에서 하겠군.

④ 사람들은 시장 경제가 발달한 사회일수록 정치를 실현할 수 있는 영역을 확장하겠군.

⑤ 사람들은 사회를 지배하는 하나의 가치만을 추구할 뿐 다양한 관점은 갖지 못하겠군.

10. 윗글의 '한나 아렌트'와 <보기>의 '공자', '플라톤'을 비교한 내용으로 가장 적절한 것은? [3점]

―――――< 보 기 >―――――

공자는 부자 관계에서 자식이 부모를 사랑하는 것을 정치로 간주하였고, 이러한 사랑이 국가 차원으로 확장된다고 여겼다. 즉 국가는 가정의 확장이기 때문에 공적 영역과 사적 영역은 구분할 수 없고 가정에서의 관계 맺음은 정치 체제의 근본 토대가 된다는 것이다.

한편 플라톤은 정치와 관련하여 사적 영역인 가정을 이상 국가를 만드는 데 방해물로 보았다. 국가를 위해서는 개인의 욕망을 절제해야 하는데 가정은 개인의 욕망을 보호하는 역할을 하기 때문이다. 그래서 플라톤은 정치가들에게 자식과 재산을 공유할 것을 주장하며, 공적인 것을 위해 사적인 것을 지양해야 한다고 강조했다.

① '공자'와 달리 '한나 아렌트'는 공적 영역과 사적 영역을 공간적으로 분리해서 인식하고 있군.

② '공자'와 '한나 아렌트'는 모두 사적 영역에서도 정치가 이루어진다고 보고 있군.

③ '공자'와 '한나 아렌트'는 모두 가족 구성원의 관계 맺음을 정치로 인식하고 있군.

④ '플라톤'과 달리 '한나 아렌트'는 공적인 것을 위해 사적인 것을 지양해야 한다고 여기고 있군.

⑤ '플라톤'과 '한나 아렌트'는 모두 사적인 것을 공유해야만 공적인 영역에서의 정치가 가능하다고 보고 있군.

I

총 문항					문항	맞은 문항				문항
개별 문항	1	2	3	4	5	6	7	8	9	10
채점										
개별 문항	11	12	13	14	15	16	17	18	19	20
채점										

| 10분 | 2020학년도 6월 학평 37~41번 | ★★☆ | 정답 012쪽 |

【1~5】 다음 글을 읽고 물음에 답하시오.

아리스토텔레스의 고전 논리학에서는 기본 명제를 네 가지로 분류하고 이를 각각 '전체 긍정 명제', '전체 부정 명제', '부분 긍정 명제', '부분 부정 명제'라고 이름을 붙였다. 삼단 논법에 이용되는 명제는 어떤 것이든 이 네 가지 기본 명제 중 어느 하나의 형식을 가져야 하며, 이 명제들은 그 뜻이 애매하다거나 모호하지 않아야 하므로 **표준 형식**으로 고쳐 주어야 한다.

먼저, 전체 긍정을 뜻하는 명제의 표준 형식은 "모든 철학자는 이상주의자이다."와 같이 '모든 ~는 ~이다.'로 하면 된다. 전체 부정을 뜻하는 명제의 표준 형식의 경우, "모든 철학자는 이상주의자가 아니다."라는 말은 애매하다. 왜냐하면 "철학자는 한 사람도 이상주의자가 아니다."를 뜻하는 것인지, 아니면 "철학자 중에는 이상주의자가 아닌 사람도 있다."를 뜻하는 것인지 분명하지 않기 때문이다. 그러므로 '모든 ~는 ~가 아니다.'라는 형식은 전체 부정 명제의 표준 형식이 될 수 없다. 전체 부정의 뜻을 분명하게 나타내어 줄 수 있는 표준 형식은 "어느 철학자도 이상주의자가 아니다."와 같이 '어느 ~도 ~가 아니다.'로 하면 된다. 부분 긍정을 뜻하는 명제의 표준 형식은 "어떤 철학자는 염세주의자이다."와 같이 '어떤 ~는 ~이다.'라는 형식이면 된다. '어떤'이란 말이 '어떤 낯선 사람'이라고 할 때처럼 불확정적인 대상이라는 뜻을 가질 수도 있으나 그것은 부분 긍정을 뜻하는 데는 별 문제가 되지 않는다. 마지막으로, 부분 부정을 뜻하는 명제의 표준 형식은 "어떤 철학자는 도덕주의자가 아니다."에서와 같이 '어떤 ~는 ~가 아니다.'라는 형식이면 된다.

"고래는 포유동물이다."라는 일상 언어의 문장은 모든 고래에 대한 긍정을 뜻하는 것이므로 이것을 표준 형식의 명제로 고치면 "모든 고래는 포유동물이다."가 된다. 그러나 "칼을 쓰는 자는 칼로 망한다."라는 말은 전체 긍정의 뜻으로 받아들일 수도 있고 부분 긍정의 뜻으로 받아들일 수도 있다. 이것을 "칼을 쓰는 모든 사람은 칼로 망하는 사람이다."라고 한다면 전체 긍정이 되지만, "칼을 쓰는 어떤 사람은 칼로 망하는 사람이다."라고 한다면 부분 긍정이 된다. ㉠어느 쪽 해석이 옳은가라는 문제는 논리학의 관심 문제가 아니다. 그것을 사실의 서술로 보는 사람은 칼을 쓰는 사람들 중 일부분의 사람만 칼로 망하게 된다는 사실을 긍정하는 것으로 이해하는 것이며, 그 반면 그것을 하나의 교훈적인 말로 받아들이는 사람은 그것이 하나의 ⓐ보편적인 법칙 같은 것을 뜻하는 것으로 이해하기 때문에 전체 긍정으로 읽게 되는 것이다.

"대부분의 젊은이들은 현실 부정적이다."에서 '대부분'은 전체가 아니라는 뜻이므로 이런 경우는 '어떤'으로, 즉 부분 긍정이나 부분 부정으로 이해할 수밖에 없다. 전체 중에서 단 한 사람에 대한 긍정을 한 것도 부분 긍정으로 ⓑ일반화시킬 수밖에 없으며, 한 사람만 제외한 다른 모든 사람들에 대한 긍정도 부분 긍정으로 ⓒ간주할 수밖에 없다. 명제의 양을 전체와 부분으로만 나누어 두었기 때문에 전체에 관한 것이 아닌 것은 모두 부분에 관한 것으로 표현되어야 한다는 뜻이다. 부분

에 관한 명제들 중에서 그 양의 정도가 다른 것을 나타낼 수 있는 방법은 없다. 이것은 곧 모든 명제를 네 가지 기본 형식으로만 나누어야 하는 고전 논리의 한계점이 된다. 그러므로 위의 명제도 "어떤 젊은이들은 현실 부정적인 사람이다."라고 고칠 수밖에 없다.

"미국 흑인들 외에는 아무도 흑인 영가*의 참뜻을 느낄 수 없다." 이 문장에는 흑인 영가의 참뜻을 느낄 수 있는 미국 흑인에 대한 것과 그것을 느낄 수 없는 다른 사람들에 대한 것이 포함되어 있다. 따라서 "모든 미국 흑인들은 흑인 영가의 참뜻을 느낄 수 있는 사람이다."라는 명제와 "미국 흑인이 아닌 모든 사람은 흑인 영가의 참뜻을 느낄 수 없는 사람이다."라는 명제로 고쳐야 한다. 그리고 둘째 명제는 다음과 같이 전체 부정 명제로 고쳐 쓸 수 있다. "미국 흑인이 아닌 어느 사람도 흑인 영가의 참뜻을 느낄 수 있는 사람이 아니다."

일상 언어의 문장은 그것이 어떤 사실을 긍정하는 것일지라도 위에서 ⓓ검토해 본 예문들처럼 그것의 논리적 의미가 분명치 못한 것이 많다. 그것이 이용되는 경우에 따라서, 또 내용에 따라서 그 의미가 다르게 이해되어야 할 때가 많다. 이러한 문제는 논리학의 범위에 속하지 않는 것이므로 그것을 사용하는 사람이 자기대로 ⓔ타당한 이해를 할 수밖에 없는 것이다. 그러한 문장을 표준 형식의 명제로 고치고자 할 때는 먼저 적절한 해석을 한 후 그것이 이해되는 뜻에 따라서 그것에 맞는 형식으로 고쳐 주면 된다.

*영가(靈歌) : 미국의 흑인들이 부르는 일종의 종교적인 노래

1. 윗글의 내용과 일치하는 것은?

① "미국 흑인이 아닌 모든 사람은 흑인 영가의 참뜻을 느낄 수 없는 사람이다."는 다른 명제로 고칠 수 없다.

② "칼을 쓰는 모든 사람은 칼로 망하는 사람이다."를 교훈의 말로 받아들이는 사람은 부분 긍정으로 이해한다.

③ "모든 철학자는 이상주의자가 아니다."라는 말의 표준 형식은 "모든 ~는 ~가 아니다."라는 형식이 될 수 있다.

④ 부분 명제 중에서 그 양의 정도가 다른 것을 나타낼 수 있는 방법이 없다는 점은 고전 논리의 한계로 볼 수 있다.

⑤ 일상 언어의 문장은 어떤 사실을 긍정할 경우에만 그것의 논리적 의미가 분명해진다고 볼 수 있다.

2. ㉠의 이유로 가장 적절한 것은?

① 일상 언어는 논리학의 표준 명제로 고칠 수 없기 때문이다.
② 논리학은 명제의 형식에 대해서는 문제로 삼지 않기 때문이다.
③ 일상 언어의 문장과 논리학의 문장은 본질적으로 다르기 때문이다.
④ 논리학은 일상 언어의 문장을 우선 네 가지 기본 명제의 형식으로 고친 후 해석해야 하기 때문이다.
⑤ 일상 언어의 문장들은 읽는 사람에 따라서 혹은 그것이 쓰이는 상황에 따라서 그것의 논리적 의미가 다르기 때문이다.

4. 윗글을 바탕으로, <보기>의 문장들을 표준 형식의 명제로 고친 것으로 적절하지 <u>않은</u> 것은? [3점]

─── < 보 기 > ───
㉮ 원숭이도 나무에서 떨어진다.
㉯ 소수의 사람들만이 특혜를 받았다.
㉰ 경마에 미친 사람은 경마만 좋아한다.
㉱ 비가 오는 날이면 언제나 그는 택시를 탄다.
㉲ 이번 여름은 피서지마다 초만원을 이루었다.

① ㉮ : 어떤 원숭이는 나무에서 떨어지는 원숭이이다.
② ㉯ : 어떤 사람은 특혜를 받은 사람이다.
③ ㉰ : 경마에 미친 모든 사람은 경마를 좋아한다.
④ ㉱ : 비가 오는 모든 날은 그가 택시를 타는 날이다.
⑤ ㉲ : 이번 여름의 모든 피서지는 초만원을 이루는 곳이다.

3. 윗글을 참고하여 <보기>에 대해 판단한 내용으로 적절하지 <u>않은</u> 것은?

─── < 보 기 > ───
"문제의식이 투철한 사람만 참석했다."

① '참석한 모든 사람은 문제의식이 투철한 사람이었다.'라는 뜻이군.
② '문제의식이 투철한 사람은 누구나 다 참석했다.'는 것을 뜻하지는 않는군.
③ '문제의식이 투철한 사람의 일부분이 참석했다.'라는 것을 긍정하지도 않는군.
④ 참석한 사람들만이 문제의식이 투철한 사람들인지 어떤지에 대한 긍정은 없군.
⑤ '문제의식이 투철한 사람만 참석했다.'는 하나의 표준 형식으로서 분명한 뜻을 지니는군.

5. ⓐ ~ ⓔ의 사전적 의미로 적절하지 <u>않은</u> 것은?

① ⓐ : 두루 널리 미치는
② ⓑ : 구체적인 것으로 됨
③ ⓒ : 상태, 모양, 성질 따위가 그와 같다고 봄
④ ⓓ : 사실이나 내용을 분석해 따짐
⑤ ⓔ : 일의 이치로 보아 옳은

【6~11】 다음 글을 읽고 물음에 답하시오.

실어증(失語症)이란 후천적인 뇌 손상으로 인해 언어의 표현과 이해에 장애가 발생하는 것이다. 1865년 프랑스의 외과 의사 브로카는 좌뇌의 전두엽과 측두엽 사이가 손상되어 나타나는 실어증을 발견하였다. 그는 이 부위를 브로카 영역이라 ⓐ명명하고 이곳이 손상되어 나타나는 증상을 브로카 실어증이라 하였다.

이후 1874년 독일의 신경정신과 의사인 베르니케는 좌뇌의 두정엽 아래가 손상되어 나타나는 또 다른 실어증을 발견하였다. 그는 이 부위를 베르니케 영역이라 명명하고 이곳이 손상되어 나타나는 증상을 베르니케 실어증이라 하였다. 이와 같은 실어증 환자들의 뇌 손상 부위와 증상을 연구하는 과정에서 인간의 언어 처리 과정에 대한 관심이 ⓑ대두되면서 그와 관련된 이론이 발전해 왔다.

최근 언어 처리 과정에 대한 이론은 뇌의 여러 영역들이 결합하여 언어를 처리한다는 결합주의 이론이 지배적이다. 최초의 결합주의 이론은 베르니케가 주장한 '베르니케 모형'으로, 그는 베르니케 영역과 브로카 영역 간의 긴밀한 정보 교류에 의해서 언어가 처리된다는 이론을 발표하였다. 이후 1885년 리시트하임은 베르니케 모형에 개념 중심부를 추가하여 베르니케 영역, 브로카 영역, 개념 중심부가 결합하여 언어가 처리된다는 ㉠'리시트하임 모형'을 제시하였다. 그에 의하면 베르니케 영역은 일종의 머릿속 사전으로, 단어가 소리의 형태로 저장되어 있는 언어 중추*이고, 브로카 영역은 단어를 조합하여 문장이나 발화를 생성하는 언어 중추, 그리고 개념 중심부는 의미를 형성하거나 해석하는 언어 중추이다. 리시트하임 모형은 베르니케 영역, 브로카 영역, 개념 중심부를 꼭짓점으로 하는 삼각형 모양으로, 베르니케 영역에서 개념 중심부로, 개념 중심부에서 브로카 영역으로는 일방향으로 정보가 이동하지만, 브로카 영역과 베르니케 영역 간에는 쌍방향으로 정보가 이동한다는 특징이 있다.

리시트하임은 자신의 모형을 바탕으로 뇌에서 이루어지는 듣기와 말하기 과정을 다음과 같이 설명하였다. 우선 듣기 과정은 '베르니케 영역 → 개념 중심부'의 순서로 이루어진다. 즉, 귀로 들어온 청각 자극이 베르니케 영역으로 송부되면, 베르니케 영역은 자신이 저장하고 있는 단어 중 청각 자극과 일치하는 단어를 찾아 개념 중심부로 송부하고, 개념 중심부는 이를 받아 의미를 해석한다는 것이다. 이에 비해 말하기 과정은 '개념 중심부 → 브로카 영역 → 베르니케 영역 → 브로카 영역'과 같이 ㉮브로카 영역을 두 번 거치는 복잡한 순서로 이루어진다. 먼저 개념 중심부에서 말하고자 하는 의미를 형성하여 브로카 영역을 거쳐서 베르니케 영역으로 송부하면, 베르니케 영역은 이에 해당하는 단어를 찾아 브로카 영역으로 송부하고, 마지막으로 브로카 영역에서 이를 조합하여 문장이나 발화를 만든다는 것이다. 그런데 실제로 말하기 위해서는 발음 기관을 움직여 소리를 만드는 과정이 필요한데 그의 모형에는 그러한 과정이 드러나 있지 않다. 또한 그는 개념 중심부를 새롭게 추가하였으나 그것의 정확한 위치를 규명하지는 못하였다.

이후 실어증 환자들에 대한 연구가 발전됨에 따라 뇌에서 언어를 담당하는 중추가 추가로 발견되었다. 이를 토대로 1964년 게쉬윈드는 ㉡'베르니케 – 게쉬윈드 모형'을 새롭게 제시하였다. 그는 리시트하임의 모형에서 개념 중심부를 제외하고 새롭게 운동 영역과 각회를 언어 중추로 추가하였다. <그림>은 게쉬윈드가 제시한 언어 처리 모형으로, 청각 자극

을 ⓒ수용하는 기본 청각 영역과 시각 자극을 수용하는 기본 시각 영역, 그리고 베르니케 영역, 브로카 영역, 운동 영역, 각회라는 네 개의 언어 중추를 중심으로 언어 처리 과정을 설명하고 있다. 게쉬윈드는 기존의 모형에서 개념 중심부를 제외

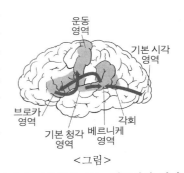
<그림>

하는 대신, 청각 형태로 단어가 저장되어 있는 베르니케 영역에서 그러한 역할도 함께 한다고 설명하였다. 즉, 베르니케 영역은 듣기와 읽기에서는 수용된 자극에 해당하는 단어를 찾아 의미를 해석하고, 말하기와 쓰기에서는 의미를 형성한 뒤 해당 단어를 찾는 역할을 한다고 보았다.

브로카 영역에는 단어를 조합하여 문장이나 발화를 생성하는 역할 외에 말하기나 쓰기에 필요한 운동 프로그램을 만들어 운동 영역으로 송부하는 역할을 추가하였다. 그리고 운동 영역은 브로카 영역에서 받은 운동 프로그램에 근거하여 말하기나 쓰기에 필요한 신경적 지시를 내리는 기능을 ⓓ담당한다고 보았다. 마지막으로 각회는 베르니케 영역과 인접해 있으면서 읽기에서는 시각 형태의 정보를 청각 형태로 전환하고, 쓰기에서는 청각 형태의 정보를 시각 형태로 전환하여 베르니케 영역으로 송부하는 역할을 한다고 보았다.

이 모형에 ⓔ의거하면 듣기 과정은 '기본 청각 영역 → 베르니케 영역'의 순서로 이루어진다. 이와 달리 말하기 과정은 '베르니케 영역 → 브로카 영역 → 운동 영역'의 순서로 이루어진다. 읽기나 쓰기 과정도 듣기나 말하기 과정과 유사하지만, 베르니케 영역에 저장된 단어가 청각 형태이기 때문에 각회를 거치는 과정이 추가된다. 각회에서 처리된 정보는 베르니케 영역으로 송부되어 읽기의 경우에는 의미를 해석하고, 쓰기의 경우에는 바로 다음 단계인 브로카 영역으로 정보를 송부한다.

이처럼 뇌에 대한 연구가 발전됨에 따라 언어 처리 과정에 대한 이론도 정교화되고 있다. 특히 베르니케 – 게쉬윈드 모형은 이전의 모형과 달리 듣기와 말하기뿐만 아니라 읽기와 쓰기에 대해서도 종합적인 설명을 제시하고 있다는 점에서 오늘날 뇌의 언어 처리 과정을 설명하는 표준형으로 평가받는다.

* 언어 중추 : 언어의 생성과 이해를 관장하는 뇌의 중추.

6. 윗글의 내용과 일치하지 <u>않는</u> 것은?

① 실어증은 후천적인 뇌 손상으로 인해 언어 처리에 장애가 생기는 증상이다.

② 실어증 환자에 대한 연구를 바탕으로 언어 처리 과정에 대한 이론이 발전했다.

③ 베르니케가 제시한 모형은 오늘날 언어 처리 과정의 표준형으로 인정받고 있다.

④ 언어 처리 과정에 대한 이론이 발전됨에 따라 설정되는 언어 중추의 개수가 많아졌다.

⑤ 리시트하임은 뇌에서 의미 형성에 관여하는 영역의 구체적 위치를 밝혀내지 못하였다.

7. ㉠과 ㉡에 대한 설명으로 적절한 것은?

① ㉠은 실제 발음 기관을 움직여 소리를 만드는 과정에 대한 설명이 가능하다.

② ㉡은 기본 시각 영역과 기본 청각 영역을 새로운 언어 중추로 추가하였다.

③ ㉠은 ㉡과 달리 말하기, 듣기, 읽기, 쓰기의 전 과정에 대한 설명이 가능하다.

④ ㉡은 ㉠과 달리 귀로 들어온 청각 자극이 베르니케 영역으로 송부된다고 보았다.

⑤ ㉠과 ㉡ 모두 베르니케 영역에 단어가 소리의 형태로 저장되어 있다고 보았다.

8. ㉮의 이유를 추론한 내용으로 가장 적절한 것은?

① 베르니케 영역에서 개념 중심부로 직접 정보를 송부하기 때문에

② 브로카 영역과 개념 중심부 사이의 정보가 쌍방향으로 송부되기 때문에

③ 개념 중심부에서 브로카 영역으로 정보를 직접 송부하지 못하기 때문에

④ 개념 중심부에서 베르니케 영역으로 정보를 직접 송부하지 못하기 때문에

⑤ 베르니케 영역과 브로카 영역 사이의 정보가 쌍방향으로 송부되기 때문에

9. 윗글을 바탕으로 <보기>의 과정에 대해 이해한 내용으로 적절하지 <u>않은</u> 것은?

< 보 기 >

'베르니케 – 게쉬윈드 모형'에 의하면 쓰기 과정은 다음과 같은 언어 처리 과정을 거친다.

베르니케 영역	→	각회	→	베르니케 영역	→	브로카 영역	→	운동 영역
(가)		(나)		(다)		(라)		(마)

① (가) : 의미를 형성하고 해당하는 단어를 찾는다.

② (나) : 청각 형태의 정보를 시각 형태로 전환한다.

③ (다) : 각회에서 처리한 정보를 받아 의미를 해석한다.

④ (라) : 쓰기를 하는 데 필요한 운동 프로그램을 만든다.

⑤ (마) : 운동 프로그램을 바탕으로 신경적 지시를 내린다.

10. 윗글을 바탕으로 할 때, <보기>를 보고 '리시트하임(A)'과 '게쉬윈드(B)'가 진단할 만한 내용으로 적절한 것은? [3점]

< 보 기 >

[실어증 환자 관찰 결과]

○ 문법에 어긋난 문장을 사용함.

○ 조사나 어미를 제대로 사용하지 못함.

○ 단어를 조합하여 문장을 잘 만들지 못함.

① A는 B와 달리 베르니케 영역이 손상되었다고 진단하겠군.

② B는 A와 달리 브로카 영역이 손상되었다고 진단하겠군.

③ A는 브로카 영역이, B는 베르니케 영역이 손상되었다고 진단하겠군.

④ A는 개념 중심부가, B는 브로카 영역이 손상되었다고 진단하겠군.

⑤ A와 B 모두 브로카 영역이 손상되었다고 진단하겠군.

11. 문맥에 따라 ⓐ ~ ⓔ를 바꿔 쓴 것으로 적절하지 <u>않은</u> 것은?

① ⓐ : 이름 붙이고

② ⓑ : 옮겨지면서

③ ⓒ : 받아들이는

④ ⓓ : 맡는다고

⑤ ⓔ : 따르면

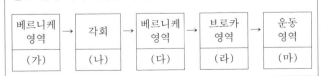

총 문항				문항	맞은 문항				문항
개별 문항	1	2	3	4	5	6	7	8	9	10
채점									
개별 문항	11	12	13	14	15	16	17	18	19	20
채점									

[1~5] 다음 글을 읽고 물음에 답하시오.

비트겐슈타인은 철학의 관심사가 사람이 '생각하는 바'가 아닌 사람이 '생각하는 바를 표현하는 것'이어야 한다고 주장했다. 그는 정신이나 이성에 관심을 가졌던 종래의 철학이 명제와 사실의 관계를 간과했다고 지적하며, 새로운 철학은 '말할 수 있는 것'과 '말할 수 없는 것'의 한계를 명확하게 설정할 수 있어야 한다고 보았다.

이를 위해 비트겐슈타인은 먼저 명제와 사실의 관계를 분명히 했다. 그에 의하면 명제는 사실과 대응한다. 그래서 그는 명제와 사실을 비교해서 명제가 사실과 일치하면 참, 사실과 일치하지 않으면 거짓이라고 보았다. 이를테면 '지구는 태양 주위를 돈다.'라는 명제는 지구가 태양 주위를 돌고 있다는 실제 경험할 수 있는 사실과 비교할 때 사실과 일치하기 때문에 참이 된다. 반면 '태양은 지구 주위를 돈다.'라는 명제는 사실과 비교할 때 거짓이 된다. 이처럼 비트겐슈타인은 하나의 명제는 하나의 사실과 대응하여 참 또는 거짓으로 판단할 수 있다고 보았다.

그렇다면 '지구는 태양 주위를 돌고, 달은 지구 주위를 돈다.'와 같은 명제도 하나의 사실에 대응하는 것일까? 비트겐슈타인은 진리함수이론을 통해 이 같은 고민을 해결하고자 했다. 그는 어떤 명제는 그 안에 좀 더 단순한 형태의 명제들을 포함할 수 있다고 생각했다. 그래서 명제와 사실의 관계에 있어 논리적 기초가 되는 ㉠'요소명제'라는 언어 단위를 도입하였다. 그에 따르면 요소명제는 더 이상 분석할 수 없는 최소의 언어 단위로, 최소의 사실 단위인 '원자사실'에 대응한다. 그래서 그는 요소명제가 원자사실과 일치하면 '참(T)'이라는 진리값을, 일치하지 않으면 '거짓(F)'이라는 진리값을 갖는다고 보았으며, 명제의 진리값이 나올 수 있는 경우의 수를 진리가능성이라고 불렀다. 그에 의하면 요소명제의 진리가능성은 언제나 참과 거짓, 2개가 된다. 또한 그는 두 개 혹은 그 이상의 요소명제들로 구성된 명제를 '복합명제'라고 불렀는데, 복합명제를 구성하는 각각의 요소명제는 각각 하나의 원자사실과 대응하기 때문에 여기서 나올 수 있는 진리값을 조합한 모든 경우의 수가 복합명제의 진리가능성이 된다고 보았다. 결국 복합명제가 몇 개의 요소명제들로 이루어지느냐에 따라 요소명제의 수를 n이라고 보면, 복합명제의 진리가능성은 2^n개가 된다.

그리고 비트겐슈타인은 복합명제의 진리값은 복합명제를 구성하는 각각의 요소명제들의 진리값에 대한 진리연산을 통해 얻을 수 있다고 보았다. 이때 진리연산은 요소명제들로부터 진리함수가 만들어져 나오는 방법이며, 진리연산의 결과는 복합명제가 참이 되거나 거짓이 되는 조건을 말해주는 진리조건이 된다. 그래서 '지구는 태양 주위를 돌고, 달은 지구 주위를 돈다.'라는 복합명제의 경우에는 '지구는 태양 주위를 돈다.'라는 요소명제 p와 '달은 지구 주위를 돈다.'라는 요소명제 q가 '그리고'에 의해 결합되어 있으므로, 이 복합명제는 p와 q의 진리값에 대해 '그리고'라는 진리연산이 적용된 진리함수 p∧q로 표현할 수 있

p	q	p∧q
T	T	T
F	T	F
T	F	F
F	F	F

<표>

다. 진리함수 p∧q는 '지구는 태양 주위를 돈다.'가 참이고, '달은 지구 주위를 돈다.'도 참이 될 때에만 진리값이 참이 된다. 이를 비트겐슈타인이 고안한 진리표로 만들면, <표>와 같이 p와 q의 진리가능성은 TT, FT, TF, FF가 되고, p∧q의 진리조건은 TFFF가 된다.

비트겐슈타인은 이렇게 복합명제를 진리표로 만들었을 때, 진리조건에 T와 F가 함께 표기되는 명제, 즉 사실과 비교함으로써 참 또는 거짓을 판단할 수 있는 명제를 '의미 있는 명제'라고 불렀다. 그리고 그는 의미 있는 명제가 바로 우리가 '말할 수 있는 것'의 영역에 포함된다고 보았다. 반면에 그는 우리가 '말할 수 없는 것'의 영역에 포함되는 명제로 '무의미한 명제'와 '의미를 결여한 명제'를 제시했다. 무의미한 명제는 그 명제에 대응하는 사실이 없어서 참과 거짓을 가려낼 수 없는 명제이다. 그리고 의미를 결여한 명제는 그 명제에 대응하는 사실은 없지만, 언제나 참이거나 언제나 거짓인 명제이다. 만약 의미를 결여한 명제를 진리표로 만든다면 그 진리조건은 언제나 모두 참이거나 모두 거짓으로 표기되겠지만, 이는 진리연산의 결과와 상관없는 표기이다. 결국 비트겐슈타인은 진리함수이론을 통해 우리가 말할 수 있는 것의 영역에는 참 또는 거짓으로 판단할 수 있는 의미 있는 명제밖에 없다는 것을 보여줄 수 있었다.

1. 윗글에 대한 설명으로 가장 적절한 것은?

① 명제와 사실이 갖는 한계를 지적하고, 이를 극복할 수 있는 방법을 소개하고 있다.

② 명제와 사실의 공통점을 사례를 중심으로 보여주고, 특정 이론을 통해 이를 점검하고 있다.

③ 명제에 대한 통념을 비판하고, 다양한 철학자의 견해를 비교하여 새로운 주장을 내세우고 있다.

④ 명제와 사실의 관계를 밝히고, 이와 관련된 특정 이론을 구체적인 예시를 사용하여 설명하고 있다.

⑤ 명제에 대한 특정 철학자의 관점을 시대순으로 정리하고, 이에 대한 비판적 견해를 제시하고 있다.

2. 비트겐슈타인의 관점에서 ㉠을 이해한 내용으로 적절하지 <u>않은</u> 것은?
① 요소명제는 더 이상 쪼갤 수 없는 언어 단위이다.
② 두 개 이상의 요소명제가 결합하여 복합명제를 만들 수 있다.
③ 원자사실과의 일치 여부에 따라 요소명제의 진리값이 정해진다.
④ 요소명제의 진리값이 나올 수 있는 경우의 수는 언제나 2개이다.
⑤ 요소명제는 '무의미한 명제'를 '의미를 결여한 명제'와 구분하는 기준이다.

4. 윗글을 읽은 학생이 <보기>의 [진리표 1]과 [진리표 2]에 대해 보인 반응으로 가장 적절한 것은? [3점]
① [진리표 1]과 [진리표 2]의 진리함수는 서로 같겠군.
② [진리표 1]과 달리 [진리표 2]는 '의미를 결여한 명제'를 진리표로 만든 것이겠군.
③ [진리표 1]과 달리 [진리표 2]의 복합명제는 '말할 수 있는 것'의 영역에 속하겠군.
④ [진리표 1]의 복합명제와 [진리표 2]의 복합명제에 적용된 진리 연산은 서로 같겠군.
⑤ 원자사실과 대응하는 요소명제의 수는 [진리표 1]에는 1개, [진리표 2]에는 2개이겠군.

※ 〈보기〉는 윗글을 참고하여, 임의의 두 명제를 각각 진리표로 만든 것이다. 3번과 4번 물음에 답하시오.

〈 보 기 〉

p	q	p∨q
T	T	T
F	T	T
T	F	T
F	F	F

[진리표 1]

p	q	p→(q→p)
T	T	T
F	T	T
T	F	T
F	F	T

[진리표 2]

3. 윗글을 바탕으로 <보기>의 [진리표 1]을 이해한 내용으로 적절하지 <u>않은</u> 것은?
① 진리연산의 결과인 진리조건은 TTTF이다.
② 복합명제의 진리값이 F일 때는 p와 q에 대응하는 원자사실이 없는 경우이다.
③ 진리조건에 T와 F가 함께 표기되어 있으므로 이 복합명제는 '의미 있는 명제'이다.
④ p와 q의 진리가능성이 TT, FT, TF일 때에 진리함수 p∨q의 진리 값이 참이 된다.
⑤ 복합명제를 구성하는 요소명제가 하나 더 추가되면 이 복합명제의 진리가능성은 2^3개가 된다.

5. 윗글을 이해한 학생이 비트겐슈타인의 입장에서 <보기>의 ⓐ에 대해 보인 반응으로 가장 적절한 것은?

〈 보 기 〉

플라톤은 정신을 통해서만 이데아를 인식할 수 있다고 보았으며 ⓐ"이데아란 영원하고 불변하는 사물의 본질적인 원형이다."라고 했다. 즉 그에 의하면 이데아는 육안이 아니라 마음의 눈으로 통찰되는 사물의 순수하고 완전한 형태를 가리킨다.

① ⓐ는 철학의 관심사로 삼아야 할 내용을 담은 명제라고 할 수 있겠군.
② ⓐ는 '생각하는 바를 표현한 것'이므로 '의미 있는 명제'라고 할 수 있겠군.
③ ⓐ는 '말할 수 있는 것'과 '말할 수 없는 것'의 경계를 표현한 명제라고 할 수 있겠군.
④ ⓐ는 실제 경험할 수 있으므로 진리조건이 언제나 '거짓'으로 표기되는 명제라고 할 수 있겠군.
⑤ ⓐ는 대응하는 사실이 없어, '참'과 '거짓'을 판단할 수 없기에 '무의미한 명제'라고 할 수 있겠군.

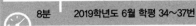
[6~9] 다음 글을 읽고 물음에 답하시오.

중국 역사에서 전국 시대는 전쟁으로 점철된 시대였다. 여러 사상가들이 혼란한 정국을 수습하고 백성들을 고통에서 벗어나게 하기 위한 대안을 마련하였는데, 이 과정에서 그들의 이론을 뒷받침할 형이상학적 체계로서의 인성론이 대두되었다. 인성론은, 인간의 본성은 선하다는 성선설, 인간의 본성이 악하다는 성악설, 인간의 본성에는 애초에 선과 악이라는 구분이 전혀 없다는 성무선악설 등으로 분류될 수 있다. 맹자와 순자를 비롯한 사상가들은 인간 본성에 대한 이론적 탐구에서 더 나아가 사회적·정치적 관점으로 인성론을 구성하고 변형시켜 왔다.

[A] ┌ 맹자의 성선설이 국가 공권력에 저항하기 위해 호족들 및 지주들이 선한 본성을 갖춘 자신들을 간섭하지 말라는 이념적 논거로 사용되었다면, 순자나 법가의 성악설은 군주가 국가 공권력을 정당화할 때 그 논거로서 사용되었다. 즉 선악이란 윤리적 개념이 정치적 개념과 불가분의 관계에 놓여 있다는 사실을 확인할 수 있다. 성선설에서는 개체가 외부의 강제적인 간섭 없이도 '정치적 질서'를 낳고 유지할 수 있다고 본 반면, 성악설에서는 외부의 간섭이 없을 경우 개체는 '정치적 무질서'를 초래할 뿐인 존재라고 본 것이다. └

한편 ㉠고자는 성무선악설을 통해 인간이 가지고 있는 식욕과 같은 자연적인 욕구가 본성이므로 이를 정치적이면서 동시에 윤리적인 범주로서의 선과 악의 개념으로 다룰 수 없다고 주장했다. 그는 인간의 본성을 '소용돌이치는 물'로 비유했는데, 이러한 관점은 소용돌이처럼 역동적인 삶의 의지를 지닌 인간을 규격화함으로써 그 역동성을 마비시키려는 일체의 외적 간섭에 저항하는 입장을 취하도록 하였다.

㉡맹자는, 인간의 본성을 역동적인 것으로 간주한 고자의 인성론을 비판하였다. 맹자는 살아있는 버드나무와 그것으로 만들어진 나무 술잔의 비유를 통해, 나무 술잔으로 쓰일 수 있는 본성이 이미 버드나무 안에 있다고 보았다. 맹자는 인간이 선천적으로 지닌 이러한 본성을 인의예지 네 가지로 규정하였다. 고통에 빠진 타인을 측은히 여기는 동정심, 즉 측은지심은 인간이라면 누구나 갖고 있다고 보고, 측은한 마음은 인간의 의식적 노력에서 나온 것이 아니라 불쌍한 타인을 목격할 때 저절로 내면 깊은 곳에서 흘러나온다고 본 것이 맹자의 관점이었다. 다시 말해 인간은 스스로의 노력으로 본성을 실현할 수 있는 존재, 즉 타인의 힘이 아닌 자력으로 수양할 수 있는 존재라고 보았다. 이것이 바로 맹자 수양론의 기본 전제이다.

모든 인간은 선한 본성을 지니고 있고, 이 선한 본성의 실현은 주체 자신의 노력에 의해서만 가능하다는 맹자의 성선설을 순자는 사변적이고 낙관적이며 현실 감각이 결여된 주장으로 보았다. 선한 인간이 되기 위해서 인간은 국가 질서, 학문, 관습 등과 같은 외적인 것에 의존할 필요가 없다고 본 맹자의 논리는 현실 사회에서 국가 공권력과 사회 규범의 역할을 전적으로 부정하는 논거로도 사용될 수 있었기 때문이다. ㉢순자의 견해처럼 인간의 본성이 악하다고 전제할 때 그것을 교정하고 순치할 수 있는 외적인 강제력, 다시 말해 국가 권력이나 전통적인 제도들이 부각될 수 있다. 국가 질서와 사회 규범을 정당화하기 위한 순자의 견해는 성악설뿐만 아니라 현실주의적 인간관에서 비롯되었다.

순자는 인간의 욕망이 무한하지만 그것을 충족시켜줄 재화는 매우 한정되어 있다고 보고 이런 모순을 해결하기 위해서 국가에 의해 예(禮)가 만들어졌다는 입장을 견지하였다. 만약 인간에게 외적인 공권력과 사회 규범이 없는 경우를 가정한다면 인간들은 자신들의 욕망 충족에 있어 턱없이 부족한 재화를 놓고 일종의 전쟁 상태에 빠지게 될 것이고, 그 결과 사회는 걷잡을 수 없는 무질서 상태로 전락하게 될 것이다. 맹자의 성선설이 비현실적일 뿐만 아니라 정치적 질서를 해칠 가능성이 있다고 본 순자의 비판은, 바로 인간과 사회에 대한 이와 같은 견해로부터 나온 것이다.

6. 윗글에 대한 설명으로 가장 적절한 것은?

① 인성에 대한 세 견해의 장단점을 비교하고 있다.
② 인성론의 등장 배경과 다양한 견해를 소개하고 있다.
③ 인성론의 역사적 의의와 한계에 대해 분석하고 있다.
④ 인성론이 등장한 시대적 상황을 구체적 자료를 통해 제시하고 있다.
⑤ 인성에 대한 두 견해를 제시하며 이를 절충한 이론을 소개하고 있다.

7. [A]를 통해 '인성론'에 대해 이해한 내용으로 가장 적절한 것은?

① 사회의 발전을 위한 갈등 유지의 당위성을 인정하였다.
② 권력자의 윤리 의식과 통치력이 상반된다고 판단하였다.
③ 정치적 입장을 정당화하는 이념적인 수단으로 사용되었다.
④ 초자연적 존재와 대비되는 인간 본성의 우위를 추구하였다.
⑤ 인간의 타고난 본성을 거스르는 인위적 노력을 배격하였다.

8. 윗글의 '순자'와 <보기>의 '홉스'가 모두 동의할 만한 진술로 가장 적절한 것은? [3점]

> ─── <보 기> ───
>
> 홉스의 『리바이어던』에 따르면, 인간은 본성이 이기적이므로 자신의 이익을 극대화하기 위해 '자연 상태'에서 '만인의 만인에 대한 투쟁' 상태로 비참하게 살아갈 수밖에 없다. 이를 극복하기 위해 공동의 권력을 만들었는데 이것이 바로 리바이어던이다. 이는 공동의 평화와 방어를 위해 필요한 모든 힘과 수단을 이용할 수 있는 절대 권력이다. 사람들은 리바이어던 같은 절대 통치자에게 복종을 약속하고 대신 통치자는 사람들의 안전을 보장해 주는데, 국가는 바로 이러한 계약에 따라 만들어졌다.

① 인간의 이기적 본성이 사회의 혼란과 무질서를 초래함을 인정해야 한다.

② 인간은 공동의 평화를 위해 국가 권력에 대해 비판적 태도를 지녀야 한다.

③ 통치자는 권력을 유지하기 위해 한정된 재화의 균등한 분배에 힘써야 한다.

④ 대립적 상황의 해결을 위하여 인간의 본성이 발현되는 자연 상태로 돌아가야 한다.

⑤ 사회의 질서를 유지하기 위한 제도와 규범은 구성원들의 계약에 의해 마련되어야 한다.

9. ㉠ ~ ㉢의 관점에서 <보기>를 이해한 것으로 적절하지 <u>않은</u> 것은?

> ─── <보 기> ───
>
> 가난과 배고픔 때문에 빵을 훔친 장발장은 체포되어 19년 동안 감옥 생활을 한다. 출소한 장발장은 신분증에 전과가 적혀 있어 잠잘 곳도, 일자리도 구할 수 없게 된다. 오직 미리엘 주교만은 이런 그를 따뜻하게 맞아주었으나, 장발장은 은촛대를 훔치다가 경관에게 붙잡힌다. 하지만 미리엘 주교는 은촛대는 장발장이 훔친 것이 아니라 선물로 준 것이라고 말하며 사랑을 베풀어 주었고, 이에 감동받은 장발장은 정체를 숨기고 선행을 베풀며 살아간다.

① ㉠ : 장발장이 배가 고파 빵을 먹고 싶은 것은 인간의 자연스러운 욕구에서 비롯된 것으로 이해할 수 있다.

② ㉠ : 미리엘 주교가 은촛대를 장발장에게 준 선물이라고 말한 것은 역동적 삶의 의지를 규격화하려는 행위로 볼 수 있다.

③ ㉡ : 미리엘 주교가 장발장에게 편히 쉴 곳을 마련해 준 것은 불쌍한 사람을 측은히 여기는 마음에 따른 것으로 이해할 수 있다.

④ ㉡ : 장발장이 선행을 베풀며 살아가는 모습은 스스로의 노력으로 선한 본성을 실현하는 것으로 볼 수 있다.

⑤ ㉢ : 장발장이 체포되어 수감된 것은 본성을 바로잡기 위한 사회 규범에 의거한 것으로 볼 수 있다.

【10~14】 다음 글을 읽고 물음에 답하시오.

일반적으로 사람들은 정서와 감정을 동일한 것으로 여긴다. 그런데 오늘날의 심리 철학에서는 '정서'라는 개념을 특정 시점에서의 주관의 정신 상태라고 정의하면서 정서와 감정을 개념적으로 구분하고, 정서의 본질에 대해 이전부터 계속되어 온 철학적 탐구를 이어가고 있다.

정서의 본질에 대한 전통적인 논의는 크게 두 방향의 이론으로 설명할 수 있는데, 하나는 '감정 이론'이고 다른 하나는 '인지주의적 이론'이다. 다음 사례에서 드러나는 정서의 요소를 바탕으로 두 이론의 대립하는 방향성을 확인할 수 있다. 민호가 전신주 옆에서 버스를 기다리고 있을 때, 전신주 변압기에서 연기가 솟아났고 민호는 갑자기 공포에 빠져들게 된 상황을 가정해 보자. 이때 민호의 공포라는 정서에서 감정적 요소에 해당하는 것은 민호가 느끼는 공포감이라는 느낌이고, 인지적 요소에 해당하는 것은 민호가 연기를 보았을 때 '민호 자신이 위험한 상황에 처했다.'라는 명제로 표현될 수 있는 판단이나 믿음이다. 감정 이론은 전자를 중심으로 정서를 정의하는 이론이고, 인지주의적 이론은 후자를 중심으로 정서를 정의하는 이론이다.

㉠ 감정 이론은 특정 정서를 그 정서가 내포하는 특정 감정 즉 자신도 모르게 생기는 느낌과 동일시하는 이론이다. 감정 이론에 따르면, 정서를 이해하는 것은 인지적인 요소가 아니라 감정적인 요소를 통해서 가능하다. 즉 상황에 대해서 어떻게 판단하고 믿느냐가 아니라 어떻게 느끼느냐를 이해하는 것을 통해서만 가능하다는 것이다. 감정 이론은 앞의 예에서 공포라는 민호의 정서를 공포감이라는 감정적 요소와 동일시하면서 민호의 정서를 이해하는 데 있어 인지적 요소는 배제한다. 인지적 요소인 판단과 믿음은 앞의 예에서 민호가 연기를 보았다고 가정했을 때 그 '연기'와 같은 구체적인 대상을 전제하는데, 감정 이론은 판단과 믿음을 배제하기 때문에 정서의 지향적인 성격을 부정한다. 또한 감정 이론을 바탕으로 할 때, 감정은 정서와 동일시되므로 의지에 의해 통제되기 힘든 감정의 속성은 그대로 정서의 속성이 된다.

감정 이론은 사람들이 일상적으로 정서를 감정과 동일시하는 보편적인 성향을 잘 설명할 수 있다는 장점을 지닌다. 사람들이 '어떤 사람이 공포의 정서 상태에 있다.'라는 말의 의미를 전달하기 위해서, 이 말보다 '어떤 사람이 공포를 느낀다.'라는 말을 더 자연스럽게 여기는 것은 정서와 감정을 동일시하는 사람들의 보편적인 성향을 잘 보여 준다. 그러나 감정 이론은 정서들을 분류하는 데 한계를 지닌다. 왜냐하면 감정 이론은 감정 외적인 인지적 요소를 배제하고 감정적 요소만을 강조하기 때문에 개별 정서의 차이를 구분하여 설명하지 못하고 단지 각각의 정서가 다르게 느껴진다고 이야기한다. 그리고 감정 이론은 정서가 규범적 성격을 가질 수 있다는 점을 설명할 수 없다. 왜냐하면 감정 이론은, 어떻게 느끼느냐에 대한 감정 외적인 상황을 고려하지 않은 채 내적인 감정과 동일시되는 정서 자체에 초점을 맞추기 때문이다. 그래서 감정 이론은 그 정서의 규범적인 적절성 여부, 즉 그 정서가 당위적인 가치 기준에 부합하는지 여부를 판단하는 것이 불가능하다.

인지주의적 이론은 정서의 인지적 요소를 정서와 동일시하거나 적어도 정서의 필수적인 요소로 인정하는 이론이다. 이 이론에 따르면, 감정 자체는 정서와 동일시될 수 없고 판단이나 믿음과 같은 인지적 요소들의 복합체에 의해 초래되는 결과일 뿐이다. 인지주의적 이론은, 앞의 예에서 민호가 자신의 머리 위에 변압기가 떨어질 수 있다고 판단하여 위험한 상황에 처했다

고 믿는 것을 민호가 경험하는 공포라는 정서 상태와 동일시하거나 적어도 이 공포라는 정서를 규정하는 데 필수적인 요소로 인정한다. 그리고 민호의 공포감은 민호의 판단과 믿음의 결과로 가지게 된 감정일 뿐이라고 본다.

인지주의적 이론의 장점은 앞서 언급한 감정 이론의 두 가지 문제점을 해결할 수 있다는 것이다. 인지주의적 이론은 정서들을 개별 정서로 분류하는 것이 가능하다. 왜냐하면 사람들이 비슷하다고 생각하는 정서를 판단이나 믿음이라는 인지적 요소를 바탕으로 각각의 정서로 구분할 수 있기 때문이다. 그리고 인지주의적 이론은 정서가 규범적 성격을 가질 수 있다는 점을 설명할 수 있다. 왜냐하면 인지주의적 이론이 정서와 동일시하거나 적어도 정서의 필수적인 요소로 여기는 판단과 믿음에는 당위적인 가치 기준이 개입될 수 있기 때문이다. 그러나 인지주의적 이론은 인지적 요소만을 지나치게 강조하기 때문에, 사람들의 보편적인 성향에서 드러나는 감정적 요소를 경시하고 있다.

ⓐ 감정 이론과 인지주의적 이론은 유사한 맥락에서 한계를 지니고 있다. 그래서 오늘날의 심리 철학은 두 이론을 정서의 다면적인 성격을 설명하기 위한 철학적 바탕으로 삼되, 두 이론과 달리 정서의 다면적 성격을 종합적으로 설명할 수 있는 새로운 이론적 틀을 마련하기 위해 노력하고 있다.

10. 윗글의 전개 방식에 대한 설명으로 가장 적절한 것은?
① 중심 화제에 대한 대비되는 두 이론을 소개한 후 각 이론의 장단점을 제시하고 있다.
② 중심 화제에 대한 상반된 이론을 제시한 후 두 이론을 절충한 새로운 이론을 비판하고 있다.
③ 중심 화제에 대한 두 이론의 가설을 제시하고 통계를 바탕으로 가설의 타당성을 검증하고 있다.
④ 중심 화제에 대한 두 이론의 대표적인 학자들을 제시하고 그들이 후속 연구에 미친 영향을 소개하고 있다.
⑤ 중심 화제에 대해 새롭게 등장한 두 이론과 각각의 등장 배경을 소개하고 기존 이론의 등장 배경과 대비하고 있다.

11. 윗글을 바탕으로 <보기>를 이해한 내용으로 적절하지 <u>않은</u> 것은? [3점]

〈 보 기 〉
집에 가던 수아는 갑자기 비가 내리자 버스 정류장에서 비를 피하고 있었다. 그때 멀리서 수아를 본 어머니가 웃는 얼굴로 우산을 들고 수아에게 다가왔다. 어머니를 만난 수아는 행복이라는 정서를 가지게 되었다.

① 감정 이론에 따르면, 수아가 집에 갈 때 어머니를 만난 특정 시점에서 가지게 된 행복이라는 정서는 수아가 느낀 감정인 행복감 자체와 동일시된다고 보겠군.

② 감정 이론에 따르면, 수아의 행복이라는 정서를 이해하려면 '수아가 비를 맞지 않게 하려고 어머니가 우산을 들고 나왔다.'라는 명제로 표현될 수 있는 요소는 배제해야겠군.

③ 인지주의적 이론에 따르면, 자신을 본 어머니의 웃는 얼굴을 보게 됨으로써 수아가 가지게 된 행복이라는 정서는 감정에서 비롯된 결과라고 보겠군.

④ 인지주의적 이론에 따르면, 수아의 행복이라는 정서를 설명하기 위해서는 어머니가 우산을 들고 수아에게 다가오는 상황을 고려해야 한다고 보겠군.

⑤ 인지주의적 이론에 따르면, 어머니의 표정과 행동이라는 구체적인 대상에 대한 수아의 판단은 수아가 가지게 된 행복이라는 정서 상태의 필수적인 요소로 인정되겠군.

12. 윗글과 <보기>에 대해 설명한 내용으로 가장 적절한 것은?

〈 보 기 〉
정서의 본질을 설명하는 전통적인 이론 중에서 행동주의 이론은 정서의 본질을 인간에게 가해지는 자극과 이에 대한 반응의 관계를 통해 파악하려고 했다. 행동주의 이론에 따르면, 인간의 모든 기능은 공통적으로 자극과 반응의 원리를 통해 설명될 수 있기 때문에 인간의 정서도, 내적인 감정이 아니라 자극에서 초래된 외적인 반응으로서의 특정한 행동과 현상으로 기술될 수 있다는 것이다.

① 감정 이론과 행동주의 이론은 모두 인간에게 가해지는 자극을 통해서 인지적인 요소가 정서의 필수적인 요소임을 증명할 수 있다고 보고 있다.

② 인지주의적 이론과 행동주의 이론은 모두 인간의 외적인 반응에 주목하여 사람의 마음에 일어나는 감정 그 자체인 정서를 설명하려 하고 있다.

③ 감정 이론은 행동주의 이론과 달리, 인간이 어떻게 느끼느냐에 대한 스스로의 판단은 특정한 행동을 하게 만든다는 사실에 초점을 두어 정서를 설명하려 하고 있다.

④ 행동주의 이론은 감정 이론과 달리, 인간의 정서는 내적인 감정이 아니라 자극과 반응으로 기술될 수 있다는 특징에 주목하여 정서라는 개념을 설명할 수 있다고 보고 있다.

⑤ 행동주의 이론은 인지주의적 이론과 달리, 인간의 모든 기능을 설명할 수 있는 공통적인 원리가 아닌 특수한 대상에 적용되는 원리를 바탕으로 정서에서의 감정적 요소를 설명하려 하고 있다.

13. 윗글의 ㉠과 <보기>의 Ⓐ에 대해 보인 반응으로 적절하지 <u>않은</u> 것은?

─〈 보 기 〉─

Ⓐ <u>제임스의 이론</u>에 따르면, 사람이 공포라는 정서 상태에 있을 때 얼굴이 핼쑥해지고 등줄기에 식은땀이 흐르는 등 여러 가지 신체적 변화가 발생하는데 이러한 물리적인 변화는 의지에 의해 통제되기 힘든 특정 느낌을 동반한다. 제임스는 이러한 느낌을 중심으로, 느낌들의 복합체, 즉 신체적 감각의 복합체를 공포라는 정서와 동일시한다.

① ㉠과 Ⓐ는 정서의 지향적인 성격을 전제한다는 점에서 유사하겠군.

② ㉠과 Ⓐ는 느낌이라는 것을 중심으로 정서를 이해한다는 점에서 유사하겠군.

③ ㉠과 Ⓐ는 의지에 의해 통제되기 힘든 정서의 속성을 인정한다는 점에서 유사하겠군.

④ ㉠은 감정과 정서의 속성을 동일시하여 정서를 이해하려 하고 있군.

⑤ Ⓐ는 신체적 감각의 복합체를 정서와 동일시하여 정서를 이해하려 하고 있군.

14. ⓐ에 대한 설명으로 가장 적절한 것은?

① 감정 이론과 인지주의적 이론은 모두 정서가 규범적인 속성을 가질 수 있다는 점을 설명하지 못한다.

② 감정 이론과 인지주의적 이론은 모두 사람들이 느끼는 개별 정서의 차이를 구분하여 설명하지 못한다.

③ 감정 이론과 인지주의적 이론은 모두 특정 요소만을 강조하여 정서의 본질을 종합적으로 설명하지 못한다.

④ 감정 이론과 인지주의적 이론은 모두 정서에 대해서 사람들이 지니고 있는 보편적인 성향을 반영하지 못한다.

⑤ 감정 이론과 인지주의적 이론은 모두 상황에 따른 정서의 적절성 여부를 결정하는 당위적인 가치 기준을 제시하지 못한다.

총 문항				문항	맞은 문항				문항
개별 문항	1	2	3	4	5	6	7	8	9	10
채점										
개별 문항	11	12	13	14	15	16	17	18	19	20
채점										

사 회

• 고1 국어 독서 •

II 사회

🏷️ 출제 트렌드

사회는 정치, 법, 경제, 일반 사회, 문화, 언론, 광고 등을 다루는 분야입니다. 다양한 세부 주제 중에서도 주로 경제와 법률에 관한 지문이 자주 출제됩니다. 사회 지문은 2022학년도 시험에서도 그랬듯 대체로 어렵게 출제되는 경향이 있으므로, 꾸준한 연습을 통해 사회 지문의 특성과 그에 따른 문제 푸는 감각을 익혀야 합니다. 사회 지문은 주로 어떠한 사회 현상을 병렬, 나열하는 경우가 많고 비교, 대조하는 구조의 글도 출제됩니다. 사회 이론에 대한 개념과 원리를 예시를 통해 자세히 설명하고 구체적인 사례에 적용할 수 있는지 묻는 경우도 있습니다. 또한 〈보기〉를 통해 지문 속에 나타난 내용을 자료를 해석하는 문제와 연결 지어 묻기도 합니다. 다양한 사회 지문을 접하며 자주 등장하는 용어나 기본적인 배경지식은 미리 알아 두는 것이 좋습니다.

시행	출제 지문	문제 수	난이도
2022학년도 11월 학평	플랫폼의 가격구조	4문제 출제	★★☆
2022학년도 9월 학평	저작물의 보호와 침해	6문제 출제	★★☆
2022학년도 6월 학평	가설 검정과 오류	5문제 출제	★★★
2022학년도 3월 학평	보드리야르의 소비 이론	5문제 출제	★★★

🏷️ 1등급 꿀팁

하나 _ 도표나 그래프를 지문의 내용과 연결 지어 이해하자.

두울 _ 시각 정보를 풀이하는(비례, 반비례 관계 등) 정보에 집중하자.

세엣 _ 문단별로 중심 내용을 간략하게 정리하는 습관을 기르자.

네엣 _ 사실적 판단 문제와 더불어 논리적 추론 문제에 익숙해지자.

다섯 _ 선택지에서 지문의 같은 내용을 다르게 표현하는 경우도 있으므로 놓치지 말자.

여섯 _ 글쓴이의 견해가 드러나는 글은 견해의 타당성을 평가하며 비판적으로 읽자.

일곱 _ 최신 경향에 맞는 시사, 사회적 현상을 알아두자.

다음 글을 읽고 물음에 답하시오.

　　⊙마르크스는 사물의 경제적 가치를 사용가치와 교환가치로 구분하면서 자본주의 사회에서는 경제적 가치가 교환가치에 의해 결정된다고 보았다. 사용가치는 사물의 기능적 가치를, 교환가치는 시장 거래를 통해 부여된 가치를 의미하는데 사물 자체의 유용성은 고정적이므로 시장에서의 수요와 공급에 의해서만 경제적 가치가 결정된다고 보았기 때문이다. 또한 그는 사물의 거래 가격은 결국 사물의 생산 비용에 의해 결정된다는 점에서 소비를 생산에 종속된 현상으로 보고 소비의 자율성을 인정하지 않았다.

　　마르크스의 이러한 주장과 달리 ⓛ보드리야르는 교환가치가 아닌 사용가치가 경제적 가치를 결정하며, 자본주의 사회는 소비 우위의 사회라고 주장했다. 이때 보드리야르가 제시한 사용가치는 사물 자체의 유용성에 대한 가치가 아니라 욕망의 대상으로서 기호(sign)가 ⓐ지니는 기능적 가치, 즉 기호가치를 의미한다.

　　기호는 어떤 대상을 지시하는 상징으로서 문자나 음성같이 감각으로 지각되는 기표와 의미 내용인 기의로 구성되는데, 기표와 기의의 관계는 자의적이다. 가령 '남성'이란 문자는 필연적으로 어떤 대상을 지시하는 것이 아니며 '여성'이란 기호와의 관계 속에서 의미 내용이 결정된다. 다시 말해, 어떤 기호의 의미 내용을 결정하는 것은 기표와 기의의 관계가 아니라 기호들 간의 관계, 즉 기호 체계이다.

[A]　　보드리야르는 자본주의 사회에서 대량 생산 기술이 급속하게 발전하면서 소비자가 기호가치 때문에 사물을 소비한다고 보았다. 대량 생산 기술의 발전으로 수요를 충족하고 남을 만큼의 공급이 이루어져 사물 자체의 유용성은 더 이상 소비를 결정하는 요인으로 작용할 수 없기 때문이다. 예를 들어 소비자는 특정 계층 또는 집단의 일원이라는 상징을 얻기 위해 명품 가방을 소비한다. 이때 사물은 소비자가 속하고 싶은 집단과 다른 집단 간의 차이를 부각하는 기호로서 기능한다. 따라서 보드리야르에 따르면 자본주의 사회에서 소비의 원인은 사물이 상징하는 특정 사회적 지위에 대한 욕구이다.

　　보드리야르는 현대인이 자연 발생적인 욕구에 따라 자유롭게 소비하는 것처럼 보이지만 사실은 강제된 욕구에 따르는 것에 불과하다고 보았다. 이는 기호가 다른 기호와의 관계 속에서 그 의미 내용이 결정되는 것과 관계된다. 특정 사물의 상징은 기호 체계, 즉 사회적 상징체계 속에서 유동적이며, 따라서 ⓒ상징체계 변화에 따라 욕구도 유동적이다. 이때 대중매체는 사물의 기의에 영향을 미침으로써 욕구를 강제할 수 있다. 현실이 대중매체를 통해 전달될 때 현실은 현실 그 자체가 아니라 다른 기호와 조합될 수 있는 기호로서 추상화되기 때문이다. 가령 텔레비전 속 유명 연예인이 소비하는 사물은 유

명 연예인이라는 기호에 의해 새로운 의미 내용이 부여된다. 요컨대 특정 사물에 대한 현대인의 욕망은 대중매체를 매개로 하여 자기도 모르는 사이에 강제된다.

　　보드리야르는 기술 문명이 초래한 사물의 풍요 속에서 현대인의 일상생활이 사물의 기호가치와 이에 대한 소비에 의해 규정된다고 보고 자본주의 사회를 소비사회로 명명하였다. 그의 이론은 소비가 인간에 미치는 영향을 비판적으로 성찰해야 한다는 점을 시사한다.

17. 기호 체계를 바탕으로 [A]를 이해한 내용으로 적절하지 않은 것은?

① 사물은 기표로서의 추상성과 기의로서의 구체성을 갖는다.

② 사물과 그것이 상징하는 특정한 사회적 지위와의 관계는 자의적이다.

③ 사물은 사물 자체가 아닌 사물 간의 관계를 통해 의미 내용이 결정된다.

④ 소비는 사물이라는 기호를 통해 특정 계층 또는 집단의 일원이라는 상징을 얻는 행위이다.

⑤ 기호가치는 사물의 기의와 그에 대한 소비자의 욕구와 관련될 뿐 사물의 기표에 의해 결정되는 것은 아니다.

문제풀이

17번은 핵심 개념을 바탕으로 세부 내용을 이해해야 하는 문제로, 정답률이 약 30%밖에 되지 않았다. 독서 영역이 어려워지면서 이 문제처럼 단순히 지문과의 대조가 아니라 '추론'이 필요한 문제가 늘어나고 있으므로 이에 대비해야 한다.

❶ 세 번째 문단을 보면 기표는 문자나 음성같이 감각으로 지각되는 부분으로 구체성을, 기의는 의미 내용 부분으로 추상성을 가지므로 적절하지 않다.

② 사물이 기표라면 그것이 상징하는 '특정한 사회적 지위'가 사물이 가지는 기의라고 할 때, 세 번째 문단의 내용에 따라 기표와 기의의 관계는 자의적임을 알 수 있다.

③ 다섯 번째 문단에서 기호가 다른 기호와의 관계 속에서 그 의미 내용이 결정된다고 하였다.

④ 네 번째 문단에서 소비자는 특정 계층 또는 집단의 일원이라는 상징을 얻기 위해 명품 가방을 소비한다고 설명하고 있다.

⑤ 세 번째 문단을 보면, 기호가치란 어떤 대상을 지시하는 상징의 기능적 가치이므로 구체적으로 감각되는 기표에 의해 결정되는 것은 아니다.

| 8분 | 2022학년도 11월 학평 38~41번 | ★★☆ | 정답 017쪽 |

【1~4】 다음 글을 읽고 물음에 답하시오.

양면시장은 플랫폼 사업자가 서로 구분되는 두 개의 이용자 집단에 플랫폼을 제공하고 이용자들은 플랫폼을 통해 상대 집단과 거래하면서 경제적 가치나 편익을 창출하는 시장을 의미한다. 이때 플랫폼이란 양쪽 이용자 집단의 연결 고리 역할을 하는 물리적, 가상적, 제도적 환경을 일컫는다. 이용자 집단은 플랫폼을 통해 거래가 이루어지기까지의 시간이나 노력 등과 같은 거래비용을 절감하여 상대 집단과 거래하게 된다. 대표적인 플랫폼으로 신용 카드 회사가 제공하는 카드 결제 시스템을 들 수 있다. 플랫폼의 한쪽에는 카드로 결제하는 회원들이 있고, 플랫폼의 반대쪽에는 그것을 지불 수단으로 받는 가맹점들이 있다. 플랫폼 사업자인 신용 카드 회사 입장에서는 양쪽 이용자 집단인 카드 회원들과 가맹점들 모두가 고객이 된다.

플랫폼을 통해 연결되는 양쪽 이용자 집단의 관계는 '네트워크 외부성'을 통해 설명할 수 있다. 네트워크 외부성은 어떤 제품이나 서비스를 사용하는 이용자의 규모가 이용자의 효용에 영향을 미치는 것으로 직접 네트워크 외부성과 간접 네트워크 외부성으로 구분된다. 직접 네트워크 외부성이란 동일 집단 내에서 발생하는 것으로, 동일 집단에 속한 이용자의 규모가 커지면 집단 내 개별 이용자의 효용이 증가하는 특성이다. 이와 달리 간접 네트워크 외부성이란 서로 다른 집단 간에 발생하는 것으로, 한쪽 이용자 집단의 규모가 커지면 반대쪽 이용자 집단의 효용이 증가하고, 한쪽 이용자 집단의 규모가 작아지면 반대쪽 이용자 집단의 효용이 감소하게 된다. 양면시장에서는 간접 네트워크 외부성이 필수적으로 작용하므로 양쪽 이용자 집단이 서로 긴밀하게 영향을 주고받는다.

이를 바탕으로 플랫폼 사업자는 플랫폼 이용료를 통해 수익을 창출하기 때문에 양쪽 이용자 집단 모두를 플랫폼에 참여하도록 유도할 수 있는 가격구조를 결정하게 된다. 이때 가격구조란 플랫폼 이용료를 각각의 이용자 집단에 어떻게 부과하느냐를 의미한다. 플랫폼 사업자는 수익을 극대화할 수 있는 전략으로 양쪽 이용자 집단에 차별적인 가격을 부과하는 것이 일반적인데, 한쪽 이용자 집단의 플랫폼 이용료를 아주 낮게 책정하거나 한쪽 이용자 집단에 보조금을 지급하는 경우도 있다.

위에서 언급된 카드 결제 시스템을 바탕으로 간접 네트워크 외부성이 가격구조에 미치는 영향을 살펴보면 다음과 같다. 카드 회원들이 가맹점에 미치는 간접 네트워크 외부성이 클수록, 카드 회사는 카드 회원 수를 늘리기 위해 낮은 연회비를 부과할 수 있다. 이에 따라 카드 회원 수가 늘어나면 가맹점들의 효용이 증가하기 때문에 가맹점은 높은 결제 건당 수수료를 지불하더라도 카드 결제 시스템을 이용하게 된다. 이는 가맹점이 카드 회원들에게 미치는 간접 네트워크 외부성이 큰 경우에도 마찬가지로 적용된다.

한편 가격구조는 수요의 가격탄력성에도 영향을 받는다. 수요의 가격탄력성이란 가격이 오르거나 내릴 때 수요량이 얼마나 변동하느냐를 의미하는 것으로, 양면시장에서 양쪽 이용자 집단 각각은 플랫폼 이용료의 변동에 따라 이용자 수나 서비스 이용량과 같은 수요량에 영향을 받게 된다. 카드 회원의 수요의 가

격탄력성이 높은 경우에는 연회비가 오를 때 카드 회원 수가 크게 감소하고, 수요의 가격탄력성이 낮은 경우에는 변동이 크지 않다. 따라서 플랫폼 사업자는 자신의 수익을 극대화하기 위해 양쪽 이용자 집단의 특성을 파악하여 각 집단에 최적의 이용료를 부과하게 된다. 일반적으로 플랫폼 사업자는 수요의 가격탄력성이 높은 집단에 낮은 이용료를 부과하여 해당 집단의 이용자 수를 늘리려고 한다.

플랫폼 사업자가 수익을 창출하기 위해 사용하는 대표적인 전략으로 공짜 미끼와 프리미엄(free-mium) 등이 있다. 공짜 미끼 전략은 무료 서비스를 통해 한쪽 집단의 이용자 수를 늘리면서 반대쪽 집단 이용자의 플랫폼 참여를 유인하는 것이다. 프리미엄 전략은 기본적 기능은 무료로 제공하지만 추가적인 기능은 유료로 제공하는 것으로, 무료에서 유료로 전환한 이용자의 긍정적 경험이 무료 이용자에게 전파되어 그 중 일부가 유료 이용자로 전환되도록 하는 것이다.

1. 윗글을 이해한 내용으로 적절하지 <u>않은</u> 것은?
① 카드 결제 시스템은 카드 회원들과 카드 가맹점을 연결하는 플랫폼이다.
② 양면시장에서는 신용 카드 회사와 카드 회원 모두가 가맹점의 고객이 된다.
③ 플랫폼 사업자는 이용자 집단이 플랫폼에 참여하도록 보조금을 지급할 수 있다.
④ 플랫폼 사업자는 플랫폼 이용자들에게 경제적 가치를 창출하는 환경을 제공한다.
⑤ 프리미엄 전략은 유료로 전환한 이용자들이 무료 이용자들의 유료화에 영향을 미치는 것이다.

2. 가격구조에 대한 설명으로 가장 적절한 것은?
① 플랫폼 사업자가 수익을 극대화하기 위해 고려하는 것이다.
② 양쪽 이용자 집단의 이용료 지불 수단을 결정하는 방법이다.
③ 양쪽 이용자 집단에 동일한 이용료를 부과하기 위한 원칙이다.
④ 양쪽 이용자 집단의 규모가 항상 고정되어 있음을 전제로 하는 것이다.
⑤ 플랫폼 사업자가 규모가 큰 이용자 집단에는 이용료를 부과하지 못한다.

※ 윗글과 〈보기〉를 바탕으로 3번과 4번 두 물음에 답하시오.

─── 〈 보 기 〉 ───

P사가 개발한 메신저 프로그램은 이용자끼리 무료로 메시지를 주고받을 수 있어서 ㉠메신저 이용자들이 빠르게 증가했고, 메신저 이용자들끼리 서로 편하게 연락을 주고받을 수 있게 되었다. 그러자 광고 효과를 기대하고 P사와 계약한 ㉡광고주들이 크게 늘어났고, P사는 모든 광고주들에게 원래보다 높은 광고 비용을 부과했다. 이후 P사는 더 많은 메신저 이용자들을 확보하기 위해 메신저에서 사용할 수 있는 무료 이모티콘을 배포하였고, 이를 통해 ㉢이모티콘 사용에 익숙해진 이용자를 많이 확보할 수 있었다. 이모티콘을 사용하는 이용자들이 점점 많아지자 P사는 메신저를 통해 ㉣이모티콘 공급 업체들이 유료 이모티콘을 판매할 수 있도록 하였다. P사가 높은 판매 수수료를 부과했음에도 불구하고 이용자들에게 이모티콘을 판매하고자 하는 업체들이 모여들게 되었다.

3. 윗글을 바탕으로 〈보기〉를 이해한 내용으로 적절하지 <u>않은</u> 것은? [3점]

① P사가 메신저 이용자들에게 무료 이모티콘을 배포한 것은 무료 서비스를 통해 더 많은 메신저 이용자들을 플랫폼으로 유도하기 위한 공짜 미끼 전략이겠군.

② P사가 이모티콘 사용에 익숙해진 메신저 이용자들을 확보한 것은 메신저를 통해 적은 거래비용으로 이용자에게 이모티콘을 직접 판매하고자 하는 목적이겠군.

③ P사가 광고주들에게 부과한 광고 비용과 이모티콘 공급 업체에게 부과한 판매 수수료는 P사의 수익 창출을 위한 플랫폼 이용료에 해당하겠군.

④ P사가 모든 광고주들에게 원래보다 높은 광고 비용을 부과한 것은 메신저 이용자들의 수가 늘어남에 따라 광고주들이 얻는 편익이 증가했다고 판단했기 때문이겠군.

⑤ P사가 개발한 메신저의 이용자 수가 많아져 이용자들끼리 더 편하게 연락을 주고받을 수 있게 된 것은 메신저 이용자들 사이에 직접 네트워크 외부성이 존재하는 것이겠군.

4. 다음은 윗글과 〈보기〉를 읽은 학생이 보인 반응이다. A ~ C에 들어갈 내용으로 적절한 것은?

㉠의 수요의 가격탄력성이 높고, ㉠이 ㉡에 미치는 간접 네트워크 외부성이 클 때, P사가 무료이던 메신저 이용료를 유료로 전환한다고 가정하면, ㉠의 수는 (A)하고 ㉡의 효용은 크게 (B)할 것이다. 한편 ㉣이 ㉢에 미치는 간접 네트워크 외부성이 크다고 가정하면, P사가 ㉣에 부과하는 판매 수수료는 (C)할 것이다.

	A	B	C
①	감소	증가	하락
②	증가	증가	하락
③	감소	증가	상승
④	증가	감소	상승
⑤	감소	감소	하락

【5~10】 다음 글을 읽고 물음에 답하시오.

(가)

저작권법 제2조 제1호에서 정의하고 있는 저작물이란 인간의 사상 또는 감정을 표현한 창작물을 말한다. 저작권법으로 보호받는 저작물이 되려면 창작성이 있어야 한다. 여기에서의 창작성이란 완전히 새로워야 한다거나 예술적 수준이 높아야 한다는 것이 아니라, 남의 것을 단순히 베끼지 않고 최소한의 개성을 담아야 함을 의미한다. 우연히 기존의 저작물과 유사하더라도 베끼지 않고 독자적으로 창작한 것이라면 저작권을 보호받을 수 있다.

저작권법상 원저작물을 번역·편곡·변형·각색 등의 방법으로 작성한 창작물을 2차적저작물이라 한다. 이러한 2차적저작물이 되려면 원저작물을 기초로 하여야 한다. 또한 원저작물과 실질적 유사성을 유지하여야 한다. 소설을 기초로 하는 영화가 2차적저작물이 되려면 영화의 사건 구성과 전개, 등장인물의 교차 등이 소설과 실질적 유사성을 유지하여야 한다. 그리고 원저작물에 사회 통념상 새로운 저작물이 될 수 있을 정도의 수정·증감을 가하여 새로운 창작성을 부가하여야 한다. 근대 소설을 현대 표기법에 맞도록 수정한 것은 원저작물의 복제물에 가까운 것으로 2차적저작물로 보기 어렵다. 반면 소설을 원저작물로 하여 이를 각색한 후 영화로 제작한다면 이 영화는 2차적저작물이 된다.

만약 원저작물을 떠올릴 수 없을 정도로 완전히 바뀌어 실질적 유사성이 인정되지 않는다면 이것은 2차적저작물이 아니라 원저작물과는 다른 독립저작물로 인정받을 수 있다. 2차적저작물과 독립저작물을 구별하는 기준으로 원저작물과 시장적 경쟁 관계에 있는지 여부가 있다. 시장적 경쟁 관계에 있다는 것은 어떤 저작물을 구매할 때 원저작물의 수요가 줄어드는 것이다. 이는 구매한 저작물이 원저작물을 대체한다는 것이다. 일반적으로 2차적저작물은 원저작물과 시장적 경쟁 관계에 있다고 보지만, 독립저작물은 원저작물과 시장적 경쟁 관계에 있다고 보지 않는다.

(나)

저작권이란 저작자가 자신이 창작한 저작물에 대해 갖는 권리이다. 저작권은 여러 가지 권리의 총집합으로 저작인격권과 저작재산권으로 ⓐ나눌 수 있다. 저작인격권은 저작자가 자신의 저작물에 대하여 가지는 인격적 권리로, 저작자만이 가질 수 있으며 양도할 수 없고 저작자가 사망하면 소멸한다. 저작자가 사망한 뒤에라도 유족 등은 명예 회복을 위한 조치를 취할 수 있는데, 저작물을 이용하는 사람이 저작자가 살아 있었다면 저작인격권의 침해가 될 행위를 하여 저작자의 명예를 훼손한 경우가 이에 해당한다. 이와 달리 저작재산권은 저작물을 일정한 방식으로 이용함으로써 발생하는 재산적 이익을 보호하는 권리로, 양도가 가능하다. 이때 저작재산권 전체를 양도할 수도 있지만 저작재산권을 구성하는 각각의 권리를 나누어 일부를 양도할 수도 있다.

저작권 침해 사안은 저작재산권을 구성하는 권리 중 하나인 2차적저작물 작성권과 관련되어 있는 경우가 많다. 저작권법 제22조에 의하면 저작자는 자신의 저작물을 원저작물로 하는 2차적저작물을 작성하여 이용할 권리, 즉 2차적저작물 작성권을 갖는다. 만약 누군가 원저작물의 저작자, 즉 원저작자 허락 없이 원저작물에 의거하여 그 저작물과 실질적으로 유사한 저작물을 작성하여 이용한다면 그 사람은 원저작자의 2차적저작물 작성권을 침해한 것이 된다.

㉮저작권법 제5조 제1항에 의하면 2차적저작물은 독자적인 저작물로서 보호를 받는다. 그런데 원저작자의 허락 없이 작성된 2차적저작물도 저작권법의 보호를 받을 수 있을까? 받을 수 있다. 즉 원저작자에게 허락을 받지 않아도 일단 2차적저작물이 만들어지면 2차적저작물의 저작권은 원저작물의 저작권과는 별개의 권리로서 보호를 받으며, 원저작자의 허락이 있었는지 여부는 2차적저작물의 저작권 발생에 영향을 주지 않는다.

다만 허락 없이 2차적저작물을 작성하여 이용하는 것은 원저작자의 권리를 침해하는 것이므로, 원저작자는 자기 허락 없이 만들어진 2차적저작물을 이용하지 못하도록 금지하거나 손해배상을 청구하는 등 권리를 침해한 사람에게 자신의 권리를 주장할 수 있다. 그러므로 2차적저작물을 작성하여 이용하려는 사람은 원저작자의 저작권을 침해하지 않기 위해 원저작자에게 원저작물 이용에 대한 허락을 받을 필요가 있다. 만약 원저작자가 2차적저작물 작성권을 다른 사람에게 양도하였다면 양도받은 사람에게 허락을 받아야 한다.

㉠원저작물을 기초로 만들어진 ㉡2차적저작물을 기반으로 하여 ㉢또 다른 2차적저작물을 제작하는 경우라면, 원저작물의 2차적저작물 작성권을 가진 사람의 허락까지 받을 필요가 있다. 소설을 각색한 2차적저작물인 영화를 기반으로 또 다른 2차적저작물인 연극을 제작한다고 할 때, 연극이 소설을 기반으로 창작된 것임을 부인할 수는 없을 것이다. 그러므로 연극을 제작하려는 사람은 소설과 영화의 2차적저작물 작성권을 가진 사람 모두에게 허락을 받을 필요가 있다.

5. (가), (나)에 대한 설명으로 적절하지 <u>않은</u> 것은?

① (가)는 일정한 기준에 따라 2차적저작물과 독립저작물을 구분하고 있다.
② (가)는 예시를 활용하여 2차적저작물이 갖추어야 할 요건을 설명하고 있다.
③ (나)는 차이점을 밝히며 저작인격권과 저작재산권을 구별하고 있다.
④ (나)는 묻고 답하는 방식을 통하여 저작권 침해가 발생하는 경우를 나열하고 있다.
⑤ (가)와 (나)는 모두 법에 제시된 내용에 근거하여 2차적저작물과 관련된 용어를 설명하고 있다.

6. (가), (나)의 내용과 일치하는 것은?

① 저작인격권은 저작자 사망 시 유족에게 양도되어 보호받는다.
② 2차적저작물의 저작권은 2차적저작물 작성권을 가진 사람이 갖게 된다.
③ 원저작물을 수정한 것이라면 복제물에 가깝더라도 2차적저작물로 간주할 수 있다.
④ 다른 사람의 저작물을 베낀 것이 아니더라도 그 저작물과 유사하면 저작권 보호를 받을 수 없다.
⑤ 2차적저작물 작성권은 2차적저작물을 작성하여 이용함으로써 발생하는 재산적 이익을 보호하기 위한 권리이다.

7. ㉠~㉢을 이해한 내용으로 적절하지 <u>않은</u> 것은?

① ㉠의 저작자와 ㉡을 작성하여 이용할 수 있는 권리를 가진 사람은 다를 수 있다.
② ㉡은 ㉠을 기반으로 창작된 것으로 본다.
③ ㉡과 ㉢은 시장적 경쟁 관계에 있다고 보는 것이 일반적이다.
④ ㉢은 ㉠과 실질적 유사성이 있다고 간주한다.
⑤ ㉡을 작성할 때는 ㉢과 달리 ㉠의 2차적저작물 작성권을 가진 사람의 허락을 받을 필요가 있다.

8. (가)를 참고하여 ㉮의 이유를 추론한 것으로 가장 적절한 것은?

① 원저작물을 떠올릴 수 없을 정도로 바뀌었으므로
② 원저작물의 저작자가 아닌 사람이 창작하였으므로
③ 원저작물에 없는 새로운 창작성이 부가되어 있으므로
④ 원저작물에 비해 예술적 수준이 높다고 볼 수 있으므로
⑤ 원저작물의 저작자가 지닌 권리를 침해하지 않았으므로

9. (가), (나)를 읽은 학생이 <보기>에 대해 보인 반응으로 적절하지 <u>않은</u> 것은? [3점]

<보 기>

○ A는 오디션 프로그램에 나가기 위해 기존 가요를 편곡하였고 편곡한 곡을 자신의 블로그에 올렸다. A의 친구는 기존 가요의 저작자인 B의 허락을 받지 않고 편곡한 것이 문제가 될 수 있음을 말해 주었다. A는 편곡은 B의 허락을 받을 필요가 없다고 생각하고 있다.

○ C는 인터넷 검색을 하다가 평소 관심 있던 외국 영화의 한글 자막을 보게 되었고 이것을 자신이 운영하는 영화 관련 웹 사이트에 올렸다. 그런데 영어 자막을 번역하여 이 한글 자막을 작성한 D가 자신의 저작물을 무단으로 이용했다는 이유로 C에게 권리를 주장했다. 하지만 D가 영어 자막의 저작자에게 허락받지 않고 한글 자막으로 번역하였다는 것을 알게 된 C는 자신에게 잘못이 없다고 생각하고 있다.

※ 단, 저작자가 아닌 다른 사람에게 양도된 저작권은 없다고 가정하고, 주어진 상황 이외에는 고려하지 않음.

---

① B는 A가 편곡하여 블로그에 올린 곡에 대한 저작권을 가지고 있지 않겠군.
② 영어 자막의 저작자는 D에게 손해배상을 청구할 수 있겠군.
③ 기존 가요와 영어 자막은 원저작물로 볼 수 있겠군.
④ A는 C와 달리 2차적저작물 작성권을 침해한 것이겠군.
⑤ B와 D는 모두 2차적저작물 작성권을 침해받은 것이겠군.

10. 문맥상 ⓐ와 바꾸어 쓰기에 가장 적절한 것은?

① 분류(分類)할
② 변별(辨別)할
③ 배분(配分)할
④ 판별(判別)할
⑤ 해석(解釋)할

총 문항					문항	맞은 문항				문항
개별 문항	1	2	3	4	5	6	7	8	9	10
채점										
개별 문항	11	12	13	14	15	16	17	18	19	20
채점										

11분 | 2022학년도 6월 학평 36~40번 | ★★★ | 정답 019쪽

【1~5】 다음 글을 읽고 물음에 답하시오.

어떤 제약 회사에서 특정한 병에 효과가 있는 새로운 약을 만들고 있다고 가정해 보자. 신약 개발은 엄청난 자본이 들어가는 일이기 때문에 경영자는 신중하게 판단을 해야 한다. 경영자는 신약이 효과가 있다는 것을 확인하기 위해 가설 검정의 방법을 사용할 수 있다. 가설 검정은 ⓐ모순된 관계에 있는 두 개의 가설을 세우고 실험을 통해 얻은 통계 자료로 가설의 참 또는 거짓을 판단하는 것이다. 가설 검정을 위해 경영자는 '신약이 효과가 있다.'와 '신약이 효과가 없다.'라는 가설을 설정한다. 전자는 판단하는 이가 주장하려는 가설로 '대립(對立)가설'이라 하고 후자는 주장하고 싶은 내용과는 반대되는 가설인 '귀무(歸無)가설'이라 한다.

'신약이 효과가 있다.'라는 대립가설을 입증하기 위해서는 특정 질병을 겪고 있는 모든 환자에게 신약을 투약해 보면 된다. 하지만 전체를 대상으로 실험하는 것은 현실적으로 불가능하기 때문에 대립가설을 기준으로 가설 검정을 하지는 않는다. 대신 가설 검정에서는 귀무가설이 참이라고 가정한 상태에서, 일부 환자에게 투약해서 얻은 자료를 바탕으로 확률에 근거하여 귀무가설의 기각 여부를 결정한다. '신약이 효과가 없다.'라는 귀무가설 아래에서 투약하였는데 관찰한 결과 ⓑ병이 호전된 경우가 많았다고 하자. 이는 '신약이 효과가 없다.'가 타당하지 않은 것이므로, 경영자는 ⓒ귀무가설을 버리고 대립가설을 채택하면 된다. 한편 '신약이 효과가 없다.'라는 귀무가설 아래에서 투약하였고, 관찰 결과 병이 낫지 않은 경우가 더 많았다고 하자. 이때는 귀무가설을 버릴 수 없다. 이처럼 가설 검정은 '귀무가설을 기각한다.' 또는 '귀무가설을 기각하지 못한다.'라는 의사 결정을 중심으로 대립가설의 채택 여부가 결정된다.

경영자가 의사 결정을 하는 과정에서는 두 가지 오류가 발생할 수 있다. 귀무가설이 참인데도 불구하고 귀무가설을 기각하는 결정을 내린 것을 '1종 오류'라고 한다. 앞선 예에서 실제로는 약효가 없는데도 약효가 있다고 판단하는 것이다. 그리고 귀무가설이 참이 아닌데 귀무가설을 기각하지 못한 결정을 내린 것을 '2종 오류'라고 한다. 실제로는 약효가 있지만 약효가 없다고 판단하는 것이다. 이러한 오류는 판결에서도 나타날 수 있다. 증거에 의해 '피고인은 유죄이다.'라는 대립가설이 채택되기 전까지는 '피고인은 무죄이다.'라고 가정한다. 판사는 확보된 증거를 바탕으로 ⓓ귀무가설의 기각 여부를 판단해야 한다. 이때 판사가 무죄인 사람에게 유죄를 선고하는 것은 1종 오류, 유죄인 사람에게 무죄를 선고하는 것은 2종 오류에 해당한다.

오류들 중 상대적으로 더 심각한 문제를 초래하는 것은 1종 오류이다. 효과가 있는 약을 출시하지 못해서 기업이 수익을 창출할 기회를 잃어버리는 상황에 비해, 시장에 출시했는데 약의 효능이 없어서 회사가 신뢰를 잃는 위험이 더 크다. 또한 죄가 있는데 무죄 판결을 내리는 것보다 결백한 사람에게 유죄 판결을 내리는 것이 더 심각한 문제이다. 그런데 ⓔ두 가지 오류를 동시에 줄일 수는 없다. 한쪽 오류를 줄이면 그만큼 반대쪽 오류는 늘어나기 때문이다. 만약 경영자가 약의 효능과는 무관하게 일단은 약을 출시하기로 결정했다면 2종 오류는 배제할 수 있지만 그만큼 1종 오류는 늘어나게 된다.

따라서 가설 검정 과정에서는 1종 오류가 발생할 확률의 최대 허용 범위인 ㉠유의 수준을 가급적 낮게 정한다. 예를 들어 유의 수준이 5%라면 백 번의 시행 중 다섯 번 이내로 1종 오류가 발생하더라도 우연히 일어난 일로 보고 대립가설을 채택하지만, 이 값을 넘어서면 귀무가설을 기각하지 못한다는 것이다. 또한 유의 수준은 실험을 하기 전에 미리 정하며, 사람의 생명이나 인권과 결부된 것이라면 유의 수준은 더 낮게 잡아야 한다.

1. 가설 검정에 대하여 윗글을 통해 답을 찾을 수 없는 질문은?

① 귀무가설을 기각할 때 새롭게 설정하는 가설은 무엇인가?
② 대립가설을 기준으로 가설을 검정하지 않는 이유는 무엇인가?
③ 대립가설의 채택 여부를 판단하기 위해 사용하는 가설은 무엇인가?
④ 1종 오류와 2종 오류를 함께 줄일 수 없는 이유는 무엇인가?
⑤ 1종 오류와 2종 오류 중 더 심각한 문제를 초래하는 오류는 무엇인가?

2. 윗글의 내용과 일치하는 것은?

① 귀무가설이 기각되면 대립가설은 채택될 수 없다.
② 판결에서 대립가설의 기각 여부는 피고인이 판단한다.
③ 귀무가설은 대립가설이 채택될 때 받아들여지는 가설이다.
④ 귀무가설은 참과 거짓을 알기 전까지는 거짓으로 간주한다.
⑤ 신약 개발을 하는 경영자가 채택하고 싶은 것은 대립가설이다.

3. 윗글을 바탕으로 <보기>를 이해할 때, A~D에 대한 설명으로 적절하지 <u>않은</u> 것은? [3점]

<보 기>

구분		실제 상황	
		귀무가설 참	귀무가설 거짓
의사 결정	귀무가설 기각 못함	A	B
	귀무가설 기각함	C	D

① 실제로 피고인이 죄를 저지르지 않은 것은 A와 C의 경우에 해당한다.
② 경영자가 신약의 효능이 없다고 판단하는 것은 A와 B의 경우에 해당한다.
③ A와 D는 피고인에 대해 판사가 내린 판결에 오류가 발생하지 않은 경우에 해당한다.
④ 법원이 B를 줄이면, 실제로 죄를 저지른 피고인을 무죄로 판결해서 사회로 돌려보내는 수가 늘어난다.
⑤ 제약 회사가 C를 줄이려는 이유는 약의 효능이 없어 시장에서 신뢰를 잃는 상황을 심각하게 생각하기 때문이다.

4. ㉠에 대한 설명으로 적절한 것은?

① 인권과 관련된 판단일수록 값을 크게 설정한다.
② 귀무가설이 참일 확률과 거짓일 확률의 차이를 의미한다.
③ 값을 낮게 정할수록 대립가설을 채택할 확률이 낮아진다.
④ 실험이 이루어진 후에 자료를 분석할 때 결정하는 값이다.
⑤ 가설을 판단할 때 사용할 자료 개수의 최대 허용 범위이다.

5. 문맥상 ⓐ~ⓔ와 바꿔 쓰기에 적절하지 <u>않은</u> 것은?

① ⓐ : 동시에 참이 되거나 동시에 거짓이 될 수 없는
② ⓑ : 귀무가설과 어긋난
③ ⓒ : '신약이 효과가 없다.'라는 가설을 기각하고
④ ⓓ : '피고인은 유죄이다.'라는 가설
⑤ ⓔ : 1종 오류와 2종 오류

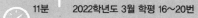
【6~10】 다음 글을 읽고 물음에 답하시오.

　㉠마르크스는 사물의 경제적 가치를 사용가치와 교환가치로 구분하면서 자본주의 사회에서는 경제적 가치가 교환가치에 의해 결정된다고 보았다. 사용가치는 사물의 기능적 가치를, 교환가치는 시장 거래를 통해 부여된 가치를 의미하는데 사물 자체의 유용성은 고정적이므로 시장에서의 수요와 공급에 의해서만 경제적 가치가 결정된다고 보았기 때문이다. 또한 그는 사물의 거래 가격은 결국 사물의 생산 비용에 의해 결정된다는 점에서 소비를 생산에 종속된 현상으로 보고 소비의 자율성을 인정하지 않았다.

　마르크스의 이러한 주장과 달리 ㉡보드리야르는 교환가치가 아닌 사용가치가 경제적 가치를 결정하며, 자본주의 사회는 소비 우위의 사회라고 주장했다. 이때 보드리야르가 제시한 사용가치는 사물 자체의 유용성에 대한 가치가 아니라 욕망의 대상으로서 기호(sign)가 ⓐ지니는 기능적 가치, 즉 기호가치를 의미한다.

　기호는 어떤 대상을 지시하는 상징으로서 문자나 음성같이 감각으로 지각되는 기표와 의미 내용인 기의로 구성되는데, 기표와 기의의 관계는 자의적이다. 가령 '남성'이란 문자는 필연적으로 어떤 대상을 지시하는 것이 아니며 '여성'이란 기호와의 관계 속에서 의미 내용이 결정된다. 다시 말해, 어떤 기호의 의미 내용을 결정하는 것은 기표와 기의의 관계가 아니라 기호들 간의 관계, 즉 기호 체계이다.

[A]　보드리야르는 자본주의 사회에서 대량 생산 기술이 급속하게 발전하면서 소비자가 기호가치 때문에 사물을 소비한다고 보았다. 대량 생산 기술의 발전으로 수요를 충족하고 남을 만큼의 공급이 이루어져 사물 자체의 유용성은 더 이상 소비를 결정하는 요인으로 작용할 수 없기 때문이다. 예를 들어 소비자는 특정 계층 또는 집단의 일원이라는 상징을 얻기 위해 명품 가방을 소비한다. 이때 사물은 소비자가 속하고 싶은 집단과 다른 집단 간의 차이를 부각하는 기호로서 기능한다. 따라서 보드리야르에 따르면 자본주의 사회에서 소비의 원인은 사물이 상징하는 특정 사회적 지위에 대한 욕구이다.

　보드리야르는 현대인이 자연 발생적인 욕구에 따라 자유롭게 소비하는 것처럼 보이지만 사실은 강제된 욕구에 따르는 것에 불과하다고 보았다. 이는 기호가 다른 기호와의 관계 속에서 그 의미 내용이 결정되는 것과 관계된다. 특정 사물의 상징은 기호 체계, 즉 사회적 상징체계 속에서 유동적이며, 따라서 ㉢상징체계 변화에 따라 욕구도 유동적이다. 이때 대중매체는 사물의 기의에 영향을 미침으로써 욕구를 강제할 수 있다. 현실이 대중매체를 통해 전달될 때 현실은 현실 그 자체가 아니라 다른 기호와 조합될 수 있는 기호로서 추상화되기 때문이다. 가령 텔레비전 속 유명 연예인이 소비하는 사물은 유명 연예인이라는 기호에 의해 새로운 의미 내용이 부여된다. 요컨대 특정 사물에 대한 현대인의 욕망은 대중매체를 매개로 하여 자기도 모르는 사이에 강제된다.

　보드리야르는 기술 문명이 초래한 사물의 풍요 속에서 현대인의 일상생활이 사물의 기호가치와 이에 대한 소비에 의해 규정된다고 보고 자본주의 사회를 소비사회로 명명하였다. 그의 이론은 소비가 인간에 미치는 영향을 비판적으로 성찰해야 한다는 점을 시사한다.

6. '자본주의 사회'에 대한 ㉠, ㉡의 주장을 이해한 내용으로 가장 적절한 것은?

① ㉠: 소비가 생산에 종속되므로 사용가치와 교환가치는 결국 동일하다.
② ㉠: 사물 자체의 유용성은 변하지 않으므로 소비자의 욕구를 중심으로 분석해야 한다.
③ ㉡: 소비자에게 소비의 자율성이 존재하므로 교환가치가 사용가치를 결정한다.
④ ㉡: 개인에게 욕구가 강제되므로 소비를 통해 집단 간의 사회적 차이가 소멸한다.
⑤ ㉡: 경제적 가치는 사회적 상징체계에 따라 결정되므로 기호가치가 소비의 원인이다.

7. 기호 체계를 바탕으로 [A]를 이해한 내용으로 적절하지 않은 것은?

① 사물은 기표로서의 추상성과 기의로서의 구체성을 갖는다.
② 사물과 그것이 상징하는 특정한 사회적 지위와의 관계는 자의적이다.
③ 사물은 사물 자체가 아닌 사물 간의 관계를 통해 의미 내용이 결정된다.
④ 소비는 사물이라는 기호를 통해 특정 계층 또는 집단의 일원이라는 상징을 얻는 행위이다.
⑤ 기호가치는 사물의 기의와 그에 대한 소비자의 욕구와 관련될 뿐 사물의 기표에 의해 결정되는 것은 아니다.

8. ㉢의 전제로 가장 적절한 것은?

① 상징체계 변화에 의해 사물 자체의 유용성이 변화한다.
② 사물에 대한 욕구는 사람마다 제각기 다른 양상을 보인다.
③ 사물의 기호가치가 변화하면 사물에 대한 욕구도 변화한다.
④ 사물을 소비하는 행위는 개인의 자연 발생적 욕구에 따른 것이다.
⑤ 사물이 지시하는 의미 내용과 사물에 대한 욕구는 서로 독립적이다.

9. 윗글의 '보드리야르'의 관점을 바탕으로 <보기>를 이해한 내용으로 적절하지 않은 것은? [3점]

> ── < 보 기 > ──
>
> 개성이란 타인과 구별되는 개인만의 고유한 특성으로, 현대 사회의 개인은 개성을 추구함으로써 자신의 고유함을 드러내려 한다. 이때 사물은 개성을 드러낼 수 있는 수단이다. 찢어진 청바지를 입는 것, 타투나 피어싱을 하는 것은 사물을 통한 개성 추구의 사례이다. 이런 점에서 '당신의 삶에 차이를 만듭니다'와 같은 광고 문구는 개성에 대한 현대인의 지향을 단적으로 드러낸 것이라 할 수 있다.

① 타인과 구별되는 개성이란 개인이 소속되길 바라는 집단의 차별화된 속성일 수 있겠군.
② 소비사회에서 사물을 통한 개성의 추구는 그 사물의 기호가치에 대한 욕구에서 비롯되겠군.
③ 찢어진 청바지는 개인만의 고유한 특성을 드러내는 수단이자 젊은 세대의 일원이라는 기호를 상징하는 것일 수 있겠군.
④ '당신의 삶에 차이를 만듭니다'라는 광고 문구는 그 광고의 상품을 소비함으로써 사회적 차이를 드러내고 싶다는 욕구를 강제하는 것일 수 있겠군.
⑤ 타투나 피어싱을 한 유명 연예인을 텔레비전에서 보고, 이를 따라하기 위해 돈을 지불하는 것은 대중매체를 매개로 하여 추상화된 기호를 소비하는 것일 수 있겠군.

10. 문맥상 의미가 ⓐ와 가장 가까운 것은?

① 그는 항상 지갑에 현금을 지니고 있었다.
② 그녀는 어릴 때의 모습을 그대로 지니고 있다.
③ 우리는 자기가 맡은 일에 책임을 지녀야 한다.
④ 사람은 누구나 고정 관념을 지니고 살기 마련이다.
⑤ 그는 어린 시절의 추억을 항상 마음속에 지니고 있다.

총 문항				문항	맞은 문항				문항
개별 문항	1	2	3	4	5	6	7	8	9	10
채점										
개별 문항	11	12	13	14	15	16	17	18	19	20
채점										

10분 | 2021학년도 11월 학평 20~24번 | ★★☆ | 정답 021쪽

[1~5] 다음 글을 읽고 물음에 답하시오.

손해보험은 계약에서 정한 보험 사고가 발생했을 때 보험가입자 측에게 생긴 재산상의 손해를 보상하는 보험이다. 교통사고, 화재, 도난 등으로 생기는 피해에 대비하기 위해 가입하는 손해보험은 오늘날 우리 생활과 가까운 곳에 있다.

보험 사고가 발생할 때에 보험금을 받을 자를 피보험자, 보험금을 지급할 의무를 지는 자를 보험자라 한다. 손해보험의 피보험자는 보험의 목적에 피보험이익을 가져야 한다. 이때 보험의 목적이란 보험 사고의 대상을 말한다. 손해보험 계약은 손해 보상을 목적으로 하는데, 손해의 전제로서 피보험자는 보험의 목적에 경제상의 이익을 가져야 하고, 이를 피보험이익이라 한다. 시가 100원의 주택을 소유한 사람은 화재로 주택이 전소하면 100원을 잃는데, 이렇게 보험 사고 발생으로 잃어버릴 염려가 있는 이익이 피보험이익이다. 피보험이익이 없는 자에게 보험금 청구권을 인정하면, 보험계약이 도박처럼 될 수 있고 고의로 보험 사고를 유발하는 보험 범죄의 가능성도 생길 수 있다.

피보험이익으로 인정되려면 몇 가지 요건이 필요하다. 우선 객관적으로 금전으로 산정할 수 있는 경제적 가치를 가져야 한다. 따라서 개인적, 정신적, 도덕적 이익은 피보험이익이 될 수 없다. 예컨대 소중히 간직한 자신의 일기장을 5억 원의 손해보험에 가입하는 것은 허용되지 않는다. 그리고 적법한 이익이어야 하며, 계약 체결 당시 그 가치가 객관적으로 확정되어 있거나 적어도 보험 사고가 발생할 때까지는 확정되어야 한다.

손해보험은 실손보상원칙을 기본 원칙으로 삼는다. 실손보상원칙이란 실제 발생한 손해만을 보상하고 그 이상은 보상하지 않는다는 것을 뜻한다. 따라서 손해보험을 통해 피보험자가 재산상 이익을 얻는 것은 허용되지 않는데, 이를 이득금지의 원칙이라고 한다. 실손보상원칙은 손해보험 계약의 도박화를 막고 보험 범죄를 방지하는 역할을 한다.

[A] 보험가액은 피보험이익의 객관적인 금전적 평가액으로, 보험자가 보험금의 형태로 부담하게 되는 보상책임의 법률상의 최고 한도액이다. 보험가액은 고정된 것이 아니며 경제상황 등에 따라 변동될 수 있는데, 이득금지의 원칙과 관련해 피보험자에게 이득이 생겼는가 여부를 판단하는 기준이 된다. 이와 달리 보험 사고 발생 시 보험자가 지급하기로 보험계약에서 실제 약정한 최고 한도액은 보험금액이라 한다. 보험금액은 당사자 간 약정에 의하여 일정한 금액으로 정해지며, 보험 기간 중에는 이를 변경하지 않는 것이 원칙이다. 보험금은 보험 사고가 발생할 때 실제로 보험자가 지급하는 금액이다. 보험 사고가 발생하였다고 해서 항상 보험금액만큼 지급되는 것은 아니므로 보험금액은 보험금의 최고 한도라는 의미만을 갖는다.

보험가액과 보험금액은 서로 일치하지 않을 수 있다. 보험금액이 보험가액을 현저하게 초과하는 경우를 초과보험이라 한다. 시가 100원 상당의 건물을 보험금액 200원으로 하여 가입한 화재보험이 그 예이다. 손해보험에서 보험가액을 초과하는 부분에는 피보험이익이 존재하지 않으므로 보험금액을 보험가액과의 비율에 따라 조정해야 한다. 위 사례에서 건물이 100% 손실을

입었다면 100원만을 지급한다는 의미이다. 보험계약 체결 당시엔 초과보험이 아니었으나 보험가액이 감소한 경우처럼, 당사자가 의도하지 않은 채 초과보험 계약을 한 경우는 단순한 초과보험이라 한다. 이런 경우 예외적으로 보험자는 보험금액의 감액을, 보험에 가입한 보험계약자는 보험자에 지급하는 금액인 보험료의 감액을 각각 청구할 수 있다. 그러나 보험계약자가 재산상 이익을 얻을 목적으로 초과보험을 체결한 경우는 사기에 의한 초과보험이라 하여 그 계약 전부를 무효로 한다.

한 명의 피보험자가 동일한 피보험이익과 동일한 보험 사고에 관하여 여러 보험자와 계약을 체결한 경우에 그 보험금액의 합계가 보험가액을 초과하는 경우를 중복보험이라 한다. 이때 각각의 보험은 보험의 목적이 서로 같아야 하고, 보험 기간도 공통이어야 한다. 중복보험은 초과보험과 유사하게 보험계약자가 중복보험을 의도한 경우와 그렇지 않은 경우를 구분하고 있다. 사기에 의한 중복보험은 그 계약 전부를 무효로 한다. 단순한 중복보험의 경우, 각 보험자가 보험금액의 비율에 따라 연대 책임을 지지만 그 보상액은 각각의 보험금액으로 제한된다. 예를 들어 보험가액 100원인 건물에 대하여 각기 다른 세 보험자와 보험금액을 각각 100원, 60원, 40원으로 하여 화재보험 계약을 한 경우, 각 보험자는 보험 사고가 발생할 때 가입 당시 보험금액의 한도 내에서 연대 책임을 진다. 만약 100% 손실을 입으면 피보험자가 100원의 보상을 받을 수 있도록 각 보험자는 보험금액의 비율에 따라 50원, 30원, 20원을 보험금으로 지급하게 된다.

1. 다음은 윗글을 읽은 후 메모한 내용의 일부이다. ㉠에 들어갈 수 있는 내용으로 적절하지 <u>않은</u> 것은?

> ○ 글을 선택한 이유: 광고를 접하면서 손해보험에 관심이 생겨서.
> ○ 글을 통해 알게 된 내용: ___㉠___
> ○ 더 알고 싶은 것: 손해보험이 아닌 보험에는 어떤 것이 있을까?

① 손해보험 계약이 초과보험인 경우는 어떤 때인지
② 손해보험 계약에서 실손보상원칙이 어떤 역할을 하는지
③ 손해보험 계약에서 보험자, 피보험자란 각각 무엇을 의미하는지
④ 손해보험 계약이 보험 사고에 따른 보상이 이루어진 뒤에도 계속 효력이 유지되는지
⑤ 손해보험 계약에서 정신적, 도덕적 이익이 피보험이익이 될 수 없는 이유는 무엇인지

2. 피보험이익에 대한 설명으로 적절하지 <u>않은</u> 것은?
① 보험가액을 초과하는 피보험이익은 존재하지 않는다.
② 보험의 목적에 피보험이익이 없으면 피보험자가 될 수 없다.
③ 피보험이익이 서로 다른 손해보험 계약은 중복보험으로 볼 수 없다.
④ 피보험이익은 피보험자가 보험 사고의 대상에 갖는 경제상의 이익이다.
⑤ 보험계약 체결 당시 그 가치가 확정되어 있어야만 피보험이익으로 인정될 수 있다.

3. [A]에 대한 이해로 적절하지 <u>않은</u> 것은?

① 보험금은 보험가액을 초과할 수 없고 보험금액을 초과할 수도 없다.

② 보험금액은 변동될 수 있으나 보험 기간 중 보험가액은 바뀌지 않는 것이 원칙이다.

③ 보험가액은 보험금의 액수가 이득금지의 원칙에 위배되는지 여부를 판단하는 기준이 된다.

④ 보험가액은 객관적인 금전적 가치 평가에 의해, 보험금액은 계약 당사자 사이의 약정에 의해 정해진다.

⑤ 보험자가 일정한 보험금액을 약정했더라도 보험 사고 발생 시 항상 보험금액만큼 지급하는 것은 아니다.

※ 〈보기〉는 윗글과 관련된 상황이다. 4번과 5번 물음에 답하시오.

〈 보 기 〉

갑은 2년 전 시가 1,000만 원의 건물 X를 소유하고 있었는데 당시 ㉮ X에 대하여 보험사 A와 보험금액을 600만 원으로 하는 화재보험에 가입하고, ㉯ 같은 건물에 대하여 보험사 B와 보험금액 400만 원의 화재보험에 가입했다. 그런데 그 뒤 X의 시세가 하락해 현재 평가액은 800만 원이다. 갑이 가입한 손해보험의 보험금액과 보험료는 모두 가입 당시와 달라지지 않았다.

(단, 갑이 가입한 손해보험은 피보험자가 모두 갑 본인이다. 모두 계약일이 같으며 보험 기간은 5년이다.)

4. 윗글을 읽은 학생이 <보기>의 ㉮와 ㉯에 대해 보인 반응으로 적절하지 <u>않은</u> 것은? [3점]

① ㉮와 ㉯는 보험의 목적과 보험 사고가 동일하고, 보험자는 서로 다른 손해보험이겠군.

② ㉮와 ㉯의 보험금액의 합계는 가입 당시와 달리 현재는 보험가액과 일치하지 않겠군.

③ 보험계약 후 건물 시세가 하락하였지만 ㉮와 ㉯ 중 어느 것도 계약 전부가 무효로 되지 않겠군.

④ 계약에서 정한 보험 사고가 발생하기 전이라면, ㉮와 ㉯의 피보험자인 갑은 A와 B로부터 보상을 받을 수 없겠군.

⑤ 갑이 ㉮에 가입하지 않았다고 가정하면, ㉯의 보험자는 보험가액의 변동을 근거로 보험금액의 감액을 청구할 수 있었겠군.

5. 다음은 <보기>와 관련한 보험 사고 상황이다. 윗글을 참고할 때 ⓐ~ⓒ에 들어갈 금액을 바르게 짝지은 것은?

건물 X에 화재가 일어나 50%의 손실이 발생하였다. 이에 갑은 보험사 A와 B에 보험금을 청구하였다. A는 보험계약에서 실제 약정한 (ⓐ)의 한도 내에서 책임을 질 의무가 있다. 그런데 다른 보험사와 연대 책임을 질 의무가 있는 A는 각 보험사의 보험금액의 비율에 따라 갑에게 (ⓑ)을 보험금으로 지급하였다. 역시 연대 책임을 질 의무가 있는 B는 (ⓒ)을 갑에게 보험금으로 지급하였다. 단, X의 평가액은 현재 기준으로 산정되었다.

	ⓐ	ⓑ	ⓒ
①	300만 원	240만 원	160만 원
②	300만 원	480만 원	320만 원
③	600만 원	240만 원	160만 원
④	600만 원	480만 원	320만 원
⑤	800만 원	480만 원	320만 원

【6~9】 다음 글을 읽고 물음에 답하시오.

의사능력이란 '자기의 행위의 의미나 결과를 합리적으로 예견할 수 있는 정신적인 능력 내지 지능'을 의미한다. 사람이 자신의 법률행위에 의하여 권리를 취득하거나 의무를 부담할 수 있으려면 의사능력이 있어야 한다. 따라서 의사능력이 없는 의사무능력자의 법률행위는 무효, 즉 법률행위의 효력이 처음부터 발생하지 않은 것으로 본다.

하지만 의사무능력자가 자기에게 불리한 법률행위를 무효화하려면 법률행위 당시 자신에게 의사능력이 없었다는 점을 증명하여야 하는데, 이를 증명하는 것이 쉽지 않다. 이에 민법에서는 의사무능력자 여부, 즉 의사능력의 유무와 관계없이 나이나 법원의 결정이라는 일정하고 객관적인 기준에 따라 제한능력자를 규정하고 있다. 구체적으로 만 19세 미만의 미성년자, 그리고 가정법원으로부터 심판을 받은 피성년후견인*과 피한정후견인* 등이 제한능력자에 해당되는데, 이들은 독자적으로 완전하고 유효한 법률 행위를 할 수 있는 행위능력자와 구분되며, 자신의 의사무능력을 증명할 필요가 없다. 제한능력자는 단독으로 재산상의 법률행위를 한 경우 10년 내에 취소권을 행사할 수 있는데, 이를 제한능력자제도라고 한다. 이때 제한능력자의 법률행위의 취소 여부는 제한능력자 측, 즉 제한능력자 본인이나 그의 법정대리인의 의사에 따라서만 결정된다. 제한능력자 측에서 취소권을 행사할 경우 법률행위는 처음부터 무효인 것으로 보지만, 행위를 취소하지 않을 경우에는 그 법률행위에 대해서는 그대로 효력이 유지된다.

미성년자는 주민등록증과 가족관계등록부를 통해, 피성년후견인과 피한정후견인은 후견등기부를 통해 확인할 수 있다. 하지만 제한능력자의 계약 상대방이 이를 항상 확인하지는 않으므로 계약을 한 후 자신이 계약을 한 상대방이 제한능력자라는 사실을 뒤늦게 알게 되는 경우가 있다. 제한능력자 측은 자신의 법률행위에 대해 10년 내에 취소할 수 있는 취소권을 갖기 때문에 제한능력자의 계약 상대방은 불이익을 당할 수도 있다. 이에 민법은 제한능력자를 보호함으로써 불이익을 당하게 되는 상대방을 위해 '상대방의 확답촉구권', '상대방의 철회권·거절권', '제한능력자의 속임수'와 같은 제도를 운영하고 있다.

먼저 ⓐ상대방의 확답촉구권은 제한능력자의 계약 상대방이 1개월 이상의 기간을 정해 계약 취소 여부에 대한 확답을 요구할 수 있는 권리이다. 이때 확답촉구는 제한능력자에게는 할 수 없으며, 제한능력자의 법정대리인이나 제한능력자가 행위능력자가 된 경우에만 요구할 수 있다. 특별한 절차가 필요한 행위를 제외하고 확답촉구를 받은 사람은 상대방이 설정한 유효기간 내에 취소 여부에 대한 확답을 해야 하며, 유효기간 내에 확답을 하지 않으면 제한능력자와 계약한 법률행위는 취소할 수 없는 것으로 확정된다.

상대방의 철회권·거절권은 제한능력자의 계약 상대방이 법률행위의 효력 발생을 원하지 않는 경우 제한능력자 측에게 행사할 수 있는 권리이다. ⓑ상대방의 철회권은 제한능력자의 계약 상대방이 계약 당시 제한능력자와 계약한 사실을 알지 못했을 때 계약을 철회할 수 있는 권리이고, ⓒ상대방의 거절권은 제한능력자의 계약 상대방이 계약 당시 제한능력자와 계약한 사실을 인지했는지의 여부와 상관없이 제한능력자가 단독행위*를 한 경우에 상대방이 거절할 수 있는 권리이다. 다만 위의 철회권·거절권은 제한능력자 측에서 해당 법률행위에 대해

취소권을 행사하지 않겠다는 의사를 표시하기 전까지만 권리가 인정된다.

제한능력자의 속임수는 제한능력자가 속임수를 써서 자신을 행위능력자로 믿게 한 경우나 미성년자나 피한정후견인이 속임수를 써서 법정대리인의 동의가 있는 것으로 믿게 한 경우에는 제한능력자의 취소권을 박탈하는 것이다. 예를 들어 미성년자인 갑이 자신이 성년인 것처럼 신분증을 위조하는 등의 적극적인 사기수단을 써서 을과 계약을 하는 법률행위를 했다면 갑의 취소권이 배제됨은 물론이고 갑의 법정대리인의 취소권까지 배제되는 것이다.

이처럼 민법에서는 제한능력자제도를 통해 제한능력자가 행한 재산상의 법률행위를 일정한 요건 하에 취소할 수 있게 하여 제한능력자를 보호하고 있다. 또한 제한능력자의 법률행위로 인해 불이익을 당할 수 있는 상대방을 보호하는 제도 역시 규정함으로써 제한능력자의 계약 상대방이 입을 수 있는 손해를 최소화하고 있다.

* 피성년후견인 : 정신적 제약으로 사무를 처리할 능력이 지속적으로 결여되어 가정법원의 심판에 의해 단독으로 유효하게 법률행위를 할 수 없는 자.
* 피한정후견인 : 정신적 제약으로 사무를 처리할 능력이 부족하여 가정법원의 심판에 의해 행위능력이 부분적으로 제한된 자.
* 단독행위 : 일방적인 의사표시에 의하여 법률효과를 발생하게 하는 법률행위.

6. 윗글에 대한 설명으로 가장 적절한 것은?
① 특정 제도가 발전한 과정을 제시한 뒤 전망을 예측하고 있다.
② 특정 제도의 필요성을 제시하고 제도의 특징을 설명하고 있다.
③ 특정 제도가 변화된 원인을 분석하고 제도의 의의를 평가하고 있다.
④ 특정 제도를 바라보는 상반된 입장을 제시하고 절충안을 모색하고 있다.
⑤ 특정 제도의 영향력을 분석한 뒤 사회적 인식의 변화 양상을 서술하고 있다.

7. 윗글을 통해 알 수 있는 내용으로 적절하지 <u>않은</u> 것은?
① 미성년자의 경우 따로 법원의 결정을 받지 않아도 제한능력자로 규정한다.
② 의사능력이 있는 제한능력자의 경우 재산상의 법률행위를 법에 의해 보호받을 수 없다.
③ 가족관계등록부나 후견등기부를 통해 계약을 한 상대방이 제한능력자임을 확인할 수 있다.
④ 제한능력자는 일정 기간 내에 취소권을 행사하여 자신의 재산상의 법률행위를 처음부터 무효로 만들 수 있다.
⑤ 법원에서 제한능력자로 규정한 자는 재산상의 법률행위를 취소할 때마다 자신의 의사무능력을 증명할 필요가 없다.

8. ⓐ~ⓒ에 대한 설명으로 적절하지 <u>않은</u> 것은?
① ⓑ는 제한능력자의 계약 상대방이 제한능력자와 제한능력자의 법정대리인 모두에게 행사할 수 있다.
② ⓒ는 제한능력자의 계약 상대방이 법률행위의 효력 발생을 원하지 않는 경우에 사용한다.
③ ⓐ와 ⓒ는 모두 제한능력자의 계약 상대방이 제한능력자에게 직접 행사하여 자신의 권리를 보장받을 수 있다.
④ ⓑ와 ⓒ는 모두 제한능력자 측이 취소권을 행사하지 않겠다는 의사를 표시하기 전까지만 행사할 수 있다.
⑤ ⓐ~ⓒ는 모두 제한능력자제도에 의해 받을 수 있는 불이익으로부터 제한능력자의 계약 상대방을 보호하기 위한 제도이다.

9. 윗글을 바탕으로 <보기>를 이해한 내용으로 가장 적절한 것은? [3점]

─── <보 기> ───

17세인 A는 악기를 1,000만 원에 구입하였다. 이 사실을 1년 뒤에 알게 된 A의 법정대리인은 판매자가 법정대리인의 동의 여부를 확인하지 않고 악기를 판매한 것이므로, 판매자에게 계약 취소를 요구하였다. 판매자는 판매 당시 직원의 강요가 없었고 악기의 특성상 판매 후에는 반품 및 환불이 불가함을 설명하였기 때문에 판매 과정에 잘못이 없다며 계약 취소를 인정하지 않았다.

① A가 악기를 구입한 후 성년이 된 다음 날은 계약 취소가 불가능하겠군.
② A는 법정대리인의 동의를 얻어야 악기 매매 계약을 취소할 수 있는 권리가 생기겠군.
③ A의 법정대리인이 A의 악기 구매 사실을 1년 뒤에 알았기 때문에 이 계약은 취소될 수 없겠군.
④ A가 법정대리인의 동의서를 위조하여 판매자를 믿게 하고 계약을 했다면 이 계약은 취소될 수 없겠군.
⑤ 판매자가 계약 취소를 인정하지 않았기 때문에 A의 법정대리인이 취소권을 행사한다고 하더라도 계약을 취소할 수 없겠군.

【10~14】 다음 글을 읽고 물음에 답하시오.

수요의 법칙에 따르면 어떤 상품의 가격 변화에 따라 그 상품의 수요량은 변화한다. 수요의 가격탄력성은 가격이 변할 때 수요량이 변하는 정도를 나타내는 지표다. 가격 변화에 따른 수요량의 변화가 ㉠민감하면 탄력적이라 하고, 가격 변화에 따른 수요량의 변화가 민감하지 않으면 비탄력적이라고 한다.

수요의 가격탄력성에 영향을 주는 대표적인 요인에는 세 가지가 있다. 첫째, 대체재의 존재 여부이다. 어떤 상품에 ㉡밀접한 대체재가 있으면, 소비자들은 그 상품 대신에 대체재를 사용할 수 있으므로 그 상품 수요의 가격탄력성은 탄력적이다. 예를 들어 버터는 마가린이라는 밀접한 대체재가 있기 때문에 버터 가격이 오르면 버터의 수요량은 크게 감소하므로 버터 수요의 가격탄력성은 탄력적이다. 반면에 달걀은 마땅한 대체재가 없으므로, 달걀 수요의 가격탄력성은 비탄력적이다. 둘째, 필요성의 정도이다. 필수재 수요의 가격탄력성은 대체로 비탄력적인 반면에, 사치재 수요의 가격탄력성은 대체로 탄력적이다. 예를 들어 필수재인 휴지의 가격이 오르면 아껴 쓰기는 하겠지만 그 수요량이 ㉢급격하게 줄어들지는 않는다. 그러나 사치재인 보석의 가격이 상승하면 그 수요량이 감소한다. 셋째, 소득에서 지출이 차지하는 비중이다. 해당 상품을 구매하기 위한 지출이 소득에서 차지하는 비중이 높을수록 수요의 가격탄력성은 커진다. 소득에서 차지하는 비중이 큰 상품의 가격이 인상되면 개인의 소비 생활에 지장을 ㉣초래할 수 있으므로 그만큼 가격 변화에 민감하게 반응할 수밖에 없다.

[A]

그렇다면 수요의 가격탄력성은 어떻게 계산할 수 있을까? 수요의 가격탄력성은 수요량의 변화율을 가격의 변화율로 나눈 값이다.

$$\text{수요의 가격탄력성} = \left| \frac{\text{수요량의 변화율}}{\text{가격의 변화율}} \right| = \left| \frac{\text{수요량 변화분/기존 수요량}}{\text{가격 변화분/기존 가격}} \right|$$

예를 들어 아이스크림 가격이 10% 인상되었는데, 아이스크림 수요량이 20% 감소했다고 하자. 이 경우 수요량의 변화율이 가격 변화율의 2배에 해당하므로 수요의 가격탄력성은 2가 된다. 일반적으로 수요의 가격탄력성이 1보다 크면 탄력적, 1보다 작으면 비탄력적이라 하고, 수요의 가격탄력성이 1이면 단위탄력적이라 한다.

수요의 가격탄력성은 총수입에 큰 영향을 미친다. 총수입은 상품 판매자의 판매 수입이며 동시에 상품에 대한 소비자의 지출액인데, 이는 상품의 가격에 거래량을 곱한 수치로 ㉤산출할 수 있다. 일반적으로 수요의 가격탄력성이 비탄력적인 경우 가격이 상승하면 총수입도 증가하지만, 수요의 가격탄력성이 탄력적인 경우 가격이 상승하면 총수입은 감소한다. 예를 들어 어느 상품의 가격이 500원에서 600원으로 20% 상승할 때 수요량이 100개에서 90개로 10% 감소했다면, 이 상품 수요의 가격탄력성은 비탄력적이다. 이때 총수입은 상품의 가격에 거래량을 곱한 수치이므로 가격 인상 전 50,000원에서 인상 후 54,000원으로 4,000원 증가하게 되는 것이다. 그러므로 ⓐ수요의 가격탄력성을 파악하는 것은 판매자에게 매우 중요한 일이다.

10. 윗글을 통해 알 수 있는 내용으로 적절하지 <u>않은</u> 것은?

① 수요의 가격탄력성 개념
② 수요의 가격탄력성 산출 방법
③ 상품 판매자의 판매 수입 산출 방법
④ 대체재의 유무가 수요의 가격탄력성에 미치는 영향
⑤ 수요의 가격탄력성에 영향을 주는 요인들 간의 관계

11. 윗글을 참고할 때, <보기>의 ㉮~㉰에 들어갈 말을 바르게 짝지은 것은?

―――――― <보 기> ――――――

쌀을 주식으로 하는 갑국은 밀을 주식으로 하는 나라에 비해 쌀 수요의 가격탄력성은 (㉮)이고, 자동차보다 저렴한 오토바이가 주요 이동 수단인 을국은 자동차가 주요 이동 수단인 나라에 비해 자동차를 (㉯)로 인식하여 자동차 수요의 가격탄력성은 (㉰)이다.

	㉮	㉯	㉰
①	비탄력적	사치재	비탄력적
②	비탄력적	사치재	탄력적
③	비탄력적	필수재	탄력적
④	탄력적	사치재	비탄력적
⑤	탄력적	필수재	탄력적

12. ⓐ의 이유로 가장 적절한 것은?

① 수요의 가격탄력성으로 소비자의 소득 규모를 판단할 수 있기 때문에

② 수요의 가격탄력성으로 판매 상품의 문제점을 파악할 수 있기 때문에

③ 수요의 가격탄력성이 판매 상품의 생산 단가를 예측 가능하게 하기 때문에

④ 수요의 가격탄력성이 판매자의 총수입 증가 여부에 영향을 미칠 수 있기 때문에

⑤ 수요의 가격탄력성으로 판매자의 판매 수입과 소비자의 지출액 차이를 파악할 수 있기 때문에

14. ㉠ ~ ㉤의 사전적 의미로 적절하지 <u>않은</u> 것은?

① ㉠: 자극에 빠르게 반응을 보이거나 쉽게 영향을 받음.

② ㉡: 아주 가깝게 맞닿아 있음.

③ ㉢: 변화의 움직임 따위가 급하고 격렬함.

④ ㉣: 일의 결과로서 어떤 현상을 생겨나게 함.

⑤ ㉤: 어떤 일에 필요한 돈이나 물자 따위를 내놓음.

13. <보기>는 김밥과 영화 관람권의 가격 인상 이후 하루 동안의 수요량 감소를 나타낸 표이다. [A]를 바탕으로 <보기>를 탐구한 내용으로 적절한 것은? [3점]

――― <보 기> ―――

구분	김밥	영화 관람권
기존 가격	2,000원	10,000원
가격 변화분	500원	2,000원
기존 수요량	100개	2,500장
수요량 변화분	20개	1,000장

※ 단, 김밥과 영화 관람권의 가격과 수요량에 영향을 끼치는 다른 요인은 없는 것으로 한다.

① 김밥은 가격의 변화율이 수요량의 변화율보다 작다.

② 영화 관람권은 가격의 변화율이 수요량의 변화율보다 크다.

③ 김밥과 영화 관람권 수요의 가격탄력성은 모두 1보다 작다.

④ 김밥과 영화 관람권은 가격의 변화율에 대한 수요량의 변화율이 같다.

⑤ 김밥 수요의 가격탄력성은 비탄력적이고, 영화 관람권 수요의 가격탄력성은 탄력적이다.

총 문항				문항	맞은 문항				문항
개별 문항	1	2	3	4	5	6	7	8	9	10
채점										
개별 문항	11	12	13	14	15	16	17	18	19	20
채점										

10분   2020학년도 11월 학평 20~24번   ★☆☆   정답 024쪽

[1~5] 다음 글을 읽고 물음에 답하시오.

특정 산업에서 선발 기업이 후발 기업보다 기술력이나 마케팅 능력 면에서 더 뛰어나다는 점을 고려하면, 선발 기업이 산업의 주도권을 유지하는 것이 자연스러워 보인다. 그런데 오늘날의 국제 경제 환경에서는 후발 기업이 선발 기업을 따라잡아 산업의 주도권이 선발 기업에서 후발 기업으로 이동하는 현상이 종종 관찰된다. 이러한 현상을 설명하는 이론으로 추격 사이클 이론이 있다.

산업의 주도권 이동과 관련하여 기업에는 세 가지 기회의 창이 열릴 수 있다. 첫 번째는 새로운 기술의 등장이다. 기존에 없었던 새로운 기술이 등장하는 경우에 선발 기업과 후발 기업은 비교적 동등한 출발점에 서게 된다. 선발 기업이 자신들의 기존 기술을 최대한 활용하고 싶은 미련을 버리지 못해 새로운 기술의 도입을 주저할 때 후발 기업이 새로운 기술을 도입한다면 선발 기업보다 유리한 상황에 놓일 수 있다. 두 번째는 시장의 갑작스러운 변화이다. 경기 순환 또는 새로운 소비자층의 등장과 같은 변화가 여기에 속하는데, 이는 새로운 기술의 등장과 마찬가지로 반복해서 발생한다. 특히 불황기에 일부 선발 기업은 적자로 인해 자원을 방출하기도 하는데, 이때 후발 기업은 이런 자원을 적은 비용으로 이용할 수 있다. 또 불황기에는 기술 이전과 지식 획득이 쉬워지고 비용도 저렴해질 수 있는데, 이 역시 후발 기업에게 이득이 될 수 있다. 세 번째는 정부의 규제 혹은 직접적인 지원이다. 이를 통해 선발 기업과 후발 기업의 비대칭적인 환경이 조성될 때 선발 기업은 시장에서 불리한 위치에 놓이게 된다. 이때 비대칭적인 환경의 의미는 정부가 산업 진입 허가 또는 보조금 등을 통해 선발 기업을 자국 시장에서 불리한 위치에 놓이게 한다는 것이다. 이는 후발 기업이 시장에 진입하면서 생기는 불리함을 상쇄할 수 있는 계기로 작용한다.

이런 기회의 창과 관련해 산업의 주도권 이동은 '정상 사이클', '중도 실패 사이클', '슈퍼 사이클'이라는 세 가지 종류의 추격 사이클로 설명이 가능하다. 이 중 정상 사이클은 다음의 네 단계를 모두 경험하는 경우이다. 제1단계는 진입 단계이다. 국영 기업 혹은 정부의 지원을 받는 민간 기업이 후발 기업으로 나타날 때, 이들은 보조금 등의 이점으로 선발 기업에 비해 일정한 비용 우위를 누린다. 제2단계는 점진적 추격 단계이다. 이 단계에서 후발 기업들은 점차 투자를 위한 이윤을 확보해 시장 점유율을 높여 간다. 투자를 위한 이윤의 확보는 선발 기업보다 후발 기업에서 일어날 가능성이 높다. 왜냐하면 선발 기업의 주주들은 투자를 위한 이윤의 확보보다는 배당*을 더 선호하는 경향이 있지만 후발 기업의 주주들은 상대적으로 반대의 경향을 보이기 때문이다. 그러나 점진적 추격 단계에 도달한 후발 기업이 저부가 가치 제품 시장에서 고부가 가치 제품 시장으로 이동하지 못하면 다음 단계로 넘어가지 못할 가능성이 높은데, 이 경우를 중도 실패 사이클이라 한다. 제3단계는 추월 단계이다. 이 단계에서 후발 기업은 확보된 이윤을 새로운 기술과 같은 기회에 신속하고 과감하게 투자하고 채택하여 산업 주도권에

갑작스럽고 큰 변화를 일으킨다. 그 결과 선발 기업은 후발 기업에 밀려 추락을 경험하게 된다. 제4단계는 추락 단계이다. 새롭게 리더가 된 후발 기업이 새 기술 및 소비 패턴의 변화를 놓친다면 이 단계에서 다른 도전자에 밀려 추락하게 된다. 그런데 제3단계에서 선발 기업을 추월한 후발 기업이 기술, 시장, 또는 규제의 변화 등에 민첩하게 대응하는 경우 산업의 주도권을 오랫동안 유지할 가능성이 높은데, 이 경우를 슈퍼 사이클이라고 한다.

결국 기업의 추격 사이클은 기회의 창들에 대한 기업의 전략적 선택에 따른 결과라고 할 수 있다. 이런 관점에서 추격 사이클 이론은 특정 요소 결정론적이기보다는 ㉠ 외부적 요인과 주체적 요인을 모두 중시한다고 할 수 있다.

*배당: 주식을 보유한 사람들에게 그 지분에 따라 기업이 이윤을 분배하는 것.

1. 다음은 윗글에 대한 한 줄 평이다. 주제를 고려할 때 밑줄 친 부분에 들어갈 내용으로 가장 적절한 것은?

_____ 가 궁금한 분에게 추천합니다.

① 추격 사이클 이론에 대한 비판의 쟁점이 무엇인지
② 기업의 전략적 선택이 정부 정책에 미치는 영향이 무엇인지
③ 산업의 주도권 이동이 초래한 국제 경제의 위기는 무엇인지
④ 산업의 주도권 이동이 기업들 사이에서 어떻게 이루어지는지
⑤ 산업의 주도권을 가진 기업이 각종 경제 규제를 어떻게 극복하는지

2. 윗글의 내용과 일치하지 **않는** 것은?
① 산업 진입 허가와 관련된 정부의 규제를 통해 선발 기업이 자국 시장에서 불리해질 수 있다.
② 새로운 기술은 선발 기업과 후발 기업이 비교적 동등한 출발점에서 경쟁을 할 수 있게 해 준다.
③ 시장의 갑작스러운 변화 중에는 기술 이전과 지식 획득이 쉬워지는 상황이 조성되는 경우가 있다.
④ 국영 기업은 후발 기업으로 나타날 때 선발 기업에 대한 정부의 보조금으로 비용 우위를 누리기 어렵다.
⑤ 경기 순환에 따른 불황기에는 선발 기업의 적자로 인해 방출되는 자원을 후발 기업이 활용하기 용이해진다.

3. 문맥상 ㉠과 바꾸어 쓰기에 가장 적절한 것은?

① 기업에 주어지는 기회와 이에 대한 기업의 전략적 선택을 모두 고려한다고 할 수 있다.

② 특정 산업 분야의 선발 기업과 이와 다른 분야의 선발 기업을 모두 참고한다고 할 수 있다.

③ 선발 기업의 기술력과 이와 동등한 후발 기업의 마케팅 능력을 모두 인정한다고 할 수 있다.

④ 새로운 기술과 이에 대해 선발 기업이 취해야 하는 수동적 태도를 모두 강조한다고 할 수 있다.

⑤ 산업의 주도권과 그것에 의해 정부가 기업에 부여하는 의무적 역할을 모두 중시한다고 할 수 있다.

※ 윗글과 다음을 참고하여 4번과 5번 두 물음에 답하시오.

[상황]

○ A사는 B사보다 휴대전화 산업에 먼저 진입하여 산업을 선도하였다. 그런데 A사는 휴대전화 카메라 기능의 향상을 원하는 청년층의 요구에 민첩하게 대응할 수 있는 신기술을 채택하지 않았다. 이로 인해 A사는 시장 점유율 하락을 겪게 되었고 이후에는 휴대전화 산업을 선도할 수 없게 되었다.

○ B사는 개인이 창업한 기업으로 정부의 보조금으로 성장했고, 이 과정에서 얻은 이윤의 상당 부분을 주주들의 협조로 투자를 위해 확보하였다. 그 후 ⓐ 부가 가치가 높은 휴대전화를 생산하게 되었고, 휴대전화 카메라 기능을 향상시킨 신기술을 채택하여 휴대전화 산업을 선도하는 기업으로 올라섰다. 그러나 ⓑ 휴대전화 게임의 그래픽 기능 향상을 원하는 청소년층의 등장에 민첩하게 대응할 수 있는 신기술을 채택하지 않아서 매출의 감소를 경험하였다.

○ C사는 B사보다 나중에 휴대전화 산업에 진입했다. 시장 점유율을 높여가던 C사는, B사와 달리 휴대전화 게임의 그래픽 기능 향상을 가능하게 한 신기술을 채택하여 시장 점유율을 대폭 증가시켰다.

[B사 중심의 추격 사이클]

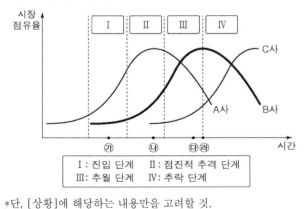

| I : 진입 단계 | II : 점진적 추격 단계 |
| III : 추월 단계 | IV : 추락 단계 |

*단, [상황]에 해당하는 내용만을 고려할 것.

---

4. 윗글을 바탕으로 [상황]과 [B사 중심의 추격 사이클]에 대해 이해한 내용으로 적절하지 <u>않은</u> 것은? [3점]

① ㉮에서 B사는 A사보다 시장 점유율이 낮지만 정부가 조성하는 비대칭적인 환경 때문에 비용 우위를 누렸다.

② ㉮에서보다 ㉯에서는 B사의 시장 점유율이 높은데, 이는 B사의 주주들이 배당보다는 투자를 위한 이윤 확보를 선호한 결과이다.

③ ㉯부터의 A사 시장 점유율 변화 양상이 ㉮부터의 B사 시장 점유율 변화 양상과 유사한 것은, 반복되는 새로운 기회의 창에 대한 A사와 B사의 유사한 대응에서 비롯된 것이다.

④ ㉯와 ㉰ 사이에서 A사와 B사의 시장 점유율 우위가 바뀌고 ㉱ 이후에 B사와 C사의 시장 점유율 우위가 바뀌는 데는, 각각의 경우 새로운 기술에 대한 B사의 선택 여부가 영향을 주었다.

⑤ ㉰와 ㉱ 사이에서 A사의 시장 점유율과 달리 B사와 C사의 시장 점유율은 증가하기 때문에, A사는 새로운 도전자로서 부상하는 움직임을 보였다.

---

5. 윗글과 [상황]을 바탕으로 <보기>의 학습 활동을 수행한 학생의 반응으로 가장 적절한 것은?

┌─────────────〈 보 기 〉─────────────┐

[학습 활동] B사를 중심으로 ⓐ와 ⓑ에 의해 벌어질 수 있는 상황을 가정하여 각 상황에서 나타날 수 있는 추격 사이클의 종류를 파악해 보자. (단, B사에 대한 가정을 제외한 모든 조건은 동일하다.)

└──────────────────────────────────┘

① 만약 B사가 ⓐ를 생산하지 못했다면 정상 사이클을 경험할 가능성이 높겠네요.

② 만약 B사가 ⓐ를 생산하지 못했다면 슈퍼 사이클을 경험할 가능성이 높겠네요.

③ B사가 ⓐ를 생산했고, 만약 ⓑ에 민첩하게 대응했다면 슈퍼 사이클을 경험할 가능성이 높겠네요.

④ B사가 ⓐ를 생산했고, 만약 ⓑ에 민첩하게 대응했다면 중도 실패 사이클을 경험할 가능성이 높겠네요.

⑤ 만약 B사가 ⓐ를 생산하지 못했고, ⓑ에 민첩하게 대응하지 못했다면 정상 사이클을 경험할 가능성이 높겠네요.

【6~10】 다음 글을 읽고 물음에 답하시오.

역사적으로 은행의 첫 장을 연 것은 금세공업자들이었다. 금을 스스로 보관하기 어렵다고 생각한 사람들은 금고를 가진 금세공업자에게 금을 맡기고 보관증을 받았다. 사람들은 물건을 거래할 때 금보다 보관증만을 주고받는 것이 훨씬 편리하다는 것을 알게 되면서 보관증을 오늘날의 지폐나 수표처럼 사용하게 되었다. 한편 금세공업자들은 금을 맡긴 사람들이 일시에 몰려와 금을 찾아가지 않는다는 것을 알고, 자신이 써 준 보관증만큼의 금을 반드시 가지고 있을 필요가 없음을 깨달았다. 그래서 그들은 보관된 금의 일정 부분만 남기고 나머지를 원하는 사람에게 빌려 주며 수수료를 받아 이윤을 얻었다. 그 과정에서 금세공업자들은 금의 양이 많아질수록 더 많은 수입을 얻을 수 있다고 생각하여 금을 맡기는 사람에게 사례를 했다. ㉠금세공업자가 했던 일은 결국 오늘날의 은행이 하는 일과 크게 다르지 않다.

여기서 우리는 은행의 두 가지 기능을 알 수 있다. 첫째, 돈의 여유가 있는 사람으로부터 자금을 ⓐ조성하여 이를 필요로 하는 사람에게 융통해 주는 금융중개 기능이다. 은행은 금융중개 기능을 통해 금융 시장의 거래비용을 낮추고, 조성된 자금이 효율적으로 활용되도록 자금의 흐름을 조정하는 역할을 수행한다. 은행은 자금 수요자의 수익성과 안전성을 정확하게 평가할 수 있는 안목과 정보를 가지고 있어서, 조성된 자금이 한층 더 건전하고 수익성 높은 곳으로 투자되도록 ⓑ유도하기도 한다.

둘째, 화폐를 창출하는 예금창조 기능으로, 예금창조는 신용창조라고도 한다. 다시 금세공업자의 경우를 살펴보자. 만일 금세공업자가 맡아 놓은 금 전체를 그냥 가지고만 있다면 그 경제의 통화량은 변하지 않는다. 금세공업자가 써 준 모든 보관증에 기록된 금의 합은 그가 맡아 놓은 금의 양과 같을 것이기 때문이다. 그러나 맡아 놓은 금의 일부만 지급 준비용으로 ⓒ보유하고 나머지를 다른 사람에게 대출해 줄 경우 사정은 달라진다. 금세공업자들이 맡아 놓은 금의 30%만 남겨 놓기로 결정했다면, 70%만큼의 금을 다른 사람이 빌려다 필요한 곳에 쓸 수 있다. 이는 유통되는 금의 양, 즉 통화량이 그만큼 더 늘어난 것을 뜻한다. 만약 금을 대출 받은 사람이 그것을 다른 금세공업자에게 맡기고 보관증을 받는다면 통화량은 한층 더 늘어난다. 그 금세공업자가 다시 30%만 남겨 놓고 나머지를 또 다른 사람에게 대출해 줄 것이기 때문이다.

이런 일이 반복되면 통화량은 처음의 몇 배 크기로 늘어나게 되고, 금세공업자들이 맡아 두었다고 기록된 금의 양도 늘어나게 된다. 이는 새로운 예금이 만들어진 셈으로 예금창조가 이루어졌다고 할 수 있다. 그러나 새롭게 만들어진 예금은 누군가가 빌려서 생긴 빚이기 때문에 사람들이 갚아야 할 빚도 그만큼 늘어난 상황으로 볼 수 있다. 은행의 예금창조 기능은 결국 예금의 일부만을 지급준비금으로 보유하는 지급준비제도에서 비롯되는 것이다. 은행은 예금의 일부만 보유하고 그 나머지를 대출하면서 예금통화라는 화폐를 창출하게 되고, 대출 받은 사람들은 재화와 서비스를 구입할 수 있는 능력이 커지게 된다. 이러한 화폐 창출 과정이 이루어지면 ㉡교환의 매개수단으로 쓰이는 화폐의 양이 늘어 경제의 유동성은 증가하지만, 경제가 종전에 비해 더 부유해지는 것은 아니다.

은행의 일정 시점의 총체적 재무 상태를 기록해 놓은 대차대조표를 활용하면 은행의 예금창조 기능을 좀 더 자세히 이해할 수 있다. 자금의 ⓓ조달 원천을 나타내는 자본 및 부채의 내역은 대차대조표의 오른편에 기록되며, 자금의 운영 상태를 나타내는 자산의 내역은 왼편에 기록된다. 이때 대차대조표의 오른편을 대변, 왼편을 차변이라고 한다.

자산		자본 및 부채	
지급준비금	300	예금	1,500
대출	1,200	기타 부채	300
유가증권	300	자본금	200
기타 자산	200	–	–
총계	2,000	총계	2,000

<표> 가상 은행의 대차대조표(단위: 십억 원)

<표>는 가상 은행의 대차대조표를 요약해 놓은 것이다. 일반적으로 은행의 중요한 자금 조달 원천은 예금이기 때문에 은행은 예금을 많이 유치하려고 한다. 오른편을 보면 예금이 가장 큰 비중을 차지하고 있음을 알 수 있는데, 은행의 입장에서 예금은 언제든 ⓔ요구가 있으면 지급해야 하는 부채의 성격을 갖는다. 은행이 다른 금융 기관이나 중앙은행으로부터 자금을 빌려 온 내역은 기타 부채로 나타나 있고, 마지막 항목은 은행의 자본금이다. 이렇게 조성된 자금은 왼편에 나타나 있는 여러 가지 형태의 자산으로 운영된다. 이 은행은 예금액의 일정 부분을 지급준비금으로 떼어 놓고, 나머지 자금은 대출을 해 주거나 유가증권 등 그 밖의 여러 가지 자산을 보유하는 데 사용하고 있다. 이렇듯 은행의 지급준비제도와 대출을 통해 예금통화가 창출되고 있는 것이다.

[A]
그렇다면 은행은 어떻게 이득을 얻을까? 대차대조표에서도 알 수 있듯이 은행은 주로 예금으로 자금을 조달하고 대출로 자금을 운영하는데, 통상 예금 이자에 비해 대출 이자가 높으므로 양 이자의 차이로 발생한 예대 금리 차가 은행의 주된 수익원이 된다. 대출 이자가 더 높은 까닭은 차입자가 원금과 이자를 갚지 못하는 대출 손실이 일어날 수 있어, 차입자의 신용도에 맞춰 위험 할증금을 부과하기 때문이다. 은행의 영업 이익은 예대 금리 차로 발생한 수익에서 인력과 지점 조직, IT 인프라를 유지하기 위한 경상 운영비를 차감한 것이 된다. 그래서 은행은 대출 손실을 영업 이익보다 적게 유지해야만 안정적으로 이득을 얻을 수 있다. 만일 대출 손실이 영업 이익을 넘어선다면 은행은 자본금까지 잠식당하게 된다. 따라서 예금을 받아 대출을 하되 신용 위험을 적극적으로 관리해야 하는 것이 은행업의 본질이다.

6. 윗글의 내용으로 적절하지 <u>않은</u> 것은?
① 은행은 자금을 조성하여 필요한 사람에게 융통해 주며 금융 시장의 거래비용을 낮춘다.
② 은행의 입장에서 예금은 부채의 성격을 갖기 때문에 대차대조표에 기타 부채로 기재된다.
③ 은행의 예금창조는 예금의 일부만 보유하고 그 나머지를 대출해 주는 과정에서 일어난다.
④ 은행의 대차대조표에는 자금의 조달 원천을 나타내는 내역과 자금의 운영 상태를 나타내는 내역이 기록된다.
⑤ 은행은 조성된 자금이 수요자의 수익성과 안전성에 대한 정보를 바탕으로 건전한 곳에 투자되도록 유도한다.

7. 윗글을 읽은 학생이 ㉠에 대해 정리한 내용이다. 적절하지 않은 것은?

금세공업자가 했던 일	오늘날의 은행이 하는 일	
다른 사람의 금을 맡아 주는 것	고객의 돈을 보관해 주는 것	… ①
맡아 둔 금의 일정 부분을 남겨 두는 것	지급준비금을 보유하고 있는 것	… ②
맡아 둔 금의 일부를 원하는 사람에게 빌려 주는 것	예금의 일부를 필요한 사람에게 대출해 주는 것	… ③
금을 많이 맡아 두려고 하는 것	예금을 많이 유치하려고 하는 것	… ④
금을 맡기는 사람에게 사례하는 것	대출에 대해 이자를 부과하는 것	… ⑤

8. 윗글을 바탕으로 ㉡의 이유를 추론한 것으로 가장 적절한 것은?
① 대출을 받은 사람들에게 화폐라는 자산이 생기지만 그 경제의 통화량은 줄어들기 때문이다.
② 은행에 서류상으로 맡겨 놓은 예금이 늘어나는 만큼 창출되는 예금통화는 줄어들기 때문이다.
③ 대출을 받은 사람들이 그 돈을 다른 은행에 예금으로 맡겨도 통화량에 아무 변화가 일어나지 않기 때문이다.
④ 은행이 새로운 예금을 만들어 내는 만큼 은행에 돈을 맡긴 사람들이 부담해야 하는 부채도 늘어나기 때문이다.
⑤ 대출을 받은 사람들이 재화와 서비스를 구입할 수 있는 능력이 커진 만큼 그에 상응하는 부채도 늘어나기 때문이다.

9. [A]를 참고하여 <보기>를 이해한 내용으로 적절하지 않은 것은? [3점]

> ───── <보 기> ─────
>
> 2019년 ○○은행의 자산은 1,000억 원인데, 이 자산은 모두 대출로 구성되어 있다. 이 중 900억 원은 예금으로, 100억 원은 자본금으로 조달한 것이다. 이 은행의 예금 금리는 평균 2%이고, 대출 금리는 평균 4%이다. ○○은행은 예대 금리 차에 의해 (1,000억 원×4%)−(900억 원×2%)에 해당하는 22억 원의 수익이 발생하였고, 12억 원은 경상 운영비로 사용하였다. (단, 다른 요인은 고려하지 않는다.)

① ○○은행의 영업 이익은 예대 금리 차에 의한 수익에서 경상 운영비를 차감한 10억 원이겠군.
② ○○은행의 수익은 22억 원으로, 주로 예금으로 자금을 조달하고 대출로 자금을 운영하여 발생한 것이겠군.
③ ○○은행의 대출 금리가 평균 4%로 평균 예금 금리보다 높은 것은 대출 손실에 대한 위험 할증금이 반영된 것이겠군.
④ 만약 ○○은행의 대출 손실이 12억 원 발생했다면, ○○은행의 자본금은 잠식되었겠군.
⑤ 만약 ○○은행이 평균 2%인 예금 금리를 올린다면, 지점 조직을 유지하기 위한 비용이 더 줄어서 수익이 늘어나겠군.

10. ⓐ~ⓔ의 사전적 의미로 적절하지 않은 것은?
① ⓐ: 어떤 기준이나 실정에 맞게 정돈함.
② ⓑ: 사람이나 물건을 목적한 장소나 방향으로 이끎.
③ ⓒ: 가지고 있거나 간직하고 있음.
④ ⓓ: 자금이나 물자 따위를 대어 줌.
⑤ ⓔ: 받아야 할 것을 필요에 의하여 달라고 청함.

총 문항					문항	맞은 문항			문항
개별 문항	1	2	3	4	5	6	7	8	9	10
채점									
개별 문항	11	12	13	14	15	16	17	18	19	20
채점									

10분 | 2020학년도 6월 학평 21~25번 | ★★☆ | 정답 026쪽

【1~5】 다음 글을 읽고 물음에 답하시오.

2002년 월드컵 조별 예선에서 우리나라가 폴란드를 이기고 사상 처음 1승을 거두자 'Be the Reds'라고 새겨진 티셔츠 수요가 폭발했다. 하지만 실제 월드컵 기간 동안 불티나게 팔린 티셔츠로 수익을 본 업체는 모조품을 판매하는 업체와 이를 제조하는 업체였다. 오히려 정품을 생산해 대리점에서 판매하는 ⑦ 스포츠 브랜드 업체는 수익을 내지 못했다. 실제로 많은 브랜드 업체들은 월드컵 이후 수요가 폭락해 팔지 못한 재고로 난처했다. 도대체 왜 이런 상황이 벌어졌을까?

간단한 문제 같지만 이 현상은 요즘 경영에서 유행처럼 번지는 공급 사슬망 관리(Supply Chain Management, SCM)의 핵심을 설명해 줄 수 있는 사례이다. 공급 사슬망이란 상품의 흐름이 고리처럼 연결되어 있고, 이들의 상관관계 또한 서로 긴밀하게 연결되어 있는 것을 말한다.

이 현상의 원인을 설명하기 위해서는 공급 사슬망의 '채찍 효과(Bullwhip effect)'를 우선 이해해야 한다. 아기 기저귀라는 상품을 예로 들어보면, 상품 특성상 소비자 수요는 일정한데 소매점 및 도매점 주문 수요는 들쑥날쑥했다. 그리고 이러한 주문 변동폭은 '최종 소비자-소매점-도매점-제조업체-원자재 공급업체'로 이어지는 공급 사슬망에서 최종 소비자로부터 멀어질수록 더 증가하였다. 공급 사슬망에서 이와 같이 수요 변동폭이 확대되는 현상을 공급 사슬망의 '채찍 효과'라 한다. 이는 채찍을 휘두를 때 손잡이 부분을 작게 흔들어도 이 파동이 끝 쪽으로 갈수록 더 커지는 현상과 유사하기 때문에 붙여진 이름이다. 이런 변동폭은 유통업체나 제조업체 모두 반길 만한 사항이 아니다. 왜냐하면 늘 수요가 일정하면 이를 기준으로 생산이나 마케팅의 자원을 적절히 분배하여 계획하고 효율적으로 운영할 수 있지만, 변동폭이 크면 계획이나 운영을 원활하게 수행하기 어렵기 때문이다.

그렇다면 이런 채찍 효과가 생기는 이유는 무엇일까? 여러 가지 이유가 있지만 첫 번째는 수요의 왜곡이다. 소비자의 수요가 갑자기 늘면 소매점은 앞으로 수요 증가를 기대하는 심리로 기존 주문량보다 더 많은 양을 도매점에 주문하게 된다. 그리고 도매점도 같은 이유로 소매점 주문량보다 더 많은 양을 제조업체에 주문한다. 즉, 공급 사슬망에서 최종 소비자로부터 멀어질수록 점점 더 심하게 왜곡되는 현상이 발생하는 것이다. 이러한 왜곡 현상은 공급자가 시장에서 제한적일 때 더 크게 발생한다. 즉 공급자가 한정된 상황에서는 더 많은 양을 주문해야 제품을 공급받기가 수월하기 때문이다. 티셔츠를 공급하는 제조업체에서 물량이 한정돼 있으면 한꺼번에 많은 양을 주문하는 도매업체에게 우선권을 주는 것은 당연하다. 결국 물건을 공급받기 위해서 업체들은 경쟁적으로 더 많은 주문을 해 공급을 보장받으려 한다. 결국 '수요의 왜곡'이 발생한다.

채찍 효과가 일어나는 두 번째 이유는 공급 사슬망에서 최종 소비자로부터 멀어질수록 대량 주문 방식을 요하기 때문이다. 예를 들면 소비자는 소매점에서 물건을 한두 개 단위로 구입하지만 소매점은 도매상에서 물건을 박스 단위로 주문한다. 그리고 다시 도매점은 제조업체에 트럭 단위로 주문을 한다. 이처럼 최종 소비자로부터 멀어질수록 기본 주문 단위가 커진다. 그런데 이렇게 주문 단위가 커질수록 재고량이 증가하게 되고, 재고량 증가는 변화에 민첩하게 대응하지 못하게 하는 원인이 된다.

채찍 효과의 세 번째 원인은 주문 발주에서 도착까지의 발주 실행 시간에 의한 시차 때문이다. 물건을 주문했다고 바로 물건이 도착하지 않는다. 주문을 처리하고 물류가 이동하는 시간이 있기 때문이다. 그런데 문제는 각 공급 사슬망 주체의 발주 실행 시간이 저마다 다르다는 데에 있다. 예를 들어 소매점이 도매점으로 주문을 했을 때 물건을 받기까지 걸리는 시간이 3~4일 정도라면, 도매점이 제조업체에 주문을 했을 때 물건을 받기까지는 몇 주 정도가 걸릴 수도 있다. 즉 최종 소비자로부터 멀어질수록 이런 물류 이동 시간이 증가하게 된다. 그리고 이처럼 발주 실행 시간이 길어지면 주문량이 많아지고, 이는 재고량 증가로 이어질 수 있다.

공급 사슬망에서 채찍 효과로 인해 발생하는 재고는 기업 입장에서는 큰 부담이 될 수 있다. 왜냐하면 재고를 쌓아둘 공간을 마련하거나 재고를 손상 없이 관리하는 데 큰 비용이 들기 때문이다. 그러므로 공급 사슬망에서 각 주체들 간에 수요와 공급 정보를 공유함으로써 불필요한 재고를 줄여야 한다.

1. 윗글에 대한 설명으로 적절한 것은?

① 사회 현상과 관련된 이론의 문제점을 지적하고 있다.
② 사회 현상의 발생 원인을 관련 개념을 통해 설명하고 있다.
③ 사회 현상과 관련된 원인을 역사적 변천 과정에 따라 설명하고 있다.
④ 사회 현상의 원인에 대한 대립적 의견들을 소개하고 그 공통점과 차이점을 설명하고 있다.
⑤ 사회 현상의 원인을 파악하기 위해 가설을 설정하고 실험을 통해 그 타당성을 검증하고 있다.

2. 윗글에 대한 이해로 적절하지 <u>않은</u> 것은?

① 주문 변동폭은 원자재 공급업체에 가까워질수록 커진다.
② 소비자의 수요가 일정한 상품에서는 채찍 효과가 나타나지 않는다.
③ 주문 변동폭이 클수록 유통업체와 제조업체의 계획이나 운영에 어려움이 생긴다.
④ 물건의 기본 주문 단위가 커질수록 재고량이 증가하고 변화에 민첩하게 대처하지 못한다.
⑤ 주문하고 바로 물건을 받을 수 없는 이유는 주문 처리 시간과 물류 이동 시간이 있기 때문이다.

3. 윗글을 바탕으로 ㉠의 원인을 추론한 것으로 가장 적절한 것은?

① 적정 재고량을 유지했기 때문이겠군.
② 공급 사슬망에서 벗어났기 때문이겠군.
③ 시장에서 공급자가 제한적이기 때문이겠군.
④ 수익보다 재고 관리 비용이 적었기 때문이겠군.
⑤ 발주 실행 시간이 물건을 공급받기에 짧았기 때문이군.

4. 윗글과 <보기>를 읽고 이해한 내용으로 적절하지 <u>않은</u> 것은?

> ─────── <보 기> ───────
>
> 예상치 못한 수요가 급격히 증가할 경우 소매점에서 재고량이 없다면 급히 도매점에 상품을 주문할 것이다. 만일 도매점에도 재고가 모자라 주문 물량을 다 소화할 수 없다면 제조업체에 추가 주문을 할 것이고 예상치 못한 주문에 야간 조업 등 계획에 없던 공장 가동을 할 수도 있다. 이처럼 최종 소비자의 갑작스러운 수요 증가로 인한 불확실성이 '소매점-도매점-제작업체'로 전달된다. 그러나 반대로 소매점에 갑작스러운 수요 증가를 흡수할 수 있는 충분한 재고가 있다면 소매점은 도매점에 계획에 없던 추가 주문을 할 필요도 없다. 공급 사슬망에서 재고는 한쪽에서 발생된 불확실성의 충격이 다른 곳으로 전이되는 것을 완화시켜주는 기능이 있다.

① 공급 사슬망에서 재고는 긍정적 측면뿐만 아니라 부정적 측면도 있다.
② 수요의 왜곡 현상과 불확실성의 전이는 공급 사슬망의 주체들에게 부담을 준다.
③ 공급 사슬망의 채찍 효과로 인해 공급자가 최종소비자로부터 가까울수록 주문량이 많다.
④ 소비자의 수요가 갑자기 늘어나면 수요의 왜곡 현상과 불확실성의 전이가 나타날 수 있다.
⑤ 수요의 왜곡을 겪은 도매점은 다음 주문부터는 기존 주문량보다 더 많은 양의 주문을 고려할 것이다.

5. 윗글을 바탕으로 <보기>에 대해 이해한 것으로 가장 적절한 것은? [3점]

> ─────── <보 기> ───────
>
> '협력 공급 기획 예측(CPFR) 프로그램'이란 제조사와 이동통신 사업자 간 협력을 통해 물량 수요 예측을 조정해 나가는 프로세스다. 국내 이동통신 시장은 돌발적인 수요 변화가 많다. 이런 환경에서 A전자와 B통신은 CPFR 프로그램을 이용하여 판매, 재고, 생산계획의 정보를 실시간으로 공유하며 적기에 필요한 물량을 공급하고 재고를 최소화하기로 하였다. (단, 여기에서는 A전자와 B통신 외에 다른 요인이 작용하지 않는다.)

① B통신은 A전자 휴대폰을 항상 대량 주문할 것이다.
② A전자와 B통신의 휴대폰 재고량이 늘어나게 될 것이다.
③ A전자와 B통신이 서로 정보를 공유함으로써 과잉주문이 줄어들 것이다.
④ B통신이 A전자 휴대폰 공장 근처로 이전하게 되어 주문량에 상관없이 물건을 받는 시간은 일정하게 유지될 것이다.
⑤ A전자가 휴대폰을 B통신에 안정적으로 공급함으로써 국내 이동통신 시장에서 돌발적인 수요 변화가 줄어들 것이다.

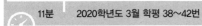
【6~10】 다음 글을 읽고 물음에 답하시오.

최근 수입품에 높은 관세를 부과하여 국제 무역 분쟁이 발생하면서 관세에 대한 관심이 높아지고 있다. 관세란 수입되는 재화에 부과되는 조세로, 정부는 조세 수입을 늘리거나 국내 산업을 보호하기 위한 목적으로 관세를 부과한다. 그런데 관세를 부과하면 국내 경기 및 국제 교역에 영향을 미치게 된다.

관세가 국내 경기에 미치는 영향을 살펴보기 위해서는 시장에서의 수요와 공급의 원리를 알아야 한다. <그림>은 가격에 따른 수요량과 공급량의 변화를 나타내는 그래프이다.

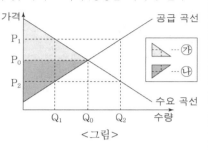

<그림>

여기서 수요 곡선은 재화의 가격에 따른 수요량의 변화를 나타내는데, 그래프에서 가격은 재화 1단위 추가 소비를 위한 소비자의 지불 용의 가격을 나타내기도 한다. 공급 곡선은 재화의 가격에 따른 공급량의 변화를 나타내는데, 그래프에서 가격은 재화 1단위 추가 생산을 위한 생산자의 판매 용의 가격을 나타내기도 한다. 수요와 공급의 원리에 따르면 재화의 균형 가격은 수요 곡선과 공급 곡선이 만나는 P_0에서 형성된다. 재화의 가격이 P_1로 올라가면 수요량은 Q_1로 줄어들고 공급량은 Q_2로 증가하지만, 재화의 가격이 P_2로 내려가면 수요량은 Q_2로 증가하고 공급량은 Q_1로 줄어든다.

이처럼 재화의 가격 변화로 수요량과 공급량이 달라지면 소비자 잉여와 생산자 잉여에도 변화가 생기게 된다. 여기서 잉여란 제품을 소비하거나 판매함으로써 얻는 이득으로, 소비자 잉여는 소비자가 어떤 재화를 구입할 때 지불할 용의가 있는 가격과 실제 지불한 가격의 차이이고, 생산자 잉여는 생산자가 어떤 재화를 판매할 때 실제 판매한 가격과 판매할 용의가 있는 가격의 차이이다. <그림>에서 수요 곡선과 실제 재화의 가격의 차이에 해당하는 ㉮는 소비자 잉여를, 실제 재화의 가격과 공급 곡선의 차이에 해당하는 ㉯는 생산자 잉여를 나타낸다. 만일 재화의 가격이 P_0에서 P_1로 올라가면 소비자 잉여는 줄어들고 생산자 잉여는 늘어나는 반면, 재화의 가격이 P_2로 내려가면 소비자 잉여는 늘어나고 생산자 잉여는 줄어들게 된다.

이를 바탕으로 관세가 국내 경기에 미치는 영향을 살펴보자. 밀가루 수입 전에 형성된 K국의 밀가루 가격이 500원/kg이고, 국제 시장에서 형성된 밀가루의 가격이 300원/kg이라고 가정해 보자. K국이 자유 무역을 통해 관세 없이 밀가루를 수입하면 국산 밀가루 가격은 수입 가격 수준인 300원/kg까지 내려가게 된다. 그 결과 국산 밀가루 공급량은 줄어들지만 오히려 수요량은 늘어나기 때문에, 국내 수요량에서 국내 공급량을 뺀 나머지 부분만큼 밀가루를 수입하게 된다. 밀가루 수입으로 국산 밀가루 가격이 하락하면 결과적으로 생산자 잉여가 감소하지만 소비자 잉여는 증가하게 된다. 증가한 소비자 잉여가 감소한 생산자 잉여보다 크기 때문에 소비자 잉여와 생산자 잉여의 총합인 사회적 잉여는 밀가루를 수입하기 전에 비해 커지게 된다.

그런데 K국이 수입 밀가루에 100원/kg의 관세를 부과할 경우, 수입 밀가루의 국내 판매 가격은 400원/kg으로 올라가게

된다. 그렇게 되면 국산 밀가루 생산자는 관세 부과 전보다 100원/kg 오른 가격에 밀가루를 판매할 수 있으므로 국산 밀가루의 공급량이 늘어 관세를 부과하기 전보다 생산자 잉여가 증가하게 된다. 반대로 소비자 입장에서는 가격이 올라가면 그만큼 수요량이 줄어들게 되므로 소비자 잉여는 감소하게 된다. 하지만 증가한 생산자 잉여가 감소한 소비자 잉여보다 작기 때문에 소비자 잉여와 생산자 잉여의 총합인 사회적 잉여는 수입 밀가루에 관세를 부과하기 전에 비해 작아지게 된다.

그런데 관세 정책이 장기화될 경우, 국내 경기가 침체에 빠질 수 있다. 예컨대 K국 정부가 국내 밀가루 산업을 보호하기 위하여 수입 밀가루에 높은 관세를 부과할 경우, 단기적으로는 국내 밀가루 생산자의 이익을 늘려 자국의 밀가루 산업을 보호할 수 있다. 하지만 높은 관세로 국내 밀가루 가격이 상승하면 밀가루를 원료로 하는 제품들의 가격이 줄줄이 상승하게 되어, 국내 소비자들은 밀가루를 이용하여 만든 제품들의 소비를 줄이게 된다. 이러한 과정이 장기화된다면 K국의 경기는 결국 침체에 빠질 수도 있다. 실제로 1930년대 국내 산업을 보호할 목적으로 시행된 각국의 관세 정책으로 인해 오히려 경제 대공황이 심화된 사례가 이를 잘 보여 주고 있다.

이렇게 볼 때 국내 산업을 보호할 목적으로 부과된 ㉠관세는 사회적 잉여를 감소시키고, 해당 제품에 대한 국내 소비를 줄어들게 한다. 그리고 그와 관련된 다른 산업에까지 악영향을 미칠 수 있다. 또한 과도한 관세는 국제 교역을 감소시켜 국제 무역 시장을 침체시킬 뿐만 아니라, 국제 무역 분쟁을 야기할 소지도 있다. 이러한 이유로 대다수의 경제학자들은 과도한 관세에 대한 우려를 드러내고 있다.

6. 윗글에 대한 설명으로 가장 적절한 것은?

① 상반된 두 입장을 제시한 후 이를 절충하고 있다.
② 문제 상황을 언급한 후 해결책을 구체화하고 있다.
③ 이론의 한계를 단계적인 순서에 따라 설명하고 있다.
④ 학설이 나타난 배경과 그 학문적 성과를 분석하고 있다.
⑤ 원리를 설명한 후 구체적 사례를 들어 이해를 돕고 있다.

7. 윗글에 대한 이해로 적절하지 않은 것은?

① 소비자의 지불 용의 가격은 균형 가격보다 항상 높다.
② 균형 가격에서는 재화의 수요량과 공급량이 동일하다.
③ 원료의 가격은 이에 기반한 제품의 가격에 영향을 미친다.
④ 관세는 국가 간의 무역 분쟁의 원인으로 작용하기도 한다.
⑤ 대다수의 경제학자들은 과도한 관세에 대해 부정적 입장을 취한다.

8. ⊙의 이유로 적절한 것은?

① 소비자 잉여 감소분이 생산자 잉여 증가분과 같기 때문에
② 소비자 잉여 감소분이 생산자 잉여 증가분보다 크기 때문에
③ 소비자 잉여 증가분이 생산자 잉여 증가분보다 크기 때문에
④ 소비자 잉여 감소분이 생산자 잉여 감소분보다 작기 때문에
⑤ 소비자 잉여 증가분이 생산자 잉여 감소분보다 작기 때문에

9. 윗글을 바탕으로 <보기>를 설명한 내용으로 적절하지 <u>않은</u> 것은? [3점]

< 보 기 >

P국에서는 국산 바나나만을 소비하다 값싼 수입산 바나나를 관세 없이 수입하면서 국산 바나나 가격이 국제 시장 가격 수준으로 하락했다. 이에 정부에서는 국내 바나나 산업 보호를 위하여 관세를 부과하였다.

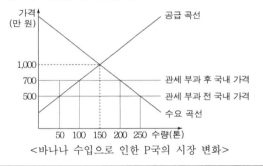
<바나나 수입으로 인한 P국의 시장 변화>

① 바나나를 수입하기 전 바나나의 국내 균형 가격은 톤당 1,000만 원이었다.
② 관세를 부과하기 이전에는 수입되는 바나나의 수량이 200톤이었다.
③ 관세를 부과하기 이전과 이후의 가격을 비교해 보니 톤당 200만 원만큼의 관세가 부과되었다.
④ 관세를 부과한 결과 국내 생산자는 바나나의 공급량을 50톤에서 100톤으로 늘리게 된다.
⑤ 관세를 부과한 결과 수입되는 바나나의 수량은 이전보다 50톤이 줄어드는 효과가 발생한다.

10. 윗글의 '관세(A)'와 <보기>의 '수입 할당제(B)'에 대해 이해한 내용으로 적절하지 <u>않은</u> 것은?

< 보 기 >

'수입 할당제'는 일정 기간 특정 재화를 수입할 수 있는 양을 제한하여 제한된 할당량까지는 자유 무역 상태에서 수입하고 그 할당량이 채워지면 수입을 전면적으로 금지하는 비관세 정책이다. 수입 할당제는 수입되는 재화의 양을 제한함으로써 그 재화의 국내 가격을 자연적으로 상승시켜 국내 생산자를 보호하는 기능을 한다.

① A는 수입품의 가격을 상승시키는 원인으로 작용하겠군.
② B는 수량을 기준으로 수입되는 재화의 양을 제한하겠군.
③ A는 B와 달리 정책 시행 시의 혜택을 국내 생산자가 보겠군.
④ B는 A와 달리 수입품에 대한 정부의 조세 수입이 없겠군.
⑤ A와 B 모두 국제 무역 규모의 감소를 유발할 수 있겠군.

II

총 문항				문항		맞은 문항				문항
개별 문항	1	2	3	4	5	6	7	8	9	10
채점										
개별 문항	11	12	13	14	15	16	17	18	19	20
채점										

10분 | 2019학년도 11월 학평 33~37번 | ★★☆ | 정답 028쪽

[1~5] 다음 글을 읽고 물음에 답하시오.

현대 사회의 기업들은 새로운 내부 조직을 만들거나 다른 기업과 합병하는 등의 방식을 통해 기업의 규모를 변화시키기도 한다. 신제도학파에서는 기업들의 이러한 규모 변화를 거래비용이라는 개념으로 설명하는데, 이를 거래비용이론이라고 한다.

거래비용이론에서 말하는 거래비용이란 재화를 생산하는 데 드는 생산비용을 제외한, 경제 주체들이 재화를 거래하는 과정에서 발생하는 모든 비용을 말한다. 즉 경제 주체가 거래 의사와 능력을 가진 상대방을 탐색하는 과정, 가격이나 교환 조건을 상대방과 협상하여 계약을 하는 과정, 또 계약 후 계약 ㉠이행 여부를 확인하고 강제하는 과정 등에서 발생하는 비용을 거래비용이라고 할 수 있다.

[A]
거래비용이론에서는 기업은 시장에서 재화를 거래할 때 발생하는 거래비용인 '시장거래비용'을 줄이기 위해, 재화를 자체적으로 생산하는 것에 대해 ㉡고려하게 된다고 보았다. 이런 상황에서 기업이 새로운 내부 조직을 만들거나 다른 기업을 합병하여 내부 조직으로 흡수하는 등의 방법을 통해 거래를 내부화하면 기업의 조직 내에서도 거래가 일어나게 된다. 그 결과 거래비용이 발생하게 되고, 이를 '조직내거래비용'이라고 한다. 이때 시장거래비용과 조직내거래비용을 합친 것을 '총거래비용'이라고 하며, 기업은 총거래비용을 고려하여 기업의 규모를 결정하게 된다.

예를 들어 어떤 제품을 생산하는 기업을 가정해 보자. 이 기업에서는 시장거래를 통해 다른 기업으로부터 모든 부품을 조달하여 제품을 생산할 수도 있고, 반대로 기업 내부적으로 모든 부품을 제조하여 제품을 생산할 수도 있다. 만약 이 기업이 다른 기업과의 시장거래를 통해 모든 부품을 조달한다면 조직내거래비용은 발생하지 않고, 시장거래비용만 발생하게 될 것이다. 이런 상황에서 기업은 시장거래비용을 줄이기 위해 시장거래에서 조달하던 부품의 일부를 기업 내에서 생산하려 할 것이다. 이렇게 기업이 부품을 자체 생산하여 내부 거래를 증가시키면 시장거래비용은 감소하지만, 조직내거래비용은 증가하게 된다. 이때 기업은 총거래비용이 최소가 되는 지점까지 내부 조직의 규모를 확대하여 부품을 자체 생산할 수 있고, 이 지점이 바로 기업의 최적규모라고 할 수 있다.

그렇다면 ㉮거래비용이 발생하는 요인은 무엇일까? 거래비용이론에서는 이를 인간적 요인과 환경적 요인으로 나누어 설명한다. 인간적 요인에는 인간의 제한된 합리성과 기회주의적 속성이 있다. 먼저, 인간은 거래 상황 속에서 정보를 수집하고 처리할 때 완벽하게 합리적인 선택을 할 수 있는 존재는 아니라는 것이다. 다음으로 인간은 효용의 극대화를 위해 자신의 이익만을 추구하는 기회주의적 ㉢면모를 보일 가능성이 높다는 것이다. 이와 같은 인간적 요인으로 인해 거래 상황 속에서 인간은 완벽한 선택을 할 수 없고, 거래 상대를 전적으로 신뢰할 수는 없으므로 거래의 과정 속에서 거래비용이 발생하게 된다는 것이다.

환경적 요인에는 자산특수성과 정보의 불확실성 등이 있다.

먼저 자산특수성이란 다양한 거래 주체를 통해 일반적으로 구할 수 있는 자산이 아닌, 특정 거래 주체와의 거래에서만 높은 가치를 갖는 자산의 속성을 말한다. 따라서 특정 주체와의 거래에서는 높은 가치를 갖던 것이 다른 주체와의 거래에서는 가치가 하락하는 경우, 자산특수성이 높다고 할 수 있다. 이때 자산특수성이 높으면 경제 주체들은 기회주의적으로 행동할 가능성이 커질 수 있기 때문에 이를 ㉣보완하고자 다양한 안전장치를 마련하려 할 것이다. 이로 인해 거래비용은 더 높아질 수 있는 것이다. 다음으로 거래 상대의 정보를 확인할 수 없는 상황에서 거래 주체는 자신의 이익을 위해 정보를 ㉤공유하지 않을 가능성이 높다. 그렇기 때문에 일반적으로 정보가 불확실한 거래 상황일수록 거래 주체들은 상대의 정보를 알아내기 위한 노력을 할 것이고, 이로 인해 거래비용은 높아지게 된다.

1. 윗글을 통해 알 수 있는 내용으로 적절하지 않은 것은?
① 거래비용의 종류
② 총거래비용의 개념
③ 시장거래비용을 줄이는 방법
④ 기업의 규모가 변화하는 이유
⑤ 기업 규모와 생산비용의 관계

2. 거래비용이 발생하는 상황으로 적절하지 않은 것은?
① 도자기 장인이 직접 흙을 채취하여 도자기를 빚을 때
② 집을 구매하려는 사람이 집을 판매하는 사람을 탐색할 때
③ 가구를 생산하는 사람이 원목 판매자와 재료 값을 흥정할 때
④ 소비자가 인터넷을 설치하기 위해 통신사와 약정서를 작성할 때
⑤ 제과 업체가 계약대로 밀가루가 제대로 공급되고 있는지 확인할 때

3. [A]를 바탕으로 <보기>를 이해한 내용으로 적절하지 <u>않은</u> 것은?

[3점]

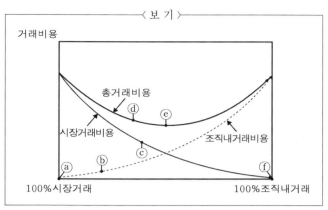

─────〈 보 기 〉─────

거래비용

총거래비용
ⓓ ⓔ
시장거래비용 조직내거래비용
ⓐ ⓑ ⓒ ⓕ
100%시장거래   100%조직내거래

① 조직내거래비용이 ⓐ에서 ⓑ로 증가했다면 기업은 시장에서 조달했던 부품의 일부를 자체 생산하겠다는 결정을 했기 때문이겠군.

② 시장거래비용이 ⓒ에서 ⓕ로 감소했다면 기업이 내부 거래를 증가시켰기 때문이겠군.

③ ⓓ에서 ⓔ로 총거래비용이 줄었다면 내부 조직의 규모를 축소하겠다는 결정을 했기 때문이겠군.

④ 총거래비용이 ⓔ에서 최소가 된다면 이 지점이 기업의 최적 규모라고 할 수 있겠군.

⑤ ⓕ에서는 기업이 모든 부품을 기업 내부적으로 제조하기 때문에 시장거래비용은 발생하지 않겠군.

4. ㉮를 바탕으로 <보기>를 이해한 내용으로 적절하지 <u>않은</u> 것은?

─────〈 보 기 〉─────

사례 1: 자동차를 조립하여 판매하는 A 기업은 자동차에 들어가는 부품 중 볼트를 특정 기업을 선정하지 않고 다양한 기업을 통해 조달하고 있다.

사례 2: 의료기구 생산 업체인 B 기업은 핵심 부품을 C 기업을 통해서만 조달하고 있어, 안정적인 생산과 조달을 위해 두 기업은 계약을 할 때 장기간의 계약 기간을 계약 조건으로 명시하였다.

사례 3: D 기업은 새로 개발한 제품의 원재료를 외국의 E 기업에서 조달하고자 하였으나, E 기업이 원재료의 품질 정보를 세부적으로 제공하지 않아 신제품 생산에 차질이 발생하게 되었다.

① A 기업이 조달하는 볼트의 자산특수성은 높지 않다고 할 수 있겠군.

② B 기업과 C 기업이 계약 조건으로 장기간의 계약 기간을 명시한 것은 거래에 있어 안전장치를 마련한 것으로 볼 수 있겠군.

③ B 기업과 C 기업은 거래하는 핵심 부품이 지닌 특성으로 인해 상대가 기회주의적으로 행동할 가능성을 염려했다고 볼 수 있겠군.

④ D 기업과 E 기업 간의 거래에서는 정보의 불확실성으로 인해 거래 비용이 높아질 가능성이 있겠군.

⑤ E 기업이 원재료의 품질 정보를 세부적으로 제공하지 않은 것은 D 기업을 탐색하는 과정에서 완벽하게 합리적인 선택을 하였기 때문이겠군.

5. ㉠ ~ ㉤의 사전적 의미로 적절하지 <u>않은</u> 것은?

① ㉠: 둘 이상의 일을 한꺼번에 행함.

② ㉡: 생각하고 헤아려 봄.

③ ㉢: 사람이나 사물의 겉모습이나 그 됨됨이.

④ ㉣: 모자라거나 부족한 것을 보충하여 완전하게 함.

⑤ ㉤: 두 사람 이상이 한 물건을 공동으로 소유함.

【6~8】 다음 글을 읽고 물음에 답하시오.

직장인 A 씨는 셔츠 정기 배송 서비스를 신청하여 일주일간 입을 셔츠를 제공 받고, 입었던 셔츠는 반납한다. A 씨는 셔츠를 직접 사러 가거나 세탁할 필요가 없어져 시간을 절약할 수 있게 되었다. 이처럼 소비자가 회원 가입 및 신청을 하면 정기적으로 원하는 상품을 배송 받거나, 필요한 서비스를 언제든지 이용할 수 있는 경제 모델을 ⑦'구독경제'라고 한다.

신문이나 잡지 등 정기 간행물에만 적용되던 구독 모델은 최근 들어 그 적용 범위가 점차 넓어지고 있다. 이로 인해 사람들은 소유와 관리에 대한 부담은 줄이면서 필요할 때 사용할 수 있는 방식으로 소비를 할 수 있게 되었다. 이러한 구독경제에는 크게 세 가지 유형이 있다. 첫 번째 유형은 ⓐ정기 배송 모델인데, 월 사용료를 지불하면 칫솔, 식품 등의 생필품을 지정 주소로 정기 배송해 주는 것을 말한다. 두 번째 유형은 ⓑ무제한 이용 모델로, 정액 요금을 내고 영상이나 음원, 각종 서비스 등을 무제한 또는 정해진 횟수만큼 이용할 수 있는 모델이다. 세 번째 유형인 ⓒ장기 렌털 모델은 구매에 목돈이 들어 경제적 부담이 될 수 있는 자동차 등의 상품을 월 사용료를 지불하고 이용하는 것을 말한다.

최근 들어 구독경제가 빠르게 확산되고 있는데, 그 이유는 무엇일까? 경제학자들은 구독경제의 확산 현상을 '합리적 선택 이론'으로 설명한다. 경제 활동을 하는 소비자가 주어진 제약 속에서 자신의 효용을 최대화하려는 것을 합리적 선택이라고 하는데, 이때 효용이란 소비자가 상품을 소비함으로써 얻는 만족감을 의미한다. 소비자들이 한정된 비용으로 최대한의 만족을 얻기 위해 노력한 결과가 구독경제의 확산으로 이어졌다는 것이다. 이것은 최근의 소비자들이 상품을 소유함으로써 얻는 만족감보다는 상품을 사용함으로써 얻는 만족감을 더 중요시한다는 것을 보여 준다고 할 수 있다.

구독경제는 소비자의 입장에서 소유하기 이전에는 사용해 보지 못하는 상품을 사용해 볼 수 있다는 장점이 있다. 구독경제를 이용하면 값비싼 상품을 사용하는 데 큰 비용을 들이지 않아도 되고, 상품 구매 행위에 들이는 시간과 구매 과정에 따르는 불편함 등의 문제를 해결할 수 있다. 생산자의 입장에서는 상품을 사용하는 고객들의 정보를 수집하고, 이를 통해 개별화된 서비스를 제공하여 고객과의 관계를 지속적으로 유지할 수 있다. 또한 매월 안정적으로 매출을 올릴 수 있다는 장점도 있다.

그러나 구독경제의 확산이 경제 활동의 주체들에게 긍정적인 면만 있는 것은 아니다. 소비자의 입장에서는 구독하는 서비스가 지나치게 많아질 경우 고정 지출이 늘어나 경제적으로 부담이 될 수 있다. 생산자의 입장에서는 상품이 소비자에게 만족감을 주지 못하거나 고객과의 관계를 지속적으로 유지하지 못할 경우 구독 모델 이전에 얻었던 수익에 비해 낮은 수익을 얻는 경우도 있다. 따라서 소비자는 합리적인 소비 계획을 수립하고 생산자는 건전한 수익 모델을 연구하여 자신의 경제 활동에 도움이 되는 방향으로 구독경제를 활용할 필요가 있다.

6. 윗글의 내용과 일치하지 <u>않는</u> 것은?
① 생산자는 구독경제를 통해 이용 고객들에게 개별화된 서비스를 제공할 수 있다.
② 소비자는 구독경제를 이용함으로써 상품 구매 행위에 드는 시간을 줄일 수 있게 되었다.
③ 소비자는 구독경제를 통해 회원 가입 시 개인 정보를 제공해야 하는 부담을 없앨 수 있다.
④ 생산자는 구독경제를 통해 고객과의 관계를 지속적으로 유지할 경우 안정적으로 매출을 올릴 수 있다.
⑤ 한정된 비용으로 최대한의 만족을 얻으려는 소비자의 심리가 구독경제 확산에 영향을 미치게 되었다.

7. 윗글의 ⑦과 <보기>의 ⓛ을 비교한 내용으로 가장 적절한 것은?

━━━ <보 기> ━━━
ⓛ'공유경제'는 한번 생산된 상품이나 서비스를 여럿이 공유해 사용하는 협력 소비를 통해 비용을 줄이고 소비자의 만족도를 높이는 경제 모델이다. 공유경제는 자원의 활용도를 높이고 자원의 불필요한 소비를 줄일 수 있어 친환경적이라는 평가를 받고 있다. 공유경제의 영역은 주택, 의류 등의 유형자원에서 시간, 재능 등의 무형자원으로 확장되고 있다.

① ⑦은 ⓛ과 달리 여러 사람이 서비스를 공유하는군.
② ⑦은 ⓛ과 달리 자원의 불필요한 소비를 줄일 수 있다는 점에서 친환경적이군.
③ ⓛ은 ⑦과 달리 소비자에게 서비스를 주기적으로 제공하여 구매 비용을 줄이는군.
④ ⑦과 ⓛ은 모두 유형자원보다 무형자원을 더 많이 활용하는군.
⑤ ⑦과 ⓛ은 모두 소비자의 부담은 줄이면서 상품을 사용함으로써 얻는 효용에 관심을 가지는군.

8. ⓐ~ⓒ에 해당하는 사례로 적절하지 <u>않은</u> 것은?
① ⓐ: 매월 일정 금액을 지불하고 정수기를 사용하는 서비스
② ⓐ: 월정액을 지불하고 주 1회 집으로 식재료를 보내 주는 서비스
③ ⓑ: 월 구독료를 내고 읽고 싶은 도서를 마음껏 읽을 수 있는 스마트폰 앱
④ ⓑ: 정액 요금을 결제하고 강좌를 일정 기간 원하는 만큼 수강할 수 있는 웹사이트
⑤ ⓒ: 월 사용료를 지불하고 정해진 기간에 집에서 사용할 수 있는 의료 기기

Ⅱ

【9~13】 다음 글을 읽고 물음에 답하시오.

현대 산업 사회에서는 주로 대량 생산이 이루어지기 때문에 그 과정에서 결함 상품이 발생하고, 이에 따라 소비자의 피해도 발생한다. 이런 경우 피해를 입은 소비자가 구제를 받기 위해서는 제조물의 제조 과정에서 제조자의 과실이 있었고 그 과실에 따른 결함으로 피해가 발생하였음을 입증하여야 하는데 그것은 상당히 어렵다. 이에 소비자가 쉽게 피해 구제를 받을 수 있도록 하기 위해 제조물 책임법을 제정하여 시행하고 있다.

㉮ 제조물 책임법은 제조업자에게 고의나 과실이 없더라도 제조물의 결함으로 인해 생명·신체·재산상의 손해를 입은 사람에 대하여 제조업자가 손해 배상 책임을 지도록 하는 법률이다. 이 법이 적용되는 ⓐ제조물과 ⓑ제조업자의 범위를 살펴보면, 제조물은 공산품, 가공 식품 등의 제조 또는 가공된 물품을 의미하는 것으로, 일상생활에서 사용하고 있는 거의 모든 물품이 포함된다. 또한 중고품, 폐기물, 부품, 원재료도 적용 대상이 된다. 그러나 미가공 농수축산물 등은 원칙적으로 제조물의 범위에서 제외되는데, 농수축산물 등 일차 농산품에까지 확대할 경우 농업인 등이 쉽게 소송의 대상이 될 뿐만 아니라 연대 책임 조항에 의하여 유통업자와 가공업자의 과실에 대해서도 불공정하게 책임을 질 우려가 있기 때문이다. 그리고 손해 배상의 책임 주체인 제조업자에는 부품 또는 완성품의 제조업자, 제조물 수입을 업(業)으로 하는 자, 자신을 제조자 혹은 수입업자로 표시한 자가 포함된다. 제조업자를 알 수 없는 경우에는 제조물의 공급업자도 해당된다.

제조물 책임은 제조물에 결함이 존재하는가 여부에 의해 결정되는데, 결함의 유형에는 제조상의 결함, 설계상의 결함, 표시상의 결함이 있다. 제조상의 결함은 제조업자가 제조 또는 가공상의 주의 의무를 이행하였음에도 불구하고 제조물이 원래 의도한 설계와 다르게 제조 또는 가공됨으로써 안전하지 못하게 된 경우이며, 설계상의 결함은 제조업자가 소비자를 고려하여 합리적으로 설계했다면 피해나 위험을 줄이거나 피할 수 있었음에도 그렇게 하지 않아 제조물이 안전하지 못하게 된 경우를 말한다. 표시상의 결함은 제조업자가 합리적인 설명·지시·경고 또는 그밖의 표시를 하였더라면 해당 제조물에 의하여 발생할 수 있는 피해나 위험을 줄이거나 피할 수 있었음에도 이를 표시하지 않은 경우를 말한다.

그런데 피해자가 제조업자에게 손해 배상을 청구하려면 원칙적으로 제조물의 결함 사실과 손해 발생의 사실, 그리고 제조물의 결함과 손해 발생의 인과 관계를 입증해야 한다. 하지만 소비자의 입장에서 이를 입증하는 것은 쉽지 않다. 그래서 제조물 책임법은 소비자가 제조물을 통상적인 방법으로 사용하다가 사고가 발생했다는 사실만 입증하면 해당 제조물 자체에 결함이 있었고 그 결함으로 인하여 피해가 발생한 것으로 추정하도록 하고 있다.

한편 제조물의 결함으로 손해가 발생한 경우에 제조업자는 다음 중 어느 하나를 입증하면 손해 배상 책임을 면할 수 있다. 첫째, 제조업자가 해당 제조물을 공급하지 아니한 사실, 둘째, 제조업자가 해당 제조물을 공급한 때의 과학·기술 수준으로는 결함의 존재를 발견할 수 없었다는 사실, 셋째, 제조업자가 해당 제조물을 공급할 당시의 법령이 정하는 기준을 준수함으로써 제조물의 결함이 발생한 사실 등이다. 그밖에 원재료 또는 부품 제조업자의 경우에는 해당 원재료 또는 부품을 사용한 제조물 제조업자의 설계 또는 제작에 관한 지시로 인

하여 결함이 발생하였다는 사실을 입증하면 책임을 지지 않아도 된다. 그러나 면책 사유에 해당하더라도 제조업자가 제조물의 결함을 ㉠알면서도 적절한 피해 예방 조치를 하지 않은 경우, 또는 주의를 기울였다면 충분히 알 수 있었을 결함을 발견하지 못한 경우에는 책임을 피할 수 없다.

제조물 책임법에 따른 제조업자의 배상 의무는 피해자의 생명·신체 또는 재산상의 손해에 대한 것으로 한정되고, 결함이 있는 제조물 자체는 민법에 따라 유통업자나 판매업자에게 구제받아야 한다. 예컨대, 결함이 있는 녹즙기로 인하여 손을 다쳤을 경우, 치료비는 제조업자에게 배상받고 불량품인 녹즙기는 판매업자에게 환불받을 수 있다.

9. 윗글을 읽고 해결할 수 있는 질문으로 적절한 것을 <보기>에서 고른 것은?

― <보 기> ―

ㄱ. 제조물 책임법이 제정된 배경은 무엇인가?

ㄴ. 제조물의 결함을 해결할 수 있는 방안은 무엇인가?

ㄷ. 제조물 책임법이 적용되는 제조물과 제조업자의 범위는 어디까지인가?

ㄹ. 제조물 책임법상 피해자가 손해 배상을 청구할 수 있는 기한은 언제까지인가?

① ㄱ, ㄴ   ② ㄱ, ㄷ   ③ ㄴ, ㄷ
④ ㄴ, ㄹ   ⑤ ㄷ, ㄹ

10. 윗글을 바탕으로 <보기>의 사례를 이해한 반응으로 적절하지 않은 것은?

― <보 기> ―

(가) A는 안심 버튼이 있어 사용 중 넘어져도 뜨거운 물이 쏟아지지 않는다는 광고를 보고 B사의 전기 주전자를 C마트에서 구입하였다. 그러나 물을 끓이던 도중 B사의 전기 주전자가 넘어져 쏟아진 물에 생후 8개월 된 A의 딸이 양팔에 2~3도의 화상을 입었다. 한국소비자원의 조사 결과 주전자의 개폐 버튼 부분이 잘못 결합되어 물이 새는 결함이 발견되었다.

(나) D가 E사의 승용차 탈취제를 구입하여 사용 설명서에 따라 에어컨 통풍구에 분사하던 중 승용차에 화재가 발생하였다. 제품 사용 설명서에는 탈취제가 LP가스를 포함하고 있어 화재가 발생할 위험이 있다는 문구가 없었다. 조사 결과 탈취제의 LP가스가 화재의 원인으로 밝혀졌다.

① A가 B사에 책임을 물으려면 전기 주전자를 통상적으로 사용했음을 입증해야겠군.

② A는 B사로부터 전기 주전자에 대해 환불을 받을 수 있겠군.

③ B사는 제조상의 결함을 지닌 제품을 생산했군.

④ D는 승용차 화재로 인해 발생한 피해에 대해 E사에 손해 배상을 청구할 수 있겠군.

⑤ E사가 제조한 승용차 탈취제는 표시상의 결함을 지녔군.

11. ㉮와 <보기>의 ㉯를 비교한 것으로 적절하지 <u>않은</u> 것은? [3점]

                     < 보 기 >

  ㉯리콜제도는 소비자의 생명·신체 및 재산상에 위해를 끼치거나 끼칠 우려가 있는 제품 결함이 발견된 경우, 제조업자 스스로 또는 정부의 강제 명령에 의해 제품의 결함 내용을 소비자에게 알리고 제품 전체를 대상으로 수거·파기 및 수리·교환·환급 등의 적절한 시정 조치를 취함으로써 결함 제품으로 인한 위해 확산을 방지하고자 하는 소비자 보호 제도이다.

  소비자의 입장에서 보면 결함 제품에 의한 피해의 확산을 방지하여 안전한 소비 생활을 영위할 수 있도록 하며, 기업의 입장에서 보면 안전사고를 미연에 방지함으로써 소비자 피해에 대한 손해 배상의 부담을 줄일 수 있다.

---

① ㉮가 사후 피해 구제에 중점을 두고 있다면, ㉯는 결함 제품에 의한 피해 확산 방지에 중점을 두고 있다.

② ㉮는 결함 제품으로 인한 소비자 피해 사실에 대해, ㉯는 결함 제품에 대해 책임을 지는 제도이다.

③ ㉮와 달리 ㉯는 제품 결함이 발견된 경우 소비자에게 결함 내용을 알리는 제도이다.

④ ㉯와 달리 ㉮는 소비자의 요청이 있어야만 이행된다.

⑤ ㉮와 ㉯는 모두 제조물의 결함으로 인한 소비자의 손해 발생을 필수 조건으로 하고 있다.

12. ⓐ와 ⓑ에 대한 이해로 적절하지 <u>않은</u> 것은?

① 화장품, 건전지와 달리 고등어는 ⓐ에 포함되지 않는다.

② 중고 자동차는 ⓐ에 포함되며, 이를 수입하는 자는 ⓑ에 해당된다.

③ 복숭아 통조림은 ⓐ에 포함되고, 이를 제조한 자와 복숭아를 생산한 자 모두 ⓑ에 해당된다.

④ 자동차 부품의 결함으로 자동차가 고장이 났다면 자동차 부품을 만든 자는 ⓑ에 해당되므로 손해 배상의 책임이 있다.

⑤ 전자 제품에 결함이 발생했지만 제품을 공급했을 당시의 기술 수준으로는 발견할 수 없었던 결함이라면 ⓑ는 손해 배상에 대한 면책 요건을 갖추고 있다.

13. 문맥상 의미가 ㉠과 가장 가까운 것은?

① 이 문제는 당신이 <u>알아서</u> 처리해야 한다.

② 밖으로 나와서야 날씨가 추운 것을 <u>알았다</u>.

③ 그녀는 차는 없었지만 운전을 할 줄 <u>알았다</u>.

④ 그 사람은 공부만 <u>알지</u> 세상 물정을 통 모른다.

⑤ 그녀는 그의 사랑 고백을 농담으로 <u>알고</u> 지나쳤다.

총 문항					문항		맞은 문항				문항
개별 문항	1	2	3	4	5	6	7	8	9	10	
채점											
개별 문항	11	12	13	14	15	16	17	18	19	20	
채점											

과학

• 고1 국어 독서 •

 과학

📌 **출제 트렌드**

과학은 물리학, 화학, 생물학, 의학, 지구과학 등 다양한 분야의 과학 지식과 정보를 제시하는 분야입니다. 과학 지문은 과학적 현상과 원리를 논리적 과정에 따라 보여 주면서 객관적인 이론이 뒷받침되는 경우가 많으므로, 주어진 자료의 해석을 명확하게 하고 지문 속 다양한 용어의 정의와 예시를 이해해야 합니다. 또한 시간이 부족할 수 있으므로 정보의 경중을 판단하는 능력이 필요합니다. 2021학년도, 2022학년도 시험에서는 평이한 난이도의 지문들이 출제되었으나, 과학 지식이 상대적으로 부족한 수험생은 기본적인 어휘를 몰라서 시간을 많이 들이고도 정확히 이해하지 못하는 경우도 있음을 유의해야 합니다. 과학 분야에서는 그림이나 표, 그래프와 같은 시각 자료들을 지문과 연결시키는 문제가 자주 출제되므로 해당 유형의 문제에 익숙해질 필요가 있습니다.

시행	출제 지문	문제 수	난이도
2022학년도 11월 학평	튜링 기계	5문제 출제	★★☆
2022학년도 6월 학평	청각의 원리	5문제 출제	★★☆
2021학년도 6월 학평	식욕의 작용 원리	5문제 출제	★★☆
2021학년도 3월 학평	핵분열과 핵융합	5문제 출제	★★☆

📌 **1등급 꿀팁**

하나 _ 각 문단의 핵심 키워드를 중심으로 정보를 파악하자.

두울 _ 지문에 제시된 여러 용어와 개념을 명확히 이해하며 읽자.

세엣 _ 실험 과정이나 흐름, 순서를 놓치지 말고 파악하자.

네엣 _ 그림이나 그래프 등의 시각 자료는 제시된 정보를 바탕으로 해석하자.

다섯 _ 지문의 내용이 어려울수록 빠르게 읽기보다 정확하게 읽는 습관을 들이자.

여섯 _ 과학 원리를 다른 상황에 적용하는 문제를 풀 때는 반드시 지문 속 내용을 바탕으로 적용해야 함을 잊지 말자.

일곱 _ 지문을 구조화하고 이미지화하는 연습을 통해 전체적인 내용의 설계를 확인하자.

다음 글을 읽고 물음에 답하시오.

전자 녹음 장치에 녹음된 자신의 목소리를 스피커를 통해 들으면 어색하게 느껴진다. 그 이유를 이해하기 위해서는 소리가 무엇이며 어떤 과정을 통해 들리게 되는지 살펴볼 필요가 있다.

소리는 물체의 진동에 의해 발생하고 매질의 진동으로 전달되는 파동이다. 소리가 들린다는 것은 매질의 진동이 내이에 도달하여 달팽이관 속 림프액을 진동시켜 섬모가 흔들리고, 이로 인해 발생한 전기 신호가 청각 신경을 따라 뇌에 전달됨을 의미한다. 이때 소리가 내이에 도달하는 방식으로는 외이와 중이를 거치는 공기 전도와 이를 거치지 않는 골전도가 있다.

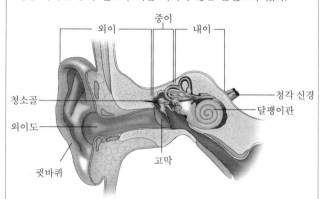

공기 전도는 공기를 매질로 소리가 내이에 전달되는 것을 의미한다. 물체의 진동이 주변 공기를 진동시키면 귓바퀴가 이 진동을 모아 귓속으로 보내고, 그 결과 진동은 외이도를 지나게 된다. 귓바퀴와 외이도 등 진동이 지나가는 각 지점에서는 소리의 공명이 발생한다. 공명이란 공명 주파수*에서 진폭이 커지는 현상을 말하는데 외이도의 경우 공명 주파수는 성인 기준으로 2,500∼2,700Hz이다. 공명 주파수는 외이도의 길이에 반비례하기 때문에, 외이도의 길이가 성인보다 짧은 유아는 공명 주파수가 더 높다. 이러한 공명에 의해 증폭된 진동은 고막을 진동시키고 고막의 진동은 청소골에서 더욱 증폭되어 내이에 전달된다.

이에 반해 골전도는 귀 주변 뼈를 매질로 소리가 내이에 바로 전달되는 것이다. 대화할 때 들리는 자신의 목소리에는 성대에서 발생한 진동이 공기 전도를 통해 전달된 소리와 골전도를 통해 전달된 소리가 함께 있다. 자신의 목소리 중에서 20∼1,000Hz의 소리는 골전도로는 잘 전달이 되지만, 외이와 중이에서 공명이 잘 일어나지 않아 공기 전도로는 잘 전달되지 않는다. 녹음된 자신의 목소리를 스피커를 통해 들으면 골전도를 통해 듣던 소리는 잘 들리지 않으므로 어색함을 느끼게 되는 것이다.

한편 외이와 중이에 이상이 있는 사람도 골전도를 통해서는 소리를 들을 수 있는데, 이를 이용한 보청기도 사용되고 있다. 최근에는 이어폰에도 골전도의 원리가 이용되고 있다. 이어폰 내부에는 일반적으로 내부 자기장을 형성하는 자석과 보이스코일이 있다. 보이스코일에 교류 전류를 가하면 내부 자기장에 의해 보이스코일에 인력과 척력이 교대로 작용하여 보이스코일에 진동이 발생한다. 이때 전류의 방향이 바뀌는 주기를 짧게 할수록 주파수가 높아져 높은 음의 소리가 난다. 또 전류를 세게 할수록 진폭이 커져 음량이 높아진다. ㉠일반적인 이어폰은 이러한 진동을 공기를 통해 전달하는데, ㉡골전도 이어폰은 귀 주변 뼈에 진동판을 밀착하여 진동을 내이로 직접 전달한다.

골전도 이어폰은 일반적인 이어폰과 달리 귀를 막지 않고 사용하기 때문에 다양한 장점이 있다. 우선 귀 내부가 습해지는 것을 방지할 수 있고 고막을 직접 자극하지 않는다. 또 야외 활동 시 착용해도 주변 소리를 들을 수 있어 위험 상황에 잘 대처할 수 있다. 그러나 골전도 이어폰을 사용해도 내이는 자극이 되므로 장시간 사용하면 청각 신경이 손상될 수 있어 주의해야 한다.

* 공명 주파수 : 공명 현상이 일어나거나 공명에 의해 강해지는 주파수.

22. 윗글을 읽고 알 수 있는 내용으로 적절하지 <u>않은</u> 것은?

① 주파수가 낮아지면 낮은 음의 소리가 난다.
② 고막의 진동은 청소골을 통과할 때 증폭된다.
③ 외이도의 길이가 짧을수록 공명 주파수는 높아진다.
④ 이어폰의 보이스코일에 흐르는 전류가 세지면 음량이 높아진다.
⑤ 20∼1,000Hz의 소리는 물체의 진동에 의해서는 발생할 수 없다.

10분 2022학년도 11월 학평 25~29번 ★★☆ 정답 031쪽

【1~5】 다음 글을 읽고 물음에 답하시오.

수학자 힐베르트는 어떤 1차 논리의 논리식이 주어졌을 경우 이 논리식이 타당한지 여부를 결정하는 알고리즘이 존재하느냐 하는 문제를 제기했다. 튜링은 이 문제에 대한 답을 얻는 과정에서 가상의 기계 장치인 '튜링 기계'를 ⓐ고안하게 된다.

튜링 기계는 사람이 계산할 때 일어나는 사고 과정을 응용한 가상의 기계로 ㉠테이프, ㉡헤드, ㉢상태 기록기 등의 부품으로 ⓑ구성된다. 테이프는 좌우 양방향으로 무한히 많은 칸을 갖고 있다고 가정하며, 각 칸은 비어 있거나 한 개의 기호가 기록되어 있다. 헤드는 테이프에 기록된 기호를 읽거나 기호를 기록하는 장치인데, 테이프 위를 좌우로 한 칸씩 움직일 수 있다. 상태 기록기는 튜링 기계의 상태를 나타낸다.

튜링 기계는 작동규칙이 주어지면 튜링 기계의 상태와 헤드로 판독한 기호에 따라 작동되는데, 작동규칙은 예를 들면 (A, 1, P0, R, B)와 같이 표시할 수 있으며 이와 같은 형식을 '5순서열'이라고 한다. 5순서열의 첫 번째 자리와 다섯 번째 자리에는 A, B, C 등의 임의의 기호가 사용되어 튜링 기계의 상태를 나타낸다. (A, 1, P0, R, B)에서 'A'는 튜링 기계의 현재 상태를, 'B'는 튜링 기계의 다음 상태를 나타낸다. 이렇게 현재 상태를 나타내는 기호와 다음 상태를 나타내는 기호가 다르면 기계는 다음 상태로 바뀌고, 이와 달리 두 기호가 같으면 현재 상태가 유지된다. 5순서열의 두 번째 자리와 세 번째 자리에는 0, 1, □ 등의 기호가 사용되는데, □는 빈칸을 의미한다. (A, 1, P0, R, B)에서 '1'은 헤드가 읽는 기호를 나타내며, 'P0'은 기호를 읽은 칸에 0을 기록하라는 것을 나타낸다. 만약 P□가 사용되면 이는 □를 기록하라는 뜻으로 테이프에 기록된 기호가 있을 경우에는 이를 지우게 된다. 튜링 기계는 헤드가 읽는 기호와 테이프에 기록된 기호가 서로 같으면 주어진 5순서열을 수행하게 되지만, 다르면 주어진 5순서열을 수행하지 않게 된다. 5순서열의 네 번째 자리에는 헤드의 위치 변경을 지시하는 기호로 L, R, N이 사용되는데, L은 헤드를 왼쪽으로 한 칸, R은 헤드를 오른쪽으로 한 칸 이동하는 것을 나타내며, N은 헤드의 위치를 이동하지 않는 것을 나타낸다.

튜링 기계를 결정하는 5순서열은 여러 개가 모여 5순서열의 모임을 이룰 수도 있는데 이때는 세미콜론(;)을 사용해 나타낼 수 있다. 튜링 기계는 테이프의 시작 모습, 기계의 시작 상태, 그리고 테이프에서 헤드의 시작 위치가 정해지면 주어진 5순서열의 모임 중 수행 가능한 5순서열이 있을 경우, 이에 따라 작동하게 된다. 그러나 수행 가능한 5순서열이 없을 경우에는 작동을 멈추게 된다. <그림>은 테이프의 시작 모습이 모두 빈칸이고, 기계의 시작 상태는 A이며, 헤드의 시작 위치는 화살표의 위치일 때, 5순서열의 모임 (A, □, P0, R, B) ; (B, □, P1, R, A)가 하나의 테이프에서 작동하는 상황을 단계별로 도식화한 것이다. 먼저 튜링 기계의 현재 상태가 A이고 테이프가 빈칸이므로, (A, □, P0, R, B)에 따라 그

<그림>

칸에 0을 기록하고 오른쪽으로 헤드를 한 칸 이동한 후 상태를 B로 변경한다. 다음으로 튜링 기계의 현재 상태가 B이고 테이프가 빈칸이므로, (B, □, P1, R, A)에 따라 그 칸에 1을 기록하고 오른쪽으로 헤드를 한 칸 이동한 후 상태를 A로 변경한다. 그러면 다시 (A, □, P0, R, B)에 따라 작동하게 되어 결국 튜링 기계는 테이프에 0과 1을 무한히 반복하며 기록하게 된다.

튜링은 위와 같이 무한히 반복되는 5순서열의 모임뿐만 아니라 사칙연산과 같은 유한한 계산을 수행하는 5순서열의 모임을 제시하며 5순서열을 어떻게 ⓒ조합하느냐에 따라 다양한 튜링 기계의 알고리즘을 만들 수 있다고 말한다. 나아가 테이프 한 칸에 튜링 기계의 알고리즘 하나하나가 들어가는 '보편 튜링 기계'라는 것을 제시하며, 아무리 복잡한 알고리즘도 간단한 단위로 ⓓ분해해서 처리할 수 있다고 주장한다. 현대의 컴퓨터 역시, 용량이 크고 속도가 빠를 뿐 결국 복잡한 알고리즘을 아주 간단한 단위로 분해해서 수행하는 것이다. 이런 면에서 튜링 기계는 현대 컴퓨터 발명의 기본적인 착상을 제공하는 데 크게 ⓔ공헌한 것으로 평가받고 있다.

1. 윗글에서 답을 찾을 수 있는 질문에 해당하지 않는 것은?
① 튜링 기계가 등장하게 된 배경은 무엇인가?
② 튜링 기계의 작동규칙을 표시하는 형식은 무엇인가?
③ 보편 튜링 기계와 현대 컴퓨터의 공통점은 무엇인가?
④ 튜링 기계가 작동되기 위해 필요한 조건들은 무엇인가?
⑤ 보편 튜링 기계가 처리하지 못하는 알고리즘의 종류는 무엇인가?

2. ㉠ ~ ㉢을 이해한 내용으로 가장 적절한 것은?
① ㉠의 길이를 무한으로 가정한 것은 튜링 기계가 가상의 장치라는 것을 보여 주는 것이겠군.
② ㉡이 한 번에 판독할 수 있는 기호의 개수는 항상 동일하게 유지되겠군.
③ ㉠의 시작 모습은 ㉡의 위치 변경을 지시하는 기호에 따라 결정되겠군.
④ ㉡의 시작 위치가 정해지는 것은 ㉢이 나타내는 튜링 기계의 상태와 관련이 있겠군.
⑤ ㉢에 임의의 기호가 사용된다는 것은 ㉠에 기록된 기호의 종류가 항상 달라진다는 것을 의미하는 것이겠군.

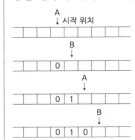

※ 윗글과 다음을 참고하여 3번 4번 두 물음에 답하시오.

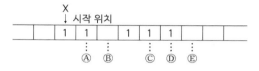

[1진법의 덧셈을 하는 튜링 기계의 알고리즘]
㉮ (X, 1, P1, R, X) ; ㉯ (X, □, P1, R, Y) ; ㉰ (Y, 1, P1, R, Y) ;
㉱ (Y, □, P□, L, Z) ; ㉲ (Z, 1, P□, N, Z)

[1진법의 덧셈을 하는 튜링 기계의 시작 모습]
아래는 1진법의 덧셈을 하는 튜링 기계의 시작 모습을 도식화한 것이다. 튜링 기계의 시작 상태는 X이며, 헤드의 시작 위치는 화살표의 위치이다. 테이프에는 1진법에서 2를 의미하는 '11'과 3을 의미하는 '111'이 기록되어 있으며, '11'과 '111'을 구분하기 위해 사이에 빈칸이 하나 삽입되어 있다.

```
     X
     ↓ 시작 위치
┌──┬──┬──┬──┬──┬──┬──┬──┬──┐
│  │ 1│ 1│  │ 1│ 1│ 1│  │  │
└──┴──┴──┴──┴──┴──┴──┴──┴──┘
     Ⓐ  Ⓑ     Ⓒ  Ⓓ  Ⓔ
```

3. 윗글을 바탕으로 ㉮ ~ ㉲에 대해 이해한 내용으로 적절한 것은?
① ㉮는 튜링 기계의 현재 상태와 다음 상태가 다르게 지정되어 있다.
② ㉲는 튜링 기계의 헤드가 읽는 기호와 기록할 기호가 동일하게 지정되어 있다.
③ ㉮와 ㉯는 튜링 기계의 헤드가 읽는 기호가 동일하게 지정되어 있다.
④ ㉯와 ㉱는 튜링 기계의 헤드가 기록할 기호가 다르게 지정되어 있다.
⑤ ㉰와 ㉱는 튜링 기계의 헤드가 이동할 방향이 동일하게 지정되어 있다.

4. 윗글과 [1진법의 덧셈을 하는 튜링 기계의 시작 모습]을 바탕으로 Ⓐ ~ Ⓔ에 대해 이해한 내용으로 적절하지 않은 것은? [3점]
① Ⓐ에서 튜링 기계의 상태가 X일 때, ㉮에 따라 헤드는 오른쪽으로 한 칸 이동하고 기계는 상태를 유지하게 되겠군.
② Ⓑ에서 튜링 기계의 상태가 X일 때, ㉯에 따라 헤드는 빈칸에 1을 기록하고 기계는 상태를 바꾸게 되겠군.
③ Ⓒ에서 튜링 기계의 상태가 Y일 때, ㉰에 따라 헤드는 오른쪽으로 한 칸 이동하고 기계는 상태를 유지하게 되겠군.
④ Ⓓ에서 튜링 기계의 상태가 Z일 때, ㉲에 따라 헤드는 테이프에 기록된 1을 지우고 기계는 상태를 바꾸게 되겠군.
⑤ Ⓔ에서 튜링 기계의 상태가 Y일 때, ㉱에 따라 헤드는 왼쪽으로 한 칸 이동하고 기계는 상태를 바꾸게 되겠군.

5. 문맥상 ⓐ ~ ⓔ와 바꾸어 쓰기에 적절하지 않은 것은?
① ⓐ: 생각해 내게
② ⓑ: 이루어진다
③ ⓒ: 짜느냐에
④ ⓓ: 퍼뜨려서
⑤ ⓔ: 이바지한

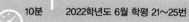
III

【6~10】 다음 글을 읽고 물음에 답하시오.

전자 녹음 장치에 녹음된 자신의 목소리를 스피커를 통해 들으면 어색하게 느껴진다. 그 이유를 이해하기 위해서는 소리가 무엇이며 어떤 과정을 통해 들리게 되는지 살펴볼 필요가 있다.

소리는 물체의 진동에 의해 발생하고 매질의 진동으로 전달되는 파동이다. 소리가 들린다는 것은 매질의 진동이 내이에 도달하여 달팽이관 속 림프액을 진동시켜 섬모가 흔들리고, 이로 인해 발생한 전기 신호가 청각 신경을 따라 뇌에 전달됨을 의미한다. 이때 소리가 내이에 도달하는 방식으로는 외이와 중이를 거치는 공기 전도와 이를 거치지 않는 골전도가 있다.

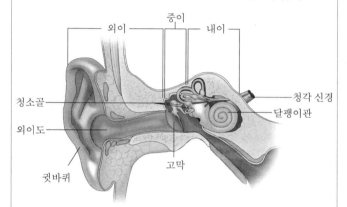

공기 전도는 공기를 매질로 소리가 내이에 전달되는 것을 의미한다. 물체의 진동이 주변 공기를 진동시키면 귓바퀴가 이 진동을 모아 귓속으로 보내고, 그 결과 진동은 외이도를 지나게 된다. 귓바퀴와 외이도 등 진동이 지나가는 각 지점에서는 소리의 공명이 발생한다. 공명이란 공명 주파수*에서 진폭이 커지는 현상을 말하는데 외이도의 경우 공명 주파수는 성인 기준으로 2,500 ~ 2,700Hz이다. 공명 주파수는 외이도의 길이에 반비례하기 때문에, 외이도의 길이가 성인보다 짧은 유아는 공명 주파수가 더 높다. 이러한 공명에 의해 증폭된 진동은 고막을 진동시키고 고막의 진동은 청소골에서 더욱 증폭되어 내이에 전달된다.

이에 반해 골전도는 귀 주변 뼈를 매질로 소리가 내이에 바로 전달되는 것이다. 대화할 때 들리는 자신의 목소리에는 성대에서 발생한 진동이 공기 전도를 통해 전달된 소리와 골전도를 통해 전달된 소리가 함께 있다. 자신의 목소리 중에서 20 ~ 1,000Hz의 소리는 골전도로는 잘 전달이 되지만, 외이와 중이에서 공명이 잘 일어나지 않아 공기 전도로는 잘 전달되지 않는다. 녹음된 자신의 목소리를 스피커를 통해 들으면 골전도를 통해 듣던 소리는 잘 들리지 않으므로 어색함을 느끼게 되는 것이다.

한편 외이와 중이에 이상이 있는 사람도 골전도를 통해서는 소리를 들을 수 있는데, 이를 이용한 보청기도 사용되고 있다. 최근에는 이어폰에도 골전도의 원리가 이용되고 있다. 이어폰 내부에는 일반적으로 내부 자기장을 형성하는 자석과 보이스코일이 있다. 보이스코일에 교류 전류를 가하면 내부 자기장에 의해 보이스코일에 인력과 척력이 교대로 작용하여 보이스코일에 진동이 발생한다. 이때 전류의 방향이 바뀌는 주기를 짧게 할수록 주파수가 높아져 높은 음의 소리가 난다. 또 전류를 세게 할수록 진폭이 커져 음량이 높아진다. ㉠일반적인 이어폰은 이러한 진동을 공기를 통해 전달하는데, ㉡골전도 이어폰은 귀 주변 뼈에 진동판을 밀착하여 진동을 내이로 직접 전달한다.

골전도 이어폰은 일반적인 이어폰과 달리 귀를 막지 않고 사용하기 때문에 다양한 장점이 있다. 우선 귀 내부가 습해지는 것을 방지할 수 있고 고막을 직접 자극하지 않는다. 또 야외 활동 시 착용해도 주변 소리를 들을 수 있어 위험 상황에 잘 대처할 수 있다. 그러나 골전도 이어폰을 사용해도 내이는 자극이 되므로 장시간 사용하면 청각 신경이 손상될 수 있어 주의해야 한다.

* 공명 주파수 : 공명 현상이 일어나거나 공명에 의해 강해지는 주파수.

6. 윗글에 대한 설명으로 가장 적절한 것은?

① 소리가 전달되는 두 가지 방식을 제시하고 이와 관련한 기술을 소개하고 있다.
② 이어폰 기술의 과학적 원리를 살펴보고 앞으로 전개될 발전 방향을 예측하고 있다.
③ 청각에 대한 두 가지 관점을 언급하고 이를 절충한 새로운 관점을 제시하고 있다.
④ 골전도 현상이 일어나는 과정을 제시하고 이에 대한 서로 다른 견해를 분석하고 있다.
⑤ 청각에 이상이 생기는 사례를 소개하고 이를 예방하기 위한 구체적인 방안을 제시하고 있다.

8. 윗글의 내용을 고려할 때, 그 이유로 가장 적절한 것은?

① 평소에 골전도로 전달되는 소리를 들을 기회가 적었으므로
② 스피커에서 나온 녹음된 목소리는 내이를 거치지 않고 뇌에 전달되므로
③ 전자 장치의 전기적 에너지로 인해 청각 신경이 받는 자극의 크기가 커졌으므로
④ 녹음된 소리를 들을 때에는 골전도로 전달되는 주파수의 소리가 잘 들리지 않으므로
⑤ 자신이 말할 때 듣는 목소리에는 녹음된 목소리와 달리 외이에서 공명이 일어나는 소리가 빠져 있으므로

7. 윗글을 읽고 알 수 있는 내용으로 적절하지 <u>않은</u> 것은?

① 주파수가 낮아지면 낮은 음의 소리가 난다.
② 고막의 진동은 청소골을 통과할 때 증폭된다.
③ 외이도의 길이가 짧을수록 공명 주파수는 높아진다.
④ 이어폰의 보이스코일에 흐르는 전류가 세지면 음량이 높아진다.
⑤ 20 ~ 1,000Hz의 소리는 물체의 진동에 의해서는 발생할 수 없다.

9. 윗글을 바탕으로 <보기>에 대해 보인 반응으로 가장 적절한 것은? [3점]

<보 기>

　난청이란 소리가 잘 들리지 않거나 전혀 들리지 않는 증상으로 외이도에서 뇌에 이르기까지 소리가 전달되는 과정 중 특정 부분에 문제가 생기면 발생한다. 그 중 전음성 난청은 외이와 중이에 문제가 있어 발생하는 증상으로, 이 경우 소리가 커지면 알아듣는 정도가 좋아질 수 있다.

　이와 달리 감각 신경성 난청은 달팽이관까지 소리가 잘 전달되었음에도 소리가 잘 들리지 않는 것으로 달팽이관의 청각 세포나, 청각 자극을 뇌로 전달하는 청각 신경 또는 중추 신경계 이상 등으로 발생한다. 이 경우 소리가 커져도 그것을 알아듣는 정도가 좋아지지 않는다.

---

① 골전도 이어폰은 장시간 사용해도 감각 신경성 난청을 유발하지는 않겠군.

② 청각 신경의 이상으로 인한 난청이 있는 사람의 경우 이어폰의 음량을 높이면 잘 들을 수 있겠군.

③ 자신이 말하는 목소리가 전혀 들리지 않는 사람은 감각 신경성 난청 증상이 있다고 볼 수 있겠군.

④ 고막의 이상으로 난청이 있는 경우 골전도의 원리를 이용한 보청기는 사용해도 효과가 없겠군.

⑤ 전음성 난청이 있는 사람은 골전도 이어폰의 소리는 들을 수 없지만 일반적인 이어폰의 소리는 들을 수 있겠군.

10. ㉠, ㉡에 대한 설명으로 적절하지 <u>않은</u> 것은?

① ㉠은 교류 전류를 진동으로 바꾸고 공기를 통해 그 진동을 내이에 전달한다.

② ㉡은 진동판을 통해 뼈에 진동을 발생시켜 소리를 내이로 전달한다.

③ ㉠은 ㉡과 달리 섬모의 흔들림을 유발하여 전기 신호를 발생시킨다.

④ ㉡은 ㉠과 달리 야외 활동 시 사용해도 주변 소리를 들을 수 있어 위험 상황에 잘 대처할 수 있다.

⑤ ㉠과 ㉡은 모두 내부 자기장과 교류 전류로 인해 인력과 척력이 발생한다.

총 문항					문항	맞은 문항				문항
개별 문항	1	2	3	4	5	6	7	8	9	10
채점										
개별 문항	11	12	13	14	15	16	17	18	19	20
채점										

10분 | 2021학년도 6월 학평 16~20번 | ★★☆ | 정답 033쪽

【1~5】 다음 글을 읽고 물음에 답하시오.

'식욕'은 음식을 먹고 싶어 하는 욕망으로, 인간이 살아가는 데 필요한 영양분을 얻기 위해서 반드시 필요하다. 식욕은 기본적으로 뇌의 시상 하부*에 있는 식욕 중추*의 영향을 받는데, 이 중추에는 배가 고픈 느낌이 들게 하는 '섭식 중추'와 배가 부른 느낌이 들게 하는 '포만 중추'가 함께 있다. 우리 몸이 영양분을 필요로 하는 상태가 되면 섭식 중추는 뇌 안의 다양한 곳에 신호를 보낸다. 그러면 식욕이 느껴져 침의 분비와 같이 먹는 일과 관련된 무의식적인 행동이 촉진된다. 그러다 영양분의 섭취가 늘어나면, 포만 중추가 작용해서 식욕이 억제된다.

[A]
그렇다면 뇌에 있는 섭식 중추나 포만 중추는 어떻게 몸 속 영양분의 상태에 따라 식욕을 조절하는 것일까? 여기에서 중요한 역할을 하는 것이 혈액 속을 흐르는 영양소인데, 특히 탄수화물에서 분해된 '포도당'과 지방에서 분해된 '지방산'이 중요하다. 먼저 탄수화물은 식사를 통해 섭취된 후 소장에서 분해되면, 포도당으로 변해 혈액 속으로 흡수된다. 그러면 혈중 포도당의 농도가 높아지고, 이를 줄이기 위해 췌장에서 '인슐린'이라는 호르몬이 분비된다. 이 포도당과 인슐린이 혈액을 타고 시상 하부로 이동하여 포만 중추의 작용은 촉진하고 섭식 중추의 작용은 억제한다. 반면에 지방은 피부 아래의 조직에 중성지방의 형태로 저장되어 있다가 공복 상태가 길어지면 혈액 속으로 흘러가 간(肝)으로 운반된다. 그러면 부족한 에너지를 보충하기 위해 간에서 중성지방이 분해되고, 이 과정에서 생긴 지방산이 혈액을 타고 시상 하부로 이동하여 섭식 중추의 작용은 촉진하고 포만 중추의 작용은 억제한다. 이와 같은 작용 원리에 따라 우리의 식욕은 자연스럽게 조절된다.

그런데 우리는 온전히 영양분 섭취만을 목적으로 식욕을 느끼는 것은 아니다. 예를 들어, '스트레스를 받으니까 매운 음식이 먹고 싶어.'처럼 영양분의 섭취와 상관없이 취향이나 기분에 좌우되는 식욕도 있다. 이와 같은 식욕은 대뇌의 앞부분에 있는 '전두 연합 영역'에서 조절되는데, 본래 이 영역은 정신적이고 지적인 활동을 담당하는 곳이지만 식욕에도 큰 영향을 미친다. 이곳에서는 음식의 맛, 냄새 등 음식에 관한 다양한 감각 정보를 정리해 종합적으로 기억한다. 또한 맛이 없어도 건강을 위해 음식을 섭취하는 것과 같이, 먹는 행동을 이성적으로 조절하는 일도 이곳에서 담당하는데, 전두 연합 영역의 지령은 신경 세포의 신호를 통해 섭식 중추와 포만 중추로 전해진다.

한편 전두 연합 영역의 기능을 알면, ⓐ음식을 먹은 후 '이젠 더 이상 못 먹겠다.'라고 생각하면서도 디저트를 먹는 현상을 쉽게 이해할 수 있다. 흔히 사람들이 '이젠 더 이상 못 먹겠다.'고 생각하는 이유는 ⓑ실제로 배가 찼기 때문일 수도 있고, 배가 차지는 않았지만 특정한 맛에 질렸기 때문일 수도 있다. 그런데 이런 상황에도 불구하고 디저트를 먹는 현상은 모두 전두 연합 영역의 영향을 받는다. 먼저, 배가 찬 상태에서는 전두 연합 영역의 영향으로 위(胃) 속에 디저트가 들어갈 공간을 마련할 수 있다. 전두 연합 영역의 신경 세포가 '맛있다'와 같은 신

호를 섭식 중추로 보내면, 거기에서 '오렉신'이라는 물질이 나온다. 오렉신은 위(胃)의 운동에 관련되는 신경 세포에 작용해서, 위(胃)의 내용물을 밀어내고 다시 새로운 음식이 들어갈 공간을 마련하는 것이다. 다음으로, 배가 차지 않은 상태이지만 전두 연합 영역의 영향으로 특정한 맛에 질릴 수 있다. 그래서 식사가 끝난 후에는 대개 단맛의 음식을 먹고 싶어 하게 되는데, 이는 주식이나 반찬에는 그 정도의 단맛을 내는 음식이 없기 때문이다. 따라서 우리가 "디저트 먹을 배는 따로 있다."라고 하는 것은 생물학적으로 충분히 설득력 있는 표현이 되는 것이다.

*시상 하부: 사람이 의식적으로 통제하지 못하는 다양한 신체 시스템을 감시하고 조절하는 뇌의 영역.
*중추: 신경 기관 가운데, 신경 세포가 모여 있는 부분.

1. 윗글의 표제와 부제로 가장 적절한 것은?

① 식욕의 작용 원리
　　– 식욕 중추와 전두 연합 영역을 중심으로
② 식욕의 개념과 특성
　　– 영양소의 종류와 역할을 중심으로
③ 식욕이 생기는 이유
　　– 탄수화물과 지방의 영향 관계를 중심으로
④ 전두 연합 영역의 특성
　　– 디저트의 섭취와 소화 과정을 중심으로
⑤ 전두 연합 영역의 여러 기능
　　– 포도당과 지방산의 작용 관계를 중심으로

2. 윗글을 이해한 내용으로 적절하지 <u>않은</u> 것은?

① 식욕은 인간이 살아가는 데 반드시 필요한 욕망이다.
② 인간의 뇌에 있는 시상 하부는 인간의 식욕에 영향을 끼친다.
③ 위(胃)의 운동에 관여하는 오렉신은 전두 연합 영역에서 분비된다.
④ 음식의 특정한 맛에 질렸을 때 더 이상 먹을 수 없다고 생각할 수 있다.
⑤ 전두 연합 영역은 정신적이고 지적인 활동뿐만 아니라 식욕에도 관여한다.

3. ⓑ와 '식욕 중추의 작용'을 고려하여 ⓐ를 이해한 내용으로 적절한 것은?

① 섭식 중추의 작용이 억제되므로 ⓐ는 타당하다.
② 섭식 중추의 작용이 활발하므로 ⓐ는 모순적이다.
③ 포만 중추의 작용이 억제되므로 ⓐ는 모순적이다.
④ 포만 중추의 작용이 활발하므로 ⓐ는 모순적이다.
⑤ 섭식 중추와 포만 중추의 작용이 반복되므로 ⓐ는 타당하다.

4. [A]를 바탕으로 <보기>에 대해 설명한 내용으로 가장 적절한 것은?

─── <보 기> ───

다음은 탄수화물이 포함된 식사 전후에 혈액 속을 흐르는 물질이 식욕 중추에 끼치는 영향 관계를 표현한 모식도이다.

① 혈관 속에 ㉠의 양이 줄어들면 ㉡이 분비된다.
② 혈관 속에 ㉠과 ㉡의 양이 많아지면 배가 고픈 느낌이 든다.
③ 공복 상태가 길어지면 ㉠과 ㉢은 시상 하부의 명령을 식욕 중추에 전달한다.
④ 공복 상태가 길어지면 혈관 속에 ㉠의 양은 줄어들고 ㉢의 양은 늘어난다.
⑤ 식사를 하는 동안에 ㉡은 ㉢의 도움으로 피부 아래의 조직에 중성지방으로 저장된다.

5. 윗글을 바탕으로 <보기>를 이해한 내용으로 적절하지 <u>않은</u> 것은? [3점]

─── <보 기> ───

(뷔페에서 음식을 먹은 후)
A : 너무 많이 먹어서 배가 터질 것 같아.
B : 나도 배가 부르기는 한데, 그래도 내가 좋아하는 떡볶이를 좀 더 먹어야겠어.
　　　(잠시 후 디저트를 둘러보며)
A : 예전에 여기서 이 과자 먹어 봤는데 정말 달고 맛있었어. 오늘도 먹어 볼까?
B : 너 조금 전에 배가 터질 것 같다고 하지 않았니?
A : 후식 먹을 배는 따로 있다는 말도 못 들어 봤어?
B : 와! 그게 또 들어가? 진짜 대단하다. 나는 입맛에는 안 맞지만 건강을 위해 녹차나 마셔야겠어.

① A는 오렉신의 영향으로 위(胃)에 후식이 들어갈 공간이 더 마련되었겠군.
② A는 섭식 중추의 작용으로 뷔페의 과자가 맛있었다고 떠올릴 수 있었겠군.
③ B는 영양분의 섭취와는 무관하게 떡볶이가 먹고 싶다고 생각했겠군.
④ B는 전두 연합 영역의 작용으로 건강을 위해 입맛에 맞지 않는 녹차를 마셨겠군.
⑤ A와 B는 디저트를 둘러보기 전까지 섭식 중추의 작용이 점점 억제되었겠군.

[6~10] 다음 글을 읽고 물음에 답하시오.

원자핵은 양성자나 중성자와 같은 핵자들의 결합으로 이루어져 있다. 원자핵을 구성하는 양성자와 중성자의 개수를 모두 더한 것을 질량수라고 하는데, 질량수가 큰 하나의 원자핵이 질량수가 작은 두 개의 원자핵으로 쪼개지는 것을 핵분열이라고 하고 질량수가 작은 두 개의 원자핵이 결합하여 질량수가 큰 하나의 원자핵이 되는 것을 핵융합이라고 한다.

핵분열이나 핵융합은 핵자당 결합 에너지로 설명할 수 있다. 원자핵의 질량은 그 원자핵을 구성하는 개별 핵자들의 질량을 모두 더한 것보다 작다. 이처럼 핵자들이 결합하여 원자핵이 되면서 질량이 줄어든 것을 질량 결손이라고 한다. '질량 – 에너지 등가 원리'에 따르면 질량과 에너지는 상호 간의 전환이 가능하고, 이때 에너지는 질량에 광속의 제곱을 곱한 값과 같다. 한편 핵자들의 결합에서 줄어든 질량은 에너지로 전환되는데, 이 에너지는 원자핵의 결합 에너지와 그 크기가 같다. 원자핵의 결합 에너지란 원자핵을 개별 핵자들로 분리할 때 가해야 하는 에너지이다. 원자핵의 결합 에너지를 질량수로 나눈 것을 핵자당 결합 에너지라고 하고 그 값은 원자핵의 종류에 따라 다르다.

원자핵을 구성하는 핵자들은 핵자당 결합 에너지가 클수록 더 강력하게 결합되어 있고 이는 원자핵이 더 안정된 상태라는 것을 의미한다. 모든 원자핵은 안정된 상태가 되려는 성질이 있으므로, 핵자당 결합 에너지가 작은 원자핵들은 핵분열이나 핵융합을 거쳐 핵자당 결합 에너지가 큰 상태가 된다. 핵분열이나 핵융합도 반응 전후로 질량 결손이 일어나고, 줄어든 질량은 에너지로 전환된다.

핵분열과 핵융합에서 발생하는 에너지를 발전에 이용할 수 있다. ㉠우라늄 – 235(^{235}U) 원자핵을 사용하는 핵분열 발전의 경우, 우라늄 원자핵에 중성자를 흡수시키면 질량수가 작고 핵자당 결합 에너지가 큰 원자핵들로 분열된다. 이때 2~3개의 중성자가 방출되는데 이 중성자는 다른 우라늄 원자핵에 흡수되어 연쇄 반응을 일으킨다. 이 과정에서 질량 결손으로 인해 전환되는 에너지를 발전에 이용하는 것이다.

핵분열 발전에서는 중성자의 속도를 느리게 해야 한다. 중성자가 너무 빠르게 움직이면 원자핵에 흡수될 확률이 낮기 때문이다. 특히 핵분열 과정에서 방출된 중성자는 속도가 매우 빠르기 때문에 이를 느리게 해야 연쇄 반응을 일으킬 수 있다. 그래서 물이나 흑연을 감속재로 사용하여 중성자의 속도를 느리게 만든다. 한편 연쇄 반응이 급격하게 일어나면 과도한 에너지가 발생하여 폭발이 일어날 수 있기 때문에 제어봉을 사용한다. 제어봉은 중성자를 흡수하는 장치로, 핵분열에 관여하는 중성자 수를 조절하여 급격한 연쇄 반응을 방지한다.

핵융합 발전을 위한 시도도 계속되고 있다. 태양이 에너지를 생성하는 방법이 바로 핵융합이다. ⓐ수소(^{1}H) 원자핵을 원료로 하는 태양의 핵융합은 주로 태양의 중심부에서 일어난다. 먼저 수소 원자핵 2개가 융합하여 중수소(^{2}H) 원자핵이 되고, 중수소 원자핵은 수소 원자핵과 융합하여 헬륨 – 3(^{3}He) 원자핵이 된다. 그리고 2개의 헬륨 – 3 원자핵이 융합하여 헬륨 – 4(^{4}He) 원자핵이 된다. 이러한 과정에서 줄어든 질량이 에너지로 전환되는 것이다.

지구는 태양과 물리적 조건이 달라서 태양의 핵융합을 똑같이 재현할 수 없다. 가장 많이 시도하는 방식은 ⓑD – T 핵융합이다. 이 방식에서는 중수소 원자핵과 삼중 수소(^{3}H) 원자핵이 융합하여 헬륨 – 4 원자핵이 된다. 중수소 원자핵과 삼중 수소 원자핵을 핵융합 발전의 원료로 사용하는 이유는 다른 원자핵들의 핵융합보다 반응 확률이 높고 질량 결손으로 전환되는 에너지도 크기 때문이다.

하지만 지구에서 핵융합을 일으키는 것은 간단하지 않다. 양(+)의 전하를 띤 원자핵은 음(–)의 전하를 띤 전자와 전기적 인력에 의해 단단히 결합되어 있어서 일반적인 상태에서 원자핵이 융합하는 것은 불가능하다. 따라서 핵융합 반응을 일으키기 위해서는 물질을 원자핵과 전자가 분리된 상태인 플라스마 상태로 만들어야 한다. 또한 원자핵은 양의 전하를 띠고 있어서 서로 가까이 다가갈수록 척력이 강하게 작용한다. 척력을 이겨내고 원자핵이 융합하게 하기 위해서는 플라스마의 온도를 높여 원자핵이 고속으로 움직일 수 있도록 해야 한다. 따라서 핵융합 발전을 위한 핵융합로에서는 ㉡플라스마를 1억 ℃ 이상으로 가열해서 핵융합의 확률을 높인다. 융합로에서 플라스마의 온도를 높인 이후에는 고온 상태를 일정 시간 이상 유지하는 것도 중요하다. 플라스마는 융합로의 벽에 접촉하면 온도가 내려가기 때문에 자기장을 활용해서 플라스마가 벽에 닿지 않게 하여 고온 상태를 유지할 수 있도록 한다. 안정적인 핵융합 발전을 위해서는 고온의 플라스마를 높은 밀도로 최소 300초 이상 유지해야 한다.

6. 윗글의 내용과 일치하는 것은?

① 양성자의 질량과 중성자의 질량을 더한 것을 질량수라고 한다.
② 원자핵과 전자 사이에는 척력이 작용하여 서로 단단하게 결합되어 있다.
③ 원자핵의 결합 에너지는 핵자당 결합 에너지를 질량수로 나눈 것이다.
④ 질량 – 에너지 등가 원리에 따르면 질량은 에너지에 광속의 제곱을 곱한 값과 같다.
⑤ 핵자들이 결합하여 원자핵이 될 때 줄어든 질량이 전환된 에너지의 크기는 그 원자핵을 다시 개별 핵자들로 분리할 때 필요한 에너지의 크기와 같다.

7. ㉠에 대한 이해로 적절하지 않은 것은?

① 우라늄 – 235 원자핵에 전자를 흡수시켜 핵분열을 일으킨다.
② 물이나 흑연을 감속재로 사용하여 중성자의 속도를 조절한다.
③ 제어봉으로 중성자를 흡수하여 과도한 에너지가 발생하지 않도록 한다.
④ 우라늄 – 235 원자핵이 분열되면 우라늄 – 235 원자핵보다 질량수가 작은 원자핵들로 나뉜다.
⑤ 우라늄 – 235 원자핵이 분열되면서 방출되는 중성자의 속도를 느리게 해서 연쇄 반응을 일으킨다.

8. 윗글을 읽은 학생이 <보기>의 설명을 이해한 내용으로 가장 적절한 것은? [3점]

──────── < 보 기 > ────────

선생님 : 이 그림은 여러 원자핵의 핵자당 결합 에너지를 나타내고 있어요. 철($^{56}_{26}$Fe) 원자핵은 다른 원자핵들에 비해 핵자당 결합 에너지가 크죠? 철 원자핵은 모든 원자핵 중에서 핵자당 결합 에너지가 가장 크고 가장 안정된 상태예요. 철 원자핵보다 질량수가 작은 원자핵은 핵융합을, 질량수가 큰 원자핵은 핵분열을 통해 핵자당 결합 에너지가 높은 원자핵이 된답니다.

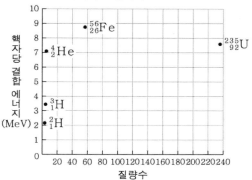

※ 원자핵의 질량수(A)와 양성자 수(Z)는 원소 기호(X)에 다음과 같이 표기한다.

$$^A_Z X$$

① 헬륨 – 4 원자핵은 핵융합을 거치면 더 안정된 상태의 원자핵으로 변하겠군.
② 중수소 원자핵은 삼중 수소 원자핵과 양성자의 수는 같지만 더 안정된 상태이겠군.
③ 철 원자핵의 결합 에너지는 철 원자핵의 핵자당 결합 에너지에 26을 곱한 값과 같겠군.
④ 우라늄 – 235 원자핵이 핵분열하여 생성된 원자핵들은 핵자당 결합 에너지가 9MeV 이상이겠군.
⑤ 우라늄 – 235 원자핵은 철 원자핵에 비해 원자핵을 구성하고 있는 핵자들이 더 강력하게 결합되어 있겠군.

10. ㉡의 이유로 가장 적절한 것은?

① 원자핵이 융합로의 벽에 접촉하지 않게 하기 위해
② 자기장을 발생시켜 플라스마의 온도를 유지하기 위해
③ 원자핵이 척력을 이겨내고 서로 융합할 수 있도록 하기 위해
④ 전자를 고속으로 움직이게 하여 핵융합의 효율을 높이기 위해
⑤ 원자핵들 사이에 전기적 인력을 발생시켜 핵융합의 확률을 높이기 위해

III

9. ⓐ와 ⓑ에 대한 설명으로 적절하지 <u>않은</u> 것은?

① ⓐ의 과정에서 헬륨 – 4 원자핵의 개수는 늘어난다.
② ⓑ는 중수소 원자핵과 삼중 수소 원자핵을 원료로 사용한다.
③ 헬륨 – 4 원자핵은 ⓑ에서와 달리 ⓐ에서는 헬륨 – 3 원자핵이 융합하여 생성된다.
④ ⓐ와 ⓑ에서는 모두 반응 전후로 질량 결손이 일어나고 줄어든 질량은 에너지로 전환된다.
⑤ ⓑ를 일으키기 위해서는 ⓐ가 일어나기 위한 물리적 조건과 동일한 조건을 만들어 주어야 한다.

총 문항				문항	맞은 문항				문항
개별 문항	1	2	3	4	5	6	7	8	9	10
채점										
개별 문항	11	12	13	14	15	16	17	18	19	20
채점										

| 10분 | 2020학년도 11월 학평 29~33번 | ★☆☆ | 정답 035쪽 |

【1~5】 다음 글을 읽고 물음에 답하시오.

일상에서의 음식 조리 과정은 열전달에 관한 과학적 원리로 설명할 수 있다. 열전달은 열이 온도가 높은 곳에서 낮은 곳으로 이동하는 현상인데 조리 과정에서는 전도에 의한 열전달이 많이 일어난다. 전도란 물질을 이루는 입자들의 상호 작용을 통해 보다 활동적인 입자로부터 이웃의 덜 활동적인 입자로 열이 전달되는 현상이다. 이러한 전도는 온도 차이가 있는 경우에 일어나는데, 한 물질 내에서 발생하기도 하며 서로 다른 물질들이 접촉하는 경우에도 발생한다.

열전달 과정에서 단위 시간 동안 열이 전달되는 비율을 열전달률이라고 하는데 열전달률은 결국 열이 짧은 시간 동안 얼마나 많이 전달되는가를 나타내므로 음식의 조리에서 고려할 중요한 요소가 된다. 전도에 의한 열전달률은 온도 차이와 면적에 비례하고, 거리에 반비례한다. 즉, 전도가 일어나는 두 지점 사이의 온도 차이가 커질수록, 열이 전달되는 면적이 커질수록 열전달률은 높아지고, 전도가 일어나는 두 지점 사이의 거리가 멀어질수록 열전달률은 낮아진다. 이러한 현상을 수식으로 처음 정리한 사람이 푸리에이기 때문에 이를 ㉠푸리에의 열전도 법칙이라고 부른다. 그런데 실제로 실험을 해보면 한 물질 내에서 일어나는 전도의 경우에 다른 조건이 동일하더라도 물질의 종류가 다르면 열전달률이 다르게 나타난다. 이는 물질이 전도에 의해 열을 전달할 수 있는 능력의 척도, 즉 열전도도가 물질마다 다르기 때문이다. 따라서 푸리에의 열전도 법칙에 ⓐ따르면 다른 조건이 같더라도 열전도도가 높은 경우 열전달률도 높게 나타난다.

[A]
튀김의 조리 과정을 푸리에의 열전도 법칙으로 설명하면 다음과 같다. 식용유의 움직임을 고려하지 않는다면, 튀김의 조리 과정은 주로 식용유와 튀김 재료 간의 전도로 파악될 수 있다. 맛있는 튀김을 만들기 위해서는 냄비를 가열하여 식용유의 온도를 충분히 높여 식용유로부터 튀김 재료로의 열전달률을 높여야 한다. 그리고 튀김 재료를 식용유에 넣으면 재료 표면에 수많은 기포들이 형성된다. 이 기포들은 식용유에서 튀김 재료로의 높은 열전달률로 인해 순간적으로 많은 열이 전달되어 생겨난 것인데 재료 표면의 수분이 수증기로 변해 식용유 속에서 기포의 형태가 된 것이다. 이 기포들은 식용유 표면으로 올라가 공기 중으로 빠져나가고 이때 지글지글 소리가 난다.

이 수증기 기포들은 튀김을 맛있게 만드는 데 중요한 역할을 한다. 수분이 수증기의 형태로 튀김 재료에서 빠져나감에 따라 재료 안쪽의 수분들은 빈자리를 채우기 위해 표면 쪽으로 이동한다. 그 결과 지속적으로 재료의 수분은 기포로 변하고 이로 인해 재료는 수분량이 줄어들면서 바삭한 식감을 지니게 된다. 또한 튀김 재료 표면의 기포들은 재료와 식용유 사이에서 일종의 공기층과 같은 역할을 해 식용유가 재료로 흡수되는 것을 막아서 튀김을 덜 기름지게 한다. 그리고 재료 표면에 생성된 기포들을 거쳐 열전달이 일어나기 때문에 기포들은 재료 표면이 빨리 타 버리지 않게 하고 튀김 재료의 안쪽까지 열이 전달되어 재료가 골고루 잘 익게 한다.

---

1. 윗글을 이해한 것으로 적절하지 <u>않은</u> 것은?

① 물질을 이루는 입자들의 상호 작용을 통해 전도가 일어난다.

② 음식의 조리 과정에서는 전도에 의한 열전달이 많이 일어난다.

③ 물질이 전도에 의해 열을 전달할 수 있는 능력은 물질마다 다르다.

④ 음식의 조리에서 단위 시간 동안 열이 전달되는 비율을 고려하는 것은 중요하다.

⑤ 열의 전도는 서로 다른 물질들이 접촉하는 경우에만 발생하며 한 물질 안에서는 발생하지 않는다.

2. <보기>는 윗글을 읽은 건축 동아리 학생들이 나눈 대화의 일부이다. ㉠을 활용한 의견으로 적절하지 <u>않은</u> 것은?

< 보 기 >

동아리 회장: 오늘은 에너지 효율이 높은 건물 설계에 대해 열의 전도를 중심으로 아이디어를 나눠 보자.

부원 1: 겨울철 열손실을 줄여야 하니까 지붕을 통한 열전달률을 낮추기 위해 건물의 지붕을 일반적인 지붕의 재료보다 열전도도가 낮은 재료를 사용하는 설계가 필요하다고 생각해.

부원 2: 일반적으로 벽보다 창문의 열전도도가 높으니 여름철 실내 냉방 효율을 높이고 싶다면 창문을 통한 열전달률을 낮추기 위해 건물 외벽에 설치된 창문의 면적을 줄이는 설계가 필요하다고 생각해.

부원 3: 여름철 외부 온도의 영향을 최소화하고 건물 외벽을 통한 열전달률을 낮추기 위해 외벽은 일반적인 것보다 두껍게 설계하는 것이 필요해.

부원 4: 차가운 방바닥에 빠른 난방을 하려면 난방용 온수 배관에서 방바닥으로의 열전달률을 높여야 하니 난방용 온수 배관과 방바닥이 닿는 접촉 면적을 넓히도록 설계해야겠어.

부원 5: 여름철 현관문을 통한 실외 온도의 영향을 최소화하려면 현관문을 통한 열전달률을 낮춰야 하니 같은 두께라도 열전도도가 더 높은 재질의 현관문을 사용하는 것으로 설계해야겠어.

① 부원 1의 의견   ② 부원 2의 의견

③ 부원 3의 의견   ④ 부원 4의 의견

⑤ 부원 5의 의견

3. <보기>는 [A]의 과정을 도식화한 것이다. 윗글을 바탕으로 ㉮~㉭를 이해한 것으로 적절하지 않은 것은? [3점]

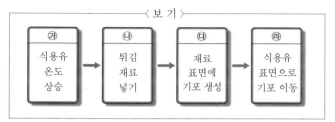

── 〈 보 기 〉──

㉮		㉯		㉰		㉱
식용유 온도 상승	→	튀김 재료 넣기	→	재료 표면에 기포 생성	→	식용유 표면으로 기포 이동

① ㉮에서는 서로 다른 물질인 냄비와 식용유 사이에서 열전달이 일어나겠군.

② ㉯의 결과로 ㉰가 진행되는 것은 튀김 재료에 순간적으로 많은 열이 전달되었기 때문이겠군.

③ ㉰에서는 열이 전달됨에 따라 튀김 재료 표면의 수분이 튀김 재료 안쪽으로 이동하겠군.

④ ㉰에서 ㉱로의 과정이 반복되면 튀김 재료의 수분량이 점차 줄어들겠군.

⑤ ㉱에서는 수증기가 공기 중으로 빠져나가면서 지글지글 소리가 나겠군.

4. <보기>는 윗글을 읽은 학생의 반응이다. ㄱ~ㄷ에 들어갈 말로 적절한 것은?

── 〈 보 기 〉──

맛있는 튀김을 만들기 위해서는 기포들의 역할이 중요해. 기포들이 (ㄱ)에서 공기층과 같은 역할을 해서 식용유가 재료로 흡수되는 것을 (ㄴ)하여 튀김을 덜 기름지게 해 줘. 또 식용유에서 튀김 재료로 열이 직접 (ㄷ) 하여 재료 표면이 타지 않고 골고루 익게 해.

	ㄱ	ㄴ	ㄷ
①	튀김 재료 내부	방해	전도되게
②	튀김 재료 내부	촉진	전도되지 못하게
③	튀김 재료와 식용유 사이	방해	전도되지 못하게
④	튀김 재료와 식용유 사이	촉진	전도되게
⑤	튀김 재료와 식용유 사이	촉진	전도되지 못하게

5. ⓐ와 문맥적 의미가 가장 유사한 것은?

① 우리는 해안선을 <u>따라</u> 올라갔다.

② 동생은 어머니를 <u>따라</u> 전통 시장에 갔다.

③ 학생들이 모두 선생님의 동작에 <u>따라</u> 춤을 췄다.

④ 수출이 증가함에 <u>따라</u> 경제도 서서히 회복되어 갔다.

⑤ 그들은 자율적으로 정한 규칙에 <u>따라</u> 일을 진행했다.

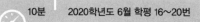
【6~10】 다음 글을 읽고 물음에 답하시오.

19세기 초 지질학자들은 스테노와 스미스의 층서 원리를 적용하여 전 세계의 지질학적 연구 성과를 종합했다. 우리가 흔히 쓰는 '중생대 쥐라기'와 같은 '대', '기' 등으로 나타내는 지질학적 시간 척도는 이때 확립되었다. 그러나 이러한 지질학적 시간 척도는 상대적인 척도로 한 지층이 다른 지층보다 오래되었는지 아닌지를 말해 줄 수는 있어도 실질적으로 얼마나 오래되었느냐는 말해 줄 수 없었다.

이후 많은 사람들이 지층의 정확한 연대 측정을 시도한 끝에 1905년 러더포드가 방사성 동위원소를 이용하여 지층 연대의 측정에 성공했다. 그는 암석 내 우라늄의 양을 측정하여 한 암석의 연대를 계산해 냈다. 이것이 동위원소 연대측정법의 시작이었다. 자연적으로 발생하는 방사성 동위원소를 사용해 암석의 연대를 결정하는 연대 측정 방법들은 그 후 수년간 더욱 개선되어 갔으며, 더 많은 방사성 동위원소들이 발견되고 방사성 붕괴 과정의 심층적인 이해가 이루어졌다.

지질학자들은 방사성 동위원소의 어떤 특성을 활용하여 암석의 연령을 측정하였을까? 이 질문의 답을 얻기 위해서는 먼저 방사성 동위원소가 무엇인지를 살펴볼 필요가 있다. 물질의 기본 단위인 원자 중심에는 양성자와 중성자로 이루어진 원자핵이 있다. 이 원자핵에 들어 있는 양성자 수에 따라 물질을 이루는 기본 성분인 원소의 종류가 결정된다. 탄소 원자핵에 있는 양성자 수는 6개이고, 산소 원자핵에 있는 양성자 수는 8개이다. 같은 원소라고 하더라도 원자핵에 있는 중성자 수가 다른 것들이 있는데 이를 '동위원소'라 한다. 예를 들면 탄소의 경우, '탄소-12'는 원자핵에 양성자 6개와 중성자 6개가 있는 원자이며, '탄소-14'는 양성자 6개와 중성자 8개가 있는 동위원소이다.

한편, 자연계의 모든 물질은 불안정한 상태에서 안정한 상태로 가려는 성질이 있다. 동위원소 중에는 양성자의 수가 중성자의 수에 비해 너무 많거나 또는 그 반대의 이유로 본래 원자핵의 상태가 불안정한 원소들이 있다. 그래서 불안정한 원자핵이 스스로 방사선을 방출하고 이를 통해 에너지를 잃고 안정된 상태로 가는 과정을 거치는데 이를 방사성 붕괴 또는 핵붕괴라 한다. 동위원소 중 방사성 붕괴를 ㉠<u>일으키는</u> 동위원소를 방사성 동위원소라 한다. 이들은 방사성 붕괴를 통해 불안정한 원자핵이 안정된 상태의 다른 종류의 원자핵으로 변한다. 예를 들면 방사성 동위원소인 '탄소-14'는 방사성 붕괴로 인해 중성자 1개가 붕괴되어 양성자로 바뀌고, 양성자 7개와 중성자 7개로 이루어진 원자핵을 가진 안정된 원소인 '질소-14'가 된다. 붕괴 전의 방사성 동위원소를 '모원소', 모원소의 방사성 붕괴에 의해 생성된 안정된 원소를 '자원소'라 일컫는다. 붕괴 전 방사성 동위원소인 '탄소-14'는 모원소이고 방사성 붕괴에 의해 생성된 안정된 원소인 '질소-14'는 자원소이다.

방사성 동위원소는 일정한 시간이 지나면 모원소의 개수가 원래 개수에서 절반으로 줄어드는 특성이 있다. 모원소의 개수가 원래 개수의 절반으로 줄어드는 데에 걸리는 시간을 반감기라 한다. 이때 줄어든 모원소의 개수만큼 자원소의 개수가 늘어난다. 첫 반감기 때 모원소의 개수는 처음의 반으로 줄고 두 번째 반감기에는 남은 모원수의 개수가 반으로 줄어 처음의 1/4로, 세 번째 반감기에는 또 남은 모원수의 개수가 반으로로 줄어 처음의 1/8과 같은 식으로 줄어든다. 그래서 모원소와 자원소의 개수의 비율이 첫 반감기에는 1 : 1로 같아진다. 두 번째 반감기에는 1 : 3으로 되고, 세 번째 반감기에는 1 : 7로 된다. 다만, 원소에 따라 반감기가 다른데 '탄소-14'는 5730년, '포타슘-40'은 13억년, '우라늄-238'은 44억년의 반감기를 갖는다. 방사성 동위원소의 반감기는 온도나 압력에 영향을 받지 않는다. 따라서 어떤 암석에 포함된 모원소와 자원소의 비율을 알고, 그 결과와 방사성 동위원소의 반감기를 이용하면 암석이 만들어진 연대를 추정할 수 있다. 가령 어떤 암석이 생성될 때 '포타슘-40'을 함유하고 있고 이 원소가 외부 유입이나 유출, 암석의 변성작용 등 다른 외부 요인에 의한 변화가 없다고 할 때 이 암석의 방사성 동위원소 측정 결과 모원소와 자원소의 비율이 1 : 3이라면 반감기를 두 번 거쳤기 때문에 이 암석은 26억 년 전에 생성되었다고 볼 수 있다.

6. 윗글의 진술 방식으로 가장 적절한 것은?

① 방사성 동위원소의 개념을 예시를 통해 설명하고 있다.
② 원자핵의 구성 물질을 세부적 묘사를 통해 설명하고 있다.
③ 방사성 동위원소의 붕괴 과정을 유추를 통해 설명하고 있다.
④ 지층 연대 측정 방법의 발전 과정을 유형별로 분류하여 설명하고 있다.
⑤ 지질학적 시간 척도의 특징을 전문가의 의견을 인용하여 설명하고 있다.

7. 윗글에서 알 수 있는 내용으로 적절하지 <u>않은</u> 것은?

① 방사성 동위원소의 핵은 불안정하여 붕괴된다.
② 질소-14의 원자핵은 양성자와 중성자의 개수가 같다.
③ 방사성 동위원소의 반감기는 온도나 압력에 영향을 받는다.
④ 19세기 초 지질학자들은 지층이 형성된 연도를 정확히 알 수 없었다.
⑤ 자연계의 모든 물질은 불안정한 상태에서 안정한 상태로 가려는 성질이 있다.

8. 윗글을 바탕으로 <보기>를 이해한 내용으로 적절하지 <u>않은</u> 것은? [3점]

─── <보 기> ───

그림은 어떤 방사성 동위원소 ㉮가 붕괴할 때, 시간에 따른 모원소와 자원소의 함량을 나타낸 것이다.

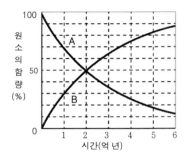

암석 S가 생성될 때 방사성 동위원소 ㉮를 함유하고 있고 ㉮는 외부 유입이나 유출, 암석의 변성작용 등 다른 요인에 의한 변화는 없었다. 이 암석의 방사성 동위원소 ㉮를 측정한 결과 모원소와 자원소의 비율이 1 : 3이었다.

① B는 자원소와 관련이 있다.
② 암석 S의 생성 시기는 4억 년 전이다.
③ 4번의 반감기를 거치면 처음 A의 양은 1/16로 줄어든다.
④ 모원소와 자원소의 비율이 1 : 1로 같아지는데 걸리는 시간은 2억 년이다.
⑤ 시간이 지날수록 자원소와 모원소의 개수를 더한 값은 감소한다.

9. 문맥상 ㉠의 단어와 가장 가까운 의미로 쓰인 것은?

① 세찬 바람이 거친 파도를 일으켰다.
② 그의 행동은 모두에게 오해를 일으켰다.
③ 그는 혼자 힘으로 쓰러진 가세를 일으켰다.
④ 아침에 몸이 피곤했지만 억지로 몸을 일으켰다.
⑤ 그녀는 자전거를 타다 넘어진 아이를 일으켰다.

10. 윗글을 바탕으로 <보기>를 이해한 내용으로 적절하지 <u>않은</u> 것은?

— <보 기> —

　탄소-14는 일정한 비율로 계속 붕괴하고 있지만 대기와 우주선(cosmic ray)의 충돌에 의하여 계속 공급된다. 연구에 의하면 지구 대기에서 탄소-14의 생성 비율이 탄소-14의 방사성 붕괴 비율과 같으며, 대기 중에 존재하는 탄소-12와 탄소-14의 구성 비율은 대체로 일정하다고 한다. 식물들은 대기 중의 이산화탄소와 물을 흡수하여 광합성을 하므로 모든 식물들은 약간의 방사성 탄소를 갖으며, 식물 내 탄소-12와 탄소-14의 비율은 대기 중의 탄소-12와 탄소-14의 구성 비율과 일치한다. 아울러 그 식물의 몸을 흡수하여 탄소를 공급받는 동물과 그 동물을 먹는 동물도 결국 같은 비율이 유지된다. 그런데 생물이 죽으면 더 이상 대기 중의 탄소를 흡수하지도 배출하지도 않는다. 그래서 죽은 생물 내 탄소-12와 탄소-14의 비율에 변화가 생긴다. 방사성 동위원소인 탄소-14가 질소-14로 변하기 때문인데, 이때 생성된 질소14는 기체이므로 죽은 생물 내부에서 외부로 빠져 나간다. 그렇지만 생물 유해나 화석의 탄소-12와 탄소-14의 비율을 측정하여 대기 중의 그 비율과 비교하면 탄소-14가 어느 정도 감소했는지 알 수 있고, 그 결과와 탄소-14의 반감기를 이용하면 그 생물이 죽은 연대를 계산할 수 있다. 다만 탄소-14는 6만 년이 지나면 측정하기 힘들 정도의 양만 남는다.

① 탄소-14를 이용한 연대측정법의 연대 측정 범위는 제한적이겠군.
② 시간이 지날수록 죽은 생물 내부에 있는 탄소-14의 개수가 줄어들겠군.
③ 방사성 붕괴는 죽은 생물 내 탄소-12와 탄소-14의 비율에 변화를 일으키겠군.
④ 탄소-14를 이용한 연대측정법으로는 살아있는 생물의 나이를 측정할 수 없겠군.
⑤ 죽은 생물 안에 남아 있는 질소-14의 양만 알아도 생물이 죽은 연대를 정확히 추정할 수 있겠군.

총 문항				문항	맞은 문항				문항
개별 문항	1	2	3	4	5	6	7	8	9	10
채점										
개별 문항	11	12	13	14	15	16	17	18	19	20
채점										

10분 | 2019학년도 11월 학평 16~20번 | ★☆☆ | 정답 036쪽

【1~5】 다음 글을 읽고 물음에 답하시오.

지역난방은 열병합 발전소에서 전기 생산을 위해 사용된 열을 회수하여 인근 지역의 난방에 활용하는 것이다. 지역난방에서는 회수된 열로 데워진 물을 배관을 통해 인근 지역으로 공급함으로써 열을 수송하는 방식을 주로 사용하는데, 근래에는 열 수송의 효율성을 높이기 위해 상변화 물질을 활용하는 방식을 개발하고 있다.

열 수송에 사용되는 상변화 물질이란, 상변화를 할 때 수반되는 ㉠잠열을 효율적으로 사용하기 위해 활용되는 물질을 말한다. 상변화란, 물질의 상태를 고체, 액체, 기체로 분류할 때, 주변의 온도나 압력 변화에 의해 어떤 물질이 이전과 다른 상태로 변하는 것을 의미하는데, 얼음이 물이 되거나 물이 수증기가 되는 것 등이 이에 해당한다. 이러한 변화에는 열이 수반되는데, 이를 '잠열'이라고 한다. 예를 들어 비커에 일정량의 얼음을 넣고 가열하면 얼음의 온도가 올라가게 되고, 0℃에 도달하면 얼음이 물로 변하기 시작하여 비커 속에는 얼음과 물이 공존하게 된다. 그런데 비커 속 얼음이 모두 물로 변할 때까지는 온도가 올라가지 않고 계속 0℃를 유지하는데, 이는 비커에 가해진 열이 물질의 온도 변화가 아닌 상변화에 사용되었기 때문이다. 이렇게 상변화에 사용된 열이 잠열인데, 이는 물질의 온도 변화로 나타나지 않는 숨어 있는 열이라는 뜻이다. 잠열은 물질마다 그 크기가 다르며, 일반적으로 물질이 고체에서 액체가 되거나 액체에서 기체가 될 때, 또는 고체에서 바로 기체가 될 때에는 잠열을 흡수하고 그 반대의 경우에는 잠열을 방출한다. 한편 비커를 계속 가열하여 얼음이 모두 녹아 물이 된 후에는 다시 온도가 올라가기 시작한다. 이렇게 얼음의 온도가 올라가거나 물의 온도가 올라가는 것처럼 온도 변화로 나타나는 열을 '현열'이라고 한다.

그렇다면 상변화 물질의 특성을 이용하여 열 수송을 하면 어떤 장점이 있는 것일까? 상변화 물질을 활용하여 열병합 발전소에서 인근 지역 공동주택으로 열을 수송하는 과정을 통해 이를 살펴보자. 열병합 발전소에서는 발전에 사용된 수증기를 열교환기로 ⓐ보낸다. 열교환기로 이동한 수증기는 열 수송에 사용되는 물에 열을 전달하여 물을 데운다. 이 물 속에는 고체 상태의 상변화 물질이 담겨 있는 마이크로 단위의 캡슐이 섞여 있다. 이 상변화 물질의 녹는점은 물의 어는점과 끓는점 사이에 있기 때문에, 물이 데워져 물의 온도가 상변화 물질의 녹는점 이상이 되면 상변화 물질은 액체로 상변화하게 된다. 액체가 된 상변화 물질이 섞인 물은 열교환기에서 나와 온수 공급관을 통해 인근 지역 공동주택 기계실의 열교환기로 이동한다. 이 과정에서 상변화 물질이 고체로 상변화되지 않아야 하므로 이동하는 물의 온도는 상변화 물질의 녹는점 이상으로 유지되어야 한다.

공동주택 기계실의 열교환기로 이동한 물과 캡슐 속 상변화 물질은 공동주택의 찬물에 열을 전달하면서 온도가 내려간다. 이렇게 공동주택의 찬물을 데우는 과정에서 상변화 물질의 온도가 상변화 물질의 녹는점 이하로 내려가면 캡슐 속 상변화 물질은 액체에서 고체로 상변화하면서 잠열을 방출하게 되는데, 이 역시 찬물을 데우는 데 사용된다. 즉 온수 공급관을 통해 이

동해 온 물의 현열과 캡슐 속 상변화 물질의 현열, 그리고 상변화 물질의 잠열이 공동주택의 찬물을 데우는 데 모두 사용되는 것이다. 이렇게 데워진 공동주택의 물은 각 세대의 난방기로 공급되어 세대 난방을 하게 되고, 상변화 물질 캡슐이 든 물은 온수 회수관을 통해 다시 발전소로 회수되어 재사용된다.

이와 같이 상변화 물질을 활용한 열 수송 방식을 사용하면 현열만 사용하던 기존의 열 수송 방식과 달리 현열과 잠열을 모두 사용할 수 있으므로 온수 공급관을 통해 보내는 물의 온도를 현저히 낮출 수 있어 열 수송의 효율성이 개선된다. 이때 상변화 물질 캡슐의 양을 늘릴수록 열 수송에 활용할 수 있는 잠열의 양은 증가하겠지만 캡슐의 양이 일정 수준 이상으로 늘어나면 물이 원활하게 이동할 수 없으므로 캡슐의 양을 증가시키는 데에는 한계가 있다.

1. 윗글의 내용과 일치하지 <u>않는</u> 것은?
① 상변화는 주변의 온도나 압력 변화에 의해 물질의 상태가 변하는 것을 의미한다.
② 열병합 발전소에서는 전기 생산에 사용된 수증기의 열을 회수하여 인근 지역으로 공급한다.
③ 상변화 물질이 들어 있는 캡슐의 양은 물의 이동을 고려해야 하므로 일정 수준 이상 늘릴 수 없다.
④ 상변화 물질을 활용하여 열을 수송하는 방식을 사용하는 것은 열 수송의 효율성을 높이기 위해서이다.
⑤ 상변화 물질을 활용한 열 수송 방식에서는 온수 공급관으로 보내는 물의 온도를 기존 방식보다 높여야 한다.

2. ㉠에 대한 설명으로 적절하지 <u>않은</u> 것은?
① 물질마다 크기가 각기 다르다.
② 물질의 온도 변화로 나타나지 않는다.
③ 숨어 있는 열이라는 뜻을 지니고 있다.
④ 물질의 상변화가 일어날 때 흡수되거나 방출된다.
⑤ 상변화하고 있는 물질의 현열을 증가시키는 역할을 한다.

3. <보기>는 상변화 물질을 활용한 열 수송 과정을 도식화한 것이다. 윗글을 바탕으로 <보기>에 대해 이해한 내용으로 적절하지 <u>않은</u> 것은? [3점]

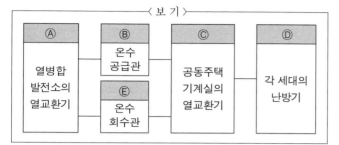

─< 보 기 >─

Ⓐ 열병합 발전소의 열교환기 — Ⓑ 온수 공급관 — Ⓒ 공동주택 기계실의 열교환기 — Ⓓ 각 세대의 난방기

Ⓔ 온수 회수관

① Ⓐ에서 캡슐 속 상변화 물질의 온도는 상변화 물질의 녹는점 이상으로 올라가겠군.
② Ⓑ에서는 물에 있는 캡슐 속 상변화 물질의 상변화가 일어나지 않겠군.
③ Ⓑ와 Ⓔ를 통해 이동하는 물에 있는 상변화 물질의 상태는 서로 같겠군.
④ Ⓒ에서 공동주택의 찬물은 현열과 잠열에 의해 데워져 Ⓓ에 공급되겠군.
⑤ Ⓔ를 통해 회수된 물에 있는 상변화 물질은 Ⓐ에서 다시 상변화 과정을 거쳐 재사용되겠군.

4. 윗글을 읽은 학생이 <보기 1>을 보고 <보기 2>와 같이 메모했을 때, ㉮ ~ ㉰에 들어갈 말로 적절한 것은?

─<보기 1>─

　A 기업에서는 녹는점이 15℃인 상변화 물질을 벽에 넣어 밤과 낮의 온도 차가 크더라도 벽의 온도를 일정하게 만들 수 있는 기술을 연구하고 있다.

─<보기 2>─

　벽의 온도가 15℃보다 높아지면 이 상변화 물질은 (㉮)로 상변화할 것이고, 이때 잠열을 (㉯)할 것이다. 이렇게 상변화가 일어나는 중에는 상변화 물질의 온도가 (㉰) 것이다.

	㉮	㉯	㉰
①	액체	흡수	유지될
②	액체	흡수	상승할
③	액체	방출	유지될
④	고체	흡수	유지될
⑤	고체	방출	상승할

5. ⓐ와 문맥적 의미가 가장 유사한 것은?
① 그는 선물을 동생 집으로 <u>보냈다</u>.
② 그는 그저 멍하니 세월만 <u>보냈다</u>.
③ 그는 아들을 작년에 장가를 <u>보냈다</u>.
④ 관객들은 연주자에게 박수를 <u>보냈다</u>.
⑤ 그녀는 슬피 울며 정든 친구를 <u>보냈다</u>.

8분　2019학년도 9월 학평 27~30번　★☆☆　정답 037쪽

【6~9】 다음 글을 읽고 물음에 답하시오.

　우리 몸에는 외부의 환경이나 미생물로부터 스스로를 지키기 위한 자기 방어 시스템이 있는데, 이를 자연치유력이라고 한다. 우리 몸은 이상이 생겼을 때 자기 진단과 자기 수정을 통해 이를 정상적으로 회복하기 위해 노력한다. 인체의 자연 치유력 중 하나인 ㉠'오토파지'는 세포 안에 쌓인 불필요한 단백질과 망가진 세포 소기관*을 분해해 세포의 에너지원으로 사용하는 현상이다.

　평소에는 우리 몸이 항상성*을 유지할 정도로 오토파지가 최소한으로 일어나는데, 인체가 오랫동안 영양소를 섭취하지 못하거나 해로운 균에 감염되는 등 스트레스를 받으면 활성화된다. 예를 들어 밥을 제때에 먹지 않아 영양분이 충분히 공급되지 않으면 우리 몸은 오토파지를 통해 생존에 필요한 아미노산과 에너지를 얻는다. 이외에도 몸속에 침투한 세균이나 바이러스를 오토파지를 통해 제거하기도 한다.

　그렇다면 오토파지는 어떤 과정을 거쳐 일어날까? 세포 안에 불필요한 단백질과 망가진 세포 소기관이 쌓이면 세포는 세포막을 이루는 구성 성분을 이용해 이를 이중막으로 둘러싸 작은 주머니를 만든다. 이 주머니를 '오토파고솜'이라고 ⓐ부른다. 오토파고솜은 세포 안을 둥둥 떠다니다가 리소좀을 만나서 합쳐진다. '리소좀'은 단일막으로 둘러싸인 구형의 구조물로 그 속에 가수분해효소를 가지고 있어 오토파지 현상을 주도하는 역할을 한다. 오토파고솜과 리소좀이 합쳐지면 '오토파고리소좀'이 되는데 리소좀 안에 있는 가수분해효소가 오토파고솜 안에 있던 쓰레기들을 잘게 부수기 시작한다. 분해가 끝나면 막이 터지면서 막 안에 들어 있던 잘린 조각들이 쏟아져 나온다. 그리고 이 조각들은 에너지원으로 쓰이거나 다른 세포 소기관을 만드는 재료로 재활용된다.

　이러한 오토파지가 정상적으로 작동하지 않으면 불필요한 단백질과 망가진 세포 소기관이 세포 안에 쌓이면서 세포 내 항상성이 무너져 노화나 질병을 초래한다. 그래서 과학자들은 여러 가지 실험을 통해 오토파지를 활성화시키는 방법을 연구하거나 오토파지를 이용해 병을 치료하는 방법을 찾고 있다. 자연치유력에는 오토파지 이외에도 '면역력', '아포토시스' 등이 있다. '면역력'은 질병으로부터 우리 몸을 지키는 방어 시스템이다. ㉡'아포토시스'는 개체를 보호하기 위해 비정상 세포, 손상된 세포, 노화된 세포가 스스로 사멸하는 과정으로 우리 몸을 건강한 상태로 유지하게 한다. 이러한 현상들을 통해 우리는 우리 몸을 지킬 수 있는 것이다.

* 세포 소기관 : 세포핵, 골지체, 소포체, 리보솜, 리소좀 등의 세포 안에 들어 있는 작은 기관들.
* 항상성 : 생체가 여러 가지 환경 변화에 대응하여 생명 현상이 제대로 일어날 수 있도록 일정한 상태를 유지하는 성질. 또는 그런 현상.

6. 윗글의 표제와 부제로 가장 적절한 것은?
① 세포의 재생 능력
　－ 리소좀의 구조와 기능을 중심으로
② 인체의 자연치유력
　－ 오토파지의 원리를 중심으로
③ 질병을 예방하는 방법
　－ 세포의 면역력을 중심으로
④ 노화를 막기 위한 방법
　－ 아포토시스의 원리를 중심으로
⑤ 우리 몸의 자기 면역 방어
　－ 오토파지를 활성화시키는 방법을 중심으로

8. ㉠과 ㉡에 대한 설명으로 가장 적절한 것은?
① ㉠은 ㉡과 달리 세포 소기관보다는 개체를 보호하기 위해 일어난다.
② ㉡은 ㉠과 달리 손상된 세포가 스스로 사멸함으로써 우리 몸의 항상성을 유지한다.
③ ㉡은 ㉠과 달리 우리 몸에 영양 공급이 부족하거나 바이러스가 침투했을 때 발생한다.
④ ㉠과 ㉡은 모두 생존에 필요한 아미노산과 에너지를 다량으로 얻기 위해 작동한다.
⑤ ㉠과 ㉡은 모두 작동 과정에서 세포가 분해되어 다른 세포 소기관을 만드는 데 활용된다.

9. 문맥상 의미가 ⓐ와 가장 가까운 것은?
① 그는 속으로 쾌재를 불렀다.
② 푸른 바다가 우리를 부른다.
③ 그 가게에서는 값을 비싸게 불렀다.
④ 도덕 기준이 없는 혼돈 상태를 아노미라고 부른다.
⑤ 그녀는 학교 앞을 지나가는 친구를 큰 소리로 불렀다.

7. 윗글을 바탕으로 <보기>를 이해한 내용으로 적절하지 <u>않은</u> 것은? [3점]

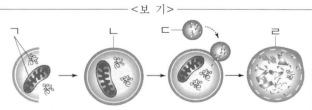

─── <보 기> ───

ㄱ : 불필요한 단백질과 망가진 세포 소기관
ㄴ : 오토파고솜
ㄷ : 리소좀
ㄹ : 오토파고리소좀

① 세포 안에 ㄱ이 쌓이면 오토파지가 일어나겠군.
② ㄴ은 ㄱ을 이중막으로 둘러싸 작은 주머니로 만든 것이겠군.
③ ㄴ이 ㄷ과 결합하면 ㄴ 안의 가수분해효소가 ㄱ을 잘게 분해하겠군.
④ 분해가 끝나면 막이 터지면서 ㄹ 안의 잘린 조각들이 쏟아져 나오겠군.
⑤ ㄹ에서 나온 조각들은 에너지원으로 쓰이거나 재활용되겠군.

총 문항				문항		맞은 문항			문항
개별 문항	1	2	3	4	5	6	7	8	9	10
채점										
개별 문항	11	12	13	14	15	16	17	18	19	20
채점										

| 12분 | 2019학년도 6월 학평 16~21번 | ★☆☆ | 정답 038쪽 |

【1~6】 다음 글을 읽고 물음에 답하시오.

식물의 생장에는 물이 필수적이다. 동물과 달리 식물은 잎에서 광합성을 통해 생장에 필요한 양분을 만들어 내는데, 물은 바로 그 원료가 된다. 물은 지구 중심으로부터 중력을 받기 때문에 높은 곳에서 낮은 곳으로 흐르지만, 식물은 지구 중심과는 반대 방향으로 자란다. 따라서 식물이 줄기 끝에 달려 있는 잎에 물을 공급하려면 중력의 반대 방향으로 물을 끌어 올려야 한다. 미국의 캘리포니아 레드우드 국립공원에는 세계에서 키가 가장 큰 세쿼이아가 있다. 이 나무는 키가 무려 112m에 이르며, 뿌리는 땅속으로 약 15m까지 뻗어 있다고 한다. 따라서 물이 뿌리에서 나무의 꼭대기에 있는 잎까지 도달하려면 127m나 끌어 올려져야 한다. 펌프 같은 장치도 보이지 않는데 대체 물이 어떻게 그 높은 곳까지 올라갈 수 있는 것일까? 식물은 어떤 힘을 이용하여 뿌리에서부터 잎까지 물을 끌어 올릴까? 식물이 물을 뿌리에서 흡수하여 잎까지 보내는 데는 뿌리압, 모세관 현상, 증산 작용으로 생긴 힘이 복합적으로 작용한다.

[A] 호박이나 수세미의 잎을 모두 ⓐ떼어 내고 뿌리와 줄기만 남기고 자른 후 뿌리 끝을 물에 넣어 보면, 잘린 줄기 끝에서는 물이 힘차게 솟아오르지는 않지만 계속해서 올라온다. 뿌리털을 둘러싼 세포막을 경계로 안쪽은 땅에 비해 여러 가지 유기물과 무기물들이 더 많이 섞여 있어서 뿌리 바깥보다 용액의 농도가 높다. 다시 말해 뿌리털 안은 농도가 높은 반면, 흙 속에 포함되어 있는 물은 농도가 낮다. 이때 농도의 균형을 맞추기 위해 흙 속에 있는 물 분자는 뿌리털의 세포막을 거쳐 물 분자가 상대적으로 적은 뿌리 내부로 ⓑ들어온다. 이처럼 농도가 낮은 흙 속의 물을 농도가 높은 뿌리 쪽으로 이동시키는 힘이 생기는데, 이를 뿌리압이라고 한다. 즉 뿌리압이란 뿌리에서 물이 흡수될 때 밀고 들어오는 압력으로, 물을 위로 밀어 올리는 힘이다.

물이 담긴 그릇에 가는 유리관을 ⓒ꽂아 보면 유리관을 따라 물이 올라가는 것을 관찰할 수 있다. 이처럼 가는 관과 같은 통로를 따라 액체가 올라가거나 내려가는 것을 모세관 현상이라고 한다. 모세관 현상은 물 분자와 모세관 벽이 결합하려는 힘이 물 분자끼리 결합하려는 힘보다 더 크기 때문에 일어난다. 따라서 관이 가늘어질수록 물이 올라가는 높이가 높아진다. 식물체 안에는 뿌리에서 줄기를 거쳐 잎까지 연결된 물관이 있다. 물관은 말 그대로 물이 지나가는 통로인데, 지름이 75μm(마이크로미터, 1μm=0.001mm)로 너무 가늘어 눈으로는 볼 수 없다. 이처럼 식물은 물관의 지름이 매우 작기 때문에 ㉠모세관 현상으로 물을 밀어 올리는 힘이 생긴다.

뜨거운 햇볕이 내리쬐는 더운 여름철에는 큰 나무가 만들어 주는 그늘이 그렇게 고마울 수가 없다. 나무가 만들어 주는 그늘이 건물이 만들어 주는 그늘보다 더 시원한 이유는 무엇일까? ㉡나무의 잎은 물을 수증기 상태로 공기 중으로 내보내는데, 이때 물이 주위의 열을 흡수하기 때문에 나무의 그늘 아래가 건물이 만드는 그늘보다 훨씬 시원한 것이다. 식물의 잎에는 기공이라는 작은 구멍이 있다. 기공을 통해 공기가 들락날락하거나 잎의 물이 공기 중으로 증발하기도 한다. 이처럼 식

물체 내의 수분이 잎의 기공을 통하여 수증기 상태로 증발하는 현상을 ㉢증산 작용이라고 한다. 가로 세로가 10×10cm인 잔디밭에서 1년 동안 증산하는 물의 양을 조사한 결과, 놀랍게도 55톤이나 되었다. 이는 1리터짜리 페트병 5만 5천 개 분량에 해당하는 물의 양이다. 상수리나무는 6~11월 사이에 약 9,000kg의 물을 증산하며, 키가 큰 해바라기는 맑은 여름날 하루 동안 약 1kg의 물을 증산한다.

기공의 크기는 식물의 종류에 따라 ⓓ다른데 보통 폭이 8μm, 길이가 16μm 정도밖에 되지 않는다. 크기가 1cm²인 잎에는 약 5만 개나 되는 기공이 있으며, 그 대부분은 잎의 뒤쪽에 있다. 이 기공을 통해 그렇게 엄청난 양의 물이 공기 중으로 증발해 버린다. 증산 작용은 물을 식물체 밖으로 내보내는 작용으로, 뿌리에서 흡수된 물이 줄기를 거쳐 잎까지 올라가는 원동력이다. 잎의 세포에서는 물이 공기 중으로 증발하면서 아래쪽의 물 분자를 끌어 올리는 현상이 일어난다. 즉, 물 분자들은 서로 잡아당기는 힘으로써 연결되는데, 이는 물 기둥을 형성하는 것과 같다. 사슬처럼 연결된 물 기둥의 한쪽 끝을 ⓔ이루는 물 분자가 잎의 기공을 통해 빠져 나가면 아래쪽 물 분자가 끌어 올려지는 것이다. 증산 작용에 의한 힘은 잡아당기는 힘으로 식물이 물을 끌어 올리는 요인 중 가장 큰 힘이다.

1. 윗글의 내용과 일치하지 않는 것은?

① 식물의 종류에 따라 기공의 크기가 다르다.
② 식물의 뿌리압은 중력과 동일한 방향으로 작용한다.
③ 식물이 광합성 작용을 하기 위해서는 반드시 물이 필요하다.
④ 뿌리에서 잎까지 물 분자들은 사슬처럼 서로 연결되어 있다.
⑤ 물관 내에서 물 분자와 모세관 벽이 결합하려는 힘으로 물이 위로 이동한다.

2. [A]와 <보기>를 이해한 것으로 적절하지 않은 것은? [3점]

<보 기>
삼투 현상이란 용액의 농도가 낮은 곳에서 높은 곳으로 선택적 투과성 막을 통해 물이 이동하는 현상이다. 이때 물이 이동하는 힘을 삼투압이라 하며, 이 힘은 용액의 농도에 따라 비례한다. 삼투 현상의 예로 배추를 소금물에 담그면 소금 입자는 이동하지 못하고 배추에 있는 물이 소금물 쪽으로 이동하여 배추가 절여지는 것을 들 수 있다.

① 뿌리털을 둘러싼 세포막은 선택적 투과성 막 역할을 한다.
② 소금물에 소금을 추가하면 배추에서 빠져 나오는 물이 이동하는 힘이 커진다.
③ 선택적 투과성 막을 흙 속의 물 분자는 통과할 수 있지만 소금 입자는 통과할 수 없다.
④ 흙 속의 물과 배추의 물이 이동하면 뿌리털 안의 용액과 소금물의 농도가 높아진다.
⑤ 뿌리가 흙 속의 물을 흡수하는 것과 배추에서 물이 빠져 나오는 것은 용액의 농도 차이 때문에 발생한다.

3. ㉠과 ㉡에 대한 설명으로 적절하지 <u>않은</u> 것은?

① ㉠은 관의 지름에 따라 물이 올라가는 높이가 달라진다.
② ㉡이 일어나면 물이 식물체 내에서 빠져 나와 주변의 온도를 낮춘다.
③ ㉠에 의해서는 물의 상태가 바뀌지 않고, ㉡에 의해서는 물의 상태가 바뀐다.
④ ㉠으로 물을 위로 밀어 올리는 힘이, ㉡으로 물을 위에서 잡아당기는 힘이 생긴다.
⑤ ㉠에 의해 식물이 물을 밀어 올리는 힘보다 ㉡에 의해 식물이 물을 끌어 올리는 힘이 더 작다.

5. 학생이 <보기>와 같은 실험을 하였다. 윗글을 바탕으로 <보기>에 대한 반응으로 적절한 것은?

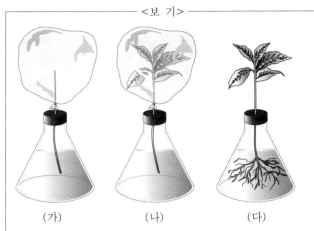

─ <보 기> ─

크기와 종류가 같은 식물 셋을 (가)는 줄기만, (나)는 줄기와 잎만을 남겨 비닐을 씌운다. (다)는 뿌리, 줄기, 잎을 그대로 둔다. 셋을 물에 담아 햇빛 등이 동일한 조건에서 변화를 관찰하였다.

① (가)보다 (나)의 비닐 안쪽 면에 물방울이 덜 맺힐 것이다.
② (가)의 용기에 담긴 물이 (나), (다)의 용기에 담긴 물보다 더 많이 줄어들 것이다.
③ (나)에서는 한 가지 힘이, (다)에서는 두 가지 힘이 작용하여 물이 이동한다.
④ (가), (나), (다) 모두 물 분자들이 연결된 물 기둥이 형성될 것이다.
⑤ (가), (나), (다) 모두 공기가 식물 내부로 출입하는 현상이 일어나지 않는다.

4. ㉯와 같은 현상이 일어나는 예로 적절한 것은?

① 피부에 알코올 솜을 문지를 때
② 주머니 난로의 액체가 하얗게 굳어갈 때
③ 음식물을 공기 중에 오래 두어 부패될 때
④ 이누이트 족이 얼음집 안에 물을 뿌릴 때
⑤ 폭죽에 들어있는 화약이 터져 불꽃이 발생할 때

6. 문맥상 ⓐ~ⓔ와 바꿔 쓰기에 가장 적절한 것은?

① ⓐ : 삭제(削除)하고
② ⓑ : 투입(投入)된다
③ ⓒ : 부착(附着)하면
④ ⓓ : 상이(相異)한데
⑤ ⓔ : 조성(造成)하는

【7~11】 다음 글을 읽고 물음에 답하시오.

우리는 내비게이션을 통해 목적지까지의 경로를 ⓐ탐색하거나 스마트폰을 이용해 자신이 현재 있는 위치를 확인할 수 있다. 이는 GPS(Global Positioning System)로 인해 가능한 것이다. 그렇다면 GPS는 어떻게 현재 위치를 파악하는 것일까?

GPS는 크게 GPS 위성과 GPS 수신기 등으로 구성된다. 현재 지구를 도는 약 30개의 GPS 위성은 일정한 속력으로 정해진 궤도를 돌면서, 자신의 위치 정보 및 시각 정보를 담은 신호를 지구로 송신한다. 이 신호를 받은 수신기는 위성에서 신호를 보낸 시각과 자신이 신호를 받은 시각의 차이를 근거로, 위성 신호가 수신기까지 이동하는 데 걸린 시간을 계산하여 위성과 수신기 사이의 거리를 구한다. 위성이 보낸 신호는 빛의 속력으로 이동하므로, 신호가 이동하는 데 걸린 시간(t)에 빛의 속력(c)을 곱하면 위성과 수신기 사이의 거리(r)를 구할 수 있다. 이를 식으로 ⓑ표시하면 '$r = t \times c$'이다.

그런데 GPS가 현재 위치를 정확하게 파악하기 위해서는 상대성 이론을 고려해야 한다. 상대성 이론에 따르면 대상이 빠르게 움직일수록 시간은 느리게 흐르고, 대상에 미치는 중력이 약해질수록 시간은 빠르게 흐른다. 실제로 위성은 지구의 자전 속력보다 빠르게 지구 주변을 돌고 있기 때문에 지표면에 비해 시간이 느리게 흘러, 위성의 시간은 하루에 약 7.2 μs*씩 느려지게 된다. 또한 위성은 약 20,000 km 이상의 상공에 있기 때문에 중력이 지표면보다 약하게 작용해 지표면에 비해 시간이 하루에 약 45.8 μs씩 빨라지게 된다. 그 결과 ㉠GPS 위성에 있는 원자시계의 시간은 지표면의 시간에 비해 매일 약 38.6 μs씩 빨라진다. 이러한 차이는 하루에 약 11 km의 오차를 발생시킨다. 이를 방지하기 위해 GPS는 위성에 ⓒ탑재된 원자시계의 시간을 지표면의 시간과 일치하도록 조정하여 위성과 수신기 사이의 거리를 정확하게 구하게 된다.

이렇게 계산된 거리는 수신기가 자신의 위치를 파악하는 데 사용되는데, 이를 이해하기 위해서는 삼변 측량법을 알아야 한다. 삼변 측량법은 세 기준점 A, B, C의 위치와, 각 기준점에서 대상 P까지의 거리를 이용하여 P의 위치를 측정하는 방법이다.

가령, <그림>과 같이 평면상의 A(0, 0)에서 거리가 5만큼 떨어진 지점에, B(4, 0)에서 거리가 3만큼 떨어진 지점에, C(0, 3)에서 거리가 4만큼 떨어진 지점에 P(x, y)가 있다고 하자. 평면상의 한 점에서 같은 거리에 있는 점을 모두 ⓓ연결하면 원이 된다. 그러므로 A를 중심으로 반지름이 5인 원, B를 중심으로 반지름이 3인 원, C를 중심으로 반지름이 4인 원을 그리면 세 원이 교차하는 지점이 하나 생기는데, 이 지점이 바로 P(4, 3)의 위치가 된다. 이때 세 개의 점 A, B, C를 GPS 위성으로 본다면 이들의 좌표 값은 위성의 위치 정보이고, P의 좌표 값은 GPS 수신기의 위치 정보에 해당한다고 할 수 있다.

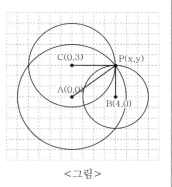
<그림>

그러나 실제 공간은 2차원 평면이 아닌 3차원 입체이기 때문에 GPS 위성으로부터 ⓔ동일한 거리에 있는 점들은 원이

아니라 구(球)의 형태로 나타난다. 그 결과 세 개의 GPS 위성을 중심으로 하는 세 개의 구가 겹치는 지점은 일반적으로 두 군데가 된다. 하지만 이 중 한 지점은 지구 표면 가까이에 위치하게 되고, 나머지 한 지점은 우주 공간에 위치하게 된다. GPS 수신기는 이 두 교점 중 지구 표면 가까이에 있는 지점을 자신의 현재 위치로 파악하게 된다.

＊μs(마이크로초) : 1초의 100만분의 1.

---

7. 윗글의 내용 전개 방식으로 가장 적절한 것은?

① GPS에 적용된 원리를 구체적으로 설명하고 있다.
② GPS의 발전 과정을 시간의 순서로 제시하고 있다.
③ GPS를 다른 대상과 비교하며 장단점을 설명하고 있다.
④ GPS의 다양한 종류를 일정 기준에 따라 분류하고 있다.
⑤ GPS의 유용성을 설명하며 앞으로의 전망을 제시하고 있다.

---

8. 윗글에서 알 수 있는 내용으로 적절하지 <u>않은</u> 것은?

① GPS 위성은 약 20,000 km 이상의 상공에서 일정한 속력으로 정해진 궤도를 돈다.
② GPS를 이용하면 스마트폰이나 내비게이션으로 현재의 위치 정보를 확인할 수 있다.
③ GPS 수신기는 GPS 위성에 보낸 신호를 바탕으로 자신의 위치 정보를 계산한다.
④ GPS 위성과 GPS 수신기 간의 거리를 빛의 속력으로 나누면 위성의 신호가 수신기에 도달하는 데 걸린 시간이 된다.
⑤ 삼변 측량법이란 기준점의 위치 및 대상과 기준점 사이의 거리를 이용하여 대상의 위치를 파악하는 방법이다.

9. 문맥을 고려할 때, ㉠의 이유로 가장 적절한 것은?

① GPS 위성에는 지구의 중력이 지표면에 비해 강하게 작용하기 때문이다.

② GPS 위성이 지구를 도는 속력이 지구가 자전하는 속력보다 느리기 때문이다.

③ GPS 위성이 지구를 도는 방향과 지구가 자전을 하는 방향이 동일하기 때문이다.

④ GPS 수신기가 GPS 위성의 신호를 받는 과정에서 시간의 차이가 생기기 때문이다.

⑤ GPS 위성의 이동 속력으로 인한 시간의 변화보다 중력으로 인한 시간의 변화가 더 크기 때문이다.

11. 문맥상 ⓐ~ⓔ와 바꾸어 쓸 수 있는 말로 적절하지 <u>않은</u> 것은?

① ⓐ : 찾거나

② ⓑ : 나타내면

③ ⓒ : 태운

④ ⓓ : 이으면

⑤ ⓔ : 같은

10. 윗글을 바탕으로 <보기>에 대해 이해한 내용으로 적절하지 <u>않은</u> 것은? [3점]

─── < 보 기 > ───

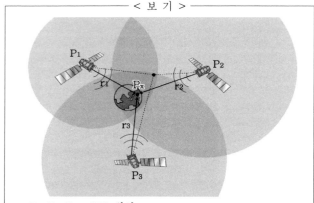

* P_1, P_2, P_3 : GPS 위성.

* r_1, r_2, r_3 : GPS 위성과 GPS 수신기 P_X와의 거리.
  (단, 현재 $r_1 < r_2$, $r_2 = r_3$임. 시간과 속력에 영향을 미치는 다른 요소는 고려하지 않음.)

① $P_1 \sim P_3$가 송신하는 신호에는 위성의 위치 정보와 위성이 신호를 보낸 시각 정보가 담겨 있다.

② $P_1 \sim P_3$의 위치 정보가 달라져도 $r_1 \sim r_3$의 값이 변하지 않으면, 각각의 위성이 보낸 신호가 P_X에 도달하는 데 걸리는 시간은 달라지지 않는다.

③ P_1에서 보낸 신호가 P_X에 도달하는 데 걸린 시간이 실제보다 짧게 계산되면, r_1의 값은 실제보다 작게 계산된다.

④ P_1이 송신한 신호가 P_X에 도달할 때까지 걸린 시간은 P_2가 송신한 신호가 P_X에 도달할 때까지 걸린 시간보다 길다.

⑤ $r_1 \sim r_3$를 반지름으로 하는 구의 교점 중 지표면에 가까운 교점이 P_X의 현재 위치이다.

총 문항					문항		맞은 문항				문항
개별 문항	1	2	3	4	5	6	7	8	9	10	
채점											
개별 문항	11	12	13	14	15	16	17	18	19	20	
채점											

IV

기술

•고1 국어 독서•

Ⅳ 기술

📌 출제 트렌드

기술은 통신/디지털 기술, 전자/전기 기술, 의료 기술, 건축 기술 등 생활 기술과 산업 기술 전체를 아우르는 광범위한 내용을 다루는 분야입니다. 기술 지문은 기술이 발전함에 따라 점점 더 다양한 소재가 출제되고 있는데, 분야의 특성상 평균 난도도 높은 편이며 때때로 매우 어렵게 출제되는 경우가 있으니 주의해야 합니다. 2022학년도 3월 학력평가에서 데이터의 오류 검출 방식을 다룬 지문이 특히 난도가 높았습니다. 기술 지문에서는 해당 기술의 원리와 구조 등을 설명하고 논리적으로 작동 과정과 세부 구성 등을 보여 줍니다. 또 기술의 한계점을 서술하거나, 한 기술을 다른 기술에 적용하는 식의 흐름을 자주 볼 수 있습니다. 낯선 용어가 많이 등장하더라도 차근차근 분석하다 보면 오히려 쉽게 정답을 찾을 수 있기도 하므로 기술 지문의 구조에 익숙해지는 연습이 필요합니다. 또한 최근 활발히 대두되는 소재들에 관심을 갖고 미리 알아 두는 것도 도움이 됩니다.

시행	출제 지문	문제 수	난이도
2022학년도 9월 학평	석빙고의 원리	5문제 출제	★★★
2022학년도 3월 학평	데이터 오류 검출 방식	5문제 출제	★★★
2021학년도 9월 학평	친환경차의 종류와 구동 원리	4문제 출제	★★☆

📌 1등급 꿀팁

하나 _ 첫 문단에서 핵심 내용을 빠르고 정확하게 이해하자.

두울 _ 각종 키워드의 관계를 구조적으로 파악하자.

세엣 _ 지문을 이해하는 데 주어진 시각 자료를 적극 활용하자.

네엣 _ 지문과 〈보기〉에 주어지는 자료를 정확하게 해석하는 연습을 하자.

다섯 _ 기술의 바탕이 되는 과학적 원리와 논리적 사고를 전제로 학습하자.

여섯 _ 해당 기술의 필요성, 구현 과정, 원리, 특징 등을 세세하게 체크하자.

일곱 _ 평소 생활 속에서 접하고 있는 다양한 기술들이 소재가 될 수 있음을 유의하자.

다음 글을 읽고 물음에 답하시오.

컴퓨터 네트워크에서 데이터가 전송될 때 수신된 데이터에 오류가 있는 경우가 있다. 오류를 검출하기 위해 송신기는 오류 검출 부호를 포함한 데이터를 전송하고 수신기는 수신한 데이터를 검사하여 오류가 있으면 재전송을 요청한다.

수신한 데이터에 오류가 있는지 검출하는 가장 간단한 방식은 ㉠ 패리티 검사이다. 이 방식은 전송할 데이터에 패리티 비트라는 오류 검출 부호를 추가하는 방법으로, 패리티 비트를 추가하여 데이터의 1의 개수를 짝수나 홀수로 만든다. 1의 개수를 짝수로 만드는 방식을 짝수 패리티, 홀수로 만드는 방식을 홀수 패리티라고 하고 송·수신기는 모두 같은 방식을 사용해야 한다. 예를 들어 짝수 패리티를 사용한다면 송신기는 항상 데이터의 1의 개수를 짝수로 만들어서 전송하지만 만일 수신한 데이터의 1의 개수가 홀수가 되면 수신기는 오류가 발생했다고 판단하는 것이다. 하지만 패리티 검사는 ㉮ 수신한 데이터에서 짝수 개의 비트에 오류가 동시에 있으면 이를 검출하기 어렵다. 또한 오류의 발생 여부를 검출할 수 있을 뿐 데이터 내 오류의 위치는 알아낼 수 없다.

전송할 데이터를 2차원 배열로 구성해서 패리티 비트를 생성하면 오류의 발생 여부뿐만 아니라 오류의 위치도 알아낼 수 있다. 예를 들어 송신기가 1100011 1111111을 전송한다고 하자. 송신기는 이를 $\begin{matrix}1100011\\1111111\end{matrix}$과 같이 2차원 배열로 구성하고 가로 방향인 모든 행과 세로 방향인 모든 열에 패리티 비트를 생성한 후 이를 포함한 데이터를 전송한다. 수신기는 수신한 데이터의 각각의 행과 열의 1의 개수를 세어 오류를 검사한다. 만약 어떤 비트에 오류가 발생하면 그 비트가 포함된 행과 열에서 모두 오류가 검출된다. 따라서 오류가 발생한 위치를 알 수 있다. 다만 동일한 행 또는 열에서 짝수 개의 오류가 발생하면 오류가 발생한 정확한 위치를 알 수 없다.

㉡ CRC 방식은 미리 선택된 생성 부호를 사용해서 오류 검출 부호를 생성하는 방식이다. 전송할 데이터를 생성 부호로 나누어서 오류 검출 부호를 생성하는 데 모듈로-2 연산을 활용한다. 모듈로-2 연산은 자릿수가 제한된 상태에서 나머지를 구하는 연산으로 해당 자릿수의 비트 값이 같으면 0, 다르면 1이 된다.

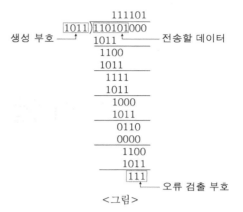

<그림>

<그림>과 같이 생성 부호가 1011이고 전송할 데이터가 110101인 경우를 보자. 전송할 데이터는 오류 검출 부호를 추가해야 하기 때문에 그만큼의 비트가 더 필요하다. 송신기는 전송할 데이터의 오른쪽 끝에 생성 부호의 비트 수보다 하나 작은 비트 수만큼 0을 추가한 후 이를 생성 부호로 나누고 그 나머지가 오류 검출 부호가 된다. 송신기는 오류 검출 부호를 포함한 데이터 ㉢ 110101111만을 전송하고 수신기는 수신한 데이터를 송신기와 동일한 생성 부호로 나눈다. 수신한 데이터는 전송할 데이터에 나머지를 추가했으므로 오류가 없다면 생성 부호로 나누었을 때 나머지가 0이 된다. 이때 나머지가 0이 아니면 수신한 데이터에 오류가 있다고 판단한다. CRC 방식은 복잡하지만 여러 개의 오류가 동시에 생겨도 이를 검출할 수 있어서 오류 검출 확률이 높다.

---

27. ㉠과 ㉡에 대해 이해한 내용으로 적절하지 <u>않은</u> 것은?

① ㉠은 ㉡과 달리 데이터에 포함된 1의 개수가 짝수나 홀수가 되도록 오류 검출 부호를 생성한다.

② ㉡은 ㉠과 달리 데이터의 오류를 검출하기 위해 송신기와 수신기 모두에서 오류 검사를 해야 한다.

③ ㉠과 ㉡은 모두, 수신한 데이터의 오류 발생 여부를 수신기가 판단한다.

④ ㉠과 ㉡은 모두, 데이터를 전송하기 전에 오류 검출 부호를 생성해야 한다.

⑤ ㉠과 ㉡은 모두, 전송할 데이터가 같더라도 오류 검출 부호는 다를 수 있다.

---

① ㉠은 전송할 데이터에 오류 검출 부호인 패리티 비트를 추가하여 데이터의 1의 개수를 짝수나 홀수로 만든다. 반면 ㉡은 모듈로-2 연산을 통해 오류 검출 부호를 생성한다.

❷ ㉠과 ㉡은 모두 수신한 데이터를 검사하여 오류를 검출한다. 송신기는 오류 검출 부호를 생성해서 이를 데이터에 포함하여 전송하는 역할을 하는데, 패리티 검사와 CRC 방식 모두 송신기에서는 오류 검사를 하지 않는다.

③ ㉠은 수신기가 수신한 데이터의 각각의 행과 열의 1의 개수를 세어 오류를 검사하고, ㉡은 수신기가 수신한 데이터를 모듈로-2 연산을 수행하여 나머지를 구해 오류를 검출한다.

④ ㉠과 ㉡은 모두 송신기가 데이터를 전송하기 전에 오류 검출 부호를 생성한다. 즉 패리티 검사는 패리티 비트를, CRC 방식은 미리 선택된 생성 부호를 사용한다.

⑤ ㉠은 데이터가 같더라도 짝수 패리티나 홀수 패리티 중 어떤 방식을 사용하는가에 따라 패리티 비트가 달라질 수 있다. ㉡은 미리 정해진 생성 부호에 따라 송신기의 모듈로-2 연산의 나머지가 달라질 수 있다.

| 11분 | 2022학년도 9월 학평 30~34번 | ★★★ | 정답 040쪽 |

【1~5】 다음 글을 읽고 물음에 답하시오.

조상들은 더운 여름에 얼음을 이용하기 위해 석빙고를 활용하였다. 석빙고는 겨울철에 입구를 개방하여 내부를 냉각시킨 후 얼음을 저장한 냉동 창고로, 내부의 낮아진 온도가 장기간 지속되는 구조를 통해 다음 해 가을까지 얼음을 보관하였다. 석빙고에서 얼음을 어떻게 보관할 수 있었는지 알아보자.

우선 석빙고를 낮은 온도로 유지하는 데에는 얼음이 중요한 역할을 한다. 에너지는 항상 높은 쪽에서 낮은 쪽으로 이동하여 평형을 이루려고 하고 에너지의 이동은 물질의 온도를 변화시킨다. 하지만 물질이 고체, 액체, 기체로 변화하는 상태변화가 일어나는 동안 온도는 변하지 않고 물질이 주변에서 에너지를 흡수하거나 주변으로 방출하는데 이때의 에너지를 숨은열이라고 한다. 예를 들면 얼음이 녹아 물이 될 때는 주변에서 융해열을 흡수하고, 거꾸로 같은 양의 물이 얼어 얼음이 될 때는 같은 양의 응고열을 방출한다. 그러므로 같은 양의 0℃ 얼음보다 0℃ 물이 더 큰 에너지를 갖게 되는 것이다. 석빙고 안에서 얼음이 상태변화가 일어날 때, 더 큰 에너지를 가진 물질로부터 에너지를 전달받을 수밖에 없다. 따라서 주변 공기로부터 에너지를 흡수하여 일부의 얼음이 물이 되면서 주변 공기는 차가워지고, 이는 다른 얼음이 녹지 않을 수 있게 한다. ㉠이 과정에서 생긴 물은 빨리 제거되어야 하므로 조상들은 석빙고 바닥을 경사면으로 만들어 물이 원활하게 배수되도록 하였다.

내부를 차갑게 만들고 최대한 밀폐된 구조를 만들더라도 석빙고는 외부와 에너지 및 공기를 주고받아 내부의 온도는 올라갈 수밖에 없다. 이를 해결하기 위해 조상들은 석빙고 천장의 상단에 통풍구를 설치하였다. 공기와 같은 유체는 온도가 올라가면 분자 사이의 거리가 멀어지면서 밀도가 낮아져 에너지를 동반하여 위로 이동한다. 밀도가 낮은 공기가 상승하면 밀도가 높은 공기, 즉 온도가 낮은 공기가 아래로 이동하게 된다. 석빙고 내부에서는 이와 같은 공기의 흐름에 따라 에너지의 이동이 나타나며, 상승한 공기는 아치형 천장의 움푹 들어간 공간을 통해 그 위의 통풍구로 빠져나가 내부의 차가움을 유지하게 된다. 더불어 통풍구에는 얼음에 영향을 줄 수 있는 직사광선이나 빗물을 차단하기 위해 덮개돌을 설치하였다.

또한 얼음이 최대한 녹지 않을 수 있도록 얼음과 얼음 사이에 일종의 단열재 역할을 하는 짚을 채워 넣어 보관하였다. 접촉하고 있는 두 물질의 분자들 사이에서는 에너지 교환이 일어나는데, 물질의 한쪽 끝에 에너지가 가해지면 해당 부분의 분자들이 에너지를 얻어 진동하게 되고 그 진동은 옆 분자를 다시 진동시키며 순차적으로 에너지가 이동한다. 이러한 에너지 전달의 정도는 물질마다 서로 다르다. 짚은 얼음에 비해 에너지가 잘 전달되지 않는데, 이 때문에 얼음끼리 쌓아 놓는 것보다 짚을 활용하여 쌓는 것이 얼음 보관에 훨씬 효율적인 방법이라고 할 수 있다. 또 짚은 스티로폼처럼 미세한 공기구멍을 많이 포함하고 있어 단열 효과를 높일 수 있었다.

이 밖에도 석빙고 외부에 흙을 덮어 내부로 유입되는 에너지가 잘 차단되도록 하였고 풀을 심어 태양의 복사 에너지로 인해 내부의 온도가 상승하는 것을 최대한 막고자 하였다. 또한 얼음을 저장하는 빙실은 온도 유지를 위해 주변 지반에 비해 낮게 만들었다.

석빙고는 조상들의 지혜가 집약된 천연 냉장고로, 당시 다른 나라의 장치에 비해서도 기술이 ⓐ떨어지지 않는 건축물이다.

1. 윗글의 내용과 일치하지 <u>않는</u> 것은?

① 석빙고 외부의 풀은 내부의 온도 상승을 막는 데 도움을 준다.
② 석빙고에 얼음을 저장하기 전에 우선 내부를 차갑게 하는 과정이 필요하다.
③ 석빙고의 아치형 천장은 외부 공기를 이용하여 내부의 차가움을 유지하게 한다.
④ 빙실을 지반보다 낮게 만든 것은 석빙고 내부의 낮아진 온도를 지속하기 위해서이다.
⑤ 석빙고의 통풍구에 덮개돌이 없으면 햇빛이 석빙고 내부로 들어와 온도를 높일 수 있다.

2. ㉠의 이유로 가장 적절한 것은?

① 물이 얼음으로부터 에너지를 전달받아 얼음을 녹이기 때문이다.
② 에너지가 높은 쪽에서 낮은 쪽으로 이동하는 것을 물이 방해하기 때문이다.
③ 물이 상태변화가 시작되어 석빙고 내부의 온도를 상승시킬 수 있기 때문이다.
④ 상태변화가 일어나 생긴 물이 얼음보다 더 큰 에너지를 가지고 있기 때문이다.
⑤ 물이 내부 공기와 에너지 평형을 이루어 석빙고 내부의 온도를 변화시킬 수 없기 때문이다.

3. 윗글의 숨은열에 대해 <보기>와 같이 정리했다고 할 때, ㉮~㉯에 들어갈 말로 가장 적절한 것은?

─── <보 기> ───

물질의 상태변화가 일어날 때는 숨은열이 개입한다. 여름에 석빙고 안에서 물질이 (㉮)될 때 숨은열로 인해 에너지 교환이 일어난 주변 물질은 에너지가 (㉯)한다. 상태가 바뀌는 동안 물질의 온도는 (㉰).

	㉮	㉯	㉰
①	융해	감소	유지된다
②	융해	감소	하강한다
③	융해	증가	유지된다
④	응고	감소	하강한다
⑤	응고	증가	유지된다

4. 윗글의 '석빙고(A)'와 <보기>의 '이글루(B)'를 이해한 내용으로 적절하지 않은 것은? [3점]

─── <보 기> ───

추운 지방에서 이누이트족이 전통적으로 거주했던 얼음집인 이글루는 우선 눈 벽돌을 쌓아 올린 후에, 이글루 안에서 불을 피워 내부 공기의 온도를 높인다. 시간이 지나 공기가 순환하여 눈 벽돌이 녹으면서 물이 생기면 출입구를 열어 물이 얼도록 한다. 이 과정에서 눈 사이에 들어 있던 공기는 빠져나가지 못하고 얼음 속에 갇히게 된다. 이렇게 만들어진 얼음은 에너지의 전달을 방해한다. 또한 물이 눈 벽돌 사이를 메우면서 얼어 만들어진 얼음 벽은 내부의 에너지 유출을 막는다.

① B의 얼음 벽은 A의 외부 흙과 달리 외부로의 에너지 유출을 막기 위한 것이겠군.
② A의 짚에 포함된 공기구멍과 B의 얼음 속 공기층은 모두 단열 효과를 높일 수 있겠군.
③ A의 얼음 사이의 짚과 B의 눈 벽돌 사이를 메운 물은 모두 외부와의 공기 출입을 막는 역할을 하겠군.
④ A와 B는 모두 공기의 밀도 변화에 따른 에너지의 이동이 나타나겠군.
⑤ A와 B는 모두 내부의 온도를 낮추기 위한 방법으로 출입구를 활용했겠군.

5. 문맥상 ⓐ의 의미와 가장 가까운 것은?

① 그의 실력은 평균보다 떨어지는 편이다.
② 곧 너에게 중요한 임무가 떨어질 것이다.
③ 이미 그 일에 정이 떨어진 지 꽤 되었다.
④ 아이는 잠시도 엄마에게서 떨어지지 않으려고 한다.
⑤ 배가 고프다는 말이 떨어지기가 무섭게 밥상이 나왔다.

IV

【6~10】 다음 글을 읽고 물음에 답하시오.

　컴퓨터 네트워크에서 데이터가 전송될 때 수신된 데이터에 오류가 있는 경우가 있다. 오류를 검출하기 위해 송신기는 오류 검출 부호를 포함한 데이터를 전송하고 수신기는 수신한 데이터를 검사하여 오류가 있으면 재전송을 요청한다.

　수신한 데이터에 오류가 있는지 검출하는 가장 간단한 방식은 ㉠패리티 검사이다. 이 방식은 전송할 데이터에 패리티 비트라는 오류 검출 부호를 추가하는 방법으로, 패리티 비트를 추가하여 데이터의 1의 개수를 짝수나 홀수로 만든다. 1의 개수를 짝수로 만드는 방식을 짝수 패리티, 홀수로 만드는 방식을 홀수 패리티라고 하고 송·수신기는 모두 같은 방식을 사용해야 한다. 예를 들어 짝수 패리티를 사용한다면 송신기는 항상 데이터의 1의 개수를 짝수로 만들어서 전송하지만 만일 수신한 데이터의 1의 개수가 홀수가 되면 수신기는 오류가 발생했다고 판단하는 것이다. 하지만 패리티 검사는 ㉮수신한 데이터에서 짝수 개의 비트에 오류가 동시에 있으면 이를 검출하기 어렵다. 또한 오류의 발생 여부를 검출할 수 있을 뿐 데이터 내 오류의 위치는 알아낼 수 없다.

　전송할 데이터를 2차원 배열로 구성해서 패리티 비트를 생성하면 오류의 발생 여부뿐만 아니라 오류의 위치도 알아낼 수 있다. 예를 들어 송신기가 1100011 1111111을 전송한다고 하자. 송신기는 이를 $\begin{smallmatrix}1100011\\1111111\end{smallmatrix}$과 같이 2차원 배열로 구성하고 가로 방향인 모든 행과 세로 방향인 모든 열에 패리티 비트를 생성한 후 이를 포함한 데이터를 전송한다. 수신기는 수신한 데이터의 각각의 행과 열의 1의 개수를 세어 오류를 검사한다. 만약 어떤 비트에 오류가 발생하면 그 비트가 포함된 행과 열에서 모두 오류가 검출된다. 따라서 오류가 발생한 위치를 알 수 있다. 다만 동일한 행 또는 열에서 짝수 개의 오류가 발생하면 오류가 발생한 정확한 위치를 알 수 없다.

　㉡CRC 방식은 미리 선택된 생성 부호를 사용해서 오류 검출 부호를 생성하는 방식이다. 전송할 데이터를 생성 부호로 나누어서 오류 검출 부호를 생성하는 데 모듈로-2 연산을 활용한다. 모듈로-2 연산은 자릿수가 제한된 상태에서 나머지를 구하는 연산으로 해당 자릿수의 비트 값이 같으면 0, 다르면 1이 된다.

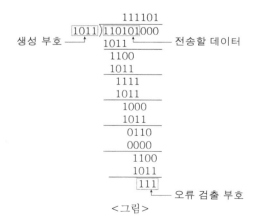

<그림>

　<그림>과 같이 생성 부호가 1011이고 전송할 데이터가 110101인 경우를 보자. 전송할 데이터는 오류 검출 부호를 추가해야 하기 때문에 그만큼의 비트가 더 필요하다. 송신기는 전송할 데이터의 오른쪽 끝에 생성 부호의 비트 수보다 하나

작은 비트 수만큼 0을 추가한 후 이를 생성 부호로 나누고 그 나머지가 오류 검출 부호가 된다. 송신기는 오류 검출 부호를 포함한 데이터 ㉢110101111만을 전송하고 수신기는 수신한 데이터를 송신기와 동일한 생성 부호로 나눈다. 수신한 데이터는 전송할 데이터에 나머지를 추가했으므로 오류가 없다면 생성 부호로 나누었을 때 나머지가 0이 된다. 이때 나머지가 0이 아니면 수신한 데이터에 오류가 있다고 판단한다. CRC 방식은 복잡하지만 여러 개의 오류가 동시에 생겨도 이를 검출할 수 있어서 오류 검출 확률이 높다.

6. 윗글에서 알 수 있는 내용으로 적절하지 <u>않은</u> 것은?

① CRC 방식은 모듈로-2 연산을 사용해서 생성 부호를 만들어 낸다.

② 패리티 검사에서 송신기와 수신기는 동일한 패리티 방식을 사용해야 한다.

③ CRC 방식에서 생성 부호의 비트 수는 오류 검출 부호의 비트 수보다 하나가 더 많다.

④ 짝수 패리티는 패리티 비트를 포함한 데이터의 1의 개수가 짝수인지 여부를 검사한다.

⑤ CRC 방식은 여러 개의 오류가 동시에 생겨도 검출할 수 있어서 오류 검출 확률이 높다.

7. ㉠과 ㉡에 대해 이해한 내용으로 적절하지 <u>않은</u> 것은?

① ㉠은 ㉡과 달리 데이터에 포함된 1의 개수가 짝수나 홀수가 되도록 오류 검출 부호를 생성한다.

② ㉡은 ㉠과 달리 데이터의 오류를 검출하기 위해 송신기와 수신기 모두에서 오류 검사를 해야 한다.

③ ㉠과 ㉡은 모두, 수신한 데이터의 오류 발생 여부를 수신기가 판단한다.

④ ㉠과 ㉡은 모두, 데이터를 전송하기 전에 오류 검출 부호를 생성해야 한다.

⑤ ㉠과 ㉡은 모두, 전송할 데이터가 같더라도 오류 검출 부호는 다를 수 있다.

8. ㉮의 이유로 가장 적절한 것은?

① 송신기가 패리티 비트를 생성하는 것이 불가능하기 때문에
② 전송되는 데이터에 포함된 1의 개수가 항상 홀수로 나타나기 때문에
③ 전송되는 데이터에 포함된 1의 개수가 항상 짝수로 나타나기 때문에
④ 오류가 발생했을 때 전송되는 패리티 비트의 크기가 늘어나기 때문에
⑤ 수신한 데이터가 정상일 때와 수신한 데이터에 오류가 있을 때의 패리티 비트가 동일하기 때문에

9. 윗글을 바탕으로 <보기>를 설명한 내용으로 적절하지 않은 것은? [3점]

< 보 기 >

송신기는 오류 검출 방식으로 홀수 패리티를 활용하기로 하였다. 수신기는 수신한 데이터에 오류가 있다고 다음과 같이 판단하였다.

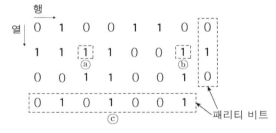

(단, 패리티 비트의 오류는 없다고 가정한다.)

① 첫 번째 행은 패리티 비트를 포함한 데이터의 1의 개수가 홀수이므로 오류가 없다고 판단했을 것이다.
② 여섯 번째 열은 패리티 비트를 포함한 데이터의 1의 개수가 홀수이므로 오류가 없다고 판단했을 것이다.
③ ⓐ가 포함된 행과 열의 패리티 비트를 포함한 데이터의 1의 개수가 각각 짝수이므로 수신기는 ⓐ를 오류라고 판단했을 것이다.
④ 수신한 데이터에서 ⓑ도 0으로 바뀌어서 수신되었다면 데이터의 오류 발생 여부를 검출할 수 없었을 것이다.
⑤ 짝수 패리티를 활용했다면 송신기는 ⓒ를 1010110으로 생성했을 것이다.

10. <보기>는 수신기가 ㉢의 오류를 검사한 연산이다. 윗글을 바탕으로 <보기>를 이해한 내용으로 적절하지 않은 것은?

< 보 기 >

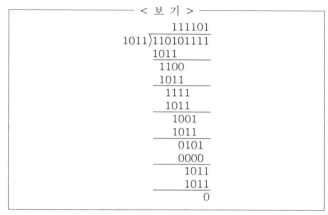

① 수신기는 송신기와 동일한 생성 부호인 '1011'을 사용하여 모듈로-2 연산을 하였군.
② 수신기가 수신한 데이터의 오른쪽 끝에 있는 '111'은 송신기에서 생성한 오류 검출 부호이군.
③ 수신기가 모듈로-2 연산을 할 때는 수신한 데이터에 생성 부호보다 하나 작은 비트 수만큼의 0을 추가하지 않았군.
④ 수신기가 연산한 몫인 '111101'이 송신기가 전송한 데이터와 동일하기 때문에 수신기는 오류가 없다고 판단했겠군.
⑤ 수신기가 연산한 결과의 나머지가 0이 아니었다면 수신기는 송신기에 재전송을 요청했겠군.

총 문항				문항	맞은 문항				문항
개별 문항	1	2	3	4	5	6	7	8	9	10
채점										
개별 문항	11	12	13	14	15	16	17	18	19	20
채점										

IV

8분 | 2021학년도 9월 학평 38~41번 | ★★☆ | 정답 042쪽

【1~4】 다음 글을 읽고 물음에 답하시오.

자동차에서 배출되는 오염 물질로 인한 대기 오염 및 기후 변화 문제가 심각해지면서 세계 각국은 온실가스의 배출 억제를 위해 자동차 분야 규제를 강화하고 있어 오염 물질의 배출이 적은 친환경차가 주목을 ㉮받고 있다.

친환경차에는 전기차, 수소전기차, 하이브리드차가 있는데 이 중 ㉠전기차와 수소전기차는 전기에너지를 운동에너지로 변환하여 주는 모터만으로 구동되고, ㉡하이브리드차는 모터와 함께 ㉢내연기관차처럼 연료를 연소시킬 때 발생하는 열에너지를 운동에너지로 바꿔 주는 엔진을 사용하여 구동된다. 내연기관차는 마찰 제동장치를 사용하므로 차가 감속할 때 운동에너지가 열에너지로 변환된 후 사라지는 반면, 친환경차는 감속 시 운동에너지를 전기에너지로 변환하여 배터리에 충전해 다시 사용할 수 있게 하는 회생 제동장치도 사용해 에너지 효율을 높이고 있다.

하이브리드차는 출발할 때에는 전기에너지를 이용하여 모터를 구동하고 주행 시에는 주행 상황에 따라 모터와 엔진을 적절히 이용하므로 일반 내연기관차보다 연비가 좋고 배기가스가 저감되는 효과가 있다. 전기차와 수소전기차는 엔진 없이 모터를 사용해 전기에너지만으로 달리는 차라 할 수 있다. 전기차는 고전압 배터리에 충전을 해 전기에너지를 모터로 공급하여 움직이고, 수소전기차는 연료 탱크에 저장된 수소를 연료전지를 통해 전기에너지로 변환하여 동력원으로 사용한다. 연료전지는 차량 구동에 필요한 수준의 전기에너지를 발전시키기 위해 다수의 연료전지를 직렬로 연결하여 가로로 쌓아 만드는데 이를 스택(stack)이라 한다. 연료전지는 저장된 수소와 외부로부터 공급되는 공기 속 산소가 만나 일어나는 산화·환원 반응 과정을 통해 전기에너지를 생성하는데, 산화란 어떤 물질이 전자를 내어 주는 것을, 환원이란 전자를 받아들이는 것을 의미한다. 이렇게 물질이 전자를 얻거나 잃는 것을 이온화라고도 하는데 물질이 전자를 얻으면 음이온이, 전자를 잃으면 양이온이 된다.

수소전기차에는 백금을 넣은 촉매와 고분자전해질막을 지닌 연료전지를 많이 사용하는데 다른 연료전지에 비해 출력이 크고 저온에서도 작동이 되며 구조도 간단하다. 연료전지의 ―극과 +극에 사용되는 촉매 속에 들어있는 백금은 ―극에서는 수소의 산화 반응을, +극에서는 산소의 환원 반응을 활성화한다. 그리고 두 극 사이에 있는 고분자전해질막은 양이온의 이동은 돕고 음이온과 전자의 이동은 억제하는 역할을 한다.

연료전지에서 전기에너지가 생성되는 과정은 수소를 저장한 연료 탱크로부터 수소가 ―극으로, 공기공급기로 유입되는 외부의 공기 속 산소가 +극으로 공급되며 시작된다. ―극에 공급된 수소는 촉매 속 백금에 의해 수소 양이온(H^+)과 전자(e^-)로 분리되고, 수소 양이온은 고분자전해질막을 통과해 +극으로, 전자는 외부 회로를 통해 +극으로 이동한다. 이렇게 전자가 외부 회로로 흐르며 전기에너지가 발생하는데, 생성된 전기에너지는 모터로 전해져 동력원이 되고 일부는 배터리에 축전된다. +극에서는 공급된 산소가 외부 회로를 통해 이동해 온 전자(e^-)와 결합해 산소 음이온(O^-)이 된 후, 수소 양이온(H^+)과 만나 물(H_2O)이 되어 외부로 배출된다.

수소전기차에 사용되는 수소는 가솔린의 세 배나 되는 단위 질량당 에너지 밀도를 지니고 있어 에너지 효율이 높다. 그리고 수소와 산소의 반응을 이용하므로 오염 물질이나 온실가스의 배출이 적고 외부로부터 공급되는 공기를 필터로 정화하여 사용한 후 배출하므로 공기를 정화하는 기능도 한다. 그러나 고가인 백금과 고분자전해질막을 사용해 연료전지를 제작해 가격이 비싸다는 점, 수소는 고압으로 압축해야 하므로 폭발할 위험성이 커 보관과 이동에 어려움이 있다는 점 등 해결해야 할 문제들이 남아 있다.

1. 윗글에 대해 이해한 내용으로 적절하지 <u>않은</u> 것은?

① 고압으로 압축한 수소는 폭발할 위험이 크니 보관이나 이동에 어려움이 많겠군.

② 수소전기차는 공급되는 외부 공기를 필터로 걸러 사용하므로 정화된 공기가 배출되겠군.

③ 수소가 연료로 쓰이는 이유는 가솔린보다 에너지 효율은 낮지만 친환경적이기 때문이겠군.

④ 백금과 고분자전해질막을 대신할 저가의 원료를 개발한다면 연료전지의 가격을 낮출 수 있겠군.

⑤ 수소전기차를 구동할 수준의 전기에너지를 만들어 내려면 다수의 연료전지를 직렬로 연결해 만들어야겠군.

2. <보기>는 수소전기차의 연료전지에서 전기에너지가 생성되는 과정을 도식화한 것이다. 윗글을 바탕으로 <보기>를 이해한 내용으로 적절하지 <u>않은</u> 것은? [3점]

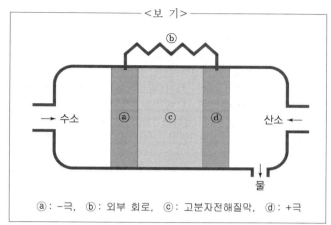

ⓐ : -극, ⓑ : 외부 회로, ⓒ : 고분자전해질막, ⓓ : +극

① ⓐ와 ⓓ에 들어 있는 금속은 각각 수소와 산소의 이온화를 촉진하겠군.

② ⓑ를 통해 전자가 흘러가는 이유는 ⓒ가 전자의 이동을 억제하기 때문이겠군.

③ ⓒ를 통과하여 ⓓ로 이동하는 수소 양이온은 ⓐ에서 전자를 잃은 수소이겠군.

④ ⓐ와 ⓓ에서 분리된 전자는 ⓑ에서 만나 전기에너지를 생성하겠군.

⑤ ⓓ에서는 수소 양이온과 산소 음이온이 결합하여 물이 생성되겠군.

3. ㉠~㉢에 대한 이해로 적절하지 <u>않은</u> 것은?

① ㉠은 ㉡, ㉢과 달리 연료 탱크를 제작할 필요가 없다.

② ㉡은 ㉠에 쓰이는 모터와 ㉢에 쓰이는 엔진을 주행 상황에 따라 이용한다.

③ ㉢은 ㉠, ㉡과 달리 감속할 때 발생하는 에너지를 자동차의 주행에 활용하지 못한다.

④ ㉠, ㉡은 ㉢에 비해 배출되는 오염 물질과 온실가스의 양이 적다.

⑤ ㉠, ㉡은 ㉢과 달리 전기에너지를 운동에너지로 변환하여 출발한다.

4. 문맥상 ㉣와 가장 가까운 의미로 쓰인 것은?

① 회사의 미래를 위해 신입 사원을 <u>받아야</u> 하겠군.

② 네가 원하는 요구 조건은 무엇이든지 <u>받아</u> 주겠다.

③ 그 아이는 막내로 태어나 집에서 귀염을 <u>받고</u> 자랐다.

④ 그는 좌회전 신호를 <u>받고</u> 천천히 차의 속도를 높였다.

⑤ 예전에는 빗물을 큰 물통에 <u>받아</u> 빨래하는 데 쓰기도 했다.

【5~9】 다음 글을 읽고 물음에 답하시오.

컴퓨터의 중앙처리장치인 CPU는 데이터를 처리하기 위해 주기억장치와 끊임없이 데이터를 주고받는다. 그런데 CPU는 처리 속도가 매우 빠른 반면, 주기억장치의 처리 속도는 상대적으로 느리다. 그렇기 때문에 CPU가 명령을 실행할 때마다 주기억장치로부터 데이터를 읽어 오면 두 장치의 처리 속도의 차이로 인해 명령을 빠르게 실행할 수가 없다. 그래서 캐시 기억장치를 활용하여 데이터 처리 속도를 향상시킨다. 캐시 기억장치는 CPU 내에 또는 CPU와 주기억장치 사이에 위치한 기억장치로 주기억장치보다 용량은 작지만 처리 속도가 매우 빠르다. 이러한 캐시 기억장치에 주기억장치의 데이터 중 자주 사용되는 데이터의 일부를 복사해 두고 CPU가 이 데이터를 사용하도록 하는 과정을 '캐싱(caching)'이라고 한다.

캐싱이 효율적으로 이루어지려면 CPU가 캐시 기억장치에 저장된 데이터를 반복적으로 사용하는 것이 중요한데 이를 위해 고려되는 것이 참조의 지역성이다. 참조의 지역성은 시간적 지역성과 공간적 지역성으로 나눌 수 있다. 시간적 지역성은 CPU가 한 번 사용한 특정 데이터가 가까운 미래에 다시 사용될 가능성이 높은 것을 말하고, 공간적 지역성은 한 번 사용한 데이터 근처에 있는 데이터가 곧 사용될 가능성이 높은 것을 말한다.

한편 주기억장치는 '워드(word)' 단위로 데이터가 저장되고 캐시 기억장치는 '블록(block)' 단위로 데이터가 저장된다. 이때 워드는 비트(bit)*의 집합이고 블록은 연속된 워드 여러 개의 묶음을 말한다. 주기억장치의 데이터가 캐시 기억장치에 저장되는 장소를 '라인(line)'이라고 한다. 캐시 기억장치는 일반적으로 하나의 라인에 하나의 블록이 들어갈 수 있도록 설계되어 있기 때문에 주기억장치에서 캐시 기억장치로 데이터를 전송할 때에는 블록 단위로 데이터를 전송한다. 캐시 기억장치의 용량은 주기억장치보다 훨씬 작기 때문에 주기억장치의 블록 중에서 일부만 캐시 기억장치에 저장될 수 있다. 그러므로 캐싱을 위해서는 주기억장치의 여러 블록이 캐시 기억장치의 하나의 라인을 공유하여 사용해야 한다.

[A] ┌ 예를 들어 어떤 컴퓨터의 주기억장치의 데이터 용량을 워드 2^n개, 캐시 기억장치의 데이터 용량을 워드 M개라고 가정해 보자. 이때 주기억장치의 블록 한 개가 K개의 워드로 이루어져 있다고 하면 이 주기억장치의 총 블록 개수는 $2^n/K$개가 되며 각 워드는 n비트의 주소로 지정된다. 그리고 캐시 기억장치의 각 라인은 K개의 워드로 채워지므로 캐시 └ 기억장치에는 총 M/K개의 라인이 만들어진다.

캐싱이 이루어질 때 CPU가 요청한 데이터가 캐시 기억장치에 있는지 여부를 확인하고 해당 데이터를 불러오기 위해 주기억장치의 데이터 주소가 사용된다. 이 주소는 '태그 필드, 라인 필드, 워드 필드'의 형식으로 구성되어 있는데 '태그 필드'는 캐시 기억장치의 특정 라인에 주기억장치의 어떤 블록이 저장되어 있는지를 구분해 주는 역할을 한다. 그리고 '라인 필드'는 주기억장치의 블록이 들어갈 캐시 기억장치의 라인을 지정해 주며, '워드 필드'는 주기억장치의 각 블록에 저장되어 있는 워드를 지정해 준다.

┌ 주기억장치의 데이터를 캐시 기억장치에 저장하는 방식에는 여러 가지가 있는데 그중 하나가 ㉠'직접 매핑'이다. 직접

매핑은 주기억장치의 데이터를 블록 단위로 캐시 기억장치의 지정된 라인에 저장하는 방식이다. 직접 매핑 방식에서 캐싱이 이루어지는 과정은 다음과 같다. CPU가 '태그 필드, 라인 필드, 워드 필드'로 이루어진 주소를 통해 데이터를 요청하면, 우선 요청 주소의 라인 필드를 이용하여 캐시 기억장치의 해당 라인을 확인한다. 그리고 해당 라인에 데이터가 저장되어 있으면 그 라인의 태그와 요청 주소의 태그를 비교한다. 이때 두 태그의 값이 일치하는 경우를 '캐시 히트

[B] (cache hit)'라고 하며, 캐시 히트가 일어나면 주소의 워드 필드를 이용하여 라인 내 워드들 중에서 해당 데이터를 찾아 CPU에 보내 준다. 그런데 CPU가 요청한 주소의 태그와 캐시 기억장치 라인의 태그가 일치하지 않거나 해당 라인이 비어 있어서 요청한 데이터를 찾지 못하는 경우가 있다. 이는 CPU가 요청한 데이터가 캐시 기억장치에 저장되어 있지 않다는 의미로, 이 경우를 '캐시 미스(cache miss)'라고 한다. 캐시 미스가 일어나면 요청 주소에 해당하는 블록을 주기억장치에서 복사하여 캐시 기억장치의 지정된 라인에 저장한다. 그리고 주소의 태그를 그 라인의 태그 필드에 기록하고 요청된 데이터를 CPU에 보내 준다. 만약 그 라인에 다른 블록이 저장되어 있다면 그 블록은 지워지고 새롭게 └ 가져온 블록이 저장된다.

직접 매핑은 CPU가 요청한 데이터가 캐시 기억장치에 있는지 확인할 때 해당 라인만 검색하면 되기 때문에 검색 속도가 빠르다. 그리고 회로의 구조가 단순하여 시스템을 구성하는 비용이 저렴한 장점이 있다. 하지만 같은 라인에 저장되어야 하는 서로 다른 블록을 CPU가 번갈아 요청하는 경우, 계속 캐시 미스가 발생해서 반복적으로 블록이 교체되므로 시스템의 효율이 ⓐ떨어질 수 있다. 그래서 캐시 기억장치의 라인 어디에나 자유롭게 블록을 저장하는 '완전 연관 매핑', 직접 매핑과 완전 연관 매핑을 혼합한 '세트 연관 매핑' 등을 활용하기도 한다.

* 비트: 컴퓨터에서 정보를 나타내는 가장 기본적인 단위. 2진수의 0 또는 1이 하나의 비트.

5. 윗글의 내용과 일치하는 것은?

① 캐시 기억장치의 하나의 라인에는 하나의 워드만 저장될 수 있다.

② 캐시 기억장치는 주기억장치보다 용량이 크고 처리 속도가 느리다.

③ 캐시 기억장치에 저장된 데이터가 반복적으로 사용되어야 캐싱의 효율이 높아진다.

④ 시간적 지역성은 한 번 사용된 데이터 근처에 있는 데이터가 곧 사용될 가능성이 높은 것을 말한다.

⑤ 캐싱은 캐시 기억장치의 데이터 중 자주 사용되는 데이터의 일부를 주기억장치에 복사하여 사용하는 것을 말한다.

6. [A]를 참고할 때 <보기>의 ㉮~㉰에 들어갈 말을 바르게 짝지은 것은?

> ― <보 기> ―
>
> 주기억장치의 데이터 용량이 64개의 워드이고, 하나의 블록이 4개의 워드로 이루어져 있다면, 주기억장치는 총 16개의 (㉮)(으)로 구성되며, 각 워드는 (㉯)의 주소로 지정된다. 또한 캐시 기억장치의 데이터 용량이 16개의 워드라면 캐시 기억장치의 라인은 (㉰)가 만들어진다.

	㉮	㉯	㉰
①	블록	6비트	4개
②	블록	8비트	6개
③	워드	8비트	4개
④	라인	6비트	4개
⑤	라인	8비트	6개

7. <보기>는 '직접 매핑' 과정을 도식화한 것이다. [B]를 바탕으로 <보기>를 이해한 내용으로 적절하지 않은 것은? [3점]

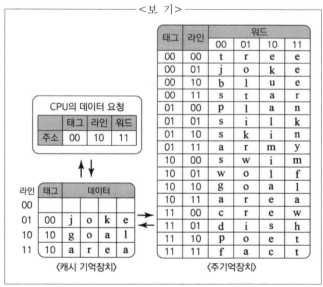

① 요청된 주소의 '10'을 이용하여 캐시 기억장치의 라인을 확인한 후 태그 '00'이 그 라인의 태그와 일치하는지 확인하겠군.
② CPU가 요청한 데이터가 캐시 기억장치에 저장되어 있지 않으므로 캐시 미스가 일어나겠군.
③ 주기억장치의 데이터 블록 중에서 'b, l, u, e'가 복사되어 캐시 기억장치에 저장되겠군.
④ 캐시 기억장치의 라인 '01'에 저장되어 있는 데이터 블록이 삭제되겠군.
⑤ CPU의 데이터 요청에 의해 최종적으로 CPU로 보내지는 데이터는 'e'가 되겠군.

8. ㉠과 <보기>의 ㉡을 비교한 내용으로 가장 적절한 것은?

> ― <보 기> ―
>
> ㉡완전 연관 매핑은 캐시 기억장치에 블록을 저장할 때 라인을 지정하지 않고 임의로 저장하는 방식이다. 이 방식은 필요한 데이터 위주로 저장할 수 있기 때문에 매핑 방식 중에 캐시 히트의 확률이 가장 높다. 그러나 히트 여부 확인이 모든 라인에 걸쳐 이루어져야 하므로 검색 시간이 가장 오래 걸린다. 그리고 회로의 구조가 복잡해서 시스템을 구성하는 비용이 높다. 주기억장치의 블록이 캐시 기억장치의 정해진 라인에 저장되는 것이 아니기 때문에 주기억장치의 주소는 태그 필드, 워드 필드로 이루어진다. 대신 블록이 교체될 때 어떤 블록을 삭제할지를 결정하는 블록 교체 알고리즘이 별도로 필요하다.

① ㉠과 달리 ㉡은 주기억장치의 주소에 태그 필드가 있다.
② ㉠과 달리 ㉡은 캐시 히트 여부를 확인하는 시간이 빠르다.
③ ㉡과 달리 ㉠은 블록 교체 알고리즘이 필요하다.
④ ㉡과 달리 ㉠은 라인을 지정하여 블록을 저장한다.
⑤ ㉠과 ㉡은 모두 회로의 구조가 복잡하다.

9. 문맥상 의미가 ⓐ와 가장 가까운 것은?
① 엔진의 성능이 떨어져서 큰일이다.
② 소매에서 단추가 떨어져서 당황했다.
③ 감기가 떨어지지 않아 큰 고생을 했다.
④ 해가 떨어지기 전에 이 일을 마치기로 했다.
⑤ 굵은 빗방울이 머리에 한두 방울씩 떨어지기 시작했다.

총 문항					문항	맞은 문항				문항
개별 문항	1	2	3	4	5	6	7	8	9	10
채점										
개별 문항	11	12	13	14	15	16	17	18	19	20
채점										

8분　2018학년도 9월 학평 16~19번　★★☆　정답 044쪽

【1~4】 다음 글을 읽고 물음에 답하시오.

열차 운행의 중요한 과제는 열차를 신속하게 운행하면서도 열차끼리의 충돌 사고를 방지하는 것이다. 열차를 운행할 때는 일반적으로 역과 역 사이에 일정한 간격으로 구간을 설정하고 하나의 구간에는 한 대의 열차만 운행하도록 하는데, 이러한 구간을 '폐색구간'이라고 한다. 폐색구간을 안전하게 관리하면서도 열차 운행의 속도를 높이는 데 도움을 주기 위해서 열차나 선로에는 다양한 안전장치들이 설치되어 있다.

'자동폐색장치(ABS)'는 폐색구간의 시작과 끝에 신호를 설치하고 궤도회로*를 이용하여 열차의 위치에 따라 신호를 자동으로 제어하는 장치이다. 폐색구간에 열차가 있을 때에는 정지 신호인 적색등이 켜지고, 열차가 폐색구간을 지나간 후에는 다음 기차가 진입해도 좋다는 녹색등이 표시된다. 이를 바탕으로 뒤따라오는 열차의 기관사는 앞 구간의 열차 유무를 확인하여 열차의 운행 속도를 제어하고 앞 열차와의 안전거리를 유지하며 열차 사고를 방지한다.

그런데 악천후나 응급 상황으로 기관사가 신호기에 표시된 정지 신호를 잘못 인식하거나 확인하지 못해 충돌 사고가 발생하는 경우가 있다. 이러한 충돌 사고를 방지하기 위한 장치를 설치하는데, 이를 '자동열차정지장치(ATS)'라고 한다. ATS는 선로 위의 지상장치와 열차 안의 차상장치로 구성되는데, 열차가 지상장치를 통과할 때 지상장치에서 차상장치로 신호기 점등 정보를 보낸다. 이때 차상장치에 '정지'를 의미하는 적색등이 켜지면 벨이 울려 기관사에게 알려 준다. 그러면 기관사는 이를 확인하고 제동장치를 작동하여 열차를 감속하거나 정지시키는 등 열차 전반의 운행을 제어하고 앞 열차와의 안전거리를 유지해야 한다. 그런데 벨이 5초 이상 계속 울리고 있는데도 열차 속도가 줄어들지 않으면 ATS는 이를 위기 상황으로 판단하고 제동장치에 비상 제동을 명령하여 자동으로 열차를 멈춰 서게 한다. 이렇게 ATS는 위기 상황으로 인한 충돌 사고를 예방해 준다. 하지만 ㉠평상시 기관사의 운전 부담을 줄여 주는 데는 한계가 있다.

[A] —
'자동열차제어장치(ATC)'는 신호에 따라 여러 단계로 나누어진 열차 제한 속도 정보를 지상장치에서 차상장치로 전송한다. 그리고 전송된 제한 속도를 넘지 않도록 열차의 속도를 자동으로 감시하고 제어함으로써 선행 열차와의 충돌을 막아주고 좀 더 효율적인 열차 운행이 가능하게 해준다. ATC는 송수신장치, 열차검지장치, 속도신호생성장치, 속도검출기, 처리장치, 제동장치 등으로 구성되어 있다.

여러 개의 궤도회로로 나뉜 선로 위를 A열차와 B열차가 달리고 있다고 가정해 보자. A, B열차가 서로 다른 궤도회로에 각각 진입하면 지상의 송수신장치에서 열차검지장치로 신호를 보내고 열차검지장치는 이 신호를 바탕으로 선로 위에 있는 A, B열차의 위치를 파악한다. 속도신호생성장치는 앞서가는 A열차의 위치와 뒤따라오는 B열차의 위치를 바탕으로 B열차가 주행해야 할 적절한 속도를 연산하여 B열차의 제한 속도를 결정한다. 이 속도는 B열차가 위치하고 있는 궤도회로에 전송되고 지상의 송수신장치를 통해 B열차에 일정 시간 간격으로 계속 전달된다.

그러면 B열차의 운전석 계기판에는 수신된 제한 속도와 속도검출기를 통해 얻은 B열차의 현재 속도가 동시에 표시되어 기관사가 제한 속도를 확인하며 운전할 수 있도록 한다. 이때 열차의 현재 속도가 제한 속도를 초과하면 처리장치에서 자동으로 신호를 보내고 신호를 받은 제동장치가 작동되며 열차의 속도를 줄여 준다. 속도가 줄어 제한 속도 이하가 되면 제동이 풀리고 기관사는 속도를 높이게 된다. ATC는 열차가 제한 속도를 넘지 않도록 자동으로 속도를 조절하기 때문에 과속으로 인한 사고를 예방해 주지만, 제한 속도 안에서는 기관사가 직접 속도를 감속하고 가속해야 한다는 점에서 기관사의 부담은 여전히 남아 있다.
— [A]

많은 사람들이 이용하는 열차의 특성상 열차 충돌 사고가 발생하면 큰 인명 피해로 이어진다. 그래서 현재까지도 열차 사이의 안전거리를 확보하면서도 운행 간격을 최대한 단축하고 열차의 운행 속도를 높이는 기술에 대한 연구가 지속적으로 이루어지고 있다.

* 궤도회로: 레일을 전기회로의 일부로 사용하여 레일상의 열차를 검지하는 회로. 신호와 경보기 등을 제어하고 지상에서 차상에 정보를 전달함.

1. 윗글의 표제와 부제로 가장 적절한 것은?

① 열차 운행의 과제
　– 안전장치의 종류와 작동 원리를 중심으로
② 열차 안전사고의 현황
　– 폐색구간에서의 발생 사례를 중심으로
③ 열차 운행 구간의 종류
　– 안전장치의 필요성과 운행 속도를 중심으로
④ 열차 사이의 운행 간격 조절
　– 속도검출기의 작동 과정을 중심으로
⑤ 열차 속도 검출 방식의 역사
　– 자동열차정지장치와 자동열차제어장치를 중심으로

2. 윗글의 내용과 일치하지 <u>않는</u> 것은?

① '폐색구간'은 한 대의 열차만 운행하도록 정해진 구간이다.
② '자동폐색장치'는 정지 신호를 오인하여 발생하는 사고를 예방해 준다.
③ '자동폐색장치'는 궤도회로를 이용하여 열차 위치에 따라 신호를 자동으로 제어한다.
④ '자동열차정지장치'는 지상장치와 차상장치로 구성되어 있다.
⑤ '자동열차정지장치'는 위기 상황에서 자동으로 작동하여 열차를 정지시킨다.

3. [A]를 바탕으로 <보기>의 ⓐ~ⓔ를 이해한 내용으로 적절하지 <u>않은</u> 것은? [3점]

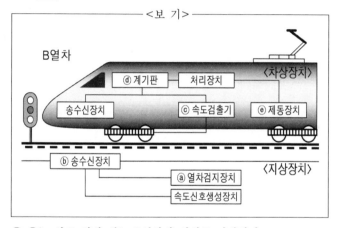

─ <보 기> ─

① ⓐ는 선로 위에 있는 B열차의 위치를 파악한다.
② ⓑ를 통해 B열차의 운행 제한 속도가 차상장치에 주기적으로 전달된다.
③ ⓒ는 B열차가 주행해야 할 속도를 연산하여 제한 속도를 결정한다.
④ ⓓ를 통해 B열차의 기관사는 운행 제한 속도와 현재 속도를 확인할 수 있다.
⑤ ⓔ는 B열차가 제한 속도를 초과할 경우 처리장치에서 신호를 받아 열차의 속도를 줄여 준다.

4. 윗글을 바탕으로 ㉠의 이유를 추론한 것으로 가장 적절한 것은?

① 정지 신호가 수신될 때 벨이 울리기 때문에
② 열차의 운전석 안에도 신호 정보가 표시되기 때문에
③ 기관사가 신호기 정보를 직접 조작해야 하기 때문에
④ 비상시에 열차의 충돌을 자동으로 방지할 수 있기 때문에
⑤ 기관사가 열차의 운행 속도를 직접 조절해야 하기 때문에

【5~9】 다음 글을 읽고 물음에 답하시오.

　초고층 건물은 높이가 200미터 이상이거나 50층 이상인 건물을 말한다. 이런 초고층 건물을 지을 때는 건물에 ⓐ작용하는 힘을 고려해야 한다. 건물에 작용하는 힘에는 수직 하중과 수평 하중이 있다. 수직 하중은 건물 자체의 무게로 인해 땅 표면에 수직 방향으로 작용하는 힘이고, 수평 하중은 바람이나 지진 등에 의해 건물에 가로 방향으로 작용하는 힘이다.

　수직 하중을 견디기 위해서 ⓑ고안된 가장 단순한 구조는 ㉠보기둥 구조이다. 보기둥 구조는 기둥과 기둥 사이를 가로지르는 수평 구조물인 보를 설치하고 그 위에 바닥판을 놓은 구조이다. 보기둥 구조에서는 설치된 보의 두께만큼 건물의 한 층당 높이가 높아지지만, 바닥판에 작용하는 하중이 기둥에 집중되지 않고 보에 의해 ⓒ분산되기 때문에 수직 하중을 잘 견딜 수 있다.

　위에서 아래 방향으로만 작용하는 수직 하중과 달리 수평 하중은 사방에서 작용하는 힘이기 때문에 초고층 건물의 안전에 미치는 영향이 수직 하중보다 훨씬 크다. 수평 하중은 초고층 건물의 안전을 위협하는 주요 요인인데, 바람은 건물에 작용하는 수평 하중의 90% 이상을 차지한다. 건물이 많은 도심에서는 넓은 공간에서 좁은 공간으로 바람이 불어오면서 풍속이 빨라지는 현상이 발생해 건물에 작용하는 수평 하중을 크게 만든다. 그리고 바람에 의해 공명 현상*이 발생하면 건물이 매우 크게 흔들리게 되어 건물의 안전을 위협하게 된다.

　건물이 수평 하중을 견디기 위해서는 기본적으로 뼈대에 해당하는 보와 기둥을 아주 단단하게 붙여야 하지만, 초고층 건물의 경우 이것만으로는 수평 하중을 견디기 힘들다. 그래서 등장한 것이 ㉡코어 구조이다. 코어는 빈 파이프 모양의 철골 콘크리트 구조물을 건물 중앙에 세운 것으로, 코어에 건물의 보와 기둥들을 강하게 접합한다. 이렇게 하면 외부에서 작용하는 수평 하중에도 불구하고 코어로 인해 건물이 크게 흔들리지 않게 된다. 그런데 초고층 건물은 그 높이가 높아질수록 수평 하중이 커지고 그에 따라 코어의 크기도 커져야 한다. 코어 구조는 가운데 빈 공간이 있어 공간 활용의 효율성이 떨어지기 때문에 현대의 초고층 건물은 ㉣코어에 승강기나 화장실, 계단, 수도, 파이프 같은 시설을 설치하는 경우가 많다.

　그런데 초고층 건물의 높이가 점점 높아지면 코어 구조만으로는 수평 하중을 완벽하게 견뎌 낼 수 없다. 그래서 ㉢아웃리거-벨트 트러스 구조를 사용하여 코어 구조를 보완한다. 아웃리거-벨트 트러스 구조에서 벨트 트러스는 철골을 사용하여 건물의 외부 기둥들을 삼각형 구조의 트러스로 짜서 벨트처럼 둘러 싼 것으로 수평 하중을 ⓓ지탱하는 역할을 한다. 삼각형 구조의 트러스로 외부 기둥들을 연결하면 외부에서 작용하는 힘이 철골 접합부를 통해 전체적으로 분산되기 때문에 코어에 무리한 힘이 가해지는 것을 예방할 수 있다. 그리고 아웃리거는 콘크리트를 사용하여 건물 외벽에 설치된 벨트 트러스를 내부의 코어와 ⓔ견고하게 연결한 것으로, 아웃리거와 벨트 트러스

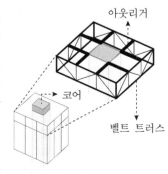

<아웃리거 - 벨트 트러스 구조>

는 필요에 따라 건물 중간중간에 여러 개가 설치될 수 있다. 그런데 아웃리거는 건물 내부를 가로지를 수밖에 없어서 효율적인 공간 구성에 방해가 된다. 이런 단점을 극복하기 위해 ⓒ 아웃리거를 기계 설비층에 설치하거나 층과 층 사이, 즉 위층 바닥과 아래층 천장 사이에 설치하기도 한다.

[A] ┌ 초고층 건물은 특수한 설비를 이용하여 바람으로 인한 건물의 흔들림을 줄이기도 하는데 대표적인 것이 TLCD, 즉 동조 액체 기둥형 댐퍼이다. TLCD는 U자형 관 안에 수백 톤의 물이 채워진 것으로 초고층 건물의 상층부 중앙에 설치한다. 바람이 불어 건물이 한쪽으로 기울어져도 물은 관성의 법칙에 따라 원래의 자리에 있으려 하기 때문에 건물이 기울어진 반대 쪽에 있는 관의 물 높이가 높아진다. 그렇게 되면 그 관의 아래로 작용하는 중력도 커지고, 이로 인해 건물을 기울어지게 하는 힘을 약화시켜 흔들림이 줄어들게 된다. 물이 무거울수록 그리고 관 전체의 가로 폭이 넓어질수록 수평 방향의 흔들림을 줄여 주는 효과가 크다. 하지만 그에 따라 수직 하중이 증가하므로 TLCD는 수평 └ 하중과 수직 하중을 함께 고려하여 설계해야 한다.

*공명 현상 : 진동체가 그 고유 진동수와 같은 진동수를 가진 외부의 힘을 받아 진폭이 뚜렷하게 증가하는 현상.

5. 윗글의 내용에 대한 이해로 적절하지 <u>않은</u> 것은?

① 수직 하중은 수평 하중과 달리 사방에서 건물에 가해지는 힘이다.
② 건물이 높아질수록 건물에 가해지는 수직 하중은 증가한다.
③ 보기둥 구조에서 보의 두께는 한 층당 높이에 영향을 준다.
④ 넓은 공간에서 좁은 공간으로 바람이 불어오면 풍속이 빨라진다.
⑤ 공명 현상은 건물에 가해지는 수평 하중을 증가시키는 요인이 된다.

6. ㉠ ~ ㉢을 설명한 내용으로 적절하지 <u>않은</u> 것은?

① ㉠은 기둥과 기둥 사이에 설치한 수평 구조물 위에 바닥판을 놓는 구조이다.
② ㉠에서 보는 건물에 작용하는 수직 하중이 기둥에 집중되는 것을 예방한다.
③ ㉡에서 코어는 건물의 높이가 높아짐에 따라 그 크기가 커져야 한다.
④ ㉢에서 트러스는 아웃리거와 코어의 결합력을 높여 수평 하중을 덜 받게 한다.
⑤ ㉡과 ㉢을 함께 사용하면 건물에 작용하는 수평 하중을 견디는 힘이 커진다.

7. 문맥을 고려할 때, ㉮와 ㉯의 이유로 가장 적절한 것은?

① 건물의 외부 미관을 살리기 위해서
② 건물의 건설 비용을 줄이기 위해서
③ 건물의 공간을 효율적으로 활용하기 위해서
④ 건물에 작용하는 외부의 힘을 줄이기 위해서
⑤ 필요에 따라 공간의 용도를 변경하기 위해서

8. [A]를 바탕으로 <보기>의 'TLCD'를 이해한 내용으로 적절하지 <u>않은</u> 것은? [3점]

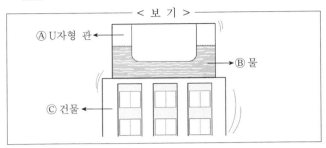

― < 보 기 > ―
Ⓐ U자형 관
Ⓑ 물
Ⓒ 건물

① Ⓐ가 한쪽으로 기울어도 Ⓑ는 원래의 자리에 있으려 할 것이다.
② Ⓐ가 왼쪽으로 기울면 오른쪽 관에 있는 Ⓑ의 높이가 왼쪽보다 높아질 것이다.
③ Ⓐ 전체의 가로 폭이 넓어질수록 Ⓒ가 수평 하중을 견디는 효과가 작아질 것이다.
④ Ⓐ 안에 있는 Ⓑ의 양이 많을수록 Ⓒ에 작용하는 수직 하중이 증가할 것이다.
⑤ Ⓐ에 채워진 Ⓑ의 무게가 무거울수록 Ⓒ의 수평 방향의 흔들림을 줄여 주는 효과가 클 것이다.

9. ⓐ ~ ⓔ의 사전적 의미로 적절하지 <u>않은</u> 것은?

① ⓐ : 어떠한 현상을 일으키거나 영향을 미침.
② ⓑ : 연구하여 새로운 것을 생각해 냄.
③ ⓒ : 갈라져 흩어짐.
④ ⓓ : 어떤 상태나 현상을 그대로 보존함.
⑤ ⓔ : 굳고 단단함.

총 문항					문항	맞은 문항			문항
개별 문항	1	2	3	4	5	6	7	8	9	10
채점									
개별 문항	11	12	13	14	15	16	17	18	19	20
채점									

예술 및 복합

예술 및 복합

🏷️ **출제 트렌드**

예술은 음악, 미술, 건축, 공연, 사진 등 다양한 분야의 예술에 대한 이해와 예술 사조, 장르에 대한 정의, 흐름 등을 다루는 분야입니다. 예술 작품을 감상하고 비평하는 안목을 필요로 하지만 이는 수험생의 자의적 판단이 아닌 글쓴이의 입장에 따라 이루어져야 함을 명심해야 합니다. 또한 여러 작가와 작품을 비교하는 문제가 빈번하게 출제되니 공통점과 차이점을 체크해 가면서 읽어야 합니다. 예술 지문은 다른 분야의 지문에 비해 출제 빈도가 낮으며, 2022학년도 시험에서는 출제되지 않았습니다.

복합 지문은 인문과 과학, 과학과 기술, 인문과 예술 등 두 가지 분야가 융합된 주제를 다룹니다. 그러나 복합 지문이라고 해서 특별히 다를 것은 없으며, 의외로 구조가 단순한 경우도 많으니 다른 지문과 마찬가지로 문단별로 핵심어와 중심 내용 파악에 집중하면 됩니다.

시행	출제 지문	문제 수	난이도
2021학년도 11월 학평	양전자 단층 촬영(PET)	5문제 출제	★★☆
2021학년도 9월 학평	국악의 장단	3문제 출제	★☆☆
2020학년도 3월 학평	미래주의 회화	4문제 출제	★★☆

🏷️ **1등급 꿀팁**

하나 _ 예술 지문은 다른 지문에 비해 비교적 내용이 쉬우므로 실수하지 말자.

두울 _ 지문을 눈으로만 읽지 말고 밑줄과 기호 등을 적극적으로 활용하자.

세엣 _ 예술 지문에 자주 쓰이는 어휘들은 미리 배경지식으로 알아 두자.

네엣 _ 핵심 제재와 그것에 대한 설명을 놓치지 말고 이해하자.

다섯 _ 복합 지문도 결국 내용 이해와 세부 요소들 간의 관계 파악이 핵심임을 알자.

여섯 _ 지문의 구조나 내용 전개 방식, 어휘에 관한 문제는 지문을 읽으면서 동시에 풀자.

일곱_ 추론이나 적용이 필요한 문제는 사고력을 활용하되 반드시 지문 속에서 근거를 찾도록 하자.

다음 글을 읽고 물음에 답하시오.

미래주의는 20세기 초 이탈리아 시인 마리네티의 '미래주의 선언'을 시작으로, 화가 발라, 조각가 보치오니, 건축가 상텔리아, 음악가 루솔로 등이 참여한 전위예술* 운동이다. 당시 산업화에 뒤처진 이탈리아는 산업화에 대한 열망과 민족적 자존감을 ⓐ고양시킬 수 있는 새로운 예술을 필요로 하였다. 이에 산업화의 특성인 속도와 운동에 주목하고 이를 예술적으로 표현하려는 미래주의가 등장하게 되었다.

특히 미래주의 화가들은 질주하는 자동차, 사람들로 북적이는 기차역, 광란의 댄스홀, 노동자들이 일하는 공장 등 활기찬 움직임을 보여 주는 모습을 주요 소재로 삼아 산업 사회의 역동적인 모습을 표현하였다. 그들은 대상의 움직임의 ⓑ추이를 화폭에 담아냄으로써 대상을 생동감 있게 형상화하려 하였다. 이를 위해 미래주의 화가들은, 시간의 흐름에 따른 대상의 움직임을 하나의 화면에 표현하는 분할주의 기법을 사용하였다. '질주하고 있는 말의 다리는 4개가 아니라 20개다.'라는 미래주의 선언의 내용은, 분할주의 기법을 통해 대상의 역동성을 ⓒ지향하고자 했던 미래주의 화가들의 생각을 잘 드러내고 있다.

분할주의 기법은 19세기 사진작가 머레이의 연속 사진 촬영 기법에 영향을 받은 것으로, 이미지의 겹침, 역선(力線), 상호 침투를 통해 대상의 연속적인 움직임을 효과적으로 표현하였다. 먼저 이미지의 겹침은 화면에 하나의 대상을 여러 개의 이미지로 중첩시켜서 표현하는 방법이다. 마치 연속 사진처럼 화가는 움직이는 대상의 잔상을 바탕으로 시간의 흐름에 따른 대상의 움직임을 겹쳐서 나타내었다. 다음으로 힘의 선을 나타내는 역선은, 대상의 움직임의 궤적을 여러 개의 선으로 구현하는 방법이다. 미래주의 화가들은 사물이 각기 특징적인 움직임을 갖고 있다고 보고, 이를 역선을 통해 표현함으로써 사물에 대한 화가의 느낌을 드러내었다. 마지막으로 상호 침투는 대상과 대상이 겹쳐서 보이게 하는 방법이다. 역선을 사용하여 대상의 모습을 나타내면 대상이 다른 대상이나 배경과 구분이 모호해지는 상호 침투가 발생해 대상이 사실적인 형태보다는 ⓓ왜곡된 형태로 표현된다. 이러한 방식으로 미래주의 화가들은 움직이는 대상의 속도와 운동을 효과적으로 나타낼 수 있었다.

기존의 전통적인 서양 회화가 대상의 고정적인 모습에 ⓔ주목하여 비례, 통일, 조화 등을 아름다움의 요소로 보았다면, 미래주의 회화는 움직이는 대상의 속도와 운동이라는 미적 가치에 주목하여 새로운 미의식을 제시했다는 점에서 의의를 찾을 수 있다. 이러한 미래주의 회화는 이후 모빌과 같이 나무나 금속으로 만들어 입체적 조형물의 운동을 보여 주는 키네틱

아트가 등장하는 데 ㉠영감을 제공한 것으로 평가되고 있다.

* 전위예술: 기존의 표현 예술 형식을 부정하고 새로운 표현을 추구하는 예술 경향.

33. 윗글을 바탕으로 <보기>를 감상한 내용으로 적절하지 않은 것은? [3점]

< 보 기 >
발라의 「강아지의 다이내미즘」은 여인이 강아지를 데리고 산책하는 모습을 그린 미래주의 회화의 대표적인 작품이다.

① 움직이는 강아지의 모습을 속도감 있게 그린 것에서 미래주의 회화의 경향을 엿볼 수 있겠군.
② 선을 교차시켜 쇠사슬의 잔상을 구체적으로 재현한 것에서 역선을 통해 사실적인 형태를 강조했음을 알 수 있겠군.
③ 강아지의 발과 바닥의 경계가 모호하게 보이는 것에서 대상과 배경의 상호 침투 효과를 엿볼 수 있겠군.
④ 강아지의 발을 중첩시켜 표현한 것은 이미지 겹침을 통해 시간의 흐름에 따른 대상의 움직임을 나타낸 것이겠군.
⑤ 사람의 다리를 두 개가 아닌 여러 개로 그린 것은 분할주의 기법을 활용하여 걷는 이의 역동적 모습을 강조한 것이겠군.

① 산책하는 강아지의 모습을 생동감과 속도감이 느껴지게 그렸다는 점에서 움직이는 대상의 속도와 운동이라는 미적 가치에 주목하는 미래주의 경향을 엿볼 수 있다.
❷ <보기>는 분할주의 기법 중 하나인 역선의 방법으로 그려진 작품으로, 역선은 대상의 움직임의 궤적을 여러 개의 선으로 구현한다고 하였다. 이러한 역선을 통해 대상의 사실적인 형태를 강조했다고 볼 수 없다.
③ 역선을 사용하여 대상의 모습을 나타내면 상호 침투가 발생하여 대상이 사실적인 형태보다는 왜곡된 형태로 표현된다고 하였다.
④ 강아지의 발을 중첩시켜 표현한 것은 이미지의 겹침을 통해 시간의 흐름에 따른 대상의 움직임을 마치 연속 사진처럼 겹쳐서 나타낸 것이다.
⑤ 강아지를 데리고 가는 사람의 다리를 여러 개로 그린 것은 걷는 이의 역동성을 강조한 분할주의 기법이다.

10분 | 2021학년도 11월 학평 28~32번 | ★★☆ | 정답 046쪽

【1~5】 다음 글을 읽고 물음에 답하시오.

양전자 단층 촬영(PET)은 세포의 대사량 등 인체에 대한 정보를 확인하기 위해 몸속에 특정 물질을 ⓐ주입하여 그 물질의 분포를 영상화하는 기술이다. 이때 대사량이란 사람의 몸속 세포가 생명 유지를 위해 필요로 하는 에너지의 총량으로 정상 세포와 비정상 세포는 대사량에서 차이가 난다. PET는 특정 물질과 비정상 세포의 반응을 이용하여 이들의 분포를 확인할 수 있다.

PET를 통해 이를 확인하기 위해서는 우선 몸속에 방사성추적자를 주입해야 한다. 일반적으로 PET에 사용되는 방사성추적자는 방사성 동위원소를 결합한 포도당 성분의 특정 물질로 이는 특정한 원소 또는 물질의 이동 양상을 알아내기 위해 쓰인다. 이렇게 주입된 방사성추적자는 에너지원으로 쓰이는 포도당과 유사하기 때문에, 대사량이 높아서 많은 에너지원을 필요로 하는 비정상 세포에 다량 흡수된다. 그런데 세포 안으로 흡수된 방사성추적자는 일반 포도당과 달리 세포의 에너지원으로 사용되지 않고, 일정 시간 동안 세포 안에 머무른다.

세포 내에 축적된 방사성추적자의 방사성 동위원소는 붕괴되면서 양전자를 ⓑ방출한다. 방출된 양전자는 몸속의 전자와 결합하여 소멸하는데, 이때 두 입자의 질량이 에너지로 바뀐다. 이 에너지는 180도 각도를 이루는 한 쌍의 감마선으로 방출되어 몸 밖으로 나온다.

몸 밖으로 나온 감마선은 PET 스캐너를 통해 검출되는데, PET 스캐너는 수많은 검출기가 검사 대상을 원형으로 둘러싸고 있는 구조이다. 180도로 방출된 한 쌍의 감마선은 각각의 진행 방향에 있는 검출기에 ⓒ도달하게 된다. 이때 한 쌍의 감마선이 도달한 검출기의 두 지점을 잇는 직선을 동시검출응답선이라고 하며 감마선의 방출 지점은 이 선의 어느 한 점에 있다고 할 수 있다. 그런데 한 쌍의 감마선이 각각의 검출기에 도달하는 시간에는 미세한 차이가 발생하는데, 이는 몸의 어느 지점에서 감마선이 방출되었는지에 따라 검출기까지의 거리가 달라지기 때문이다.

감마선이 PET 영상의 유효한 성분이 되기 위해서는 한 지점에서 방출된 한 쌍의 감마선이 PET 스캐너의 검출기로 동시에 도달해야 하는데 이 경우를 동시계수라고 한다. 하지만 ㉠한 쌍의 감마선이 완전히 동시에 도달하는 경우는 현실적으로 불가능하므로 PET 스캐너는 동시계수로 인정할 수 있는 최대 시간폭인 동시계수시간폭을 설정하고 동시계수시간폭 안에 들어온 경우를 유효한 성분으로 ⓓ간주한다.

그런데 동시계수시간폭 내에 도달한 한 쌍의 감마선 즉 동시계수 중에서도 PET 영상에 유효한 성분이 되지 않는 경우가 있다. 우선 감마선이 주변의 물질과 상호 작용을 일으켜 진행 방향이 바뀌면서 검출기에 도달하는 시간의 변화가 생겼으나 동시계수시간폭 내에 검출되는 경우가 있는데 이를 산란계수라고 한다. 다음으로 한 지점에서 방출된 두 개의 감마선 중 한 개의 감마선만이 검출기로 도달할 때, 다른 지점에서 방출된 한 개의 감마선과 동시계수시간폭 내에 도달하는 경우가 있는데 이를 랜덤계수라고 한다. 이 두 경우는 모두 실제 감마선이 방

출된 지점이 동시검출응답선 위에 존재하지 않기 때문에 PET 영상의 정확도를 떨어뜨리는 요인이 된다. 즉, 한 지점에서 방출된 한 쌍의 감마선이 아무런 방해를 받지 않고 동시계수시간폭 내에 도달하는 참계수만이 유효한 영상 성분이 되는 것이다. 따라서 PET 영상의 정확도를 높이기 위해서는 산란계수와 랜덤계수의 검출을 최소화하기 위해 동시계수시간폭을 적절하게 ⓔ설정하는 것이 중요하다.

1. 윗글의 내용과 일치하지 <u>않는</u> 것은?
① PET는 특정 물질과 비정상 세포의 반응을 이용한다.
② PET에서 동시검출응답선은 직선의 형태로 표현된다.
③ PET 스캐너는 감마선을 방출하여 PET 영상을 만든다.
④ PET는 인체의 정보를 확인하기 위한 영상화 기술이다.
⑤ PET 스캐너는 수많은 검출기로 이루어진 원형 구조이다.

2. 방사성추적자에 대한 설명으로 적절하지 <u>않은</u> 것은?
① 비정상 세포 내에 다량으로 흡수되어 축적된다.
② 세포의 대사량을 평소보다 높이기 위해 사용된다.
③ 일반 포도당과 유사하지만 에너지원으로 사용되지 않는다.
④ 특정 물질의 이동 양상을 밝히기 위해 사용되는 화합물이다.
⑤ 양전자를 방출하며 붕괴되는 방사성 동위원소가 결합된 물질이다.

3. ㉠의 이유를 추론한 내용으로 가장 적절한 것은?
① 방출된 감마선이 180도 방향으로 진행하기 때문이다.
② 양전자와 전자의 질량이 에너지로 바뀌었기 때문이다.
③ 한 쌍의 감마선이 동시에 검출기에 도달하면 동시계수로 인정되기 때문이다.
④ 한 쌍의 감마선 중 하나의 감마선만이 PET 영상의 유효한 성분이 되기 때문이다.
⑤ 감마선 방출 지점에 따라 두 감마선이 검출기까지 이동하는 거리가 서로 다르기 때문이다.

4. 윗글을 바탕으로 <보기>를 이해한 내용으로 적절하지 <u>않은</u> 것은?

[3점]

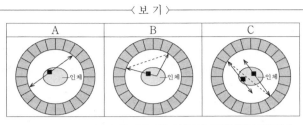

〈 보 기 〉

구분	A	B	C
검출기에 도달한 두 감마선의 시간 차	5ns	7ns	10ns

○ A~C는 모두 동시계수시간폭을 12ns로 설정한, 동일한 PET 스캐너로 감마선을 검출한 경우이고 ■는 감마선의 방출 지점을 나타낸다.
○ ns는 시간 단위로 10억분의 1초를 나타낸다.

① A의 경우 한 쌍의 감마선이 주변 물질과 상관없이 도달했다면, 참계수라고 할 수 있겠군.

② B의 경우 한 감마선의 진행 방향이 바뀌었지만 동시계수시간폭 내에 도달하였다고 할 수 있겠군.

③ C의 경우 PET 영상에 유효한 성분이 될 수 없는 랜덤계수라고 할 수 있겠군.

④ A와 B의 경우 동시계수시간폭이 8ns이었다면, 산란계수는 검출되지 않았겠군.

⑤ B와 C의 경우 실제 감마선의 방출 지점이 동시검출응답선 위에 존재하지 않겠군.

5. ⓐ~ⓔ의 사전적 의미로 적절하지 <u>않은</u> 것은?

① ⓐ: 흘러 들어가도록 부어 넣다.

② ⓑ: 입자나 전자기파의 형태로 에너지를 내보내다.

③ ⓒ: 목적한 곳이나 수준에 다다르다.

④ ⓓ: 유사한 점에 기초하여 다른 사물을 미루어 추측하다.

⑤ ⓔ: 새로 만들어 정해 두다.

【6~8】 다음 글을 읽고 물음에 답하시오.

국악의 장단이란 일반적으로 일정한 주기로 소리의 길이와 강약이 규칙적으로 되풀이되는 것을 말하며, 기본 단위인 '박'으로 구성된다. 박은 음의 길이를 재는 단위로, 기준이 되는 박을 보통박이라 하고 보통박을 더 작은 단위로 쪼갠 박을 소박이라 한다. 여러 개의 소박이 모여서 하나의 보통박을 이루며, 우리 민요 장단은 굿거리장단처럼 3개의 소박으로 이루어진 보통박이 4번 나타나는 3소박 4보통박으로 구성되는 경우가 많다. 이를 정간보에 나타낼 때는 <그림 1>과 같이 12정간(칸)이 필요하다.

<그림 1>

국악 연주에서 장단을 맡는 대표적인 악기는 장구로, 장단을 맞추기 위해 장구의 가죽 면을 치는 것을 '점(點)'이라 한다. <그림 2>는 굿거리장단의 기본 장구 장단을 나타낸 것으로 장구 장단을 정간보에 기보할 때는 각각의 점에 해당하는 부호를 사용하며, 악기에서 울려 나오는 특징적인 소리를 입으로 흉내 낸 구음을 부호 아래에 첨가하기도 한다.

⊘	¡	○	⫶		○		¡	○	⫶
덩	기덕	쿵	더러러		쿵		기덕	쿵	더러러

<그림 2>

㉠장구 장단을 칠 때는 한 손으로 채를 잡아 채편을 치고 다른 손으로는 북편을 치는데, 장구의 채편과 북편을 동시에 치는 것을 '덩'이라 하고 정간보에 '⊘'로 표시한다. 이는 합장단이라고도 하며 주로 음악을 시작할 때 사용한다. 채편을 한 번 치는 것을 '덕'이라 하고 'ᅵ'로 표시하며, 채편을 칠 때 짧은 꾸밈음을 붙여 치는 것을 '기덕'이라고 하고 '¡'로 표시한다. '기덕'은 채편을 겹쳐 친다고 하여 겹채라고도 한다. 채의 탄력을 이용하여 채를 굴리며 채편을 칠 때는 '더러러러'라고 하고 '⫶'로 표시한다. '덕', '기덕', '더러러러'에서는 북편을 치지 않고 채편만 치며, 장구의 북편만 칠 때는 '쿵'이라 하고 '○'로 표시한다.

또한 정간보에는 점의 길이도 나타낼 수 있다. 한 정간에 점을 나타내는 부호 하나가 있으면 그 점은 한 소박이 되고, 한 정간에 점을 나타내는 부호 하나가 있고 그 다음 정간이 빈 칸으로 남아 있으면 그 점은 두 소박이 되는 식이다. 비어 있는 정간은 앞의 소리를 연장한다는 표시이기 때문이다. 예를 들어 <그림 2>에서 첫 번째 보통박의 '덩'은 두 소박, '기덕'은 한 소박이 된다. 또한 장단을 칠 때는 기본이 되는 장단을 흐트러트리지 않는 범위 내에서 악곡의 흐름이나 연주자의 해석에 따른 변주도 가능하다. 예를 들어 연주자에 따라 '기덕'을 '덕'으로 바꾸거나 '쿵더러러러'를 '쿵덕쿵'으로 바꾸어 변주할 수 있는 것이다. 이러한 변주는 악곡의 흐름에 맞게 장단에 변화를 주어 음악을 더욱 풍성하게 만드는 역할을 한다.

한편 실외음악이나 사물놀이처럼 큰 소리를 내야 할 때에는 북편을 손 대신 궁채로 치기도 한다. 또한 채편을 칠 때는 채편 가죽의 중앙 부분인 복판을 치는 것이 일반적이지만 독창 또는 독주의 반주나 실내악 연주처럼 소리를 작게 내어야 할 경우에는 가죽의 가장자리 부분인 변죽을 친다. 변죽은 작고 높은 소리가 나는 반면, 복판은 크고 낮은 소리가 나기 때문에 연주 상황에 어울리는 소리가 나도록 치는 것이다.

장단은 단지 음악의 진행을 시간적으로 안배하는 역할만을 하는 것이 아니라 연주자나 창자의 호흡을 조절하며 음악의 분위기를 이끌어 나간다. 따라서 국악을 깊이 있게 감상하려면 장단을 이해하는 것이 중요하며, 이를 통해 우리 음악에 담긴 흥을 더욱 잘 느낄 수 있을 것이다.

6. 윗글에서 답을 찾을 수 있는 질문으로 적절하지 <u>않은</u> 것은?
① 국악에서 장단의 개념은 무엇일까?
② 장단을 구성하는 단위는 무엇일까?
③ 정간보에 점의 강약을 나타내는 방법은 무엇일까?
④ 장단을 변주할 때 얻을 수 있는 효과는 무엇일까?
⑤ 국악 감상에서 장단을 이해하는 것이 중요한 이유는 무엇일까?

7. ㉠에 대한 이해로 가장 적절한 것은?
① 정간보를 보면 연주할 점의 길이를 알 수 있다.
② 크고 낮은 소리를 내기 위해 채편의 변죽을 친다.
③ 여러 개의 보통박을 쳐서 하나의 소박을 연주한다.
④ 북편을 치는 도구는 기본이 되는 장단에 의해 결정된다.
⑤ 기본이 되는 장단을 연주할 때에는 북편과 채편을 동시에 칠수 없다.

8. 윗글을 바탕으로 <보기>의 창작 장단을 연주한다고 할 때, 이에 대한 이해로 적절하지 <u>않은</u> 것은? [3점]

―――― <보 기> ――――

학생 : 오늘 배운 내용을 가지고 나만의 창작 장단을 만들어 연주해 볼까? 3소박 4보통박으로 치면 재미있을 것 같아. 우선은 정간보에 부호와 구음을 표시하고 그대로 연주해 봐야지.

⦸		ⅰ	◯	⎮		◯	⫶	◯	⎮		ⅰ
덩		기덕	쿵	덕		쿵	더러 러러	쿵	덕		기덕

① 'ⅰ(덕)'은 각각 두 소박으로 연주해야겠군.
② 마지막 보통박에서는 채편만 치면 되겠군.
③ 합장단으로 시작하고 겹채로 마무리해야겠군.
④ 세 번째 보통박에서는 종류가 다른 세 점을 연주해야겠군.
⑤ 첫 번째와 마지막 보통박의 세 번째 소박에서는 'ⅰ(기덕)'을 쳐야겠군.

총 문항					문항	맞은 문항				문항
개별 문항	1	2	3	4	5	6	7	8	9	10
채점										
개별 문항	11	12	13	14	15	16	17	18	19	20
채점										

| 8분 | 2020학년도 3월 학평 31~34번 | ★★☆ | 정답 047쪽 |

[1~4] 다음 글을 읽고 물음에 답하시오.

미래주의는 20세기 초 이탈리아 시인 마리네티의 '미래주의 선언'을 시작으로, 화가 발라, 조각가 보치오니, 건축가 상텔리아, 음악가 루솔로 등이 참여한 전위예술* 운동이다. 당시 산업화에 뒤처진 이탈리아는 산업화에 대한 열망과 민족적 자존감을 ⓐ고양시킬 수 있는 새로운 예술을 필요로 하였다. 이에 산업화의 특성인 속도와 운동에 주목하고 이를 예술적으로 표현하려는 미래주의가 등장하게 되었다.

특히 미래주의 화가들은 질주하는 자동차, 사람들로 북적이는 기차역, 광란의 댄스홀, 노동자들이 일하는 공장 등 활기찬 움직임을 보여 주는 모습을 주요 소재로 삼아 산업 사회의 역동적인 모습을 표현하였다. 그들은 대상의 움직임의 ⓑ추이를 화폭에 담아냄으로써 대상을 생동감 있게 형상화하려 하였다. 이를 위해 미래주의 화가들은, 시간의 흐름에 따른 대상의 움직임을 하나의 화면에 표현하는 분할주의 기법을 사용하였다. '질주하고 있는 말의 다리는 4개가 아니라 20개다.'라는 미래주의 선언의 내용은, 분할주의 기법을 통해 대상의 역동성을 ⓒ지향하고자 했던 미래주의 화가들의 생각을 잘 드러내고 있다.

분할주의 기법은 19세기 사진작가 머레이의 연속 사진 촬영 기법에 영향을 받은 것으로, 이미지의 겹침, 역선(力線), 상호 침투를 통해 대상의 연속적인 움직임을 효과적으로 표현하였다. 먼저 이미지의 겹침은 화면에 하나의 대상을 여러 개의 이미지로 중첩시켜서 표현하는 방법이다. 마치 연속 사진처럼 화가는 움직이는 대상의 잔상을 바탕으로 시간의 흐름에 따른 대상의 움직임을 겹쳐서 나타내었다. 다음으로 힘의 선을 나타내는 역선은, 대상의 움직임의 궤적을 여러 개의 선으로 구현하는 방법이다. 미래주의 화가들은 사물이 각기 특징적인 움직임을 갖고 있다고 보고, 이를 역선을 통해 표현함으로써 사물에 대한 화가의 느낌을 드러내었다. 마지막으로 상호 침투는 대상과 대상이 겹쳐서 보이게 하는 방법이다. 역선을 사용하여 대상의 모습을 나타내면 대상이 다른 대상이나 배경과 구분이 모호해지는 상호 침투가 발생해 대상이 사실적인 형태보다는 ⓓ왜곡된 형태로 표현된다. 이러한 방식으로 미래주의 화가들은 움직이는 대상의 속도와 운동을 효과적으로 나타낼 수 있었다.

기존의 전통적인 서양 회화가 대상의 고정적인 모습에 ⓔ주목하여 비례, 통일, 조화 등을 아름다움의 요소로 보았다면, 미래주의 회화는 움직이는 대상의 속도와 운동이라는 미적 가치에 주목하여 새로운 미의식을 제시했다는 점에서 의의를 찾을 수 있다. 이러한 미래주의 회화는 이후 모빌과 같이 나무나 금속으로 만들어 입체적 조형물의 운동을 보여 주는 키네틱 아트가 등장하는 데 ⓙ영감을 제공한 것으로 평가되고 있다.

* 전위예술 : 기존의 표현 예술 형식을 부정하고 새로운 표현을 추구하는 예술 경향.

1. 윗글에서 언급된 내용이 <u>아닌</u> 것은?

① 미래주의에 참여한 예술가들
② 미래주의가 등장하게 된 배경
③ 미래주의 화가들이 사용한 기법
④ 미래주의 회화가 발전해 온 과정
⑤ 미래주의 화가들이 추구한 미의식

2. ㉠의 구체적 내용으로 가장 적절한 것은?

① 전통 회화 양식에서 벗어나 움직이는 대상이 주는 아름다움을 최초로 작품화하려는 생각
② 기존의 방식과 달리 미적 가치를 3차원에서 실제로 움직이는 대상을 통해 구현하려는 생각
③ 사진의 촬영 기법을 회화에 접목시켜 비례와 조화에서 오는 조형물의 예술성을 높이려는 생각
④ 산업 사회의 역동적인 모습에서 벗어나 인류가 추구해야 할 미래상을 화폭에 담아내려는 생각
⑤ 예술적 대상의 범위를 구체적인 대상에서 추상적인 대상으로 확대하여 작품을 창작하려는 생각

3. 윗글을 바탕으로 <보기>를 감상한 내용으로 적절하지 <u>않은</u> 것은? [3점]

— < 보 기 > —

발라의 「강아지의 다이내미즘」은 여인이 강아지를 데리고 산책하는 모습을 그린 미래주의 회화의 대표적인 작품이다.

① 움직이는 강아지의 모습을 속도감 있게 그린 것에서 미래주의 회화의 경향을 엿볼 수 있겠군.

② 선을 교차시켜 쇠사슬의 잔상을 구체적으로 재현한 것에서 역선을 통해 사실적인 형태를 강조했음을 알 수 있겠군.

③ 강아지의 발과 바닥의 경계가 모호하게 보이는 것에서 대상과 배경의 상호 침투 효과를 엿볼 수 있겠군.

④ 강아지의 발을 중첩시켜 표현한 것은 이미지 겹침을 통해 시간의 흐름에 따른 대상의 움직임을 나타낸 것이겠군.

⑤ 사람의 다리를 두 개가 아닌 여러 개로 그린 것은 분할주의 기법을 활용하여 걷는 이의 역동적 모습을 강조한 것이겠군.

4. ⓔ의 사전적 의미로 적절하지 <u>않은</u> 것은?

ⓐ : 정신이나 기분 따위를 북돋워서 높임.

ⓑ : 시간의 경과에 따라 변하여 나감.

ⓒ : 어떤 목표로 뜻이 쏠리어 향함.

ⓓ : 사실과 다르게 해석하거나 그릇되게 함.

ⓔ : 자신의 의견이나 주의를 굳게 내세움.

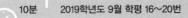
【5~9】 다음 글을 읽고 물음에 답하시오.

서양 철학은 ㉠<u>존재</u>에 대한 물음에서 시작되었다. 고대 그리스 철학자 파르메니데스는 있는 것은 있고 없는 것은 없다고 말했다. 그는 어떤 존재가 있다가 없어지고 없다가 있게 되는 일은 불가능하다며 존재의 생성과 변화, 소멸을 부정했다. 그에게 존재는 영원하며 절대적이고 불변성을 가지는 것이었다. 이에 반해 헤라클레이토스는 존재의 생성과 변화를 긍정했다. 그는 존재하는 모든 것이 변화의 과정 중에 있으며 끊임없이 생성과 소멸을 반복하는 것이라고 생각했다. 존재에 대한 두 철학자의 견해는 플라톤의 이데아론에 영향을 주었다. 플라톤은 존재를 끊임없이 변하는 존재와 영원히 변하지 않는 존재로 나누었다. 그는 우리가 경험하는 현실 세계의 존재는 변한다고 생각했다. 그리고 현실 세계에 존재하는 모든 것의 근원을 이데아로 ⓐ<u>상정</u>하고 이데아를 영원하고 불변하는 존재, 그 자체로 완전한 진리로 여겼다. 반면에 현실 세계의 존재는 이데아를 모방한 것일 뿐 이데아와 달리 불완전하다고 보았다. 또한 감각을 통해 인식할 수 있는 현실 세계의 존재와 달리 이데아는 오직 이성에 의해서만 인식할 수 있다는 이성 중심의 사유를 전개했다. 플라톤의 이러한 철학적 견해는 이후 서양 철학의 주류가 되었다.

그러나 플라톤의 견해를 바탕으로 한 서양 철학의 주류적 입장은 근대에 이르러 니체에 의해 강한 비판을 받았다. 헤라클레이토스의 견해를 받아들인 니체는 영원히 변하지 않는 존재, 절대적이고 영원한 진리는 없다고 주장했다. 또한 우리가 살고 있는 현실 세계가 유일한 세계라면서 '신은 죽었다'라고 선언하며 형이상학적 이원론*이 말하는 진리, 신 중심의 초월적 세계, 합리적 이성 체계 모두를 부정했다. 니체는 형이상학적 이원론이 진리를 영원불변한 것으로 고정하고, 현실 너머의 이상 세계와 초월적 대상을 생명의 근원으로 설정함으로써 인간이 현실의 삶을 부정하도록 만들었다고 보았다. 그래서 생명의 근원과 삶의 의미를 상실한 인간은 허무에 ⓑ<u>직면</u>하게 되었다는 것이다.

니체는 허무에서 벗어나기 위해서는 생명의 본질을 ⓒ<u>회복</u>해야 한다고 했다. 그는 인간이 자신의 삶을 지탱할 수 있게 하는 것을 '힘에의 의지'로 보았다. 니체가 말하는 '힘에의 의지'는 주변인이나 사물을 자기 마음대로 지배하고 억압하려는 의지가 아니라 자기 극복을 이끌어 내고 생명의 상승을 지향하는 의지로 이해할 수 있다. 니체는 이러한 '힘에의 의지'가 생성과 변화의 끊임없는 과정 중에서 창조적 생성 작용을 하는데, 그 최고의 형태가 예술이라고 했다. 그는 본능에 내재한 감성을 바탕으로 하는 예술적 충동을 중시하였고, 예술가의 창작 활동을 인간의 삶의 가치 상승을 도와주는 '힘에의 의지'로 보았다. 그는 예술을 통해 생명력을 회복하고 허무를 극복할 수 있음을 강조한 것이다.

이러한 니체의 철학적 견해는 20세기 초의 예술가들에게 많은 영향을 주었는데, 특히 회화에서 독일의 표현주의가 니체의 철학을 ⓓ<u>수용</u>했다. 표현주의는 전통적인 사실주의 미학을 따르지 않았다. 사실주의 미학은 형이상학적 이원론에 근거하여 존재와 진리의 참모습을 모방하는 것을 예술의 목적으로 받아들이는 재현의 미학이었다. 그러나 니체의 철학적 관점에서 예술을 이해한 표현주의 화가들은 예술의 목적을 대상의 재현이 아니라 인간의 감정과 충동을 표현하는 것으로 생각했다. 그들은 사실주의 미학에서 이성보다 열등한 것이라고 여겼던 감정을 존재의 본질을 드러내는 것으로 보았다. 그들이 생각하는 인간의 감정은 시시각각 변화하며 생성과 소멸을 반복하는 것이었기에 그림을 그리는 동안에도 매 순간 변화하는 감정을 중시했다. 그래서 대상의 비례와 고유한 형태를 왜곡하고, 색채도 실제보다 더 강하게 과장해서 그리거나 대비되는 원색을 대담하게 사용하는 등의 방법을 통해 자신의 감정과 충동을 표현했다. 또한 원근법에 얽매이지 않는 화면 구성을 보임으로써 작품에서 드러나는 공간이 현실 공간의 재현이 아니라 화가 자신의 감정을 표현하기 위한 상징과 의미를 생산하는 공간이라는 인식을 드러냈다.

표현주의 화가들은 이성과 합리성의 가치를 추구하던 당시 사회의 분위기에 ⓔ반발하며 예술가로서의 감정적, 주관적인 표현을 예술이 추구해야 하는 가치로 보았다. 그들은 자유로운 형태와 색채로 자신들이 가지고 있던 내면의 불안, 공포, 고뇌 등을 예술로써 극복하려고 노력하면서 강한 생명력을 보여 주었다. 결국 화가의 내면을 적극적으로 표현했던 표현주의는 니체의 철학을 근거로 예술에 대한 새로운 해석을 보여 주었다고 할 수 있다.

*형이상학적 이원론: 세계를 경험의 세계와 경험을 초월한 세계로 나누고, 사물의 본질과 존재의 근본 원리를 사유를 통해 연구하는 이론.

5. 윗글에 대한 설명으로 가장 적절한 것은?
① 니체의 철학적 개념을 예술 양식의 발전 단계에 따라 정리하고 있다.
② 예술에 대한 니체의 견해가 시대에 따라 달리 평가받는 원인을 분석하고 있다.
③ 예술에 대한 니체의 시각과 서양 철학의 주류적 입장의 장단점을 비교하고 있다.
④ 예술에 대한 여러 철학자들의 견해가 니체에 의해 통합되는 과정을 살펴보고 있다.
⑤ 서양 철학의 주류적 입장을 부정하는 니체의 철학이 예술에 미친 영향을 설명하고 있다.

6. ㉠에 대한 이해로 가장 적절한 것은?
① 헤라클레이토스와 니체는 ㉠이 변화한다고 생각했다.
② 파르메니데스와 플라톤은 ㉠이 불완전하다고 여겼다.
③ 플라톤과 헤라클레이토스는 영원히 변하지 않는 ㉠이 있다고 보았다.
④ 파르메니데스는 헤라클레이토스와 달리 ㉠의 생성을 긍정했다.
⑤ 플라톤은 니체와 달리 ㉠의 근원을 감각을 통해 인식할 수 있다고 보았다.

7. 윗글에 나타난 표현주의 화가들의 생각으로 적절하지 않은 것은?
① 인간의 감정을 존재의 본질을 드러내는 것으로 인식했다.
② 존재와 진리의 참모습을 모방하는 것이 중요하다고 여겼다.
③ 시시각각 변화하며 생성과 소멸을 반복하는 감정을 중시했다.
④ 예술가로서의 주관적 표현을 예술이 추구해야 하는 가치라고 생각했다.
⑤ 작품에서 드러나는 공간을 화가의 감정을 표현하기 위한 공간으로 인식했다.

8. 윗글에 나타난 니체의 사상과 연결 지어 <보기>의 작품을 감상한 내용으로 가장 적절한 것은? [3점]

─────────< 보 기 >─────────

독일 표현주의 화가인 키르히너의 <해바라기와 여인의 얼굴(1906)>은 창가에 놓인 해바라기 꽃병과 여인의 모습을 그린 작품으로 화가의 내면이 잘 표현되었다는 평가를 받는다. 해바라기는 노란색, 꽃병은 녹색, 배경은 주황색의 화려한 원색으로 그려져 있고, 해바라기 앞의 여인은 슬프고 우울해 보인다. 활짝 핀 해바라기의 윤곽은 빨갛고 두터운 선으로 그려져 해바라기의 노란색과 대비를 이루고 있다. 또한 여인보다 뒤에 있는 해바라기 꽃병이 더 크게 그려진 화면 구성을 보이고 있다.

① 여인을 슬프고 우울해 보이게 그린 것을 보니 인간은 결코 허무를 극복할 수 없다는 니체의 철학과 관련된 것으로 볼 수 있겠군.

② 해바라기를 강조한 화면 구성을 보니 현실 너머의 이상 세계를 생명의 근원이라고 여긴 니체의 견해가 반영된 것으로 볼 수 있겠군.

③ 해바라기의 노란색과 윤곽의 빨간색을 대비한 것을 보니 초월적 세계를 재현한 것이 현실 세계라는 니체의 입장과 관련된 것으로 볼 수 있겠군.

④ 해바라기, 꽃병, 배경 등을 화려한 원색으로 그린 것을 보니 감성을 바탕으로 한 예술적 충동을 중요하게 여겼던 니체의 생각에 영향을 받은 것으로 볼 수 있겠군.

⑤ 해바라기 꽃병과 여인을 원근법에 어긋나게 그린 것을 보니 인간은 자기 주변의 사물을 지배해야 한다는 의지를 강조한 니체의 주장이 수용된 것으로 볼 수 있겠군.

9. ⓐ~ⓔ의 사전적 의미로 적절하지 않은 것은?

① ⓐ : 어떤 정황을 가정적으로 생각하여 단정함.
② ⓑ : 어떠한 일이나 사물을 직접 당하거나 접함.
③ ⓒ : 온전하게 보호하여 유지함.
④ ⓓ : 어떠한 것을 받아들임.
⑤ ⓔ : 어떤 상태나 행동 따위에 대하여 거스르고 반항함.

총 문항				문항	맞은 문항				문항
개별 문항	1	2	3	4	5	6	7	8	9	10
채점										
개별 문항	11	12	13	14	15	16	17	18	19	20
채점										

| 8분 | 2019학년도 3월 학평 21~24번 | ★★☆ | 정답 049쪽 |

【1~4】 다음 글을 읽고 물음에 답하시오.

최근 예술 분야에서는 과학 기술을 이용하여 새로운 장르를 ⓐ개척하려는 시도가 이루어지고 있다. 이러한 배경을 바탕으로 등장한 예술의 하나가 바로 '⑤엑스레이 아트(X-ray Art)'이다. 엑스레이 아트는 엑스레이 사진을 활용하여 만든 예술 작품을 의미한다.

엑스레이 아트의 거장인 닉 베세이는 엑스레이를 활용하여 오브제* 내부에 ⓑ주목한 작품을 만들었다. 그는 「튤립」이라는 작품을 통해 꽃봉오리에 감추어진 암술과 수술을 드러냄으로써, 꽃의 보이지 않는 내부의 아름다움을 탐색하였다. 또한 「셀피」라는 작품을 통해 현대 사회의 외모 지상주의를 비판하기도 했다. 이 작품은 자기 얼굴을 찍는 사람의 모습을 엑스레이로 촬영한 것으로, 엑스레이로 인체를 촬영할 경우 외양이 드러나지 않는 점을 이용하여 창작 의도를 나타낸 것이다.

엑스레이 아트의 창작 의도를 ⓒ구현하기 위해서는 오브제의 특성을 고려해야 한다. 이는 오브제의 재질과 두께에 따라 엑스레이의 투과율이 달라지기 때문이다. 이러한 이유로 엑스레이 아트에서는 엑스레이가 투과되지 않는 물질이 포함된 오브제를 배제하기도 하고, 역으로 이를 활용하기도 한다. 촬영을 할 때에는 오브제의 두께에 따라 엑스레이의 강도와 오브제에 엑스레이가 투과되는 시간을 조절해야 의도하는 명도의 사진을 얻을 수 있다. 또한 오브제와 근접한 거리에서 촬영해야 하는 엑스레이의 특성상, 가로 35cm, 세로 43cm인 엑스레이 필름의 크기보다 오브제가 클 경우 오브제를 여러 부분으로 나누어서 촬영한다. 한편 작품 창작 의도를 구현하는 데 오브제의 모든 구성 요소가 필요하지 않다면 오브제의 일부 구성 요소만 선택하여 창작 의도를 드러낼 수도 있다. 그리고 오브제가 겹쳐 있을 경우, 창작 의도와 다른 사진이 나올 수 있으므로 이를 고려하여 오브제를 적절하게 ⓓ배치하고 촬영 각도를 결정한다.

이렇게 촬영한 엑스레이 사진은 컴퓨터 그래픽 작업을 거치는데, 창작 의도를 드러내기 위해 여러 장의 사진을 합성하기도 한다. 특히 항공기 동체와 같이 크기가 큰 대상을 오브제로 삼아 여러 날에 걸쳐 촬영할 경우, 촬영할 당시의 기온, 습도 등의 영향으로 각각의 사진들마다 명도가 다르게 나타날 수 있다. 그러므로 그래픽 작업을 통해 사진들의 명도를 보정한 뒤, 이 사진들을 퍼즐처럼 맞추어 하나의 사진으로 합성하여 작품을 완성한다.

엑스레이는 대상의 골격이나 구조를 노출하는 기술이라는 점에서 차가운 느낌을 주기도 한다. 하지만 이를 활용한 엑스레이 아트는 발상의 전환을 통해 감상자들에게 기존의 예술 작품과는 다른 미적 감수성을 불러일으킨다는 점에서 현대 예술의 외연을 넓히는 데 ⓔ기여하였다는 평가를 받고 있다.

*오브제(objet): 일상 용품이나 물건을 본래의 용도로 쓰지 않고 예술 작품에 사용하는 기법 또는 그 물체.

1. 윗글에서 언급된 내용이 <u>아닌</u> 것은?

① 엑스레이 아트의 개념
② 엑스레이 아트의 작품 사례
③ 엑스레이 아트의 창작 방법
④ 엑스레이 아트의 등장 배경
⑤ 엑스레이 아트의 발전 양상

2. 윗글을 바탕으로 할 때, <보기>의 작품에 대해 보인 반응으로 적절하지 <u>않은</u> 것은? [3점]

< 보 기 >

「버스」는 실제 버스와 사람을 오브제로 삼아, 이를 여러 날에 걸쳐 각각 촬영한 뒤 합성한 엑스레이 아트이다. 작가는 작품의 창작 의도를 구현하는 데 필요한 바퀴나 차체 등의 일부 구성 요소들만 선택하였다. 그리고 버스의 측면이 보이도록 촬영하여 버스에 타고 있는 사람들의 여러 가지 자세와 인체 골격의 다양한 모습을 드러내고 있다.

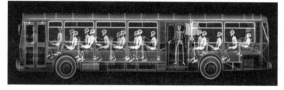

<닉 베세이, 「버스」>

① 물체를 투과하는 엑스레이를 이용한 것은 일상적 시선으로는 볼 수 없는 인체 골격의 모습을 보여 주려는 의도였겠군.
② 바퀴나 차체 등의 일부 구성 요소만 선택한 것에는 필요하지 않은 부분을 배제하려는 작가의 의도가 반영된 것이겠군.
③ 버스의 측면이 보이도록 촬영한 것은 촬영 각도에 따라 엑스레이가 투과되지 않는 효과를 이용하기 위한 것이겠군.
④ 작품이 한 번에 촬영한 사진처럼 보이는 것은 컴퓨터 그래픽 작업을 통해 각 사진의 명도를 보정한 결과이겠군.
⑤ 엑스레이 필름보다 큰 실제 크기의 오브제를 선정하였기 때문에 촬영한 여러 장의 사진을 합성한 것이겠군.

3. ㉠의 의의로 가장 적절한 것은?

① 오브제를 찍은 사진에 의도적인 변형을 가하여 오브제의 실체를 감추는 예술이다.

② 실존하지 않는 대상을 그래픽 작업으로 만들어 사회의 병폐를 풍자하는 예술이다.

③ 인체나 사물의 외양을 있는 그대로 드러냄으로써 아름다움의 의미를 구현하는 예술이다.

④ 눈에 보이지 않을 만큼 작은 오브제를 가시화하여 대상의 본질에 대해 탐색하는 예술이다.

⑤ 겉으로 드러나지 않는 오브제의 내부를 의도적으로 보여 주어 예술의 영역을 확장한 예술이다.

4. ⓐ ~ ⓔ의 사전적 의미로 적절하지 <u>않은</u> 것은?

① ⓐ : 새로운 물건을 만들거나 새로운 생각을 내어놓음.

② ⓑ : 관심을 가지고 주의 깊게 살핌.

③ ⓒ : 어떤 내용이 구체적인 사실로 나타나게 함.

④ ⓓ : 사람이나 물자 따위를 일정한 자리에 알맞게 나누어 둠.

⑤ ⓔ : 도움이 되도록 이바지함.

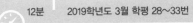
[5~10] 다음 글을 읽고 물음에 답하시오.

심리학자인 카너먼은 인간이 논리적 사고 과정을 통해 합리적으로 문제를 해결하기보다는 직감에 의해 문제를 해결하는 경향이 강하다고 주장하였다. 예컨대 "영어 단어 중 R로 시작하는 단어와 R이 세 번째에 있는 단어 중 어느 것이 더 많은가?"라는 질문에, 실제로는 후자의 단어가 더 많지만 전자의 단어가 더 쉽게 떠오르기 때문에 대부분의 사람들은 R로 시작하는 단어가 더 많다고 대답한다. 그는 이를 ㉠ 해당 사례를 자주 접하거나 쉽게 떠올릴 수 있으면, 발생 빈도수가 높다고 판단하는 인간의 심리적 특성에 기인한다고 보았다. 그는 실제 인간의 행동에 나타나는 다양한 양상을 연구하여 인간은 합리적 선택을 한다는 전통 경제학의 전제에 반기를 들고, 심리학적 연구 성과를 경제학에 접목시킨 새로운 이론을 제안했다.

전통 경제학에서는 인간을 합리적 선택을 하는 존재로 가정하고, 시장에서의 재화와 용역의 생산, 분배, 소비 활동을 연구한다. 전통 경제학의 대표적 이론인 기대 효용 이론에 따르면, 인간은 대안이 여러 개일 때 각 대안의 효용을 계산하여 자신에게 최대 이득을 주는 대안을 선택한다. 이때 '효용'이란 재화를 소비할 때 느끼는 만족감이다. 어떤 대안의 기댓값인 기대 효용은, 대안을 선택했을 때 발생할 수 있는 개별 사건의 효용에, 각 사건의 발생 확률을 곱해 모두 더한 값이다.

예컨대 동전을 던져 앞면이 나오면 20,000원을 얻고 뒷면이 나오면 10,000원을 잃는 게임 A, 앞면이 나오면 10,000원을 얻고 뒷면이 나오면 5,000원을 잃는 게임 B가 있다고 해 보자. 화폐 효용은 그것의 액면가와 같다고 할 때, 동전의 앞면, 뒷면이 나올 확률은 각각 0.5이므로, 게임 A의 기대 효용은 $(20,000원 \times 0.5) - (10,000원 \times 0.5) = 5,000원$, 게임 B의 기대 효용은 $(10,000원 \times 0.5) - (5,000원 \times 0.5) = 2,500원$이다. 기대 효용 이론에 따라 합리적 판단을 한다면 기대 효용이 더 큰 게임 A를 선택해야 하지만, 실제 선택 상황에서는 대다수의 사람들이 게임 B를 선택한다.

카너먼은 이러한 선택의 문제를 설명하기 위해 전망 이론을 제시하였다. ⓐ 전망 이론은 이득보다 손실에 대해 민감하게 반응하는 인간의 심리가 선택 행동에 미치는 영향을 설명하는 이론이다. 여기서 '전망'은 이득과 손실에 대해 사람들이 느끼는 심리 상태를 의미한다. 전망은 대안을 선택했을 때 발생할 수 있는 개별 성과의 가치에, 각각의 결정 가중치*를 곱해 모두 더한 값이다.

<그림>은 전망 이론에서 이득과 손실에 대한 인간의 반응을 설명하는 그래프다. 여기서 x축은 성과를, y축은 성과에 대해 사람들이 부여하는 가치(v)를 나타낸다. 그리고 두 축이 교차하는 지점은 현재 '나'의 상황을 의미하는 준거점으로, 이를 기준으로 오른쪽은 이득 영역

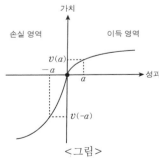

<그림>

이고, 왼쪽은 손실 영역이다. 이 그래프에서 이득 영역의 $v(a)$와 손실 영역의 $v(-a)$의 절댓값을 비교하면 후자의 값이 더 크다는 것을 알 수 있는데, 이는 같은 크기의 이득과 손실이 있을 때 이득감보다 손실감이 더 크다는 것을 의미한다.

이 그래프에 따라 앞서 예를 든 게임 A와 B 중에서 사람들이 후자를 더 많이 선택하는 이유를 분석하면, 20,000원을 얻었을 때의 이득감이 10,000원을 얻었을 때의 이득감보다 크지만, 10,000원을 잃었을 때의 손실감이 5,000원을 잃었을 때의 손실감보다 훨씬 더 크기 때문에, 더 큰 손실감을 피하고자 하는 심리가 반영된 결과로 해석할 수 있다.

전망 이론에서는 이러한 심리가 실제 선택 행동에 영향을 미치는 현상을 ⓑ'틀 효과'로 설명한다. 이에 따르면 사람들은 여러 대안 중 하나를 선택할 때, 선택 상황이 자신에게 이득을 주는지, 손실을 주는지에 따라 전자를 '긍정적 틀'로, 후자를 '부정적 틀'로 인식한다. 그 결과 사람들은 긍정적 틀에서는 확실한 이득을 주는 대안을 선택하고, 부정적 틀에서는 불확실한 손실을 주는 대안을 선택한다. 불확실성을 '위험'이라 할 때, 불확실성을 피해 확실성을 추구하는 것은 '위험 회피 성향'에, 불확실성을 추구하는 것은 '위험 추구 성향'에 해당하므로, 사람들은 긍정적 틀에서는 위험 회피 성향을, 부정적 틀에서는 위험 추구 성향을 보인다고 할 수 있다. 다음의 선택 상황에서 이와 같은 틀 효과를 확인할 수 있다.

[상황 1] 100만 원이 있으며, Ⓐ안과 Ⓑ안 중 택 1
○ Ⓐ안 : 0.5의 확률로 100만 원을 받거나, 아무것도 받지 못한다.
○ Ⓑ안 : 1의 확률로 50만 원을 받는다.

[상황 2] 100만 원이 있으며, Ⓒ안과 Ⓓ안 중 택 1
○ Ⓒ안 : 0.5의 확률로 100만 원을 잃거나, 아무것도 잃지 않는다.
○ Ⓓ안 : 1의 확률로 50만 원을 잃는다.

'상황 1'은 이득을 주는 상황으로, 사람들은 이를 긍정적 틀로 인식하므로 많은 사람들이 이득이 불확실한 Ⓐ안보다 이득이 확실한 Ⓑ안을 선택한다. 반대로 '상황 2'는 손실을 주는 상황으로, 사람들은 이를 부정적 틀로 인식하므로 많은 사람들이 손실이 확실한 Ⓓ안보다 손실이 불확실한 Ⓒ안을 선택한다.

전통 경제학은 인간이 합리적 선택을 한다는 전제로 이상적인 경제 상황을 설명했다면, 카너먼은 이러한 전제를 비판하며 실제 인간의 삶에서 나타나는 선택 행동의 특성을 심리학에 근거해 설명했다. 그 결과 인간의 선택 과정에 영향을 주는 요인들에 주목해 행동 경제학이라는 새로운 분야를 개척하였다.

* 결정 가중치 : 어떤 성과에 대해 사람들이 주관적으로 느끼는 발생 확률.

5. 윗글의 내용과 일치하지 <u>않는</u> 것은?

① 기대 효용 이론은 자신의 현재 상황을 준거로 하여 나타나는 선택 행동의 다양한 양상을 분석하였다.
② 기대 효용 이론에 따르면 인간은 여러 대안이 있을 때 자신에게 가장 큰 이득을 주는 대안을 선택한다.
③ 카너먼은 인간이 논리적 사고 과정보다는 직감에 의존해 문제를 해결하는 경향이 강하다고 주장하였다.
④ 카너먼은 심리학적 연구 성과를 경제학에 접목시켜 전통 경제학과 구별되는 새로운 이론을 구축하였다.
⑤ 카너먼은 인간이 합리적인 선택을 한다는 전통 경제학의 전제를 실제 인간의 행동을 근거로 반박하였다.

6. ㉠에 해당하는 사례로 가장 적절한 것은?

① (질문) 신은 존재하는가?
(대답) 그렇다. 왜냐하면 신이 없음을 증명한 사람이 없기 때문이다.
② (질문) '1부터 10까지의 합'과 '11부터 15까지의 합' 중 더 큰 것은?
(대답) 전자이다. 왜냐하면 전자가 후자보다 많은 숫자를 더하기 때문이다.
③ (질문) '교통사고로 인한 사망률'과 '당뇨로 인한 사망률' 중 사망률이 더 높은 것은?
(대답) 전자이다. 왜냐하면 전자를 후자보다 매체를 통해 자주 보기 때문이다.
④ (질문) '지방이 10% 함유된 우유'와 '지방이 90% 제거된 우유' 중 선택하고 싶은 것은?
(대답) 후자이다. 왜냐하면 후자가 전자보다 지방이 적게 함유된 식품으로 느껴지기 때문이다.
⑤ (질문) '한 명이 빵 한 개를 만드는 것'과 '열 명이 빵 열 개를 만드는 것' 중 시간이 더 오래 걸리는 것은?
(대답) 후자이다. 후자가 전자보다 힘이 더 많이 드는 일로 느껴지기 때문이다.

7. <보기>는 윗글의 <그림>에 대한 설명이다. A, B에 들어갈 내용을 바르게 짝지은 것은?

— < 보 기 > —
이득 영역에서는 성과가 동일한 크기로 증가할 때마다 성과에 대하여 부여하는 가치의 크기가 (A   )하는 폭이 (B   ).

	A	B
①	증가	작아진다
②	증가	커진다
③	증가	같아진다
④	감소	작아진다
⑤	감소	커진다

8. '카너먼'의 입장에서 윗글의 '상황 1'과 '상황 2'에 대해 설명한 것으로 적절하지 <u>않은</u> 것은?

① ⓑ안의 50만 원과 ⓓ안의 50만 원에 대해 사람들이 부여하는 가치는 다르다.
② ⓐ안을 선택하는 사람들은 위험 회피 성향이고, ⓒ안을 선택하는 사람들은 위험 추구 성향이다.
③ ⓐ, ⓒ안은 이득이나 손실이 불확실한 대안, ⓑ, ⓓ안은 이득이나 손실이 확실한 대안에 해당한다.
④ '상황 1'에서 ⓑ안을 선택하는 사람이 많은 것은 사람들이 불확실한 이득보다 확실한 이득을 선호하기 때문이다.
⑤ '상황 2'에서 ⓒ안을 선택하는 사람이 많은 것은 확실한 손실을 꺼리는 인간의 심리가 반영된 결과이다.

9. ⓐ를 바탕으로, <보기>의 밑줄 친 부분의 이유를 추론한 것으로 가장 적절한 것은?

— < 보 기 > —

"먼저 써 보시고 한 달 후에 제품이 마음에 들지 않으면 반품하십시오. 금액은 전액 환불해 드립니다."라는 광고 문구에 많은 소비자들이 귀가 솔깃해져 쉽게 제품을 구매한다. 하지만 <u>막상 한 달 후, 제품이 마음에 들지 않더라도 사용하던 제품을 반품하고 구매한 금액을 환불받는 소비자는 소수에 지나지 않는다.</u> 이는 이득과 손실에 대한 심리 반응의 차이를 이용한 효과적인 판매 전략이라 할 수 있다.

① 제품을 사용하는 기간만큼 제품을 통해 얻는 이득감이 줄어들기 때문에
② 제품에 대한 불만족은 심리적인 현상일 뿐, 제품 자체의 문제가 아니기 때문에
③ 제품을 반품했을 때의 이득감이 제품을 그대로 사용했을 때의 이득감보다 더 크기 때문에
④ 제품을 반품할 때 느끼는 손실감이 구매한 금액을 환불받을 때 느끼는 이득감보다 크게 느껴지기 때문에
⑤ 제품을 구매하는 과정에 투입된 시간과 노력을 계산했을 때, 제품을 반품하는 것이 합리적 선택이기 때문에

10. ⓑ를 고려할 때, <보기>의 '상황'에 대한 사람들의 선택을 예측한 것으로 적절한 것은? [3점]

— < 보 기 > —

[상황]
○○ 지역에 전염병이 돌아 600명의 주민이 죽을 것으로 예상된다. 이 전염병을 막기 위한 프로그램 ㉮와 ㉯가 있다.

○ 프로그램 ㉮ : 400명의 사람이 죽게 됨.
○ 프로그램 ㉯ : 아무도 죽지 않을 확률이 3분의 1이고, 600명이 죽게 될 확률이 3분의 2임.

[질문]
만약 여러분이 정책 담당자라면 프로그램 ㉮와 ㉯ 중 어느 것을 선택하겠는가?

① 사람들은 상황을 부정적 틀로 인식하기 때문에 프로그램 ㉮를 선택하는 사람들이 더 많을 것이다.
② 사람들은 상황을 부정적 틀로 인식하기 때문에 프로그램 ㉯를 선택하는 사람들이 더 많을 것이다.
③ 사람들은 상황을 긍정적 틀로 인식하기 때문에 프로그램 ㉮를 선택하는 사람들이 더 많을 것이다.
④ 사람들은 상황을 긍정적 틀로 인식하기 때문에 프로그램 ㉯를 선택하는 사람들이 더 많을 것이다.
⑤ 사람들은 상황을 긍정적 틀로 인식하기 때문에 프로그램 ㉮와 ㉯를 선택하는 사람들이 비슷할 것이다.

총 문항					문항	맞은 문항				문항
개별 문항	1	2	3	4	5	6	7	8	9	10
채점										
개별 문항	11	12	13	14	15	16	17	18	19	20
채점										

【1~4】 (가)는 동아리원들 간의 토의이고, (나)는 토의에 참여한 학생이 작성한 안내문이다. 물음에 답하시오.

(가)

학생 1: 우리 동아리가 학교 축제 마지막 날 오후에 행사를 진행하게 됐잖아. 그래서 오늘은 그 행사를 어떻게 진행할지 토의하려고 해. 자유롭게 의견을 말해 줘.

학생 2: 지난번에 우리 동아리원끼리 피구 시합했었잖아. 그때 친하지 않았던 동아리 친구들이랑 친해져서 좋았어. 그거랑 비슷하게 이번 축제에서는 학급 대항 축구 대회를 열면 학급 단합도 되고 좋지 않을까?

학생 3: 그래도 그건 학급 간에 경쟁을 유발하기도 하고, 참여할 수 있는 인원이 제한적이잖아. 이번에는 많은 친구들이 제한 없이 참여할 수 있는 활동이 좋을 것 같아. 예전에 우리 동아리에서 운영했었던 마라톤 행사는 어때? [A]

학생 2: 나도 많은 학생들이 참여할 수 있는 활동이면 좋겠는데, 마라톤은 체력적으로 너무 부담스러워. 나 같은 생각을 하는 학생들은 참여를 꺼리지 않을까? 게다가 기록에 따라 순위가 결정되니까 그것도 경쟁을 유발할 것 같아.

학생 3: 음……. 그럼, 플로깅 행사는 어때? 얼마 전에 기사에서 봤는데 운동 효과가 있으면서도 많은 친구들이 참여할 수 있을 것 같아.

학생 1: 플로깅이 뭐야? 처음 들어 보는 말이라 낯설어.

학생 3: 쉽게 말하자면 달리면서 쓰레기를 줍는 활동이야. 정해진 코스를 달리면서 쓰레기도 줍다 보니 운동 효과가 크다고 하더라고.

학생 2: 그거 좋겠다. 플로깅 행사를 통해 마을 쓰레기가 줄어들면 우리 지역 사회에도 도움이 될 거야. 그리고 운동뿐만 아니라 환경 문제에 관심 있는 친구들도 많이 참여하지 않을까?

학생 1: 그럼 다들 플로깅 행사를 진행하는 데 동의하니까 이제 코스에 대해 이야기해 보자.

학생 3: 학교 근처에 ○○천 둘레길이 있으니까 거기를 코스로 하면 좋겠어.

학생 2: 그런데 참여 인원이 많아지면 코스가 하나로는 부족해. 많은 인원이 달리다 보면 안전 관리가 어려울 거야.

학생 1: 네 말이 맞겠다. 주민들도 불편함을 겪을 거야.

학생 3: 그럼 학교 근처에서 지저분해지기 쉬운 장소를 중심으로 코스를 짜 보자.

학생 2: 좋은 생각이야. 친구들이 자기 체력에 맞게 코스를 선택할 수 있도록 다양한 코스를 짜서 홍보하면 학생들이 더 많이 참여할 것 같아.

학생 1: 네 말은 친구들이 각자 체력에 맞게 코스를 선택할 수 있도록 다양한 코스를 짜면 학생들의 참여도가 더 높아질 거라는 거지? 내가 우선 코스를 짜 볼게.

학생 2: 응, 고마워. 참가 신청은 학생들이 쉽게 할 수 있도록 인터넷 사이트를 이용해서 받자. 신청 기간은 일주일이면 넉넉하겠지?

학생 1: 좋아. 그럼 내가 오늘 토의한 내용을 바탕으로 안내문을 써서 공유할게.

(나)

플로깅 행사 개최 안내

안녕하세요. ○○고등학교 학생 여러분. 운동 동아리 '건강 더하기'에서 여러분을 위해 축제 마지막 날에 우리 학교 학생 누구나 참여할 수 있는 플로깅 행사를 개최하고자 합니다.

'플로깅'은 이삭줍기를 의미하는 스웨덴어 '플로카 업(plocka upp)'과 영어 '조깅(jogging)'이 합쳐진 말로 환경을 지키자는 움직임에서 시작되었습니다. 달리면서 쓰레기를 줍는 활동으로 건강과 환경을 모두 지키는 일석이조의 효과가 있습니다.

플로깅 행사는 자신의 체력에 맞게 선택할 수 있도록 난이도에 따라 학교 주변을 중심으로 세 가지 코스로 운영될 예정입니다. 이번 행사에 참여하면 건강을 지키면서 지역 사회의 환경도 깨끗하게 만들 수 있습니다.

(_____ ㉠ _____)

○ 일시: 2022년 12월 ××일(금) 15:00 ~ 17:00
○ 대상: 우리 학교 학생 누구나
○ 코스

코스명	코스	거리	난이도
1코스	학교 운동장-○○천-영화관(반환 지점)	약 2km	하
2코스	학교 운동장-슈퍼마켓-공원(반환 지점)	약 3km	중
3코스	학교 운동장-도서관-전망대(반환 지점)	약 3.5km	상

○ 신청 기간: 2022년 11월 ××일 ~ 11월 ××일 / 7일간
○ 신청 방법: 참여 링크 https://www.□□.com에서 신청

1. '학생 1'의 말하기 방식에 대한 설명으로 적절하지 않은 것은?
① 토의의 배경을 언급하며 토의 주제를 제시하고 있다.
② 토의 참여자의 반응을 확인하고 논의를 이어가고 있다.
③ 토의 참여자의 발언에 동의하며 자신의 의견을 덧붙이고 있다.
④ 토의의 흐름에 따라 다음에 발언할 토의 참여자를 지정하고 있다.
⑤ 토의 참여자의 발언을 재진술하며 상대의 의견을 확인하고 있다.

2. [A]에 대한 설명으로 가장 적절한 것은?
① '학생 2'는 상대방의 의견을 일부 인정하며 자신의 의견을 수정하고 있다.
② '학생 2'는 상대방과 공유하는 경험을 활용하여 자신의 의견을 제시하고 있다.
③ '학생 2'는 자신의 의견을 여러 개 제시한 후 상대방에게 선택을 요구하고 있다.
④ '학생 3'은 상대방이 제시한 방안의 장점을 언급하고 있다.
⑤ '학생 3'은 자신의 의문을 해소하기 위해서 상대방에게 보충 설명을 요청하고 있다.

3. '학생 1'이 (가)의 토의 내용을 바탕으로 (나)를 작성할 때, (나)에 반영된 내용으로 적절하지 <u>않은</u> 것은? [3점]

① (가)에서 용어가 낯설다는 의견에 따라 학생들이 이해하기 쉽도록 용어를 풀어서 설명해야겠어.

② (가)에서 학생들이 쉽게 신청할 수 있도록 인터넷 사이트를 이용하자는 의견에 따라 참여 링크를 제시해야겠어.

③ (가)에서 체력에 맞게 코스를 선택할 수 있도록 하자는 의견에 따라 행사 코스의 거리와 난이도를 제시해야겠어.

④ (가)에서 참여에 제한이 없는 활동이면 좋겠다는 의견에 따라 우리 학교 학생 누구나 참여할 수 있음을 밝혀야겠어.

⑤ (가)에서 이번 행사가 지역 사회에 도움이 될 수 있다는 의견에 따라 지역 사회 주민과 연계하여 진행됨을 밝혀야겠어.

4. <조건>에 따라 (나)의 ㉠에 추가할 내용으로 가장 적절한 것은?

┌─────────────── < 조 건 > ───────────────┐
│ ◦ 건강과 환경 측면에서의 기대 효과를 고려하여 작성할 것. │
│ ◦ 비유적 표현을 활용할 것.   │
└──────────────────────────────────────┘

① 열심히 공부하느라 몸을 돌볼 시간이 없으셨나요? 바쁜 일상 속에서 플로깅에 참여하여 건강을 지켜 보세요.

② 달리며 쓰레기를 줍는 단순한 행동을 통해 지구가 깨끗해질 수 있어요. 플로깅 행사에 적극적인 참여 기대합니다.

③ 플로깅 행사 참여, 아직도 망설이시나요? 여러분의 건강도 지키고 지역 환경도 살리는 보석 같은 시간을 만들어 보세요.

④ 기후 위기를 막는 도전, 함께 시작해 봅시다. 오늘 우리가 투자한 하루가 유리같이 깨끗한 지역 사회를 만들 수 있습니다.

⑤ 플로깅은 지구력 향상에 도움이 된다고 합니다. 원하는 코스를 선택하여 플로깅 행사에 참여하면 여러분의 건강을 지킬 수 있습니다.

5. <보기 1>의 '표준 발음법'에 따라 <보기 2>의 ㉠~㉤을 발음한다고 할 때, 적절하지 <u>않은</u> 것은?

┌─────────────── < 보 기 1 > ───────────────┐
│ **표준 발음법**   │
│ **제10항** 겹받침 'ㄳ', 'ㄵ', 'ㄼ, ㄽ, ㄾ', 'ㅄ'은 어말 또는 자음 │
│   앞에서 각각 [ㄱ, ㄴ, ㄹ, ㅂ]으로 발음한다.   │
│ **제11항** 겹받침 'ㄺ, ㄻ, ㄿ'은 어말 또는 자음 앞에서 각각   │
│   [ㄱ, ㅁ, ㅂ]으로 발음한다. 다만, 용언의 어간 말음 │
│   'ㄺ'은 'ㄱ' 앞에서 [ㄹ]로 발음한다.   │
│ **제14항** 겹받침이 모음으로 시작된 조사나 어미, 접미사와 결   │
│   합되는 경우에는, 뒤엣것만을 뒤 음절 첫소리로 옮겨   │
│   발음한다.   │
│ **제23항** 받침 'ㄱ(ㄲ, ㅋ, ㄳ, ㄺ), ㄷ(ㅅ, ㅆ, ㅈ, ㅊ, ㅌ), ㅂ │
│   (ㅍ, ㄼ, ㄿ, ㅄ)' 뒤에 연결되는 'ㄱ, ㄷ, ㅂ, ㅅ, ㅈ' │
│   은 된소리로 발음한다.   │
└──────────────────────────────────────┘

┌─────────────── < 보 기 2 > ───────────────┐
│   책장에서 ㉠<u>읽지</u> 않은 시집을 발견했다. 차분히 ㉡<u>앉아</u> 마 │
│ 음에 드는 시를 예쁜 글씨로 공책에 ㉢<u>옮겨</u> 적었다. 소리 내 │
│ 어 시를 ㉣<u>읊고</u>, 시에 대한 감상을 적어 보기도 했다. 마음이 │
│ 평온해지는 ㉤<u>값진</u> 경험이었다.   │
└──────────────────────────────────────┘

① ㉠은 제11항, 제23항 규정에 따라 [일찌]로 발음해야겠군.

② ㉡은 제14항 규정에 따라 [안자]로 발음해야겠군.

③ ㉢은 제11항 규정에 따라 [옴겨]로 발음해야겠군.

④ ㉣은 제11항, 제23항 규정에 따라 [읍꼬]로 발음해야겠군.

⑤ ㉤은 제10항, 제23항 규정에 따라 [갑찐]으로 발음해야겠군.

6. <보기 1>의 밑줄 친 부분에 해당하는 단어를 <보기 2>에서 있는 대로 모두 고른 것은?

┌─────────────── < 보 기 1 > ───────────────┐
│ **선생님** : 하나의 단어가 수사로 쓰이기도 하고 수 관형사로도 │
│   쓰이는 경우가 많습니다. 그런데 <u>수 관형사로만 쓰이는</u> │
│   <u>단어</u>도 있습니다.   │
└──────────────────────────────────────┘

┌─────────────── < 보 기 2 > ───────────────┐
│ ◦ 나는 필통에서 연필 <u>하나</u>를 꺼냈다.   │
│ ◦ 그 마트는 매월 <u>둘째</u> 주 화요일에 쉰다.   │
│ ◦ 이번 학기에 책 <u>세</u> 권을 읽는 게 내 목표야.   │
│ ◦ <u>여섯</u> 명이나 이 일에 자원해서 정말 기쁘다.   │
└──────────────────────────────────────┘

① 하나   ② 세   ③ 하나, 여섯

④ 둘째, 세   ⑤ 둘째, 여섯

7. ㄱ~ㅇ에 대한 설명으로 적절하지 <u>않은</u> 것은?

> **지현** : 저기 ㄱ<u>버스</u> 온다. 얼른 타자. 우리가 오늘 영화를 볼 장소로 가는 버스야.
> **경준** : ㄴ<u>차</u>에 사람이 많아 보여. 차라리 택시를 타자.
> **지현** : 좋아. 그런데 ㄷ<u>이곳</u>이 원래 사람이 이렇게 많았나?
> **경준** : ㄹ<u>여기</u>가 혼잡한 데는 아닌데 주말이라 그런 것 같아. 급하게 와서 그런지 목이 마르네. 물병 좀 꺼내 줄래? 배낭을 열면 물병이 두 개 있어.
> **지현** : 잠시만. ㅁ<u>이 중</u>에서 더 작은 ㅂ<u>것</u>을 주면 돼?
> **경준** : 응, 고마워. 그런데 ㅅ<u>우리가 오늘 보기로 한 영화</u>는 누가 추천한 거야?
> **지현** : ㅇ<u>자기</u>가 봤는데 재미있더라면서 민재가 추천해 줬어.

① ㄴ은 '버스'의 상위어로서 ㄱ을 가리킨다.
② ㄷ과 ㄹ은 다른 단어이지만, 같은 곳을 가리킨다.
③ ㅁ은 '배낭'을, ㅂ은 '물병'을 가리킨다.
④ ㅅ은 화자와 청자를 모두 포함한다.
⑤ ㅇ은 '민재'를 가리킨다.

【8~12】 다음 글을 읽고 물음에 답하시오.

> (가) 1 산촌(山村)에 눈이 오니 돌길이 묻혔어라
> ㄱ<u>시비(柴扉)를 열지 마라</u> 날 찾을 이 뉘 있으랴
> 밤중만 일편명월(一片明月)이 긔 벗인가 하노라
>
> 2 창(窓)밖에 워석버석 임이신가 일어 보니
> 혜란 혜경(蕙蘭蹊徑)*에 낙엽(落葉)은 무슨 일이고
> 어즈버 유한한 간장(肝腸)이 다 긏을까 하노라
>
> 3 노래 삼긴 사람 시름도 하도 할샤
> 일러 다 못 일러 불러나 풀었던가
> 진실로 풀릴 것이면은 나도 불러 보리라
> ― 신흠, 「방옹시여(放翁詩餘)」 ―
>
> * 혜란 혜경 : 난초가 자라난 지름길.

> (나) 너를 꿈꾼 밤
> 문득 인기척에
> 잠이 깨었다.
> 문턱에 귀대고 엿들을 땐
> 거기 아무도 없었는데
> 베개 고쳐 누우면
> 지척에서 들리는 ⓐ<u>발자국 소리</u>.
> 나뭇가지 스치는 소매깃 소리.
> 아아, 네가 왔구나.
> 산 넘고 물 건너
> 누런 해 지지 않는 서역(西域) 땅에서
> 나직이 신발을 끌고 와
> 다정하게 부르는
> ⓑ<u>너의 목소리</u>,
> 오냐, 오냐,
> 안쓰런 마음은 만리 길인데
> 황망히 ⓒ<u>문을 열고</u> 뛰쳐나가면
> 밖엔 하염없이 내리는 ⓒ<u>가랑비 소리</u>,
> 후두둑,
> 댓잎 끝에 방울지는
> 봄비 소리.
> ― 오세영, 「너의 목소리」 ―

8. (가)와 (나)의 표현상 공통점으로 가장 적절한 것은?

① 영탄적 표현을 통해 감정을 효과적으로 표출하고 있다.
② 명사로 시상을 마무리하여 시적 여운을 자아내고 있다.
③ 의문형 진술을 활용하여 심리적 태도를 부각하고 있다.
④ 말을 건네는 방식을 사용하여 친밀감을 강화하고 있다.
⑤ 자연물에 인격을 부여하여 주제 의식을 드러내고 있다.

9. 다음은 탐구 학습을 통해 (가)의 ②와 (나)를 비교하여 정리한 내용이다. ㄱ~ㅁ 중, 적절하지 <u>않은</u> 것은? [3점]

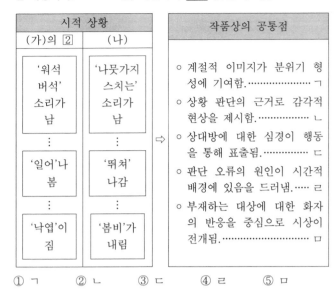

시적 상황		작품상의 공통점
(가)의 ②	(나)	
'워석 버석' 소리가 남 ⋮ '일어' 나 봄 ⋮ '낙엽'이 짐	'나뭇가지 스치는' 소리가 남 ⋮ '뛰쳐' 나감 ⋮ '봄비'가 내림	○ 계절적 이미지가 분위기 형성에 기여함. ……………… ㄱ ○ 상황 판단의 근거로 감각적 현상을 제시함. ………… ㄴ ○ 상대방에 대한 심경이 행동을 통해 표출됨. ………… ㄷ ○ 판단 오류의 원인이 시간적 배경에 있음을 드러냄. …… ㄹ ○ 부재하는 대상에 대한 화자의 반응을 중심으로 시상이 전개됨. ………………… ㅁ

① ㄱ   ② ㄴ   ③ ㄷ   ④ ㄹ   ⑤ ㅁ

10. ㉠과 ㉡에 대한 설명으로 가장 적절한 것은?

① ㉠에는 ㉡과 달리 화자의 소망이 투영되어 있다.
② ㉡에는 ㉠과 달리 화자의 억울한 심정이 내재되어 있다.
③ ㉠에는 화자의 단절감이, ㉡에는 화자의 기대감이 담겨 있다.
④ ㉠에는 냉소적 태도가, ㉡에는 관조적 태도가 반영되어 있다.
⑤ ㉠과 ㉡에는 결핍 상태가 충족된 내면 심리가 나타나 있다.

11. <보기>를 바탕으로 (가)를 감상한 내용으로 적절하지 <u>않은</u> 것은?

> ─── < 보 기 > ───
>
> (가)는 선조의 총애를 받던 신흠이 선조 사후 '계축옥사'에 연루되어 관직을 박탈당하고 김포로 내쫓겼던 시기에 쓴 시조 30수 중 일부이다. 이들 30수는 자연 지향, 세태 비판, 연군, 취흥 등의 다양한 주제 의식을 형성하고 있으며, 우리말 시가에 대한 작가의 인식도 엿볼 수 있다. 그 서문 격인 「방옹시여서」에는 창작 당시 그의 심경이 다음과 같이 적혀 있다. "내 이미 전원으로 돌아오매 세상이 진실로 나를 버렸고 나 또한 세상사에 지쳤기 때문이다."

① '산촌'은 세상과 대비되는 공간으로서의 자연의 의미를 지니는 것이겠군.
② '일편명월'은 세태를 비판하고 자신의 억울한 처지를 호소하는 작가를 상징하는 것이겠군.
③ '임'을 군왕으로 이해한다면 '간장이 다 긏을까 하노라'는 임금을 향한 신하의 애끓는 심정이 함축된 것이겠군.
④ '시름'은 정치적 혼란기에 정계에서 쫓겨나 버림받은 작자의 복잡한 심경을 나타내는 것이겠군.
⑤ '노래'는 세상사에 지치고 뒤엉킨 작가의 마음을 풀어 내는 수단으로서의 성격을 지니는 것이겠군.

12. ⓐ~ⓒ와 관련하여 (나)를 이해한 내용으로 적절하지 <u>않은</u> 것은?

① 화자가 꾼 '꿈'은 빗소리를 ⓐ로 여기는 계기가 된다고 볼 수 있겠군.
② '너'에 대한 화자의 그리움이 고조됨에 따라 빗소리가 ⓐ에서 ⓑ로 인식된다고 볼 수 있겠군.
③ ⓑ는 '산 넘고 물 건너' 들려오는 것이기에 화자에게 반가움과 동시에 과거의 추억을 환기한다고 볼 수 있겠군.
④ '하염없이 내리는' ⓒ는 하강의 이미지를 통해 만남이 무산된 화자의 좌절감과 조응한다고 볼 수 있겠군.
⑤ ⓑ가 ⓒ임을 알고 난 후의 화자의 허탈감이 '후두둑'을 통해 청각적 이미지로 부각된다고 볼 수 있겠군.

총 문항				문항	맞은 문항					문항
개별 문항	1	2	3	4	5	6	7	8	9	10
채점										
개별 문항	11	12	13	14	15	16	17	18	19	20
채점										

내신 씹어 먹는 어휘

꼭 소화 시킬 어휘	사전적 풀이	같은 어휘 다른 예문
2022년 11월 고3 수능 조선 후기 실학자들이 편찬한 유서가 주자학의 관념적 사유에 [국한되지] 않고 새로운 지식의 축적과 확산을 촉진한 것은 지식의 역사에서 적지 않은 의미를 지닌다.	**국한(局限)되다** 범위가 일정한 부분에 한정되다.	산업 혁명 초기에 기계는 실을 만들거나 베를 짜는 것 따위에 국한되어 있었다.
2022년 9월 고1 학평 이때 사람들은 타인을 사랑하고 자신이 가진 것을 나눔으로써 다른 존재의 성장을 도우려 하는데, 프롬은 이러한 삶의 모습을 [궁극적] 행복이라 보았다.	**궁극적(窮極的)** 더할 나위 없는 지경에 도달하는 것.	인문 과학의 궁극적 목표는 인간의 본질에 대한 답을 구하는 것이다.
2022년 7월 고3 학평 칸트는 흄과 달리 상상력을 [선험적]인 차원에서 탐구하였다. 칸트에 의하면 인간의 인식 능력은 감성, 상상력, 지성, 이성이라는 4가지로 구분된다.	**선험적(先驗的)** 경험에 앞서서 인식의 주관적 형식이 인간에게 있다고 주장하는 것.	일부 철학자는 윤리나 도덕은 경험에 의한 것이 아니라 선험적으로 주어진 것이라고 주장한다.
2022년 6월 고3 모평 따라서 이 작업의 [관건]은 그 사건 외에는 결과에 차이가 날 이유가 없는 두 집단을 구성하는 일이다.	**관건(關鍵)** 어떤 사물이나 문제 해결의 가장 중요한 부분.	자율적인 시민을 어떻게 육성하느냐가 민주주의의 발전에 가장 큰 관건으로 대두된다.
2022년 6월 고2 학평 우리나라는 식물 신품종에 대한 지식 재산권을 보호하고, 육성자의 식물 품종 개량을 촉진하며, 우리나라 종자 산업의 발전을 [도모하기] 위하여 '식물 신품종 보호법'을 실시하고 있다.	**도모(圖謀)하다** 어떤 일을 이루기 위하여 대책과 방법을 세우다.	농촌과 도시의 균형 있는 발전을 도모하지 않고서는 안정과 성장을 기대할 수 없다.
2022년 4월 고3 학평 당대인들은 조선과 명을 군신(君臣)이자 부자(父子)의 의리가 있는 관계로 보았고, 특히 임진왜란 때 명의 지원을 받은 후 대명의리는 누구도 부정할 수 없는 [보편적] 규범으로 인식되었다.	**보편적(普遍的)** 모든 것에 두루 미치거나 통하는 것.	사회 구성원 간의 갈등은 어느 사회에나 존재하는 보편적인 현상이다.
2022년 3월 고2 학평 그러나 이성을 맹신한 결과 전쟁의 비극과 물질문명의 [병폐]를 경험한 유럽인들은, 이성에 대한 깊은 회의감과 함께 인간의 실존 문제에 관심을 갖게 되었다.	**병폐(病弊)** 병통과 폐단을 아울러 이르는 말.	산업화 사회의 대표적인 두 가지 병폐는 물질 숭배와 이기심이다.

내신
씹어 먹는 어휘

	꼭 소화 시킬 어휘	사전적 풀이	같은 어휘 다른 예문
2021년 6월 고3 모평	그것을 넘어서는 처벌은 폭압이며 불필요하다. 베카리아는 말한다. 상이한 피해를 일으키는 두 범죄에 동일한 형벌을 적용한다면 더 무거운 죄에 대한 억지력이 상실되지 않겠는가.	**상이(相異)하다** 서로 다르다.	두 사람은 서로 상이한 의견을 가지고 있지만, 대화를 통해 합치점을 찾으려고 하였다.
2021년 6월 고2 학평	이에 주체는 주변의 존재들을 소유해 가며 자기성을 계속 확장해 나간다. 이처럼 향유의 주체성은 본질적으로 이기적이며 자기 삶에만 관심을 갖기 때문에 스스로는 초월할 수 없다.	**향유(享有)** 누리어 가짐.	동수는 보다 많은 물질적 부의 향유를 위해 악착같이 돈을 벌었다.
2021년 6월 고2 학평	내용증명이란 누가, 언제, 누구에게, 어떤 내용의 문서를 보냈다는 사실을 우체국에서 공적으로 증명해 주는 우편 제도로, 이를 활용하면 향후 법적 분쟁의 소지를 줄일 수 있다.	**향후(向後)** 이것에 뒤이어 오는 때나 자리.	그들은 향후 협상 때 한국 농업의 특수성이 충분히 감안되도록 노력하겠다고 약속했다.
2021년 4월 고3 학평	대상의 독특한 가치를 맛보기 위해서는 복잡하고 섬세한 부분까지 주의 깊게 살펴야 한다. 이러한 섬세한 부분들을 민감하게 인지하는 것이 식별력이다. 즉, 식별력을 갖추고 관조한다면 더욱 풍부한 미적 경험을 할 수 있다.	**관조(觀照)** 고요한 마음으로 사물이나 현상을 관찰하거나 비추어 봄.	그는 인생을 관조하고 달관하는 자세로 평생을 살았다.
2021년 4월 고3 학평	이는 법관의 자의적인 사실 인정이 허용될 수 없다는 것으로, 공평하고 객관적인 형사재판을 가능하게 하는 전제가 된다고 할 수 있다. 그래서 증거는 형사소송법 체계에서 핵심적인 위치를 차지한다.	**자의적(恣意的)** 일정한 질서를 무시하고 제멋대로 하는 것.	자의적이고 독단적인 판단은 위급한 상황을 불러올 수 있다.
2021년 3월 고2 학평	이런 생각에 의거하여 미(美)는 마치 빛이 그 광원에서 멀어질수록 밝기가 약해지듯이, 일자에서 질료로 내려갈수록 점차 추(醜)에 가까워지게 된다.	**의거(依據)하다** 어떤 사실이나 원리 따위에 근거하다.	경험 철학에서는 귀납법에 의거하여 개별적인 사실의 진리에서 일반적인 진리를 찾아간다.
2020년 11월 고3 수능	그는 의리 문제는 청이 천하를 차지한 지 백여 년이 지나며 자연스럽게 소멸된 것으로 여기고, 청 문물 제도의 수용이 가져다주는 이익을 논하며 북학론의 당위성을 설파하였다.	**설파(說破)** 어떤 내용을 듣는 사람이 납득하도록 분명하게 드러내어 말함.	그의 강연은 환경 보호의 중요성에서 시작하여 구체적인 방법의 설파로 이어졌다.

내신 씹어 먹는 어휘

꼭 소화 시킬 어휘	사전적 풀이	같은 어휘 다른 예문
2020년 11월 고3 수능 당시 청에 대한 찬반의 이분법에서 벗어나 청과 조선의 현실적 차이뿐만 아니라 양쪽 모두의 가치를 인정하였다. 이런 시각에서 그는 청과 조선은 구분되지만 서로 배타적이지 않다고 보았다.	**배타적(排他的)** 남을 배척하는 것.	그들은 정권을 배타적으로 독점하려는 음모를 가지고 있다.
2020년 10월 고3 학평 그는 'X가 상대방 Y에 대하여 무언가에 관한 권리를 가진다.'는 진술이 의미하는 바를 몇 가지 기본 범주들로 살펴 권리 개념을 이해해야 권리자 X와 그 상대방 Y의 지위를 명확히 파악할 수 있다고 주장했다.	**범주(範疇)** 동일한 성질을 가진 부류나 범위.	현대 사회에서 관찰할 수 있는 현상들은 대략 몇 가지 범주로 묶어 볼 수 있다.
2020년 9월 고3 모평 또한 맥락주의 비평에서는 작품이 창작된 시대적 상황 외에 작가의 심리적 상태와 이념을 포함하여 가급적 많은 자료를 바탕으로 작품을 분석하고 해석한다.	**이념(理念)** 이상적인 것으로 여겨지는 생각이나 견해.	민주주의의 근본이 되는 이념은 인간 존중이라고 할 수 있다.
2020년 9월 고2 학평 객체의 자립성은 인간의 노동에 의해 일정하게 제거되고 약화되어 주체에 알맞게 변화된다. 한편 주체는 노동 과정에서 객체에 내재된 질서나 법칙을 일정 정도 받아들이면서 자신의 욕구나 목적을 객체 속에 실현한다.	**내재(內在)** 어떤 사물이나 범위의 안에 들어 있음. 또는 그런 존재.	그 이론에 내재되어 있는 모순점을 찾기란 그리 어려운 일이 아니다.
2020년 7월 고3 학평 아이러니스트는 사적인 영역에만 갇혀 공적인 것에 대해 무관심해질 수 있으므로, 로티는 사적 영역에서 아이러니스트의 작업을 수행함과 동시에 공적 영역에서는 자유주의자가 될 것을 촉구했다.	**촉구(促求)** 급하게 재촉하여 요구함.	법조계 비리에 대한 진상 조사 촉구가 시민 단체를 중심으로 강하게 일고 있다.
2020년 6월 고3 모평 승진을 위해서 빨리 성과를 낼 필요가 있었기에, 지역 사회를 위해 장기적인 전망을 가지고 정책을 추진하기보다 가시적이고 단기적인 결과만을 중시하는 부작용을 가져왔다.	**가시적(可視的)** 눈으로 볼 수 있는 것.	이번 회담에서 구체적이고 가시적인 결과를 도출할 수 있기를 기대한다.
2020년 6월 고2 학평 그래서 사르트르는 진실한 인간이라면 책임감이라는 부담 때문에 번민하고, 그 번민의 원인이 되는 자유로부터 도피하고 싶은 욕망이 생길 수 있다고 보았다.	**번민(煩悶)** 마음이 번거롭고 답답하여 괴로워함.	그 소설은 주인공이 겪는 무수한 갈등과 번민, 그리움이 잘 표현된 작품으로 평가된다.

내신 씹어 먹는 어휘

꼭 소화 시킬 어휘	사전적 풀이	같은 어휘 다른 예문
2020년 3월 고2 학평 도덕적 자유주의자는 개인들이 합의를 통해 만든 상위 원리를 바탕으로 갈등을 해결해야 한다고 주장한다. 자신의 이익만을 생각하는 편협한 입장에서 벗어나 객관적이고 공평한 지점에서 상위 원리를 만들 수 있다고 보기 때문이다.	**편협(偏狹)하다** 한쪽으로 치우쳐 도량이 좁고 너그럽지 못하다.	외래문화의 수용을 무조건 반대하는 것은 편협한 생각이다.
2019년 11월 고2 학평 인간이 이익과 행복을 증진하려는 노력을 계속하는 한 공리주의 담론에서 최선의 결과에 대한 논의는 계속될 것이다.	**담론(談論)** 이야기를 주고받으며 논의함.	나는 그와 문화와 예술에 대한 담론을 나누는 것을 좋아한다.
2019년 9월 고3 모평 그러나 문헌 기록을 바탕으로 하는 역사 서술에서도 허구가 배격되어야 할 대상만은 아니다. 역사가는 허구의 이야기 속에서 그 안에 반영된 당시 시대적 상황을 발견하여 사료로 삼으려고 노력하기도 한다.	**배격(排擊)** 어떤 사상, 의견, 물건 따위를 물리침.	자기 생각과 다르다고 해서 무조건 배격을 하는 건 옳지 않다.
2019년 9월 고2 학평 이처럼 예술가가 자신이 원하는 순간을 포착하는 것의 중요성을 보여준 브레송의 '결정적 순간'은 사진작가 각자의 개성이 담긴 결정적 순간으로 확대되면서 예술 지평을 넓혔다는 평가를 받았다.	**지평(地平)** 사물의 전망이나 가능성 따위를 비유적으로 이르는 말.	문학 연구 지평의 국제적 확대는 국가 발전의 한 부분으로서 반드시 필요한 일임에 틀림이 없다.
2019년 6월 고3 모평 고대 그리스 시대의 사람들은 신에 의해 우주가 운행된다고 믿는 결정론적 세계관 속에서 신에 대한 두려움이나 신이 야기한다고 생각되는 자연재해, 천체 현상 등에 대한 두려움을 떨치지 못했다.	**야기(惹起)하다** 일이나 사건 따위를 끌어 일으키다.	그들은 대낮에 도로 한복판에서 패싸움을 하며 교통을 방해하는 등, 혼란을 야기한 죄로 구속되었다.
2019년 4월 고3 학평 이런 비도덕적 행동이 발생하는 원인과 도덕적 행동을 유도하는 방법을 설명하는 데 있어, 자기 조절이라는 개념을 중심으로 도덕교육에 시사점을 주는 현대 심리학 이론들이 있다.	**시사점(示唆點)** 미리 일러 주는 암시.	환경 오염이 생태계에 얼마나 치명적인가에 대한 것이 이 보고서가 보여 주는 시사점이다.
2019년 3월 고3 학평 세종은 중국의 역법을 수용하되 이것을 조선에 맞게 운용하는 방법을 택함으로써 중국과의 관계를 고려하면서도 시간 규범을 스스로 수립하고자 한 것이다.	**운용(運用)** 무엇을 움직이게 하거나 부리어 씀.	중앙 정부가 지방 정부의 예산 운용에 관여하는 데는 한계가 있다.

내신 씹어 먹는 어휘

꼭 소화 시킬 어휘	사전적 풀이	같은 어휘 다른 예문
2019년 3월 고2 학평 다음 순간 자신의 이야기가 전부 꾸며낸 것이라고 말한다면, 더는 그에게 동정심을 느끼지 않게 될 것이다. 일반적으로 감정은 그 감정을 유발하는 대상이나 사건이 실제로 존재한다는 믿음이 전제 되어 있기 때문이다.	**전제(前提)** 어떠한 사물이나 현상을 이루기 위하여 먼저 내세우는 것.	민주주의를 꽃피우기 위해서는 몇 가지 전제 조건이 필요하다.
2018년 11월 고2 학평 그는 인간의 이성에 의해 발달한 과학적 지식과 수학이 보편적이고 당위적 인 것이 됨으로써 지배와 복종의 작동 방식이 만들어졌다고 본다.	**당위적(當爲的)** 마땅히 그렇게 하거나 되어야 하는 것.	삼강오륜은 인간이 마땅히 지켜야 할 당위적 명제였다.
2018년 10월 고3 학평 이런 이유로 후대 미술가 중에는 투시 원근법에 대한 회의적 시각을 지닌 이들이 등장했다. 하지만 투시 원근법은 여전히 대상을 사실적으로 재현하려는 이들에게는 유용한 방법이다.	**회의적(懷疑的)** 어떤 일에 의심을 품는 것.	많은 직원들이 회사의 투자 계획에 회의적 시각을 드러냈다.
2018년 6월 고2 학평 사회적 지원이 풍부한 조직에서 일하는 사람은 감정 노동에 대한 스트레스는 낮고 업무 만족도는 높다. 이러한 특성의 요인들은 복합적으로 작용하면서 감정노동의 양상 도 다양하게 나타난다.	**양상(樣相)** 사물의 현상이나 모양의 상태.	현대 사회로 오면서 삶의 양상이 많이 달라졌다.
2018년 3월 고2 학평 그 결과 미니멀리즘 조각은 단순성과 추상성을 특징으로 한다는 점에서 이전 시기의 추상 조각과 공통점을 지니면서도, 전시장이라는 실제 장소의 물리적 특성을 작품에 의도적으로 결부하여 활용했다는 점에서 차별성을 띠게 되었다.	**결부(結付)하다** 일정한 사물이나 현상을 서로 연관시키다.	갈릴레이는 수학과 실험적 지식을 결부하여 생각한 최초의 인물이었다.
2017년 9월 고2 학평 데카르트와 같은 철학자들은 고대 피론주의의 진리의 존재 여부를 파악할 수 없다는 태도를 극복하기 위해 깊이 있게 인간의 인식에 대해 고찰 하였다.	**고찰(考察)** 어떤 것을 깊이 생각하고 연구함.	문화에 대한 고찰 없이 인간의 삶을 이해하는 것은 불가능하다.
2017년 3월 고3 학평 시냐크는 그의 대표작인 〈우물가의 여인들〉에서 화면에 무수히 많은 원색 점들을 찍어 병치 함으로써 중간색을 표현하였지만, 물감으로 그린 그림이므로 크게 밝아 보이지는 않았다.	**병치(竝置/併置)** 두 가지 이상의 것을 한곳에 나란히 두거나 설치함.	그 작품에는 서로 다른 성격의 구성 요소들이 조화를 이루면서 병치되어 있다.

• MEMO •

〈절취선〉

• MEMO •

〈절취선〉

• MEMO •

• MEMO •

〈절취선〉

B I G
E V E N T
1 + 3 ↙

씨뮬 교재를 구매하신 모든 분들께
고1, 2, 3 한국사 · 사회탐구 · 과학탐구 과목
중에서 학년에 상관없이 원하는 3과목의
최신 모의고사(과목별 4~12회 구성)
PDF 파일을 메일로 보내 드립니다.

참 여 방 법

❶ 설문지를 작성하고, "Big Event 1+3"
한국사 · 사회탐구 · 과학탐구 교재 목록에서
교재번호와 과목명을 확인한 후
'Big Event 1+3 교재 신청란'에 정확히 기입합니다.

❷ 설문지 부분을 핸드폰(또는 디지털 카메라)으로 찍어서
골드교육 홈페이지(www.goldedu.co.kr)
커뮤니티 → "1+3 이벤트" 게시판에 올리시면 됩니다.

❸ "Big Event 1+3"은 3과목까지 신청할 수 있으며,
여러 과목을 신청하면 임의대로 3과목을 선정하여
보내 드립니다.

★ 2023년 시행 모의고사를
신청하면 출간 일정상 2024년
2월부터 보내 드리오니 이용에
착오 없으시기 바랍니다.
그리고 이 책의 1+3 이벤트 유효
기간은 발행일로부터 3년입니다.

★ 개인 정보는 이벤트 목적
외에는 사용하지 않으며 이벤트
마감 이후 폐기함을 알려드립니다.

"Big Event 1+3" 한국사 · 사회탐구 · 과학탐구 교재 목록

1. 2022년 시행 모의고사 : 신청하시면 확인 후 바로 보내드리고 있습니다.

학년	과목(영역)	횟수	PDF 제공 교재
고1	한국사	4회	11-1 한국사
고2	한국사	4회	11-2 한국사
	사회탐구	4회	11-3 생활과 윤리, 11-4 윤리와 사상, 11-5 한국지리, 11-6 세계지리, 11-7 동아시아사, 11-8 세계사, 11-9 정치와 법, 11-10 경제, 11-11 사회 · 문화
	과학탐구	4회	11-12 물리학 I , 11-13 화학 I , 11-14 생명과학 I , 11-15 지구과학 I
고3	한국사	12회	11-16 한국사
	사회탐구	12회	11-17 생활과 윤리, 11-18 윤리와 사상, 11-19 한국지리, 11-20 세계지리, 11-21 동아시아사, 11-22 세계사, 11-23 법과 정치, 11-24 경제, 11-25 사회 · 문화
	과학탐구	12회	11-26 물리학 I , 11-27 화학 I , 11-28 생명과학 I , 11-29 지구과학 I
		11회	11-30 물리학 II , 11-31 화학 II , 11-32 생명과학 II , 11-33 지구과학 II

2. 2023년 시행 모의고사 : 2024년 2월부터 보내드릴 예정입니다.

학년	과목(영역)	횟수	PDF 제공 교재
고1	한국사	4회	12-1 한국사
고2	한국사	4회	12-2 한국사
	사회탐구	4회	12-3 생활과 윤리, 12-4 윤리와 사상, 12-5 한국지리, 12-6 세계지리, 12-7 동아시아사, 12-8 세계사, 12-9 정치와 법, 12-10 경제, 12-11 사회 · 문화
	과학탐구	4회	12-12 물리학 I , 12-13 화학 I , 12-14 생명과학 I , 12-15 지구과학 I
고3	한국사	11회	12-16 한국사
	사회탐구	11회	12-17 생활과윤리, 12-18 윤리와 사상, 12-19 한국지리, 12-20 세계지리, 12-21 동아시아사, 12-22 세계사, 12-23 법과 정치, 12-24 경제, 12-25 사회 · 문화
	과학탐구	11회	12-26 물리학 I , 12-27 화학 I , 12-28 생명과학 I , 12-29 지구과학 I
		10회	12-30 물리학 II , 12-31 화학 II , 12-32 생명과학 II , 12-33 지구과학 II

※ 과목별 수록 회차는 사정상 변경될 수 있습니다.

(주)골드교육 씨뮬 교재를 이용해 주셔서 감사합니다.
더 좋은 교재를 만들기 위해 독자 여러분의 의견을 귀담아 듣고자 합니다.

1. 이 책을 구입하게 된 동기는 무엇입니까?

① 학교/학원 교재   ② 선생님이 추천해 주셔서   ③ 선배나 친구들이 추천해서
④ 직접 서점에서 보고   ⑤ 광고나 입소문을 들어서   ⑥ 기타(   )

2. 이 책의 전반적인 부분에 대한 질문입니다.

• 문제의 분량 : 많다☐ 알맞다☐ 적다☐   • 해설의 분량 : 많다☐ 적당하다☐ 부족하다☐
• 책의 크기 : 크다☐ 적당하다☐ 작다☐   • 이용 편의성 : 편하다☐ 보통이다☐ 불편하다☐
• 책의 가격 : 비싸다☐ 적당하다☐ 싸다☐   • 책의 만족도 : 만족☐ 보통☐ 불만족☐

3. 이 책에서 좋았던 점은 무엇입니까? (복수 응답 가능)

① 24일 학습 체계   ② 출제 트렌드 & 1등급 꿀팁   ③ 대표 기출 문제 풀이
④ 지문의 난이도, 소요 시간 안내   ⑤ 채점 박스   ⑥ 정답 및 해설
⑦ 내신 대비 서브노트   ⑧ 기타(   )

4. 내가 구매한 씨뮬 교재에 대한 독자서평을 작성해 주세요.
베스트 독자서평으로 채택되면 다음 씨뮬 교재에 수록해 드립니다.

Big Event 1+3 교재 신청란

〈유형⁺ 씨뮬 고1 국어 독서〉

이벤트 신청은 위의 표를 보고 교재번호와 과목명을 빈칸에 정확히
적어 주시기 바랍니다. (교재번호 11-5, 과목명 한국지리)

이름			
		교재번호	과목명
신청 과목 1			
신청 과목 2			
신청 과목 3			

씨뮬

믿을 수 있는 기출문제로 실전 연습하여
출제 경향과 유형을 파악하라!

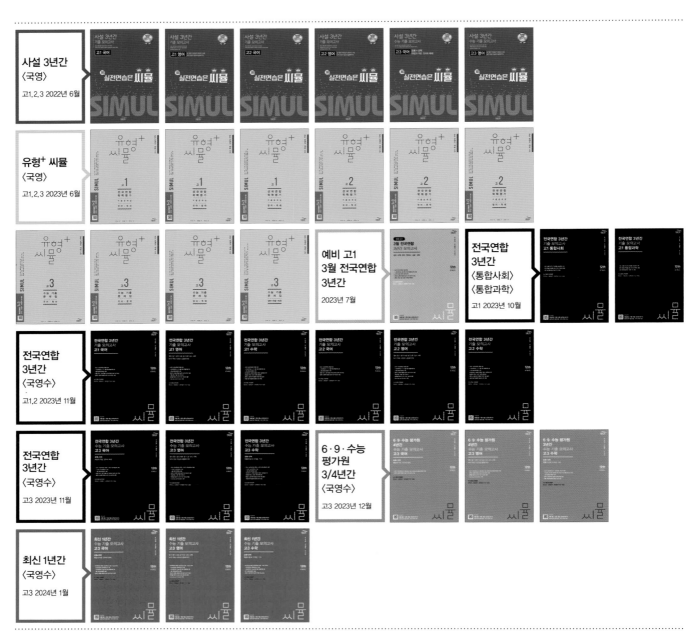

사설 3년간
〈국영〉
고1,2,3 2022년 6월

유형⁺ 씨뮬
〈국영〉
고1,2,3 2023년 6월

**예비 고1
3월 전국연합
3년간**
2023년 7월

**전국연합
3년간**
〈통합사회〉
〈통합과학〉
고1 2023년 10월

**전국연합
3년간**
〈국영수〉
고1,2 2023년 11월

**전국연합
3년간**
〈국영수〉
고3 2023년 11월

**6·9·수능
평가원
3/4년간**
〈국영수〉
고3 2023년 12월

최신 1년간
〈국영수〉
고3 2024년 1월

2024 씨뮬 시리즈

대한민국 No 1. 내신 / 학평, 수능 대비 문제집

국어	영어	수학	전과목 / 통합사회·과학
• 유형⁺ 씨뮬 고1 국어 독서	• 유형⁺ 씨뮬 고1 영어 독해	• 전국연합 3년간 고1 수학	• 예비고1 3월 학력평가
• 유형⁺ 씨뮬 고1 국어 문학	• 유형⁺ 씨뮬 고2 영어 독해	• 전국연합 3년간 고2 수학	• 전국연합 3년간 고1 통합사회
• 유형⁺ 씨뮬 고2 국어 독서	• 유형⁺ 씨뮬 고3 영어 독해	• 전국연합 3년간 고3 수학	• 전국연합 3년간 고1 통합과학
• 유형⁺ 씨뮬 고2 국어 문학	• 유형⁺ 씨뮬 고3 영어 어법·어휘	• 6·9·수능 3년간 고3 수학	
• 유형⁺ 씨뮬 고3 국어 독서	• 전국연합 3년간 고1 영어	• 최신 1년간 고3 수학	
• 유형⁺ 씨뮬 고3 국어 문학	• 전국연합 3년간 고2 영어		
• 전국연합 3년간 고1 국어	• 전국연합 3년간 고3 영어		
• 전국연합 3년간 고2 국어	• 사설 3년간 고1 영어		
• 전국연합 3년간 고3 국어	• 사설 3년간 고2 영어	**씨뮬 풀고 자동 채점 성적분석까지**	
• 사설 3년간 고1 국어	• 사설 3년간 고3 영어		
• 사설 3년간 고2 국어	• 6·9·수능 4년간 고3 영어	STUDY SENSE 온라인 성적분석 서비스	
• 사설 3년간 고3 국어	• 최신 1년간 고3 영어		
• 6·9·수능 4년간 고3 국어			
• 최신 1년간 고3 국어			

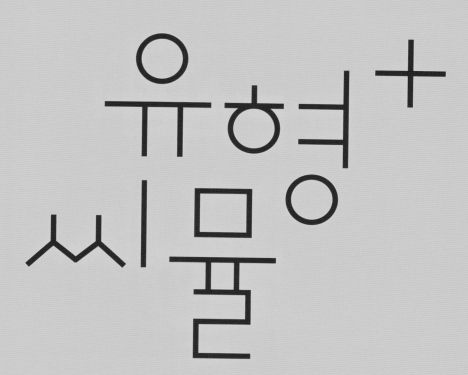

유형⁺씨물

단기 특강, 24일의 기적!

고 **1**

전국연합
학력평가

기 출 문 제 집

국 어 – 독 서

씨뮬과 함께하는 기출 완전정복 커리큘럼

씨뮬 = 실전 연습

내신, 학평, 수능까지 실전 대비 최고의 연습, 씨뮬
씨뮬과 함께 1등급, SKY, 의치한까지

예비 고1 3월 전국연합
3년간 모의고사
고등학교 첫 시험을 발 빠르게 준비하여
단 한 권으로 학습 주도권을 잡는 교재
※ 국어, 수학, 영어, 한국사, 사회, 과학 수록

예비
고1

01

02

고1~3

유형⁺씨뮬
학평, 수능의 문제 유형을 연습하고
출제 경향을 파악할 수 있는 교재
※ 고1~3 국어 독서/문학
※ 고1~3 영어 독해, 고3 영어 어법·어휘

전국연합 3년간
최근 3년간 시행된 학평, 모평, 수능 문제들로
완벽한 수능 대비를 할 수 있는 기본 중의 기본서
※ 고1 통합사회, 통합과학
※ 고1~3 국어, 수학, 영어

고1~3

03

04

고1~3

사설 3년간
종로, 이투스에서 출제된 고난도 모의고사
문제들을 연습할 수 있는 교재
※ 고1~3 국어, 영어

6·9·수능 평가원 3/4년간
평가원에서 최근 3/4년간 출제한 6월,
9월 모평 및 수능 문제들이 수록된
수능 출제 경향 파악에 가장 적합한 교재
※ 고3 국어, 수학, 영어

고3

05

06

고3

최신 1년간
최근 1년간 시행된 학평, 모평, 수능 문제 뿐
아니라 종로 모의고사까지 수록되어 최신 출제
경향을 한 권으로 파악할 수 있는 교재
※ 고3 국어, 수학, 영어

독자 여러분의 애정 어린 충고로

씨뮬은 해마다
새롭게 완성되어 갑니다!

실제 크기의 시험지와 OMR 카드를 제공해 주어서 실제 시험을 보는 것 같아 실제 시험에서 떨리지 않았고 문제에 대한 해설이 친절히 서술되어 있어 어려운 문제도 혼자만의 노력으로 이해할 수 있었어요. 역시 씨뮬!
—≫ 황*현

모의고사가 모아져 있는 책 중 씨뮬이 정말 최고예요. 특히 영어는 듣기 연습용 받아쓰기도 있어서 많은 도움이 되었습니다. 감사합니다.
—≫ 조*빈

회차별 영단어 핸드북뿐 아니라 책 마지막 부분에 있는 수능 필수 영숙어 파트가 도움이 많이 되었다. 수능에서뿐만 아니라 내신 시험에도 나오는 표현들이 많아 유용했다.
—≫ 김*희

모의고사를 대비하기 위해 구매하였습니다. 다른 문제집들은 실제 모의고사 시험지처럼 되어 있지 않아서 긴장감이 많이 떨어지는데, 씨뮬은 실제 시험지처럼 되어 있고 OMR 카드도 있어서 모의고사 대비하기 아주 좋아요!
—≫ 김*연

씨뮬 교재가 실제 모의고사 종이 크기이다 보니 실제 시험을 치는 듯한 느낌이 들어 더 집중이 잘 되는 것 같다. 해설도 꼼꼼하게 되어 있어 내가 어디서 해석이 안 되는지 바로 찾을 수 있어서 좋았다.
—≫ 김*진

국어에 자신감이 없어서 시작했는데 해설이 꼼꼼하고 추가적인 작품이나 문법이 수록돼 있어서 더 깊이 있게 공부할 수 있었어요.
—≫ 배*진

이 책을 구매했던 이유들 중 하나인, 실전과 비슷한 종이 재질 덕분에 더욱 실감나게 학습할 수 있었습니다. 그리고 맨 뒤에 부착되어 있는 OMR 카드로 체킹 실수를 줄이는 연습도 되었습니다. 꼼꼼한 해설지와 문제 풀이로 공부하면서 그 외에 실전 감각 또한 함양할 수 있는 씨뮬 모의고사입니다!
—≫ 권*희

백분위 95~96을 왔다갔다했대요. 수학 실력을 늘리기 위해 책을 구매해 풀어 본 후 높은 점수를 받게 되었습니다.
—≫ 정*헌

모의고사 볼 때처럼 큰 종이로 되어 있어 더 몰입감 있게 집중할 수 있었던 것 같습니다. 또 해설도 자세하고 고난도 문제와 등급컷도 알려 주어 좋았습니다!
—≫ 서*준

어느 정도 실력이 쌓이고 나면 모의고사로 실전 대비 훈련을 하며 실력을 굳혀 나가야 되죠. 그리고 그 연습 방법으로는 '씨뮬'이라는 교재가 정말 완벽한 것 같아요. 여러분들에게 '씨뮬' 적극 추천합니다.
—≫ 백*민

내신에서 학평까지 실전 연습은
씨뮬 기출 하나로 충분하다

전국연합학력평가 3년간 모의고사   **11th 국영수 고1~3**

01 실제 시험 그대로 실전 감각 익히기

02 핵심을 짚어주는 명쾌한 해설

03 오답 노트 & OMR 카드

04 같은 작가 다른 작품(국어), 기출문법[구문] 모아보기(영어), 준 킬러 문항 연습(수학)

05 [12th] 전국연합 3년간 수학 교재의 중요 문항에 동영상 강의 제공 예정

DAY 01 >>>>

1 ②	2 ④	3 ④	4 ⑤	5 ④
6 ③	7 ③	8 ②	9 ③	10 ②
11 ③	12 ②	13 ④	14 ④	15 ①

DAY 02 >>>>

1 ②	2 ④	3 ④	4 ①	5 ②
6 ②	7 ④	8 ⑤	9 ③	10 ②
11 ⑤	12 ⑤	13 ①	14 ①	

DAY 03 >>>>

| 1 ② | 2 ④ | 3 ③ | 4 ⑤ | 5 ① |
| 6 ③ | 7 ⑤ | 8 ③ | 9 ② | 10 ③ |

DAY 04 >>>>

| 1 ① | 2 ② | 3 ③ | 4 ② | 5 ③ |
| 6 ③ | 7 ② | 8 ① | 9 ④ | 10 ① |

DAY 05 >>>>

1 ④	2 ⑤	3 ⑤	4 ③	5 ②
6 ③	7 ⑤	8 ④	9 ③	10 ⑤
11 ②				

DAY 06 >>>>

1 ④	2 ⑤	3 ②	4 ②	5 ⑤
6 ②	7 ③	8 ①	9 ②	10 ①
11 ③	12 ④	13 ①	14 ③	

DAY 07 >>>>

| 1 ② | 2 ① | 3 ② | 4 ⑤ | 5 ④ |
| 6 ⑤ | 7 ⑤ | 8 ③ | 9 ⑤ | 10 ① |

DAY 08 >>>>

| 1 ① | 2 ⑤ | 3 ④ | 4 ③ | 5 ④ |
| 6 ① | 7 ① | 8 ③ | 9 ③ | 10 ④ |

DAY 09 >>>>

1 ④	2 ⑤	3 ②	4 ⑤	5 ③
6 ②	7 ②	8 ③	9 ④	10 ⑤
11 ②	12 ④	13 ③	14 ⑤	

DAY 10 >>>>

| 1 ④ | 2 ④ | 3 ① | 4 ⑤ | 5 ③ |
| 6 ② | 7 ⑤ | 8 ⑤ | 9 ⑤ | 10 ① |

DAY 11 >>>>

| 1 ② | 2 ② | 3 ③ | 4 ③ | 5 ③ |
| 6 ⑤ | 7 ① | 8 ② | 9 ⑤ | 10 ③ |

DAY 12 >>>>

1 ⑤	2 ①	3 ③	4 ⑤	5 ①
6 ③	7 ⑤	8 ①	9 ②	10 ②
11 ⑤	12 ③	13 ②		

DAY 13 >>>>

| 1 ⑤ | 2 ① | 3 ④ | 4 ④ | 5 ④ |
| 6 ① | 7 ⑤ | 8 ④ | 9 ③ | 10 ③ |

DAY 14 >>>>

| 1 ① | 2 ③ | 3 ④ | 4 ④ | 5 ② |
| 6 ⑤ | 7 ① | 8 ① | 9 ⑤ | 10 ③ |

DAY 15 >>>>

| 1 ⑤ | 2 ⑤ | 3 ③ | 4 ③ | 5 ⑤ |
| 6 ① | 7 ③ | 8 ⑤ | 9 ① | 10 ⑤ |

DAY 16 >>>>

| 1 ⑤ | 2 ⑤ | 3 ③ | 4 ① | 5 ① |
| 6 ② | 7 ③ | 8 ② | 9 ④ | |

DAY 17 >>>>

1 ②	2 ④	3 ⑤	4 ①	5 ④
6 ④	7 ①	8 ③	9 ⑤	10 ④
11 ③				

DAY 18 >>>>

| 1 ③ | 2 ④ | 3 ① | 4 ③ | 5 ① |
| 6 ① | 7 ② | 8 ⑤ | 9 ④ | 10 ④ |

DAY 19 >>>>

| 1 ③ | 2 ④ | 3 ① | 4 ③ | 5 ③ |
| 6 ① | 7 ④ | 8 ④ | 9 ① | |

DAY 20 >>>>

| 1 ① | 2 ② | 3 ③ | 4 ⑤ | 5 ① |
| 6 ④ | 7 ③ | 8 ③ | 9 ④ | |

DAY 21 >>>>

| 1 ③ | 2 ② | 3 ⑤ | 4 ④ | 5 ④ |
| 6 ③ | 7 ① | 8 ④ | | |

DAY 22 >>>>

| 1 ④ | 2 ② | 3 ② | 4 ⑤ | 5 ④ |
| 6 ① | 7 ② | 8 ④ | 9 ③ | |

DAY 23 >>>>

| 1 ⑤ | 2 ③ | 3 ⑤ | 4 ① | 5 ① |
| 6 ③ | 7 ① | 8 ② | 9 ④ | 10 ② |

DAY 24 >>>>

1 ④	2 ②	3 ⑤	4 ⑤	5 ①
6 ②	7 ③	8 ⑤	9 ④	10 ③
11 ②	12 ③			

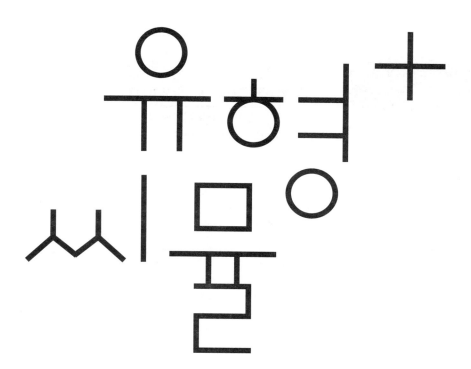

단기 특강, 24일의 기적!

유형+씨물

정답 및 해설

고1 국어 독서

CONTENTS

Day 01

1. ②	2. ④	3. ④	4. ⑤	5. ④
6. ③	7. ③	8. ②	9. ③	10. ②
11. ③	12. ②	13. ④	14. ④	15. ①

【1~6】 (가) 김필수 외, '관자'

지문해설

춘추 시대 제나라의 재상인 관중의 사상을 설명한 글이다. 관중은 백성이 국가 경제의 근본이라는 경제적 관점을 바탕으로 법의 필요성을 강조하고, 백성의 삶이 윤택해질 수 있는 법을 만들어야 한다고 보았다. 또한 군주가 자신을 존귀하게 여기지 않는 패를 실천해야 백성이 군주의 권세를 인정하게 된다고 주장했다. 이처럼 관중은 군주가 부강한 나라를 이루는 통치, 즉 패업을 위한 통치를 펼쳐야 한다고 주장하고 법을 통한 통치의 중요성을 강조했다.

■ 비문학 지문 어떻게 이해할까?

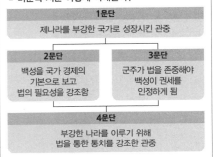

| 1문단 |
| 제나라를 부강한 국가로 성장시킨 관중 |

| 2문단 | 3문단 |
| 백성을 국가 경제의 기본으로 보고 법의 필요성을 강조함 | 군주가 법을 존중해야 백성이 권세를 인정하게 됨 |

| 4문단 |
| 부강한 나라를 이루기 위해 법을 통한 통치를 강조한 관중 |

■ 주제 : 부강한 나라를 이루기 위해 법을 통한 통치를 도모한 관중의 사상

(나) 전세영, '율곡의 군주론'

지문해설

왕도정치를 통해 백성의 도덕적 교화가 가능하다고 본 율곡의 사상을 설명한 글이다. 율곡은 이상적인 왕도정치가 실현되기 위해서는 군주가 신하를 통해 백성을 다스려야 한다고 생각했다. 그에 따르면 군주의 통치에 따라 치세와 난세가 구분된다. 치세를 만드는 군주는 신하를 능력에 맞게 발탁해 일을 맡길 줄 알고 그에 따라 백성의 도덕적 교화까지 이끌어 내는 왕도나, 그에는 못 미치지만 백성의 경제적 안정을 이루어 내는 패도의 정치를 이끈다. 난세를 만드는 군주는 신하를 불신하거나 간신에 의지하는 군주로, 폭군, 혼군, 용군으로 구분되며 포악한 정치인 무도를 펼치므로 교체되어야 할 존재이다. 또한 율곡은 민본관을 바탕으로 왕도정치를 위해서는 백성들의 삶이 경제적으로 편안한 것이 전제되어야 한다고 보며 백성의 현실적 삶에 주목했다.

■ 비문학 지문 어떻게 이해할까?

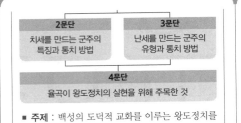

| 1문단 |
| 율곡이 생각하는 군주상 |

| 2문단 | 3문단 |
| 치세를 만드는 군주의 특징과 통치 방법 | 난세를 만드는 군주의 유형과 통치 방법 |

| 4문단 |
| 율곡이 왕도정치의 실현을 위해 주목한 것 |

■ 주제 : 백성의 도덕적 교화를 이루는 왕도정치를 제시한 율곡

1. ② 　　서술상 특징 파악하기

① (가)는 관중, (나)는 율곡의 사상이 주장한 군주의 통치술을 설명하고 있으나 그 변화 과정을 소개하고 있지는 않다.

❷ (가)는 백성이 국가 경제의 근본이라는 경제적 관점을 바탕으로 통치에 있어 법의 필요성을 강조한 관중의 사상을 설명한 글로, 네 번째 문단에서 '백성들의 경제적 안정을 기반으로 부강한 나라를 이루기 위해 법을 통한 통치를 도모한 것으로 평가할 수 있다.'라고 그 의의를 밝히고 있다. 또한 (나)는 왕도정치라는 이상의 실현을 위해 군주가 신하를 통해 백성을 다스려야 한다고 본 율곡의 사상을 설명한 글로, 네 번째 문단에서 그를 위해 백성들의 삶이 경제적으로 편안해야 한다고 본 율곡의 사상을 '왕도정치를 실현하는 과정에서 백성의 현실적 삶에 주목하려는 시도로 볼 수 있다.'라고 그 의의를 밝히고 있다.

③ (가)는 관중, (나)는 율곡이 주장한 군주의 통치술에 대해 설명하고 있을 뿐, 그 한계를 드러내거나 새로운 통치술을 제안하고 있지는 않다.

④ (가)에는 군주의 통치술을 군주의 유형에 따라 제시한 내용이 나타나 있지 않다. 이와 달리 (나)는 두 번째, 세 번째 문단에서 치세와 난세의 구분을 중심으로 군주의 유형과 통치 방법을 나누어 설명하고 있다.

⑤ (가)는 관중, (나)는 율곡의 입장이 드러나 있을 뿐 (가)와 (나) 모두 그에 대한 상반된 입장을 제시하거나 입장의 장단점을 비교하고 있지는 않다.

2. ④ 　　핵심 개념 이해하기

① (가)의 세 번째 문단에서 관중은 '군주가 자신에 대해서는 존귀하게 여기지 않는 것을 패라고 규정'했다고 했으므로, '군주가 마음대로 법을 만들 수 있는 패'라는 진술은 적절하지 않다.

② (가)의 두 번째 문단에서 '군주는 법을 만들 수 있는 자격을 천부적으로 지닌 사람'이라고 했으므로 적절하지 않다.

③ (가)의 두 번째 문단에서 관중은 '백성이 국가 경제의 근본이라는 경제적 관점을 바탕으로 법의 필요성을 강조'했다고 했으므로, 군주가 법의 필요성을 인식해야 백성을 국가의 근본으로 여기게 된다는 것은 적절하지 않다.

❹ (가)의 세 번째 문단에 따르면 관중은 '군주가 자신에 대해서는 존귀하게 여기지 않는 것을 패라고 규정'하고, 이를 바탕으로 '군주도 법의 적용에서 예외가 되지 않아야 한다'고 주장했다. 그리고 '군주는 '권세'를 지녀야 국가를 다스릴 수 있는데, 이때 군주가 패를 실천해야 백성이 권세를 인정하게 된다'고 했다. 따라서 군주가 법을 존중하는 것은 자신에게도 법 적용에 예외를 두지

않는 것으로, 이를 통해 백성이 권세를 인정하게 됨을 알 수 있다.

⑤ (가)의 두 번째 문단에서 관중은 '군주는 이익을 추구하는 백성의 본성을 고려해 백성의 삶이 윤택해질 수 있는 법을 만들어야 한다'고 보았음을 알 수 있으므로, 군주가 백성의 본성을 고려하지 않고 법을 만들어야 한다는 것은 적절하지 않다.

3. ④ 　　사실적 정보 파악하기

① (나)의 첫 번째 문단에서 율곡은 '개인의 수양을 통해 앎을 늘리고 인격을 완성하는 것'이 군주의 자격이며, '군주가 인격을 완성하고 아는 것을 실천하면 백성의 선한 본성을 회복하는 도덕적 교화가 가능'하다고 보았다고 했으므로, 율곡은 군주가 앎을 늘리는 것뿐 아니라 앎을 실천하는 것도 중요하다고 볼 것이다.

② (나)의 첫 번째 문단에서 율곡은 '만약 군주가 포악한 정치를 펼쳐 신하들의 지지를 얻지 못하거나 민심을 잃으면 교체될 수 있다고 여겼다'는 것에서 알 수 있다.

③ (나)의 네 번째 문단에서 율곡은 '왕도정치를 위해서는 백성들의 삶이 경제적으로 편안한 것이 전제되어야 한다고 보았'는데, 이는 '군주의 존재 근거가 백성이라고 보는 민본관에 의한 것'이라고 했다. 즉 율곡은 군주가 왕도정치를 실현하기 위해서는 자신의 존재 근거를 백성으로 보아야 한다고 여긴 것이다.

❹ (나)의 네 번째 문단에 따르면 율곡은 백성의 도덕적 교화를 이루는 왕도정치를 위해서는 백성들의 삶이 경제적으로 편안한 것이 전제되어야 한다고 보았다. 즉 율곡은 백성의 삶이 경제적으로 편안해야 도덕적 교화가 이루어질 수 있다고 본 것이지, 도덕적 교화가 이루어져야 백성의 삶이 경제적으로 편안해질 수 있다고 본 것은 아니다.

⑤ (나)의 네 번째 문단에서 율곡은 '조세 부담을 줄이는 등 백성의 경제적 기반을 유지할 수 있는 정책을 펼쳐야 함을 역설'했다고 한 것에서 알 수 있다.

4. ⑤ 　　관점에 따라 내용 추론하기

① (가)의 첫 번째 문단에서 관중은 정치적인 분열을 적극적으로 막아 나라의 부강과 백성의 평안을 이루고자 하였으며, 네 번째 문단에서 부강한 나라를 이루는 통치인 '패업'을 위한 통치를 펼쳐야 한다고 주장했음을 알 수 있다. [A]에서 눈과 귀가 가려진 군주는 혼란스러운 시대인 난세를 만드는 군주이므로 정치적 분열을 막아 백성을 평안하게 한다고 볼 수 없다.

② (가)의 네 번째 문단에 따르면 패업을 위한 통치는 법을 통해 부강한 나라를 이루는 통치로 백성들의 경제적 안정을 꾀한다. [A]에서 신하의 충언을 받아들이지 않는 것은 난세를 만드는 폭군의 태도이므로 패업으로 볼 수 없다.

③ [A]에서 자신의 총명을 믿고 신하를 불신하는 것은 난세를 만드는 군주의 태도이므로 백성의 삶을 윤택하게 한다고 볼 수 없다.

④ [A]에서 군주가 자신의 뜻을 세우지 못하는 것은 난세를 만드는 군주인 용군의 태도이므로 패업을 위한 통치의 방법으로 볼 수 없다.

⑤ (가)의 네 번째 문단에서 '패업'을 위한 통치는 부강한 나라를 이루는 통치로, 이를 위해 군주는 능력 있는 신하를 공정하게 등용하고 백성의 경제적 안정을 위한

정책들을 시행해야 한다고 하였다. [A]에서 '신하를 능력에 맞게 발탁하여 일을 분배'하는 것은 태평한 시대인 치세를 만드는 방법이다. 따라서 (가)의 관점에 따르면 이는 능력에 따라 신하를 공정하게 등용한 것이므로 패업을 위한 통치의 방법이라고 판단할 수 있다.

5. ④   관점 비교하여 이해하기

① (가)의 네 번째 문단에서 관중은 '법을 통한 통치의 중요성을 강조하였다'고 했고, 〈보기〉의 ㉮는 '권력을 얻은 후에는 법을 통해 통치함으로써 자신의 권력을 유지할 수 있다'고 한 것으로 보아 둘 다 법을 위한 통치의 중요성을 인식했음을 알 수 있다.

② (가)의 세 번째 문단에 따르면 관중은 '군주는 '권세'를 지녀야 국가를 다스릴 수 있다'고 보았는데, 네 번째 문단에서 군주는 능력 있는 신하들을 등용하되 '신하들이 군주의 권세를 넘보거나 법질서를 혼란스럽게 하지 못하도록 자신의 권세를 신하에게 위임하지 말아야 한다고 하였다. 또한 〈보기〉의 ㉯는 '법을 통해 통치할 수 있는 권한은 군주만이 갖고 있어야 권력을 유지할 수 있습니다.'라고 하였다. 따라서 둘 다 국가를 다스릴 수 있는 권한이 군주에게 있어야 함을 강조했다고 볼 수 있다.

③ 〈보기〉의 ㉯는 '군주는 도덕성의 회복을 목적으로 백성의 기본적인 경제적 욕구를 충족시키고 인간다운 교육을 실시해야' 한다고 하였다. 이와 달리 (가)의 두 번째 문단에서 관중은 '백성의 윤택한 삶은 도덕적 교화와 같은 목적을 위한 것이 아닌, 부강한 나라의 실현을 위한 것'임을 강조했음을 알 수 있다.

❹ (나)의 두 번째 문단에서 율곡은 '군주의 통치에 따라 태평한 시대인 치세와 혼란스러운 시대인 난세가 구분'된다고 보고, 치세를 만드는 군주의 통치 방법을 왕도와 패도로 구분했다. 이때 왕도는 군주의 인격 완성을 통해 백성의 도덕적 교화까지 이루어 내는 것이고, 패도는 군주의 인격이 완성되지 않아 백성의 도덕적 교화까지는 이루어지지 않았지만 백성의 경제적 안정은 이루어 내는 것이다. 즉 율곡에 따르면 군주의 인격 완성 여부에 따라 구분되는 것은 치세를 만드는 통치 방법인 왕도와 패도로 볼 수 있으며, 이에 따라 치세와 난세가 구분되는 것은 아니다.

⑤ (나)의 첫 번째 문단에서 율곡은 왕도정치를 통해 '백성의 선한 본성'을 회복하는 도덕적 교화가 가능해진다고 보았고, 〈보기〉의 ㉯에서는 군주가 타락한 현실에 의해 잃어버린 인간의 선한 본성인 도덕성을 회복시켜야 한다고 하였다. 따라서 율곡과 ㉯는 모두 백성의 본성을 선한 것으로 인식했다고 볼 수 있다.

왜 많이 틀렸을까?

이 문제는 서로 다른 관점을 비교하여 이해하는 유형인데, ④번 선지에서 '인격 완성 여부에 따라'라는 부분을 놓쳐 잘못된 판단을 한 학생들이 많았던 듯해. 율곡이 군주의 인격 완성 여부를 언급한 것도 맞고, 치세와 난세를 구분한 것도 맞으니 옳은 설명이라고 착각한 거지. 하지만 (나)의 두 번째 문단을 보면 '군주의 통치에 따라 태평한 시대인 치세와 혼란스러운 시대인 난세가 구분된다'고 했지? 즉 군주의 인격 완성 여부가 치세와 난세를 구분하는 건 아니야. 인격 완성에 따라 구분되는 것은 이 중 치세의 통치 방법인 왕도와 패도로, 군주의 인격 완성이 이루어진 경우 왕도, 이루어지지 않은 경우 패도라고 설명한 부분을 놓치지 말아야 해.

6. ③   어휘의 사전적 의미 파악하기

① ⓐ '대처(對處)'는 '어떤 정세나 사건에 대하여 알맞은 조치를 취함.'이라는 의미이다.

② ⓑ '피폐(疲弊)'는 '지치고 쇠약해짐.'이라는 의미이다.

❸ ⓒ '규정(規定)'은 '내용이나 성격, 의미 따위를 밝혀 정함.'이라는 의미이다. '바로잡아 고침.'을 뜻하는 단어는 '수정(修正)'이다.

④ ⓓ '부족(不足)'은 '필요한 양이나 기준에 미치지 못해 충분하지 아니함.'이라는 의미이다.

⑤ ⓔ '역설(力說)'은 '자기의 뜻을 힘주어 말함. 또는 그런 말.'이라는 의미이다.

【7~10】에리히 프롬, '소유냐 존재냐'
박찬국, '에리히 프롬의 「소유냐 존재냐」 읽기'

지문 해설

이 글에는 현대 사회에서의 행복에 대해 고찰한 철학자이자 심리학자 에리히 프롬의 사상이 제시되었다. 그는 인간이 동물과 다른 본질적 특성을 '이성'으로 파악하였는데, 이성이 있는 인간은 세계와 분리되었다는 것을 인지하고 불안을 느끼는 실존적 한계를 느낀다고 설명하였다. 이어 그는 인간이 세계와 관계 맺는 양식을 '소유적 실존양식'과 '존재적 실존양식'으로 나누어 설명하였는데, 자신을 소유물과 동일시하여 세계와 일체감을 느끼는 소유적 실존양식이 아닌 존재적 실존양식으로 살아갈 것을 권하고 있다. 또한 그는 현대 사회의 병리적 현상이 일어나는 원인은 끝없는 소비를 조장하여 무한한 이윤을 추구하는 소비지향적인 사회이기 때문이라고 지적하고, 이러한 문제를 해결하기 위해 사회적 변혁이 필요하다고 주장하였다.

■ 비문학 지문 어떻게 이해할까?

1문단
현대 사회에서의 행복에 대해 고찰한 에리히 프롬

2문단
에리히 프롬의 인간관

3문단	4문단
소유적 실존양식	존재적 실존양식

5문단
일상생활에서 나타나는 소유적 실존양식과 존재적 실존양식

6문단
현대 사회의 행복 문제에 대한 에리히 프롬의 진단

7문단
현대 사회의 병리적 현상에 해결책을 제시한 에리히 프롬

■ **주제** : 에리히 프롬이 생각한 현대 사회의 병리적 문제와 그 해결책

어휘 풀이

· **유례(類例)** 같거나 비슷한 예, 이전부터 있었던 사례.
· **포화(飽和)** 더 이상의 양을 수용할 수 없이 가득 참.
· **호의적(好意的)** 좋게 생각해 주는 것.
· **촉발(觸發)** 어떤 일을 당하여 감정, 충동 따위가 일어남. 또는 그렇게 되게 함.

7. ③   글의 세부 내용 파악하기

① 여섯 번째 문단에서 현대 사회의 병리적 현상의 원인은 끝없는 소비를 조장하여 무한한 이윤을 추구하는 소유지향적인 사회라고 하였다.

② 다섯 번째 문단에서 소유적 실존양식을 따르는 사람에게 학습은 권력 추구의 수단이 되지만, 존재적 실존양식을 따르는 사람에게 학습은 내면의 새로운 사고를 촉발하는 과정이 된다고 하였다.

❸ 두 번째 문단에서 인간과 동물을 구분 지을 수 있는 특성을 '이성'이라고 설명하고 있지만, 동물과 달리 인간이 이성을 가지는 이유에 대해서는 설명하고 있지 않다.

④ 여섯 번째 문단에서 사회의 주된 실존양식은 사회 구조와 규범에 따라 결정된다고 하였다.

⑤ 네 번째 문단에서 존재적 실존양식 아래에서 사람들은 자신이 세계와 긴밀하게 결합해 있다고 느끼기 때문에, 가진 것을 잃을 수 있다는 불안에 시달리지 않아 다른 존재에 대해 호의적일 수 있다고 하였다.

8. ②   글의 내용 추론하기

① 세 번째 문단에서 프롬은 소유를 통해 행복을 발견하려는 욕망을 비판했기 때문에, 소유를 통한 행복이 필요하다는 내용은 적절하지 않다.

❷ 세 번째 문단에서 프롬은 생존을 위해 필요한 최소한의 소유를 부정하지는 않았고, 소유를 통해 행복의 원천을 발견하려는 욕망을 부정적으로 생각하였다는 것을 알 수 있다. 따라서 ㉮에는 삶을 영위하기 위한 기본적 소유는 인정하고, 소유를 통해 행복을 찾으려는 욕망은 부정한 내용이 들어가야 한다.

③ 세 번째 문단에서 프롬은 생존을 위한 소유를 부정하지 않았으므로, 모든 소유의 방식을 부정해야 한다는 내용은 적절하지 않다.

④ 세 번째 문단에서 프롬은 소유를 통해 행복의 원천을 발견하려는 욕망을 비판한 것이므로, 행복에 대한 욕망을 버려야 한다는 내용은 적절하지 않다.

⑤ 세 번째 문단에서 프롬은 생존을 위한 소유를 부정하지 않았으므로, 최소한의 소유도 필요 없다는 내용은 적절하지 않다.

9. ③   글의 내용 이해하기

① 세 번째 문단에 따르면, ㉠(소유적 실존양식)에서 소유에 대한 탐욕은 소유물을 차지하기 위한 경쟁의 욕구를 불러온다는 것을 알 수 있다.

② 세 번째 문단에 따르면, ㉠(소유적 실존양식)은 더 많이 얻어 충족감을 얻기 위해 타인의 소유물을 빼앗을 수 있는 권력을 차지하려 한다는 것을 알 수 있다.

❸ 네 번째 문단에 따르면, ㉡(존재적 실존양식)에서 '생산적'이라는 것은 쓸모 있는 결과물을 만들어 내는 능력이 아니라 내면의 능동적인 상태를 의미한다는 것을 알 수 있다.

④ 네 번째 문단에 따르면, ㉡(존재적 실존양식)에서 사람들은 타인을 사랑하고 자신이 가진 것을 나눔으로써 다른 존재의 성장을 도우려 한다는 것을 알 수 있다.

⑤ 다섯 번째 문단에 따르면, ㉠(소유적 실존양식)과 ㉡(존재적 실존양식) 모두 일상생활에서 사용하는 물건들과 지식, 사상 등이 그 대상으로 나타난다는 것을 알 수 있다.

10. ② 관점 비교하기

① 여섯 번째 문단에서 프롬은 소유지향적인 사회에서 오는 병리적 현상이 개인의 행복에 영향을 준다고 설명하고 있고, 〈보기〉에서도 인간의 덕은 공동체의 훈육을 통해 개발되므로 인간은 사회를 떠나서 행복할 수 없다고 설명하고 있다.

❷ 여섯 번째 문단에서 프롬은 현대 사회의 병리적 현상과 같은 위기는 개인이 극복하기 어렵기 때문에 사회적 변혁이 필요하다고 하였다. 〈보기〉에서는 사회에 책임을 지는 시민으로서의 정치적 행복을 언급하기는 하였으나, 개인이 사회적 변혁을 이끌어야 한다고 하지는 않았다.

③ 네 번째 문단에서 프롬은 세계와 합일을 이루어 궁극적인 행복을 얻기 위해서는 내면의 능동적인 상태를 통해 이성적 능력을 생산적으로 사용해야 한다고 하였다. 〈보기〉에서는 이성적 사고를 통해 세상의 질서를 깨닫는 철학자로서의 행복을 최고의 행복이라고 말하고 있다.

④ 두 번째 문단에서 프롬은 인간이 세계와 합일을 이루고자 하는 열망이 충족될 때 행복을 느낄 수 있다고 보았고, 〈보기〉에서는 어떤 사람이 행복한 사람인지를 알기 위해서는 그 사람이 일생에 이룩한 인격적 성숙에 따라 평가해야 한다고 보았다.

⑤ 세 번째 문단에서 프롬은 소유를 통해 감각적 욕망을 충족시키는 것에는 포화점이 없어 인간의 근원적 불안과 외로움이 극복되지 않고, 행복에 이를 수 없다고 하였다. 〈보기〉에서는 감각적 욕망의 충족을 통해 행복을 누릴 수 있으나, 그것은 찰나이며 지나칠 경우에는 거부감을 줄 수 있다고 언급하고 있다.

【11~15】 '홍대용의 사상과 그 의의'

> **지문해설**
>
> 이 글에는 홍대용이 제시한 사상의 변화가 나타나 있다. 홍대용은 명나라가 중심이 된 중화사상만을 인정하고 청나라는 인정하지 않았다. 그러던 중 홍대용은 청나라에서 발달한 문물을 보면서 그의 사상이 변하게 되었고, 이 내용을 담아 「의산문답」을 저술하였다. 이 책에는 지구설과 무한우주설이 중심을 이루는데, 이는 세상의 중심과 주변이 따로 없으며 모든 국가가 동등하고, 각자 제 나라와 문화를 기준으로 살아가는 것이 당연하다는 생각이다. 홍대용의 이러한 생각은 평등주의와 다원주의를 보여 주었다는 점에서 의의가 있다.

> **■ 비문학 지문 어떻게 이해할까?**
>
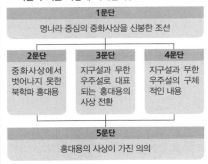
>
> **■ 주제** : 홍대용의 사상과 그 의의

> **어휘풀이**
> · 고대(苦待)하다 몹시 기다리다.

· 금수(禽獸) 날짐승과 길짐승이라는 뜻으로, 모든 짐승을 이르는 말.
· 다원주의(多元主義) 개인이나 여러 집단이 기본으로 삼는 원칙이나 목적이 서로 다를 수 있음을 인정하는 태도.

11. ③ 세부 내용 파악하기

① 첫 번째 문단에서 청나라가 중국 땅을 차지하자 청나라를 공격하자는 북벌론과 청나라를 배척하자는 척화론이 등장하게 되었다는 것을 알 수 있다.

② 두 번째 문단에서 조선은 북벌이 어렵다는 것을 깨닫고 조선이 중화의 계승자라 믿게 되었다는 것을 알 수 있다.

❸ 세 번째 문단에는 홍대용의 「의산문답」에 실려 있는 지구설과 무한 우주설이 나오는데, 그는 하늘이 둥글고 땅이 모나다는 전통적인 천지관을 비판하였다. 따라서 홍대용이 하늘이 둥글다는 것을 깨달았다는 내용은 적절하지 않다.

④ 세 번째 문단에 나타난 「의산문답」은 홍대용의 사상적 전환을 잘 보여 주는데, 그 내용으로 지구설과 무한 우주설을 확인할 수 있다.

⑤ 지문은 전체적으로 홍대용의 사상을 다루고 있고 홍대용의 사상이 보여 준 의의를 제시하며 글을 마무리하고 있을 뿐, 다른 북학파 학자들의 사상은 언급되지 않았다.

12. ② 구체적 사례에 적용하기

① 갑의 생각은 청나라를 오랑캐로 여기고 차별하였던 송시열의 생각과 같다.

❷ 갑은 천지 사이의 생물 가운데 오직 인간만이 귀하다고 하였다. 이는 명나라만이 '중화'라고 여겼던 송시열의 생각과 유사하고, 홍대용이 말했던 평등주의에 위배되는 논리이다. 그렇다면 갑은 신분이 낮은 농부의 자식이라도 높은 관직에 오를 수 있다고 생각하지 않을 것임을 알 수 있다.

③ 을은 하늘에서 보면 사람과 사물이 똑같다고 하였다. 이는 평등주의를 나타낸 홍대용의 생각과 같다. 홍대용의 평등주의는 자기 나라와 자기 문화를 기준으로 살아갈 수 있다는 다원주의와 연결되는데, 이를 토대로 을의 생각도 홍대용의 생각과 같다고 볼 수 있다.

④ 을은 홍대용과 같이 모든 사람들이 중심이 될 수 있고 존재 가치가 있다는 생각을 보여 줄 수 있다.

⑤ 을은 홍대용과 같이 우리가 사는 세상을 중심과 주변으로 나눌 수 없다고 볼 것이다.

13. ④ 핵심 개념의 내용 파악하기

① ㉠이 당시 조선의 중심 사상이었던 것은 맞지만, ㉡을 통해 조선의 중심 사상으로 자리 잡은 것은 아니다.

② 청을 오랑캐라 여기는 생각의 근거에는 ㉠이 있지만, ㉡은 중화사상에 반대되는 생각의 근거가 된다.

③ ㉠은 북벌론과 척화론 모두의 바탕이 되었지만, ㉡은 북벌론과 척화론 모두의 반대 근거이다.

❹ 홍대용은 ㉡을 내세우면서 세상에는 중심과 주변이 없다는 것을 밝히며 ㉠에서 벗어났음을 보여 주었다.

⑤ ㉡은 조선의 유학자들이 가지고 있었던 ㉠과 반대되는 학설이지, ㉠을 발전시킨 학설이 아니다.

14. ④ 구체적 사례 파악하기

① 홍대용은 (나)를 기점으로 사상적 전환을 이루었다. 이전에는 청나라를 오랑캐라 생각하는 중화사상을 가진 적이 있었음을 확인할 수 있다.

② (가)의 내용을 보면, 홍대용의 사상이 전환을 이루기 전에는 명나라만이 중화라고 생각하면서 조선이 그 중화의 계승자라고 생각했음을 알 수 있다.

③ (가)에서 번화한 문물을 오랑캐에게 맡겼다고 하였는데, 이를 통해 홍대용이 청나라의 문물을 청나라와 구분 지어 생각했음을 알 수 있다.

❹ 「춘추」에서 주나라 안과 밖을 구분한 것이 당연하다는 내용은, 공자가 주나라 사람이므로 주나라를 기준으로 생각하는 것이 당연하다는 것을 의미한다. 이는 사람들이 각자 제 나라를 기준으로 살아가는 것이 당연하다는 홍대용의 생각을 보여 주지만, 중국 안과 밖을 구별하려는 중화사상과는 다른 생각이다.

⑤ (나)에서 공자가 주나라 밖에서도 도를 일으킬 수 있었을 것이라고 보는 것은 중심과 주변의 구분, 중화와 오랑캐의 구분이 상대적이라는 인식을 보여 준다.

15. ① 단어의 문맥적 의미 이해하기

❶ ⓐ의 '세우다'는 '나라나 기관 따위를 처음으로 생기게 하다.'라는 의미이다. '그는 새로운 회사를 세웠다.'의 '세우다'도 이와 같은 뜻으로 쓰였다.

② '국가의 기강을 바로 세워야 한다.'의 '세우다'는 '질서나 체계, 규율 따위를 올바르게 하거나 짜다.'라는 뜻이다.

③ '집을 지을 구체적인 방안을 세웠다.'의 '세우다'는 '계획, 방안 따위를 정하거나 짜다.'라는 뜻이다.

④ '두 귀를 쫑긋 세우고 말소리를 들었다.'의 '세우다'는 '처져 있던 것을 똑바로 위를 향하여 곧게 하다.'라는 뜻이다.

⑤ '도끼날을 잘 세워야 나무를 쉽게 벨 수 있다.'의 '세우다'는 '무딘 것을 날카롭게 하다.'라는 뜻이다.

Day 02

본문 010쪽

1. ②	2. ④	3. ④	4. ①	5. ②
6. ②	7. ④	8. ⑤	9. ③	10. ②
11. ⑤	12. ⑤	13. ①	14. ①

【1~5】 (가) 타타르키비츠, '미학사'

지문해설

플라톤이 예술을 평가하는 데 바탕이 된 관점에 대해 설명하고 있다. 플라톤은 이데아계에 형상이 존재한다고 보았고, 현상계는 이를 본뜬 것에 불과하다고 생각했다. 그리고 예술은 현상계를 모방하여 만든 허구의 허구로, 이데아계에 있는 형상에서 두 단계나 떨어진 열등한 것이라고 보았다. 그렇기에 플라톤은 음유시인의 연기를 보는 관객들이 이성이 아닌 감정이나 욕구와 같은 비이성적인 것들에 지배되어 타락하게 된다고 보았다.

■ 비문학 지문 어떻게 이해할까?

1문단
플라톤의 이데아론

2문단
예술을 감각 가능한 현상의 모방이라 규정

3문단
예술은 허구에 허구를 거듭한 것

4문단
음유시인의 연기를 보는 관객들은 타락하게 됨

■ 주제 : 이데아론을 바탕으로 예술을 평가한 플라톤의 견해

(나) 비어슬리, '미학사'

지문해설

아리스토텔레스는 이데아계가 존재하지 않으며 형상이 사물에 내재한다고 보고, 예술은 형상을 표현하는 것이라고 보았다. 그는 사물의 변화를 가능태와 현실태를 통해 설명하였다. 또한 예술은 사물 안에 내재한 보편자를 그릴 수 있기 때문에 시가 개별적인 사건의 기록을 다루는 역사보다 우월하다고 주장했다.

■ 비문학 지문 어떻게 이해할까?

1문단
아리스토텔레스는 이데아의 존재를 부정함

2문단
형상이 질료에 내재한다고 봄

3문단
예술의 목적은 형상을 표현해 내는 것

4문단
인간은 예술을 통해 쾌감을 느낄 수 있음

■ 주제 : 예술은 사물에 내재한 형상을 표현하는 것이라고 본 아리스토텔레스

1. ②　　글의 전개 방식 파악하기

① (가)와 (나)는 모두 특정 사상가의 예술을 바라보는 관점이 변화하게 된 이유를 설명하고 있지 않다.
❷ (가)와 (나)는 모두 특정 사상가가 예술을 평가하는 데 바탕이 된 철학적 관점을 구체적으로 설명하고 있다. (가)의 플라톤은 예술은 현상계를 모방한 허구의 허구이며, 음유시인이 시를 연기한 것은 이를 다시 모방한 허구라고 보았다. 이에 예술은 이데아계에 있는 형상에서 두 단계나 떨어진 열등한 것이라고 보았다. (나)의 아리스토텔레스는 형상이 사물에 내재한다고 보고 예술은 형상을 표현하는 것이라고 보았다. 예술은 사물 안에 내재한 보편자를 그릴 수 있기 때문에 시가 역사보다 우월하다고 주장했다.
③ (가)는 플라톤이 생각하는 예술의 불완전성을 설명하고 있으나, (나)에서는 그러한 내용을 찾을 수 없다.
④ (가)는 플라톤의 예술관이 지닌 장점과 단점을 제시하고 있지 않다.
⑤ (가)는 플라톤의 예술관이 보이는 한계를, (나)는 아리스토텔레스의 예술관이 지닌 의의를 제시하고 있지 않다.

2. ④　　세부 정보 파악하기

① (가)의 두 번째 문단에서 플라톤은 예술은 '형상에 대한 참된 인식을 방해하는 허구의 허구에 불과하다'는 견해를 보인다.
② (가)의 첫 번째 문단에서 플라톤은 형상은 감각이 아닌 '이성으로만 인식될 수 있다'고 하였다.
③ (가)의 두 번째 문단에서 플라톤은 '이데아계의 형상을 모방하여 생겨난 것이 현상인데, 예술은 현상을 다시 모방한 것이기 때문'에 열등하다고 주장했다.
❹ (가)의 두 번째 문단에서 플라톤은 '예술을 감각 가능한 현상의 모방이라고 보았'다. 이를 통해 예술의 표현 대상은 형상이 아니라 감각 가능한 현상임을 알 수 있다.
⑤ (가)의 첫 번째 문단에서 플라톤은 '이데아계는 현상계에 나타난 모든 사물의 근본이 되는 보편자, 즉 형상(form)이 존재하는 곳'이라고 하였다.

3. ④　　핵심 정보 이해하기

① (나)의 두 번째 문단을 보면 아리스토텔레스는 '형상이 항상 사물의 생성과 변화의 바탕이 되는 질료에 내재한다고 보고' 있음을 확인할 수 있다.
② (나)의 두 번째 문단을 보면 아리스토텔레스는 '질료는 형상을 실현시킬 수 있는 가능적 힘'으로 보고 있음을 확인할 수 있다.
③ (나)의 두 번째 문단을 보면 아리스토텔레스는 형상이 완전히 실현된 상태인 '완전 현실태'를 향해 나아가는 과정이 운동이며, '운동의 원인은 외부가 아닌 가능태 자체에 내재한다'고 하였음을 확인할 수 있다.
❹ (나)의 두 번째 문단을 보면 아리스토텔레스는 가능태가 형상을 실현시킬 수 있는 가능적 힘이자 질료를 의미하며, 현실태를 가능태에 형상이 실현된 어떤 상태로 보았다고 하였다. 그러므로 형상과 질료 사이의 관계를 현실태와 가능태 사이의 관계와 같다고 보는 것은 적절하지 않다.
⑤ (나)의 두 번째 문단을 보면 아리스토텔레스는 '생성・변화하는 모든 것'은 '형상이 질료에 완전히 실현된 상태인 '완전 현실태'를 향해 나아간다'고 주장하였음을 확인할 수 있다.

4. ①　　비판적 관점으로 평가하기

❶ (가)에서 플라톤은 현상계의 모든 사물은 이데아계의 형상을 본떠 만들어졌다고 보았는데(㉠), (나)에서 아리스토텔레스는 이데아계가 존재하지 않는다는 견해를 보인다. 현상계에 존재하는 사물들은 생성・변화하는데 이데아계에 있는 변하지 않는 형상을 본떠 현상계의 어린아이와 성인을 만들었다면 현상계에 존재하는 사람들이 생성・변화하는 이유를 설명할 수 없기 때문이다.
② (가)에서 플라톤은 현상계의 모든 사물은 형상을 본떠 만들어졌다고 보았으므로, 플라톤의 관점에서 현상계에 존재하는 사물들이 모두 제각기 다른 이유를 설명할 수 있을 것이다.
③ (가)에서 플라톤은 현상계의 모든 사물은 형상을 본떠 만든 것으로 보기 때문에, 형상과 현상계의 사물이 서로 독립적이라고 보지 않았다는 점을 확인할 수 있다.
④ (가)를 통해 플라톤은 현상계의 사물을 감각으로 인식할 수 있다고 보았다는 점을 확인할 수 있다.
⑤ (가)를 통해 플라톤은 이성을 통해 형상을 인식할 수 있다고 보았다는 점을 확인할 수 있다.

5. ②　　구체적 사례에 적용하여 이해하기

① (가)의 세 번째 문단을 보면, '음유시인은 허구의 허구인 서사시나 비극을 창작하고, 이를 작품 속 등장인물의 성격에 어울리는 말투, 몸짓 같은 감각 가능한 현상으로 연기함으로써 다시 허구를 만들어 냈다'고 보았다는 점을 확인할 수 있다. 이러한 플라톤의 관점에서 보면, 〈보기〉의 오이디푸스는 덕성을 지닌 현상 속 인물을 본떠 만든 허구의 허구이며, 그에 대한 음유시인의 연기는 이를 다시 본뜬 허구라고 볼 수 있다.
❷ (가)의 마지막 문단을 보면, '음유시인이 용기나 절제 같은 덕성을 지닌 인간이 아닌 저급한 인간의 면모를 모방할 수밖에 없다고 주장'하며 '용기나 절제력이 있는 인물에 수반되는 감각 가능한 현상은 표현하기 어렵'다고 보았다는 점을 확인할 수 있다. 이러한 플라톤의 관점에서 보면, 〈보기〉의 음유시인은 오이디푸스의 덕성을 연기하는 데 주력하지 않을 것이다.
③ (가)의 세 번째 문단을 보면, '음유시인의 연기는 인물의 성격을 드러내는데, 이는 감각 가능한 외적 특성을 모방해 감각으로 파악될 수 없는 내적 특성을 드러'낸다고 보았다는 점을 확인할 수 있다. 이러한 플라톤의 관점에서 보면, 〈보기〉의 음유시인의 목소리와 몸짓을 통해 오이디푸스의 성격이 드러난다면, 감각 가능한 외적 특성을 모방하는 과정에서 감각되지 않는 내적 특성이 표현된 것이라고 볼 수 있다.
④ (나)의 마지막 문단을 보면, '비극시 속 이야기는 음유시인이 경험 세계의 개별자들 속에서 보편자를 인식해 내어, 그것을 다시 허구의 개별자로 표현한 결과물'이라고 보았다는 점을 확인할 수 있다. 이러한 아리스토텔레스의 관점에서 보면, 〈보기〉의 음유시인이 현상 속 인간의 개별적 모습들에서 보편자를 인식해 내어, 이를 다시 오이디푸스라는 허구의 개별자로 표현한 것이라고 볼 수 있다.
⑤ (나)의 마지막 문단을 보면, '관객은 음유시인의 연기를 통해 앎의 쾌감을 느낄 수 있을 뿐 아니라 ~ 고통을 받는 인물의 이야기를 통해' 카타르시스를 경험한다고 보았다는 점을 확인할 수 있다. 이러한 아리스토텔

레스의 관점에서 보면, 〈보기〉의 오이디푸스가 숙명에 의해 파멸당하는 것을 본 관객들은 인간의 본질을 인식하는 앎의 쾌감과 카타르시스를 경험할 수 있다고 볼 수 있다.

Q&A 많이 틀렸을까?
많은 학생이 선택지 ②번과 ③번을 두고 혼란을 겪은 것 같아. 그 이유가 플라톤의 관점에서 '감각 가능한 현상을 표현'한다는 것, 또는 '감각 가능한 외적 특성을 모방해 감각으로 파악될 수 없는 내적 특성을 드러'내는 것에 대한 문장의 이해가 부족해서인 듯싶어. 단락별로 플라톤의 관점에 대한 세부 내용을 잘 파악해 보도록 해.

【6~10】 (가) 토마스 아퀴나스, '정념'

지문해설

사랑의 본질에 대한 토마스 아퀴나스의 견해를 설명한 글이다. 그는 인간이 선을 추구하려는 욕구를 지닌 존재인데, 욕구를 추구하는 인간 행위의 원천이 바로 사랑이라 말한다. 인간의 욕구는 감각적 욕구와 지적 욕구로 구별되는데, 이는 선을 추구한다는 점에서는 동일하지만 두 가지 차이점을 지닌다고 설명한다.

■ 비문학 지문 어떻게 이해할까?

1문단
아퀴나스의 사랑에 대한 견해
2문단
인간 욕구의 구분
3문단
감각적 욕구에 의한 추구 행위인 '정념'

■ 주제 : 아퀴나스의 사랑에 대한 견해

(나) 임마누엘 칸트, '도덕형이상학 정초'

지문해설

칸트의 관점에서 감성적 차원의 사랑과 실천적 차원의 사랑이 다르다고 설명하는 글이다. 감성적 차원의 사랑은 남녀 간의 사랑같이 인간의 경향성에 근거한 사랑이며, 실천적 차원의 사랑은 의무로서의 사랑이라 할 수 있다. 칸트는 감성적 차원의 사랑보다는 실천적 차원의 사랑에 더 주목하고 가치를 부여한다. 또한 인간은 도덕법칙을 실천하려고 하는 선의지를 지닌 존재라고 설명한다.

■ 비문학 지문 어떻게 이해할까?

1문단
사랑에 대한 칸트의 관점
2문단
도덕법칙의 실천의지를 가진 존재
3문단
실천적 차원의 사랑

■ 주제 : 사랑에 대한 칸트의 관점

6.② 내용 전개 방식 파악하기

① (가)와 (나)는 모두 문제점에 대한 해결 방안을 모색하고 있지 않다.
❷ (가)의 첫 번째 문단에서 '선이란 자신에게 좋은 것으로 ~기쁨을 주는 것을 뜻한다', (나)의 두 번째 문단에

서 '선의지란 선을 지향하는 ~없이 선한 것이다'라고 용어의 개념을 정의하며 내용을 전개하고 있으므로 적절하다.
③ (가)와 (나)는 모두 두 가지 이론의 장단점을 비교하며 설명하고 있지 않다.
④ (가)와 (나)는 모두 두 가지 관점을 절충하며 하나의 결론을 도출하고 있지 않다.
⑤ (가)와 (나)는 모두 특정 학자의 견해가 지닌 논리적 오류를 지적하고 있지 않다.

7.④ 중심 개념 이해하기

① (가)의 두 번째 문단에서 '인간의 욕구는 ~ 선을 추구한다'라고 하였다.
② (가)의 첫 번째 문단에서 '인간이 선을 추구하려는 욕구를 지닌 존재'라고 하였다.
③ (가)의 두 번째 문단에서 '인간의 욕구는 감각적 욕구와 지적 욕구로 구별'된다고 하였다.
❹ (가)의 마지막 문단에서 '여러 대상에 대한 감각적 욕구들이 동시에 일어난다면' '인간은 가장 먼저 추구할 감각적 욕구를 지성에 의해 판단하고 선택한다.'라고 하였다. 따라서 감각적 욕구들은 동시에 일어날 수 없다는 진술은 적절하지 않다.
⑤ (가)의 마지막 문단에서 '감각적 욕구에 의한 추구 행위를 '정념'이라고 칭'한다고 하였다.

8.⑤ 구체적 사례에 적용하기

① (가)의 두 번째 문단에서 아퀴나스는 '감각적 욕구에 의한 ~ 수동적으로 반응하는 것'이라고 하였다. 이에 따라 〈보기〉에서 갑이 카레 먹고 싶어진 것을 카레 냄새에 의해 촉발된 감각적 욕구에 의한 추구 행위라고 볼 수 있다.
② (가)의 두 번째 문단에서 아퀴나스는 '지성은 대상이 무엇이든 이해한 바에 따라 선악 판단을 다르게 할 수 있다'고 하였고, 인간은 '선이 아니라고 판단한다면' 대상을 '추구하지 않을 수도 있다'고 하였다. 〈보기〉에서 갑은 카레가 먹고 싶어졌지만, 봉사활동에 늦지 않기 위해 먹지 않기로 한 것이므로 지성에 의해 카레를 먹는 것을 선이 아니라고 판단했기 때문이라고 볼 수 있다.
③ (가)의 세 번째 문단에서 아퀴나스는 '다른 것보다 더 선이라고 이해된 것을 우선 추구'한다고 하였다. 이에 따라 〈보기〉에서 갑이 목도 마르고 배도 고팠지만 생수를 먼저 주문해 마신 것은 갈증을 해결하는 것이 더 선이라고 이해했기 때문이라고 볼 수 있다.
④ (나)의 첫 번째 문단에서 칸트는 '감성적 차원의 사랑은 남녀 간의 사랑같이 인간의 경향성에 근거한 사랑'이라고 하였고, (나)의 세 번째 문단에서 '감성적 차원의 사랑은 욕구나 자연적 경향성에 이끌리는 감정'이라고 하였다. 이를 바탕으로 〈보기〉에서 갑이 이성인 을의 미소에 첫눈에 반한 것은 자연적 경향성에 이끌린 것이라고 볼 수 있다.
❺ (나)의 첫 번째 문단에서 '감성적 차원의 사랑은 ~ 의무로서의 사랑'이라고 했고, 세 번째 문단에서 '감성적 차원의 사랑은 욕구나 자연적 경향성에 이끌리는 감정'이라고 하였다. 〈보기〉에서 갑이 이성인 을에게 첫눈에 반해 다가간 것은 자연적 경향성에 이끌려 행동한 것이지 의무에서 비롯된 행동이 아니다. 이를 두고 감

성적 차원의 사랑에서 실천적 차원의 사랑으로 나아간 것이라는 진술은 적절하지 않다.

9.③ 주요 내용 이해하기

① (가)의 두 번째 문단에서 '지성은 대상이 무엇이든 이해한 바에 따라 선악 판단을 다르게 할 수 있'다고 하였고, (나)의 두 번째 문단에서 '인간은 도덕법칙을 실천하려고 하는 선의지를 지닌 존재'라고 하였다.
② (가)의 세 번째 문단에서 '사랑을 전제하지 않는 정념은 없다'고 하였고, (나)의 세 번째 문단에서 감성적 차원의 사랑은 '의무로 강제하거나 명령을 통해 일으킬 수 있는 것이 아니라'고 하였다.
❸ (가)의 첫 번째 문단에서 아퀴나스는 '인간이 선을 추구하려는 욕구를 ~ 행위의 원천이 바로 사랑'이라고 하였고, '선이란 자신에게 좋은 것으로 ~ 자신에게 기쁨을 주는 것을 뜻한다'고 하였으므로 사랑을 통해 기쁨을 얻을 수 있다는 진술은 적절하다. 하지만 (나)의 두 번째 문단에서 칸트는 '인간에게 도덕법칙을 의무로 부여'하는 것은 이성이라고 하였으므로 사랑이 인간에게 도덕법칙을 의무로 부여한다는 진술은 적절하지 않다.
④ (가)의 세 번째 문단에서 아퀴나스는 '감각적 욕구와 지적 욕구가 ~ 행위를 일으키는 힘'이라고 하였고, (나)의 첫 번째 문단에서 '칸트는 감성적 차원의 사랑과 실천적 차원의 사랑이 다르다'고 구분하여 설명하고 있다.
⑤ (가)의 세 번째 문단에서 '아퀴나스가 말하는 ~ 사랑을 근본으로 한다'고 하였고, (나)의 두 번째 문단에서 '보편적으로 적용할 수 있는 ~ 명령의 형식으로 나타'난다고 하였다.

10.② 어휘의 사전적 의미 파악하기

① (가)의 ⓐ는 '어떤 경우, 사실이나 기준 따위에 의거하다', (나)의 ⓑ는 '관례, 유행이나 명령, 의견 따위를 그대로 실행하다.'의 의미로 사용되었다. 그런데 ⓐ의 '따르다'는 '다른 사람이나 동물의 뒤에서 그가 가는 대로 같이 가다.', ⓑ의 '따르다'는 '앞선 것을 좇아 같은 수준에 이르다.'의 의미이므로 적절하지 않다.
❷ ⓐ는 '어떤 경우, 사실이나 기준 따위에 의거하다', ⓑ는 '관례, 유행이나 명령, 의견 따위를 그대로 실행하다.'의 의미로 사용되었으므로 (가)의 ⓐ와 (나)의 ⓑ에 쓰인 어휘의 의미와 유사하다.
③ ⓐ의 '따르다'는 '어떤 일이 다른 일과 더불어 일어나다.', ⓑ의 '따르다'는 '좋아하거나 존경하여 가까이 좇다.'의 의미이므로 적절하지 않다.
④ ⓐ의 '따르다'는 '앞선 것을 좇아 같은 수준에 이르다.', ⓑ의 '따르다'는 '관례, 유행이나 명령, 의견 따위를 그대로 실행하다.'의 의미이므로 적절하지 않다.
⑤ ⓐ의 '따르다'는 '어떤 경우, 사실이나 기준 따위에 의거하다.', ⓑ의 '따르다'는 '일정한 선 따위를 그대로 밟아 움직이다.'의 의미이므로 적절하지 않다.

【11~14】 안상헌, '미치게 친절한 철학'

지문해설

'포틀래치'의 개념과 사례를 통하여 레비스트로스의 '구조주의' 철학까지 확장하여 분석하고 있는 글이다. '포틀래치'란 북아메리카 원주민들이 선물을 주고 받는 방식으로, 행사를 연 마을의 수장은 자신이

쌓아온 재물을 초대받은 다른 마을의 수장들에게 무료로 나누어 주기도 하고, 심지어 그것을 파괴하기도 하는 것이다. 독특한 점은 그 선물을 받은 이들은 '복수'를 맹세하며 선물을 준 사람들에게 답례 포틀래치를 열어 더 많은 선물을 제공한다는 것이다. 이러한 '포틀래치'를 바라보는 초기 인류학자와 후기 인류학자의 시각은 차이가 있는데, 초기 인류학자는 이를 증여 혹은 비합리적인 생활양식으로 이해하였다. 그러나 후기 인류학자인 모스, 레비스트로스는 '포틀래치'를 호혜적 교환으로 보고 집단 간의 유대 관계를 형성하는 역할을 한다고 분석하였다. 특히 레비스트로스는 포틀래치에 나타나는 호혜적 교환이 사회가 성립되는 원리이며, 이러한 '교환'을 위해 '친족 간의 결혼 금지'라는 규칙이 생겨났으며 인간이 자연 상태에서 문명 상태로 접어들 수 있게 되었다고 본다. 레비스트로스는 포틀래치를 교환의 구조나 사회 규칙이라는 체계의 틀에서 이해하고자 하고자 하였으며, 인간의 특성과 정체성은 인간 스스로 결정하는 것이 아닌 그가 속한 사회 구조에 의해 결정된다는 것이 '구조주의'이다. 그는 이러한 구조주의를 통해 현대 사회의 구조에 대하여 예측하며, 현대 사회의 구조 변화가 현대인들의 삶의 변화로 이어질 수 있다는 가능성을 타진하고 있다.
- **주제** : '포틀래치'를 통해 본 레비스트로스의 '구조주의' 철학과 인간 사회의 관계

---

11. ⑤   세부 내용 파악하기

❺ 두 번째 문단에서 모스는 포틀래치는 교환의 성격을 지니고 있다고 설명하며, 그 이유로 선물을 받은 사람은 의무적으로 답례를 해야 할 뿐만 아니라 더 많은 선물을 돌려주어야 하기 때문이라고 밝히고 있다. 따라서 포틀래치가 선물을 받은 사람이 답례의 시행 여부를 선택할 수 있다는 설명은 적절하지 않다.

---

12. ⑤   세부 내용 파악하기

① 세 번째 문단에서 레비스트로스는 다른 집단과 동맹을 맺는 가장 좋은 방법은 그 집단과 결혼을 하는 것이라고 밝히고 있으므로, ㉠이 다른 부족과의 결혼을 유도하여 부족 간의 동맹을 약화시키는 규칙이라는 설명은 적절하지 않다.
② 세 번째 문단에서 레비스트로스는 친족 간의 결혼 금지라는 규칙을 바탕으로 공동체에 필요한 다른 규칙들이 형성됨으로써 인간이 자연 상태에서 문명 상태로 접어들게 되었다고 하였다. 따라서 ㉠이 인간의 본성에 의해 개별적으로 형성된 규칙이라는 설명은 적절하지 않다.
③ 세 번째 문단에서 레비스트로스는 포틀래치에 나타나는 호혜적 교환을 사회가 성립되는 원리로 제시하였으며, 포틀래치와 같이 상대방에게 선물을 주는 행위가 상대방에게 부채감을 주고, 이 부채감이 다시 선물을 주는 행위로 이어지게 만들어 결국 교환이 이루어진다고 하였다. 따라서 사람을 받아들인 부족은 부채감을 덜게 하고, 보낸 부족은 부채감을 갖게 하는 규칙이라는 설명은 적절하지 않다.
④ 세 번째 문단에서 레비스트로스는 친족 간의 결혼 금지라는 규칙을 바탕으로 공동체에 필요한 다른 규칙

들이 형성됨으로써 인간이 자연 상태에서 문명 상태로 접어들게 되었다고 하였다. 따라서 인간이 자연 상태를 벗어나 문명 상태로 발전한 상황에서 ㉠이 성립되었다는 설명은 적절하지 않다.
❺ 세 번째 문단에서 레비스트로스는 친족 간의 결혼 금지로 인해 우리 부족의 사람이 다른 부족으로 넘어가고, 새로운 사람이 우리 부족에 들어오는 호혜적 관계가 형성되었으며, 이를 통해 부족 간의 호혜적 교환이 가능해져 사회적 공동체가 형성되었다고 주장하고 있다. 따라서 ㉠은 다른 집단과 동맹을 맺기 위한 목적으로 활용되어 호혜적 교환이 일어날 수 있게 하는 규칙이라고 볼 수 있다.

왜 말이 틀렸을까?

'호혜적 (互惠的)'이라는 말의 사전적 의미는 다음과 같아. '서로 특별한 혜택을 주고받는 것'이라는 뜻이야. 만약 사전적 의미를 모른다 해도 본문을 읽다보면 자연스럽게 그 의미를 파악할 수 있는 수준의 단어이지. '국어'는 우리의 말과 언어를 기본으로 하는 과목이니까, 생소한 어휘가 나왔을 때에는 그 의미를 유추해보는 습관을 길러야 해. 본문에서 레비스트로스는 '친족 간의 결혼 금지'로 인해 우리 부족의 사람을 다른 부족에게 의무적으로 보내고, 그 과정과 더불어 다른 부족에서 우리 부족에 누군가를 보내는 일련의 행위들을 통해 '호계적 관계'가 형성되었다고 보고 있어. 따라서 친족 간의 결혼 금지는 결국 다른 집단과 동맹을 맺는 가장 확실한 방법이 되는거야.

---

13. ①   다른 견해와 비교하기

❶ 네 번째 문단에서 구조주의 인류학자 레비스트로스는 인간을 비롯한 대상의 의미나 본질은 하나의 개체로서가 아니라 전체 안에서 다른 것들과 맺은 관계 때문에 결정된다는 관점을 보이고 있다. 이에 비해 〈보기〉의 실존주의에서는 인간은 결단의 주체이며 자신의 특성과 정체성을 스스로 결정할 자유로운 의식과 권리가 있다고 하였다. 따라서 인간을 자신의 결정에 책임을 지는 결단의 주체로 보는 것은 실존주의에만 해당된다.
② 네 번째 문단에서 구조주의에 따르면 인간은 결단의 주체가 아니며 인간의 특성과 정체성은 인간 스스로 결정하는 것이 아닌 그가 속한 사회 구조에 의해 결정된다고 하였다. 이에 비해 〈보기〉의 실존주의는 인간이란 결단의 주체이며 자신의 특성과 정체성을 스스로 결정할 자유로운 의식과 권리가 있는 존재로 보고 있으므로 구조주의에서는 실존주의와 달리 인간은 자신의 정체성을 스스로 결정하지 않는다고 본다는 설명은 적절하다.
③ 다섯 번째 문단에서 구조주의 인류학자 레비스트로스는 사회 구조가 인간을 만들기 때문에, 인간을 이해하려면 인간의 구체적인 행동보다는 그 인간이 속한 사회 구조를 살펴야 한다고 하였다. 이에 비해 〈보기〉의 실존주의에서는 인간을 하나의 현상이자 개별적인 존재로 보고 인간의 구체적인 행동에 관심을 두었다고 하였으므로, 실존주의에서는 구조주의와 달리 인간을 이해하기 위해서는 인간의 구체적인 행동에 주목해야 한다는 설명은 적절하다.
④ 네 번째 문단에서 레비스트로스는 구조주의 입장에서 인간의 특성과 정체성은 인간 스스로 결정하는 것이 아닌 그가 속한 사회 구조에 의해 결정된다고 하였다. 이에 비해 〈보기〉의 전통철학에서는 인간이 선천적인 원리에 의해 미리 규정된 '특성'과 '본질'을 갖는다는 입장이므로, 전통철학에서는 구조주의와 달리 인간에게는 충실하게 실현해야 할 본질이 미리 규정되어 있다는 설명은 적절하다.

⑤ 네 번째 문단에서 '구조주의'란 인간을 비롯한 대상의 의미나 본질은 하나의 개체로서가 아니라 전체 안에서 다른 것들과 맺은 관계 때문에 결정된다는 관점이라고 하였다. 이에 비하여 〈보기〉의 '전통철학'은 인간의 '특성'과 '본질'은 선천적인 원리에 의해 미리 규정된다고 하였으므로 구조주의에서는 전통철학과 달리 인간의 특성은 집단 안에서 다른 것들과 맺는 관계에 따라 결정된다는 설명은 적절하다.

---

14. ①   단어의 의미 파악하기

❶ '선물을 주는'의 '주는'(ⓐ)은 '물건 따위를 남에게 건네어 가지거나 누리게 하다'라는 의미이므로, '그는 아이에게 용돈을 주었다'의 '주었다'와 일치한다. 또한 '상대방에게 부채감을 주고'의 '주고'(ⓑ)는 '남에게 어떤 일이나 감정을 겪게 하거나 느끼게 하다'라는 의미이므로, '지나친 기대는 학생에게 부담을 준다'의 '준다'와 일치한다.

Day 03

1. ② 2. ④ 3. ③ 4. ⑤ 5. ①
6. ③ 7. ⑤ 8. ③ 9. ② 10. ③

【1~5】 '인간의 본성에 대한 주희와 정약용의 관점'

지문해설

인간의 본성에 대한 기존의 주희의 관점에 대해 다른 관점을 가지고 정약용이 비판하고 있는 내용이다. 주희가 인간의 본성을 본연지성과 기질지성으로 설명한 것과 달리 정약용은 인간의 본성을 기호로 설명하였다. 정약용은 선한 행위와 악한 행위의 원인을 선천적 요인으로 본다면 행위에 인간의 의지가 개입되지 않으므로 악한 행위를 한 사람에게 윤리적 책임을 물을 수 없다는 점을 들어 주희를 비판하였다. 그는 선한 행위와 악한 행위를 하는 것은 인간의 자유 의지에 따른 것이라는 점을 강조하고 있다. 또한 정약용은 정약용은 자유 의지로 선한 행위를 선택하고 이를 실천하는 것이 중요하다고 보았는데, 구체적인 실천 원리로 '서(恕)'를 강조하였고, 내가 대접받고 싶은 대로 타인을 대우한다는 추서에 따라 선한 행위를 실천해야 한다고 보았다.

■ 비문학 지문 어떻게 이해할까?

1문단
인간 본성에 대해 주희와 다른 관점을 보인 정약용

2문단
기질을 선천적 요인으로 본 주희의 관점을 비판

3문단
인간의 본성을 기호로 본 정약용

4문단
자유 의지에 의한 선한 행위의 선택과 실천의 중요성

■ **주제** : 인간의 본성에 대한 주희의 관점을 비판한 정약용의 관점

1. ② — 내용 전개 방식 파악하기

① 인간의 본성에 대한 두 관점, 즉 주의와 정약용의 관점을 설명하고 있으나, 이러한 관점이 사회에 미친 영향을 설명하지는 않았다.

❷ 인간의 본성에 대해 절대적 권위를 가지고 있던 기존의 주의의 관점을 비판하는 정약용의 관점을 소개하고 있다.

③ 인간의 본성에 대한 관점의 타당성 여부를 다양한 입장에서 분석하고 있지 않다.

④ 인간의 본성에 대한 상반된 관점을 절충한 새로운 관점은 언급되지 않았다.

⑤ 인간의 본성에 대해 대비되는 관점이 등장하게 된 시대적 배경은 언급되고 있지 않다.

2. ④ — 세부 정보 확인하기

① 두 번째 문단을 보면, 주희는 인간의 본성에는 인간이 하늘로부터 부여받은 본연지성이 있다고 보았다.

② 두 번째 문단을 보면, '주희는 인간의 기질이 맑으면

선한 행위를 하고 탁하면 악한 행위를 할 수 있다'고 보았다.

③ 마지막 문단을 보면, '정약용은 추서에 따라 선한 행위를 실천해야 한다'고 보았다.

❹ 세 번째 문단을 보면, 정약용은 감각적 욕구가 생존에 필요하고 삶의 원동력이 된다는 점에서 일부 긍정했고 감각적 욕구에서 비롯된 기호를 제어하지 못할 경우 악한 행위가 나타날 수 있다고 보았다. 그렇지만 감각적 욕구가 악한 행위를 유도하므로 제거해야 한다는 내용은 확인할 수 없다.

⑤ 두 번째 문단을 보면, '정약용은 선한 행위와 악한 행위의 원인을 기질이라는 선천적인 요인으로 본다면 행위에 인간의 의지가 개입되지 않으므로 악한 행위를 한 사람에게 윤리적 책임을 물을 수 없다고 주희를 비판'했다고 하였다.

3. ③ — 주요 개념 이해하기

① 정약용은 감각적 욕구에서 비롯된 기호를 제어하지 못할 경우 악한 행위가 나타날 수 있고, 선한 행위를 하거나 악한 행위를 하는 것은 온전히 인간의 자유 의지에 달려 있다고 하였다. 따라서 ㉠은 인간이 제어할 수 있는 기호이다.

② ㉠이 생존에 필요한 욕구에서 비롯된 것으로 보았다.

❸ ㉠은 생명이 있는 모든 존재가 지니고, ㉡은 인간만이 지닌다고 하였으므로 적절하다.

④ 생명이 있는 모든 존재는 각각의 기호를 본성으로 갖는다고 보았으며 ㉠과 ㉡은 모두 욕구를 즐기고 좋아하는 경향성이다.

⑤ 타인의 잘못을 덮어 주는 행위는 용서로 선한 행위의 실천 원리인데, ㉠과 ㉡이 이와 직결된다고 보기 어렵다.

4. ⑤ — 구체적 사례에 적용하기

① 두 번째 문단을 보면, 주희는 인간의 본성을 본연지성과 기질이 더해진 것으로 보았다. 따라서 주희는 거짓말을 한 것과 무관하게 〈보기〉의 A에게 순수하고 선한 본성이 있다고 볼 것이다.

② 두 번째 문단을 보면, 주희는 사람마다 기질이 다르고 인간의 기질이 맑으면 선한 행위를 하고 탁하면 악한 행위를 할 수 있다고 보았다. 따라서 주희는 〈보기〉의 평소 청소를 잘 하지 않는 A와 항상 성실히 청소하는 B의 기질이 서로 다르다고 볼 것이다.

③ 세 번째 문단을 보면, '정약용은 선한 행위를 하거나 악한 행위를 하는 것이 온전히 인간의 자유 의지에 달려 있다'고 보았다. 따라서 정약용은 〈보기〉의 A가 책임감 있게 청소하게 된 것이 A의 자유 의지에 의한 것이라고 볼 것이다.

④ 세 번째 문단을 보면, '정약용은 도덕적 욕구에서 비롯된 기호를 따를 경우 선한 행위가 나타난다'고 보았다. 따라서 정약용은 〈보기〉의 A가 이와 같은 도덕적 욕구에서 비롯된 기호를 따랐기 때문에 묵묵히 청소하는 친구의 모습을 보며 부끄러움을 느꼈고 이후 책임감을 갖고 청소하는 행동의 변화가 나타났다고 볼 것이다.

❺ 마지막 문단을 보면, 정약용은 '용서는 타인의 악한 행위를 용인해 주는 문제가 발생할 수 있다'고 했다. 따라서 〈보기〉의 B가 추서로 A의 거짓말을 용인하게 되었다고 이해하는 것은 적절하지 않다.

---

5. ① — 어휘의 문맥적 의미 파악하기

❶ ⓐ '(예로) 들과 (증거를) '들었다'는 모두 '설명하거나 증명하기 위하여 사실을 가져다 대다'의 의미이다.

② '(감기가) 들어'의 '들다'는 '병이 생기다'의 의미이다.

③ '(마음에) 드는'의 '들다'는 '사람이나 물건이 좋게 받아들여지다' 의 의미이다.

④ '(햇볕이) 든다'의 '들다'는 '빛, 볕 따위가 어디에 미치다'의 의미이다.

⑤ '(선물이) 들어'의 '들다'는 '안에 담기거나 그 일부를 이루다'의 의미이다.

【6~10】 김태희, '한국 주자학과 실학에서의 민(民) 개념'

지문해설

'민본 사상'을 통치 기반으로 삼은 조선 시대를 설명하는 글이다. 조선 시대에는 성군으로서의 역할을 하는 군주와, 통치에 순응해야 하는 백성의 위치와 역할이 정해져 있었다. 이에 기반하여 정도전은 군주는 백성을 보살피고 안정시켜야 하며, 군주의 덕성과 더불어 관료의 자질 향상 및 책무의 중요성을 강조하였다. 또한 이이는 군주와 백성의 관계를 부모-자식 관계로 빗대어 애민과 교화를 강조하였다. 더불어 군주는 백성을 두려워하는 '외민'의 태도를 지녀야 하고, 백성들을 경제적으로 안정시키기 위한 노력을 해야 할 것을 강조하였다. 더불어 정약용은 애민이란 사회적 약자에 해당하는 백성을 적극적으로 보호하는 것이라고 정의하고 백성은 국가를 유지하는 근간이며 경제적 형편에 부합하는 역할을 수행해야 한다고 주장하였다. 이러한 민본 사상을 근간으로 하여 조선 후기에는 백성을 위한 교육 제도, 감찰 제도, 조세 및 복지 제도, 민원을 수렴하는 소원 제도 등이 존재하였다.

■ **주제** : 민본 사상을 통치 기반으로 삼은 조선 시대와 당대 학자들의 이론

6. ③ — 글의 전개 방식 파악하기

① 첫 번째 문단에서 조선 시대의 유학자들은 왕권의 기반이 민심에 있으며 민심을 천심으로 받아들여야 한다고 하였으며, 이를 '민본 사상'이라고 하였다. 이처럼 조선 시대의 통치 기조에 대한 언급은 있지만 조선 시대 관료 조직의 위계를 분석하는 부분은 없으므로 적절하지 않다.

② 다섯 번째 문단에 조선 시대 학자들이 민본 사상을 바탕으로 백성을 존중하는 정책을 펼쳤다고 하였고, 그 사례로 백성을 대상으로 한 교육 제도, 관료의 횡포를 견제하는 감찰 제도, 민생 안정을 위한 조세 및 복지 제도, 백성의 민원을 수렴하는 소원 제도 등이 있다고 제시하였다. 그러나 조선 시대 조세 제도의 문제점을 나열한 부분은 나타나지 않는다.

❸ 이 글은 '민본 사상'을 중심으로 한 조선 시대 학자들의 이론에 대한 공통점과 차이점을 다루고 있는 글이다. 두 번째 문단에서 정도전은 백성을 보살핌의 대상으로 바라보고 있음을 알 수 있고, 세 번째 문단에서 이이는 백성을 보살피고 교화해야 할 대상임에 동시에 군주는 백성을 두려워하는 외민(畏民)의 태도를 지녀야 함을 강조하였다. 또한 네 번째 문단에서 정약용은 백

성이 국가를 유지하는 근간이면서도 국가의 통치 체제 유지에 기여해야 하는 존재라고 설명하고 있다. 따라서 조선 시대 학자들의 백성에 대한 관점을 비교하고 있다는 설명은 적절하다.

④ 조선 시대 군주들은 민본 사상을 통치 기조로 삼아, 군주는 백성의 뜻을 하늘의 뜻으로 받들며 섬기고 덕성을 갖춘 성군으로서 백성의 모범이 되어야 한다고 설명하였을 뿐, 조선 시대 군주들의 통치관을 비판적으로 서술하고 있는 부분은 나타나지 않는다.

⑤ 네 번째 문단에서 조선 후기에 농업 기술과 상·공업의 발달로 인하여 재산을 축적한 백성들이 등장한 현실을 언급한 부분이 나타날 뿐, 조선 시대 상업의 발달 과정을 통시적으로 기술한 부분은 찾을 수 없다.

7. ⑤ 　글의 세부 정보 파악하기

① 첫 번째 문단에서 조선 시대의 통치 개념이 민본 사상이라고 하였고, 백성은 보살핌과 가르침을 받는 존재로서 통치에 순응해야 한다고 하였으나, 이는 외민에 대한 설명은 아니다.

② 두 번째 문단에서 정도전은 백성을 위하는 관료의 자질 향상 및 책무의 중요성을 강조하였고, 관료의 비행을 감독하는 감사 기능의 강화를 주장하였음을 알 수 있다. 그러나 관료의 비행을 감독하기 위해 마련한 제도가 외민에 해당하는 것은 아니다.

③ 세 번째 문단에서 조선 중기의 학자 이이는 백성을 보살펴야 하는 대상으로 보았으며 그 근거로 군주와 백성의 관계를 부모와 자식의 관계라고 설명하였다. 그러나 이는 외민에 대한 설명에는 해당하지 않는다.

④ 조선 시대에 백성을 통치하는 기반은 민본 사상에 있었으며, 백성을 사랑하는 애민의 태도가 수반될 때 백성의 삶은 안정시키고 백성을 교화하는 것이 가능하다고 하였다. 특히 세 번째 문단에서 이이는 백성을 도덕적으로 교화하기 위해서는 우선 백성들을 경제적으로 안정시켜야 한다고 강조하였다. 그러나 민생이 안정되었을 때 드러나는 백성의 이상적 모습이 외민이라고 볼 수 없다.

❺ 세 번째 문단에서 군주는 백성을 두려워하는 외민(畏民)의 태도를 지녀야 함을 주장하며 그 까닭으로 백성은 군주에 대한 신망을 지닐 수도 버릴 수도 있기 때문이라고 하였다. 이는 군주가 백성에 대한 두려움을 가지고 백성의 신망을 유지하기 위해 노력해야 한다는 것과 상통하는 것이다.

8. ③ 　글의 내용을 구체적 사례에 적용하기

① ㄱ에서 천자가 벼슬을 내리고 녹봉을 관리자들에게 나누어 주는 것은 '백성들을 위한 것'이라고 하였고, 임금이 관리에게 책임을 지우는 근본적인 목적은 백성을 위한 것이라고 명시하고 있다. 한편 두 번째 문단에서 정도전이 군주나 관료가 지배자가 얻는 지위나 녹봉은 백성에게 봉사자의 역할을 수행할 때만 그 정당성이 확보된다고 하였다. 따라서 ㄱ은 관료의 녹봉이 백성을 위해 일하는 봉사자로서 얻는 것이라는 주장과 관련된다.

② ㄴ은 군주의 식사, 옷, 공물 등 일체를 삼분의 일로 줄이고, 이런 식으로 모든 팔도의 진상과 공물들도 삼분의 일로 줄이라고 조언하고 있다. 이는 백성들의 세금에 대한 부담을 줄여주며 그들의 생활을 보살피라는 의미에 해당하므로, 세 번째 문단에서 이이가 주장하는 애민 정신과도 유사하다. 그는 군주가 백성들을 교화시

키려면 우선 백성들을 경제적으로 안정시켜야 한다는 점을 강조하였다.

❸ ㄷ은 목화 농사를 예로 들어, 목화 농사가 흉작일 경우에는 일단 백성에게 군포를 납부하지 말도록 하고, 청렴한 아전을 통해 목화 농사가 풍년이 든 곳에 가 면포를 싼 값에 구입해 오게 하여 군포를 메꾸도록 할 것을 제안하였다. 이때 면포를 구입하는데 들어간 비용은 백성들이 균등하게 부담케 하여 군포에 대한 백성들의 부담을 줄여줄 것을 주장하고 있다. 한편 네 번째 문단에서 정약용은 가난한 백성인 '소민'은 교화를 따름으로써, 부유한 백성인 '대민'은 생산 수단을 제공하고 납세의 부담을 맡음으로써 통치질서의 안정에 기여해야 한다고 논하고 있다. 그러나 ㄷ이 대민과 소민에 따라 납세 부담에 차이가 있어야 한다는 주장을 구현하는 방법이라고 볼 수 없다.

④ ㄱ은 임금이 관리에게 책임을 지우는 것, 관리가 임금에게 보고하는 것 등이 모두 백성이 근본이므로 군주나 관료는 지배자가 아니라 백성을 보살피고 안정시키는 역할을 해야 한다는 의미를 담고 있다. 또한 ㄷ은 목화 농사가 흉작일 경우에는 백성에게 군포를 납부하지 말도록 하되, 목화가 풍작인 곳에 청렴한 아전을 보내어 면포를 구입해 오게 하여 군포를 바칠 것을 제안하고 있으므로 ㄱ과 ㄷ은 민본 사상의 관점에서 바람직한 관료의 면모를 보여준다고 할 수 있다.

⑤ ㄴ은 백성들이 관아에 바치는 진상·공물들의 양을 대폭 줄일 것을 제안하고 있고, ㄷ은 농사가 흉작이 되었을 경우에 백성에게 과도한 군포를 납부하는 대신 다른 대책을 펼칠 것을 제안하고 있다. 따라서 ㄴ과 ㄷ은 백성의 경제적 안정을 중시하는 관점에서 제안된 방안이라고 볼 수 있다.

9. ② 　글의 관점을 다른 글과 비교하기

① [A]는 군주를 비롯한 통치 계층이 백성을 위해 펼치는 정책에 대한 것을, [자료]는 조선 시대의 교육이 본질적으로는 통치 계층의 우위를 확보하는 것에 목적이 있었다는 것을 다루고 있다. 따라서 이를 통해 [자료]와 [A]가 '백성이 교육 기회를 얻고자 노력했는지'에 대하여 관점의 차이를 보이고 있다고 판단하는 것은 적절하지 않다.

❷ [A]는 조선 시대 학자들이 백성들을 위한 민본 사상을 바탕으로 백성을 존중하는 정책을 펼쳤으며, 그 예로 백성을 대상으로 한 교육 제도를 제시하고 있다. 이는 첫 번째부터 네 번째 문단에 나타난 정도전, 이이, 정약용의 이론을 뒷받침하는 것으로, 백성을 대상으로 하는 교육 제도는 백성의 삶을 안정시키기 위한 것이라는 입장에 부합된다. 이에 비해 [자료]에 제시된 바에 따르면 조선 시대의 교육은 통치 계층이 아닌 백성은 정치에 참여하는 관료가 되기 어려웠으며, 백성을 대상으로 하는 교육은 대체로 도덕적 교화를 위한 것에 한정되었다고 하였다. 즉 조선 시대의 교육은 백성을 위한 것이 아니라 신분 질서 유지를 통해 통치 계층의 우위를 확보하는 것에 주된 목적이 있다는 것을 [자료]를 통해 알 수 있다. 따라서 [자료]와 [A]는 조선 시대의 '교육이 본질적으로 백성을 위한 것인지'에 대하여 관점의 차이를 보이고 있다고 판단할 수 있다.

③ [자료]와 [A] 모두 교육 방식이 현대적으로 계승되었는지에 대한 내용은 언급되지 않았다.

④ [A]는 조선 시대의 통치 계층이 백성을 위한 정책을 펴는 것에 대한 내용이고, 첫 번째 문단부터 네 문

단까지의 내용을 통해 조선 시대의 통치 이념은 민본 사상에 근거하고 있음을 알 수 있다. 한편 [자료]에서 조선의 통치 계층은 자신들의 계층의 우위를 확보하기 위해 교육의 기회를 제한하였다고 하였으므로 [자료]와 [A]는 백성에 대한 관점이 같지 않다는 것을 유추할 수 있다. 그러나 [자료]와 [A]가 조선 시대의 '신분 질서가 어떤 의미를 지니는지'에 대하여 관점의 차이를 보이고 있다고 판단할 수 있는 근거는 찾을 수 없다.

⑤ [자료]와 [A] 모두 백성이 어떻게 정치에 참여하였는지에 대한 내용은 언급되지 않았다.

10. ③ 　단어의 의미 파악하기

① ⓐ는 '환경이나 변화에 적응하여 익숙하여지거나 체계, 명령 따위에 적응하여 따르다'라는 뜻이므로 '따라야'와 바꿔 쓸 수 있다.

② ⓑ는 '흐트러진 체계를 정리하여 제대로 갖추다'라는 뜻이므로 '가다듬는'과 바꿔 쓸 수 있다.

❸ ⓒ는 '일 따위가 아무 탈이나 말썽 없이 예정대로 잘 되어 가는 상태에 있다'라는 뜻이다. 이에 비해 '끊임없이'는 '계속하거나 이어져 있던 것이 끊이지 아니하게'라는 뜻으로 ⓒ와 '끊임없이'는 바꿔 쓸 수 없다.

④ ⓓ는 '사물이나 현상이 서로 꼭 들어맞다'라는 뜻이므로 '걸맞은'과 바꿔 쓸 수 있다.

⑤ ⓔ는 '바탕이나 토대를 두다'라는 뜻이므로 '바탕을 둔'과 바꿔 쓸 수 있다.

Day 04

1. ①　　2. ②　　3. ③　　4. ②　　5. ③
6. ③　　7. ②　　8. ①　　9. ④　　10. ①

【1~5】 박영욱, '보고 듣고 만지는 현대사상'

지문해설

세상을 개념으로만 파악하려는 태도를 비판하고 개별 대상의 다양성에 주목한 '차이'의 철학을 제시한 들뢰즈 철학의 특성과 의의를 다루고 있다. 들뢰즈는 차이를 '개념적 차이'와 '차이 자체'로 구분하였는데, 개념적 차이란 어떤 대상과 다른 대상의 상대적 다름을 의미하며, 차이 자체란 개념으로 드러낼 수 없는 대상 자체의 절대적 다름을 의미한다. 들뢰즈는 개념적 차이로는 대상만의 고유한 가치나 절대적 다름이 파악될 수 없다고 하였다. 한편 들뢰즈는 개별 대상의 차이 자체를 드러낼 수 있는 작용 원리를 '반복'과 '강도'라는 용어로 설명했다. 들뢰즈에게 차이 자체란 반복에 의해 경험하게 되는 강도의 차이를 의미한다. 들뢰즈의 철학은, 개념을 최고의 가치로 숭상하면서 이 세상을 개념으로 온전히 규정하려는 기존 철학자들의 사상을 극복하고자 한 것이며 철학의 시선을 개념에서 현실 세계의 대상 자체로 돌리게 했다는 점에서 의의를 지닌다.

■ 비문학 지문 어떻게 이해할까?

1문단
'차이'의 철학을 제시한 들뢰즈

2문단
'개념적 차이'와 '차이 자체'로 차이를 구분함.

3문단
개념적 차이의 한계와 문제점

4문단
개별 대상의 차이를 드러내는 '반복'과 '강도'

5문단
들뢰즈 철학의 의의

■ **주제** : 개별 대상의 다양성에 주목하는 '차이'의 철학을 제시한 들뢰즈

---

1. ①　　내용 전개 방식 파악하기

❶ 세상을 개념으로만 파악하려는 태도를 비판하고 개별 대상의 다양성에 주목하는 들뢰즈의 견해를 '소금'과 '연주자'의 예를 들어 설명하고 그 의의를 밝히고 있으므로 적절하다.

2. ②　　주요 개념 이해하기

❷ ⊙ '소금'은 동일한 개념으로 분류되는 '개념'에 해당하고, ⓛ '소금 입자'는 고유한 정도 차이를 보이는 개별 대상이고, ⓒ '연주' 또한 차이를 드러내는 개별 대상에 해당한다. 따라서 ⊙과 달리 ⓒ은 개별 대상에 해당한다.

3. ③　　세부 내용 파악하기

① 세 번째 문단에서 들뢰즈는 개념의 폭력과 관련하여 개별 대상을 개념에 포섭시키는 상황을 우려했음을 알 수 있다.

② 들뢰즈는 개념을 통해 체계와 기준을 맞추어 놓고 세상을 파악할 때 개념의 폭력이 발생할 수 있다고 보았음을 알 수 있다.

❸ 들뢰즈는 개념의 폭력은 개별 대상의 고유한 특성을 무시할 때 일어나는 것이라고 하였는데, 개별 대상이 지닌 고유한 특성만을 중요시할 때 나타난다는 진술은 적절하지 않다.

④ 들뢰즈는 세상을 오로지 개념의 틀에 가두는 상황을 우려했음을 알 수 있다.

⑤ 들뢰즈는 미리 정해 둔 개념에 부합하는 개별 대상은 좋은 것으로, 그렇지 못한 개별 대상은 나쁜 것으로 규정되는 개념의 폭력이 발생할 수 있다고 보았음을 알 수 있다.

4. ②　　사례에 적용하여 이해하기

❷ 〈보기〉의 사례에서 한나는 책자를 통해 함흥냉면과 평양냉면의 면과 육수를 비교했을 때 서로 다르다는 것을 알게 되었다. 두 번째 문단에서 개념적 차이란 어떤 대상과 다른 대상의 상대적 다름을 의미한다고 했는데, 이를 본다면 한나가 알게 된 두 냉면의 차이는 개념적 차이라는 것을 알 수 있다. 이에 대해 첫 번째 학생이 '한나는 냉면이 지닌 절대적 다름을 알게 된 것이군.'이라고 댓글을 작성했는데 이는 들뢰즈의 견해에 따르면 개념적 차이일 뿐 차이 자체로 볼 수 없다. 이에 대해 두 번째 학생의 댓글에는 '너는 ⓐ를, 차이 자체를 알게 된 것으로 여기고 있으므로 너의 의견은 들뢰즈의 견해에 부합하지 않는다고 생각해.'가 들어가는 것이 적절하다.

왜 많이 틀렸을까?

역대 최고의 오답률을 기록하고 있는 문제인데 지문의 내용을 잘 이해하지 못하면 해결할 수가 없어. 첫 번째 댓글을 단 학생은 들뢰즈가 말한 '개념적 차이'와 '차이 자체'를 혼동하고 있어. 들뢰즈는 개념적 차이란 어떤 대상과 다른 대상의 상대적 다름을 의미하지만, 차이 자체란 개념으로 드러낼 수 없는 대상 자체의 절대적 다름을 의미한다고 했지. 즉 개념적 차이로는 대상만의 고유한 가치나 절대적 다름이 파악될 수 없다고 했어. 소금을 예로 들어 소금 입자가 가지는 염도, 빛깔의 고유한 정도 차이에 해당하는 특성이 바로 개별 소금 입자의 차이 자체라고 설명하고 있는 내용을 잘 이해할 수 있어야 해.

5. ③　　자료를 바탕으로 이해하기

① 〈보기〉의 헤겔 변증법은 더 많은 개념들을 활용한다면 개별 대상은 완벽하게 규정될 수 있다는 견해를 보인다. 이에 반해 들뢰즈는 개념적 차이로는 대상만의 고유한 가치나 절대적 다름이 파악될 수 없다는 견해를 보이므로, 들뢰즈의 입장에서 헤겔의 변증법을 활용하더라도 개별 대상을 온전히 규정할 수 없다는 반응을 보일 것이다.

② 〈보기〉의 헤겔은 세상을 개념적으로 파악하기 위한 방법론으로 변증법을 제시했다고 하였다. 들뢰즈의 입장에서 헤겔이 세상을 보는 이러한 방법론은 미리 만들어진 개념이 현실 세계의 개별 대상들을 규정하는 것이라는 반응을 보일 것이다.

❸ 〈보기〉의 앤디 워홀의 작업은 같음을 생산하는 과정을 되풀이함으로써 오히려 어떠한 결과물도 같을 수 없음을 보여 준다. 들뢰즈 또한 반복이란 되풀이하여 지각된 강도의 차이를 통해 개별 대상의 차이 자체를 발견해 나가는 과정이라고 하였다. 따라서 들뢰즈의 입장에서 앤디 워홀은 같음을 생산하는 과정을 되풀이하여 각각 강도가 다른 결과물을 제작한 것이므로 적절하지 않다.

④ 〈보기〉의 앤디 워홀의 작업은 같음을 생산하는 과정을 되풀이함으로써 오히려 어떠한 결과물도 같을 수 없음을 보여 준다고 했다. 들뢰즈는 되풀이하여 지각된 강도의 차이를 통해 개별 대상의 차이 자체를 발견하여 감각적 경험을 얻을 수 있다고 하였다. 따라서 들뢰즈의 입장에서 앤디 워홀이 대량 인쇄 작업으로 제작한 작품들은 다른 것과 비교될 수 없는 개별 대상에 대한 감각적 경험을 가능하게 한다는 반응을 보일 것이다.

⑤ 〈보기〉의 앤디 워홀은 동일해 보이는 작품들에서 조금씩 차이를 느낄 수 있다고 했다. 이는 들뢰즈의 입장에서 앤디 워홀의 작품들에서는 다른 대상에 의존하는 방식으로는 파악할 수 없는 색상과 윤곽선에 대한 지각을 통해 드러나는 강도의 차이를 느낄 수 있다고 반응을 보일 것이다.

【6~10】 이진우, '한나 아렌트의 정치 강의'

지문해설

한나 아렌트는 정치를 어떤 관점에서 사유하며, 현실을 어떻게 이해해야 하는지에 대한 정치철학적 지평을 열어 준 철학자이다. 아렌트는 '정치'란 공적인 것에서부터 출발하고 공적인 것을 추구하는 것에서 시작한다고 하였다. '정치'가 실현되기 위한 조건으로 '노동', '작업', '행위'의 개념과 차이점을 설명하고 그 개념을 고대 그리스의 가정과 폴리스를 통해 살펴보고 있다. 공적 영역과 사적 영역의 개념은 명확히 구분되는 것이었으나, 근대 이후 출현한 '사회'가 되면서 본래 행위의 공간이었던 경제 활동이 공적 영역에 자리잡게 되었다고 아렌트는 분석한다. 이에 따라 행위가 일어날 수 있는 가능성이 배제되고 사람들은 각자의 경제적 이익의 극대화를 추구하기 때문에 '행동'만이 남게 되었다. 그리하여 '행위'의 일어날 수 있는 공적 영역의 보존이 어느 때보다 중요하다고 강조한다.

■ 비문학 지문 어떻게 이해할까?

1문단
'노동', '작업', '행위'의 개념과 차이점

2문단
고대 그리스의 가정과 폴리스를 통해 살펴본 공적 영역과 사적 영역

3문단
'사회'의 출현으로 경제활동이 공적 영역에 자리잡게 됨.

4문단
'사회'의 문제점과 공적 영역 보존의 중요성

■ **주제**: 한나 아렌트의 '정치' 개념과 '정치'가 실현되기 위한 조건

6. ③　　내용 전개 방식 파악하기

① 정치 이론의 변화 과정을 설명한 부분은 제시되지 않았다.

② 첫 번째 문단에서 한나 아렌트는 인간의 활동으로

'노동', '작업', '행위'를 제시하고 이 세 가지 활동이 서로 긴밀하게 연결되어 인간의 실존을 가능하게 한다고 말하였을 뿐, 인간 활동의 유형을 비교하고 그의 정치 이론이 지닌 한계를 평가하고 있는 부분은 없다.
❸ 한나 아렌트가 제시한 정치의 개념과, '공적인 것'에 대한 정의와 한나 아렌트의 '정치'의 정의와 '정치'가 실현되기 위한 조건을 제시하며 근대 이후 출현한 '사회'가 되면서 본래 행위의 공간이었던 경제활동이 공적 영역에 자리잡게 되었고, '사회'의 문제점과 공적 영역 보존의 중요성에 대해 강조하고 있으므로 적절한 설명이다.
④ 두 번째 문단에 한나 아렌트는 고대 그리스의 가정과 폴리스의 구분을 예로 들면서 공적인 것과 사적인 것이 이루어지는 영역이 공간적으로 분리된다고 설명하는 부분은 있다. 그러나 이는 철학자의 정치와 관련된 가설을 소개하는 것과 무관하며, 다양한 역사적 사례를 통해 가설의 타당성을 검토하고 있다고 볼 수 없다.
⑤ 세 번째 문단에 한나 아렌트는 근대 이후에 '사회'가 출현하였고, 그로 인해 정치의 의미가 왜곡되었다고 진단하며 공적 영역을 회복하고 보존해야 함을 강조하고 있다. 그러나 정치 체제의 발달 단계를 고찰한 부분은 제시된 바가 없으므로 잘못된 설명이다.

7. ② 세부 내용 파악하기

① 두 번째 문단에서 자유롭다는 것은 삶의 필연성에서 벗어나 어떠한 강제나 강요도 없이 각자의 서로 다른 의견을 표현하고 공유하는 것을 의미하며 가령 폴리스라는 공적 영역에서 언어적 소통을 통해 타인과 관계를 맺으며 내가 누구인지, 내 의견과 다른 사람들의 의견이 어떻게 다른지를 확인할 수 있다고 하였으므로, 자유는 다른 사람과 관계를 맺는 행위를 통해 실현된다는 것을 알 수 있다.
❷ 두 번째 문단에서 아렌트는 정치의 본질은 자유의 실현이며 이때 자유롭다는 것은 삶의 필연성에서 벗어나 어떠한 강제나 강요도 없이 시민 모두가 평등한 위치에서 각자의 서로 다른 의견을 표현하고 공유하는 것을 의미한다고 하였다. 따라서 사람들이 자유를 실현하기 위해 개인의 행위를 강제한다는 설명은 적절하지 않다.
③ 두 번째 문단에서 자유롭다는 것은 시민 모두가 평등한 위치에서 각자의 서로 다른 의견을 표현하고 공유하는 것으로, 아렌트는 정치의 본질을 자유의 실현이라고 정의하였으므로 적절한 설명이다.
④ 첫 번째 문단에서 행위는 다른 존재들과 상호소통하며 자신의 존재를 드러내는 것으로 다수의 사람들과 공동의 관심사에 대해 의견을 나누는 활동을 의미한다고 하였으므로 적절한 설명이다.
⑤ 첫 번째 문단에서 정치의 본질은 행위의 가능성에 달려 있다고 하였다. 또한 노동, 작업은 사적인 것, 행위만이 공적인 것으로 타인의 지속적인 현존을 전제 조건으로 삼는다고 하였다. 이어서 두 번째 문단에서 삶의 필연성에서 벗어나 자유로운 상태에서 할 수 있는 것이 정치라고 하였으므로, 행위는 인간의 생존을 위한 필연성의 구속을 벗어난 곳에서 이루어진다고 할 수 있다.

오H 많이 틀렸을까?
아렌트는 공적인 공간과 사적인 공간을 구분하고 있어. 어느 것이 단순히 좋고 나쁘다는 이분법적인 시각이 아니라, 그 두 공간이 어떻게 다르고 인간에게 어떻게 작용하고 있는지를 상세하게 설명하고 있어. 인간이 경제적 활동에 골몰하게 되면서 자신의 생각이나 정치적 사유를 할 수 없게 된 것이 현대 사회의 구조라고 지적하고 있지.

8. ① 외적 준거에 따라 비판하기

❶ 첫 번째 문단에서 노동은 생물학적 욕구를 충족시키는 동물적 활동으로 자기 보존의 수단일 뿐이고 생존을 위해 필요한 생산과 소비의 끊임없는 순환 과정 속에 종속된 것이라고 하였다. 따라서 노동이나 작업이 아닌 오로지 '행위'만이 인간을 자유롭게 해 준다는 입장이다. 이에 비해 〈보기〉의 견해는 노동을 통해 자아를 실현함과 동시에 인간다운 삶을 살 수 있게 된다는 입장이므로 〈보기〉의 글쓴이가 '한나 아렌트의 견해에 대해 '당신은 노동을 자기 보존의 수단으로 보지만, 노동은 인간에게 자유를 가능하게 합니다'라고 비판 가능하다.
② 첫 번째 문단에서 한나 아렌트는 노동은 생물학적 욕구를 충족시키는 동물적 활동으로 사적인 활동에 속한다고 하였다. 따라서 노동을 정치적 활동으로 본다는 설명은 잘못되었다.
③ 첫 번째 문단에서 노동은 생물학적 욕구를 충족시키는 동물적 활동이고, 작업은 단순한 생존을 넘어서 삶의 편의를 위해 물건과 결과물을 만드는 것이라고 하였으므로 노동이 '삶의 편의를 위해 물건을 만드는 활동'이라는 설명은 잘못되었다.
④ 첫 번째 문단에서 노동은 사적인 활동인데 비하여 행위는 다수의 사람들과 공동의 관심사에 대해 의견을 나누는 활동이라고 하였다. 따라서 노동을 '다른 사람들과 관계를 맺는 활동'으로 설명한 부분은 잘못되었다.
⑤ 첫 번째 문단에서 한나 아렌트는 인간의 활동으로 '노동', '작업', '행위'를 제시하며 이 세 가지 활동이 인간의 실존을 가능하게 한다고 하였다. 아렌트와 〈보기〉의 글쓴이는 모두 노동을 동물이 아닌 인간만이 하는 것으로 정의하고 있다는 공통점이 있으므로, 노동으로는 인간과 동물의 삶의 방식을 구분 지을 수 없다는 설명은 잘못 되었다.

9. ④ 세부 내용 파악하기

① 세 번째 문단에서 아렌트는 사회는 경제적으로 조직된 여러 구성원의 거대한 가족 결합체로 사회가 등장하면서 행위가 일어났던 공적인 공간에서 사람들이 오로지 사적인 이익만을 추구하는 '행동'만이 나타날 수 있고, 다른 존재들과 상호소통하며 자신의 존재를 드러내는 것으로 다수의 사람들과 공동의 관심사에 대해 의견을 나누는 활동인 '행위'는 나타나기 어렵다고 지적하였다.
② 네 번째 문단에서 아렌트는 인간 삶의 모든 것을 경제적 가치가 지배하는 근대 이후의 사회에서 사람들은 더 이상 다양한 관점을 가질 수 없게 되었고 사람들은 다른 사람들과 함께 공동의 문제를 위해 행위하지 않고, 자신의 경제적 이익의 극대화를 위해 행동하게 된다고 하였으므로 적절한 설명이다.
③ 세 번째 문단에서 고대 그리스에서 가정의 활동은 생계유지에 필요한 재화와 용역을 생산하고 소비하는 노동 활동을 중심으로 이루어졌기에 경제 활동은 본래 사적 영역에서의 활동이었다. 그러나 사회가 출현하고 시장이 발달하면서 공적 영역으로 옮겨갔고 경제 활동이 행위의 공간이었던 공적 영역에 자리하게 되면서 공적 영역이 사라지게 되었다고 하였다.
❹ 두 번째 문단에서 아렌트는 공적 영역에서 언어적 소통을 통해 타인과 관계를 맺으며 내가 누구인지, 내 의견과 다른 사람들의 의견이 어떻게 다른지를 확인할 수 있으며 이러한 자유의 실현이 보장될 때만 정치를 실현할 수 있다고 하였다. 한편 네 번째 문단에서 경제

화된 근대 이후의 사회에서 사람들은 시장 경제 논리에 따라 움직이고, 궁극적으로 행위가 일어날 가능성도 박탈당한다고 하였으므로, 시장 경제가 발달한 사회일수록 정치를 실현할 수 있는 영역은 축소될 것이다.
⑤ 네 번째 문단에서 아렌트는 사회가 등장하면서 '행동'을 추구하게 되었고, 이는 다른 사람들과 함께 공동의 문제를 위해 행위하지 않고 자신의 경제적 이익의 극대화를 위해 행동하는 것을 뜻한다. 따라서 사람들은 사회를 지배하는 하나의 가치만을 추구할 뿐 다양한 관점은 갖지 못하게 된다.

10. ① 정보 간의 관계 파악하기

❶ '아렌트는 노동과 작업을 사적인 것으로, 행위를 공적인 것으로 구분하고 사적 영역과 공적 영역을 엄격하게 분리하였다. 이에 비해 공자는 공적 영역과 사적 영역은 구분할 수 없으며 가정에서의 관계 맺음은 정치 체제의 근본 토대라고 하였으므로 '공자'와 달리 '한나 아렌트'는 공적 영역과 사적 영역을 공간적으로 분리해서 인식하고 있다고 할 수 있다.
② 아렌트는 오로지 공적 영역에서만 정치가 이루어진다고 하였고, 공자는 공적 영역과 사적 영역은 구분할 수 없고 가정에서 자식이 부모를 사랑하는 것을 정치로 간주하고, 이러한 사랑이 국가 차원으로 확장된다고 보았다. 따라서 사적 영역에서도 정치가 이루어진다고 보는 것은 공자에만 해당한다.
③ 아렌트는 공적인 것과 사적인 것이 이루어지는 영역이 공간적으로 분리된다고 보았고, 오로지 공적인 영역에서 정치가 이루어진다고 보았다. 이에 비해 공자는 가족 내의 부자 관계에서 자식이 부모를 사랑하는 것을 정치로 간주하였다.
④ '한나 아렌트'는 사적 영역과 공적 영역을 엄격하게 분리했지만, 사적 영역을 부정하지는 않았다. 그러나 '플라톤'은 공적인 것을 위해 사적인 것을 지양해야 한다고 강조하며 정치가들에게 자식과 재산을 공유할 것을 주장하였으므로 공적인 것을 위해 사적인 것을 지양해야 한다고 주장하는 이는 '플라톤'이다.
⑤ '한나 아렌트'는 노동과 작업을 사적인 것으로, 행위를 공적인 것으로 구분하고 행위가 이루어지는 곳을 공적 영역이라 규정하며 사람들은 오직 공적 영역에서만 자신의 행위 가능성을 보존하고 자유 실현의 가능성을 찾을 수 있다고 하였다. 이는 '사적인 것을 공유해야만 공적인 영역에서 정치가 가능하다'는 설명과는 일치하지 않는다. 이에 비해 플라톤은 정치가들에게 자식과 재산을 공유하는 등 정치와 관련하여 사적 영역인 가정은 방해물이 된다고 보고 있으므로, '사적인 것을 공유해야만 공적인 영역에서의 정치가 가능하다'고 보는 것은 '플라톤'에 해당한다.

1. ④ 2. ⑤ 3. ⑤ 4. ④ 5. ②
6. ③ 7. ⑤ 8. ④ 9. ③ 10. ⑤
11. ②

【1~5】 소흥렬, '논리와 사고'

지문해설

고전 논리학에서 다루는 일상 언어를 논리적 의미가 정확히 전달되도록 고치는 명제의 표준 형식에 대한 글이다. 아리스토텔레스의 고전 논리학에서는 기본 명제를 '전체 긍정 명제', '전체 부정 명제', '부분 긍정 명제', '부분 부정 명제'라고 분류하였다. 삼단 논법에 이용되는 명제는 이 중에 하나의 모습을 갖춰야 하며 명제들은 표준 형식으로 고쳐야 한다. 전체 긍정을 뜻하는 명제의 표준 형식은 '모든 ~는 ~이다.'이지만 전체 부정의 뜻을 나타내는 표준 형식은 '어느 ~도 ~가 아니다.'이다. 부분 긍정을 뜻하는 명제의 표준 형식은 '어떤 ~는 ~이다.'이며 부분 부정을 뜻하는 명제의 표준 형식은 '어떤 ~는 ~가 아니다.'이다. 일상 언어에 사용되는 문장들은 경우에 따라 논리적 의미가 다르므로 적절한 해석이 필요하며 이를 형식에 맞게 고쳐야 한다.

■ 비문학 지문, 어떻게 이해할까?

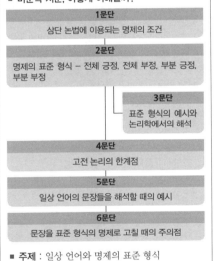

1문단
삼단 논법에 이용되는 명제의 조건

2문단
명제의 표준 형식 – 전체 긍정, 전체 부정, 부분 긍정, 부분 부정

3문단
표준 형식의 예시와 논리학에서의 해석

4문단
고전 논리의 한계점

5문단
일상 언어의 문장들을 해석할 때의 예시

6문단
문장을 표준 형식의 명제로 고칠 때의 주의점

■ **주제** : 일상 언어와 명제의 표준 형식

1. ④ 세부 정보 파악하기

① 다섯 번째 문단에서 '미국 흑인들 외에는 아무도 흑인 영가의 참뜻을 느낄 수 없다'는 두 가지 명제로 해석이 가능하다고 하였다. 즉 '모든 미국 흑인들은 흑인 영가의 참뜻을 느낄 수 있는 사람이다'와 '미국 흑인이 아닌 모든 사람은 흑인 영가의 참뜻을 느낄 수 없는 사람이다'로 해석 가능한데 이 때 '미국 흑인이 아닌 모든 사람은 흑인 영가의 참뜻을 느낄 수 없는 사람이다'는 전체 부정 명제인 '미국 흑인이 아닌 어느 사람도 흑인 영가의 참뜻을 느낄 수 있는 사람이 아니다'로 고쳐 쓸 수 있다고 하였다.

② 세 번째 문단에서 '칼을 쓰는 자는 칼로 망한다'라는 말은 두 가지로 해석되는데 전체 긍정인 '칼을 쓰는 모든 사람은 칼로 망하는 사람이다'와 부분 긍정인 '칼을 쓰는 어떤 사람은 칼로 망하는 사람이다'로 가능하다. 이때 어느 쪽 해석이 옳은가라는 문제는 논리학의 관심 밖의 문제라고 하였다. 그 이유는 이 문장을 하나의 교훈으로 받아들이는 사람은 하나의 보편적인 법칙으로 이해하기 때문에 전체 긍정으로 읽게 되기 때문이다.

③ 두 번째 문단에서 전체 부정을 뜻하는 명제의 표준 형식에 해당하는 '모든 철학자는 이상주의자가 아니다'라는 말을 애매하고 그 이유는 의미가 두 가지로 해석되기 때문이라고 하였다. 따라서 '모든 ~는 ~가 아니다'라는 형식은 전체 부정 명제의 표준 형식이 될 수 없다.

④ 네 번째 문단에서 고전 논리에서는 명제의 양을 전체와 부분으로만 나누어 두었기 때문에 전체에 관한 것이 아닌 것은 모두 부분에 관한 것으로 표현할 수밖에 없다고 하였다. 즉 부분에 관한 명제들 중에서 그 양의 정도가 다른 것을 나타낼 수 없다는 문제점이 되며 이는 고전 논리가 모든 명제를 네 가지 기본 형식으로만 분류해 놓은 것에서 기인한다.

⑤ 여섯 번째 문단에서 일상 언어의 문장은 그것이 어떤 사실을 긍정하는 것일지라도 논리적 의미가 분명치 못한 것이 많으므로 그 문장이 사용되는 경우와 내용에 따라서 다르게 이해되어야 할 때가 많다고 하였다.

2. ⑤ 세부 내용 추론하기

① ㉠의 이유는 ㉠이 고전 논리학에서 다루는 명제와 다소 차이가 있기 때문이다. 여섯 번째 문단에서 일상 언어의 문장을 표준 형식의 명제로 고칠 때는 의미와 경우에 따라 적절한 해석을 한 후 그에 적절한 형식으로 고쳐야 한다고 하였다. 따라서 일상 언어를 논리학의 표준 명제로 고칠 수 없다는 설명은 적절하지 않다.

② 첫 번째 문단에서 고전 논리학에서는 기본 명제를 네 가지로 분류하고 이 명제들은 그 뜻이 애매하다거나 모호하지 않아야 하므로 표준 형식으로 고쳐 주어야 한다고 하였으며, 여섯 번째 문단에서 일상 언어 역시 적절한 형식으로 고치면 논리학의 표준 명제가 될 수 있다고 하였다. 따라서 논리학이 명제의 형식에 대해서는 문제로 삼지 않는다는 설명은 적절하지 않다.

③ 세 번째 문단에서 '고래는 포유동물이다'라는 일상 언어의 문장은 표준 형식의 명제인 '모든 고래는 포유동물이다'로 고칠 수 있는 것으로 보아 일상 언어의 문장과 논리학의 문장은 본질적으로 다르다고 볼 수 없다.

④ 첫 번째 문단에서 아리스토텔레스의 고전 논리학에서는 삼단 논법에 이용되는 명제는 '전체 긍정 명제', '전체 부정 명제', '부분 긍정 명제', '부분 부정 명제' 중의 하나로 고쳐야 한다고 하였다. 그러나 ㉠은 예시로 든 문장 중 어느 쪽 해석이 옳은가라는 문제는 논리학과 관계가 없다고 하였다.

⑤ 첫 번째 문단에 제시된 고전 논리학에서 다루는 명제들은 그 뜻이 애매하다거나 모호하지 않아야 하므로 표준 형식으로 고쳐 주어야 해석이 가능하다고 하였다. 그러나 ㉠은 '칼을 쓰는 자는 칼로 망한다'라는 문장을 일종의 사실로 해석하는 사람에게는 '칼을 쓰는 사람들 중 일부분의 사람만 칼로 망하게 되는 사실'을 긍정하는 것으로 해석되고, 일반적인 사회 인식과 문화적인 배경을 고려하여 하나의 교훈적인 말로 받아들이는 사람은 '칼을 쓰는 모든 사람은 칼로 망하는 사람이다'라고 전체 긍정으로 해석하기 때문에 이 둘 중에 무엇이 옳고 무엇이 옳은지를 판단할 수 없다는 것이다.

3. ⑤ 비판적 추론하기

① '문제의식이 투철한 사람만 참석했다'라는 문장을 판단할 때 참석한 사람 모두가 문제의식이 투철했다는 것을 긍정하면 '참석한 모든 사람은 문제의식이 투철한 사람이었다'라고 판단할 수 있다.

② '문제의식이 투철한 사람만 참석했다'라는 문장은 여기에 참석한 이는 문제의식이 투철하다고 해석이 가능하지만, 만약 '문제의식이 투철한 사람은 누구나 다 참석했다'는 것은 '문제의식이 투철한 사람만 참석했다'라는 문장이 지칭하는 범주와는 다르다.

③ '문제의식이 투철한 사람만 참석했다'라는 문장은 참석한 이는 모두 문제의식이 투철하다는 사실을 뜻하지만, '문제의식이 투철한 사람의 일부분이 참석했다'라는 문장을 긍정할 경우 전 '참석한 이는 모두 문제의식이 투철하다'는 진술과 상충된다.

④ 참석한 사람들은 일단 문제의식이 투철하다고 볼 수 있으나 참석한 사람들만이 문제의식이 투철한지는 확인할 수 없으므로 이에 대한 긍정은 없다고 보아야 한다.

⑤ 첫 번째에서 표준 형식이란 명제들의 뜻을 분명하게 하기 위해 만든 것이라 하였다. '문제의식이 투철한 사람만 참석했다'는 단 하나의 의미만을 지니는 것이 아니라 다수의 경우로 해석될 수 있으므로, 하나의 표준 형식으로서 분명한 뜻을 지닌다고 볼 수 없다.

4. ③ 다른 상황에 적용하기

① 두 번째 문단에서 고전 논리학에서는 기본 명제를 네 가지로 분류하며 각각 '전체 긍정 명제', '전체 부정 명제', '부분 긍정 명제', '부분 부정 명제'라고 이름을 붙인다고 하였다. ㉮는 '어떤 ~는 ~이다.'라는 형식을 보이는 '부분 긍정 명제'에 해당한다. 이때 '어떤'은 불확정적인 대상 혹은 부분 긍정을 나타낸다고 하였다. 따라서 ㉮를 표준 형식의 명제로 고친다면 '어떤 원숭이는 나무에서 떨어지는 원숭이이다'라고 고칠 수 있다.

② ㉯는 두 번째 문단에서 언급한 '어떤 ~는 ~이다.'라는 형식을 보이는 '부분 긍정 명제'이며 이때 '어떤'은 불확정적인 대상 혹은 부분 긍정을 나타낸다고 하였다. 따라서 어떤 사람은 특혜를 받은 사람이다. 따라서 ㉯를 표준 형식의 명제로 고친다면 '어떤 사람은 특혜를 받은 사람이다'이 적절하다.

③ ㉰는 문맥상 '경마에 미친 사람은 경마를 좋아한다'와 '경마에 미친 사람이 좋아하는 것은 경마이기도 하지만, 다른 것도 좋아할 수 있다'라는 의미를 내포한다. 따라서 표준 형식의 명제로 고친다면 범위를 정확하게 지정하여야 한다. 따라서 ㉰를 '경마에 미친 모든 사람은 경마를 좋아한다'라고 고치는 것은 표준 형식에 적합하지 않다.

④ ㉱를 의미가 명확한 표준 형식의 명제로 고친다면 '비가 오는 모든 날은 그가 택시를 타는 날이다'로 고치면 의미를 분명하게 설정할 수 있다.

⑤ ㉲를 의미가 명확한 표준 형식의 명제로 고친다면 '피서지마다'의 범위를 명확하게 할 수 있도록 '이번 여름의 모든 피서지는 초만원을 이루는 곳이다'로 수정하는 것이 적절하다.

5. ② 사전적 의미 파악하기

① ⓐ는 '모든 것에 두루 미치거나 통하는 것'이란 뜻이다.
❷ ⓑ은 '개별적인 것이나 특수한 것이 일반적인 것으로 간주되는 것'을 뜻한다.
③ ⓒ는 '상태, 모양, 성질 따위가 그와 같다고 보거나 그렇다고 여기는 것'을 뜻한다.
④ ⓓ는 '사실이나 내용을 분석해 따짐.'이라는 뜻이다.
⑤ ⓔ는 '일의 이치로 보아 옳다'는 뜻이다.

【6~11】 김진우, '언어와 뇌'

지문해설

실어증 증상을 연구하는 과정에서 인간의 언어 처리 과정과 관련된 이론의 등장과 발전 과정을 소개하고 있다. 외과 의사 브로카가 최초로 실어증을 발견하면서 언어 처리 과정에 대한 이론이 속속 등장하였다. 뇌의 여러 영역들이 결합하여 언어를 처리한다는 결합주의 이론이 지배적인데, 최초의 결합주의 모형은 베르니케가 주장한 '베르니케 모형'이다. 이후 리시트하임은 베르니케 모형에 개념 중심부를 추가하여 '리시트하임 모형'을 제시하였다. 그러나 이 모형은 실제로 발음 기관을 움직여 소리를 만드는 과정에 대한 설명이 제외되어 있고, 개념 중심부의 위치를 명확하게 규명하지 못했다는 한계가 있다. 이후 뇌의 언어 중추가 추가로 발견됨에 따라 게쉬윈드는 '베르니케-게쉬윈드 모형'을 새롭게 제시하였다. 그는 리시트하임의 개념 중심부를 제외하는 대신 새롭게 운동 영역과 각회를 언어 중추로 추가하였다. 그의 모형에서 베르니케 영역은 청각 형태로 단어가 저장되어 있는 곳이자, 의미를 형성하고 해석하는 역할을 하는 곳이다. 그리고 브로카 영역은 단어를 조합하여 문장이나 발화를 생성하고, 운동 프로그램을 만드는 곳이며, 운동 영역은 운동 프로그램에 근거하여 신경적 지시를 내리는 곳이다. 마지막으로 각회는 시각 형태의 정보를 청각 형태로, 청각 형태의 정보를 시각 형태의 정보로 전환하는 곳이다. 이러한 '베르니케-게쉬윈드' 모형은 듣기와 말하기뿐만 아니라 읽기와 쓰기에 대해서도 종합적인 설명을 제시하고 있다는 점에서 오늘날 뇌의 언어 처리 과정을 설명하는 표준형으로 평가받는다.

■ **비문학 지문 어떻게 이해할까?**

1문단
뇌손상으로 인한 실어증의 발견

2문단
실어증과 관련된 인간의 언어 처리 과정에 대한 관심

3문단
'베르니케 모형'과 '리시트하임 모형'의 특징

4문단
'리시트하임 모형'에서의 듣기와 말하기 과정

5문단
언어를 담당하는 중추를 추가한 '베르니케-게쉬윈드 모형'

6문단	7문단	8문단
브로카 영역, 운동 영역, 각회의 역할	듣기, 말하기, 읽기, 쓰기 과정의 특징	뇌의 언어 처리 과정을 설명하는 표준형으로 평가됨

■ **주제** : 언어 처리 과정에 대한 이론의 특징과 발전 과정

---

6. ③ 글의 전체 내용 이해하기

① 첫 번째 문단의 '실어증이란 후천적 뇌 손상으로 인해 언어의 표현과 이해에 장애가 발생하는 것이다.'에서 확인할 수 있으므로 윗글의 내용과 일치한다.
② 두 번째 문단의 '이와 같은 실어증 환자들의 뇌 손상 부위와 ~ 관심이 대두하면서 그와 관련된 이론이 발전해 왔다.'에서 확인할 수 있으므로 윗글의 내용과 일치한다.
❸ 마지막 문단에서 '베르니케-게쉬윈드' 모형은 오늘날 뇌의 언어 처리 과정을 설명하는 표준형으로 평가받는다고 언급하고 있으므로 '베르니케 모형'은 이에 해당한다고 볼 수 없다.
④ '베르니케 모형'에서는 베르니케 영역과 브로카 영역의 두 언어 중추를, '리시트하임 모형'에서는 개념 중심부를 추가하여 베르니케 영역, 브로카 영역의 세 언어 중추를, '베르니케-게쉬윈드 모형'에서는 베르니케 영역, 브로카 영역, 운동 영역, 각회라는 네 개의 언어 중추를 중심으로 설명하고 있다고 하였다. 이를 통해 언어 처리 과정에 대한 이론이 발전됨에 따라 설정되는 언어 중추의 개수가 많아졌다는 사실을 확인할 수 있다.
⑤ 네 번째 문단에서 리시트하임은 '개념 중심부를 새롭게 추가하였으나 그것의 정확한 위치를 규명하지는 못하였다.'라고 한계를 지적하고 있다.

---

7. ⑤ 세부 내용 이해하기

① 네 번째 문단에서 '리시트하임 모형'은 '실제로 말하기 위해서는 발음 기관을 움직여 소리를 만드는 과정이 필요한데 그의 모형에는 그러한 과정이 드러나 있지 않다.'라고 언급하고 있다.
② 다섯 번째 문단에서 '베르니케-게쉬윈드 모형'은 새롭게 운동 영역과 각회를 언어 중추로 추가하였다고 밝히고 있다.
③ 마지막 문단에서 '베르니케-게쉬윈드 모형'은 이전의 모형과 달리 듣기와 말하기뿐만 아니라 읽기와 쓰기에 대해서도 종합적인 설명을 제시하고 있다고 설명하고 있다.
④ 네 번째 문단에서 '리시트하임 모형'에서 귀로 들어온 청각 자극이 베르니케 영역으로 송부된다고 하였다.
❺ 세 번째 문단에서 '리시트하임 모형'에서는 베르니케 영역을 '일종의 머릿속 사전으로, 단어가 소리의 형태로 저장되어 있는 언어 중추'로 보았다고 하였다. 이와 비교하여 다섯 번째 문단에서 '베르니케-게쉬윈드 모형'에서도 베르니케 영역을 '청각 형태로 단어가 저장되어 있다'고 보았다. 따라서 두 모형에서 공통적으로 베르니케 영역에 단어가 소리의 형태로 저장되어 있다고 보고 있음을 확인할 수 있다.

---

8. ④ 글의 내용상 논리적 관계 추론하기

① 베르니케 영역에서 개념 중심부로 정보가 송부되는 것은 듣기 과정에 대한 내용이다.
②, ③ 세 번째 문단에서 개념 중심부에서 브로카 영역으로는 일방향으로 정보가 이동한다고 하였으므로 정보를 직접 송부할 수 있다.
❹ '리시트하임 모형'에서 말하기 과정이 '개념 중심부 → 브로카 영역 → 베르니케 영역 → 브로카 영역'과 같이 브로카 영역을 두 번 거치는 복잡한 순서로 이루어

진 까닭은, 세 번째 문단을 보면 '개념 중심부에서 브로카 영역으로 일방향으로 정보가 이동하지만, 브로카 영역과 베르니케 영역은 쌍방향으로 정보가 이동한다.'라는 사실 때문이다. 즉 개념 중심부에서 형성된 의미가 베르니케 영역으로 직접 송부되지 못하기 때문이다.
⑤ 베르니케 영역과 브로카 영역 사이의 정보가 쌍방향으로 송부되지만 이것이 ㉕와 같은 복잡한 절차와 직접적으로 관련되지 않는다.

---

9. ③ 자료를 통해 내용 이해하기

① 다섯 번째 문단을 보면, 베르니케 영역은 '말하기와 쓰기 과정에서는 의미를 형성한 뒤 해당 단어를 찾는 역할을 한다.'라고 언급하고 있다.
② 여섯 번째 문단을 보면, 각회는 '쓰기에서는 청각 형태의 정보를 시각 형태로 전환하여 베르니케 영역으로 송부하는 역할을 한다.'라고 언급하고 있다.
❸ 일곱 번째 문단을 보면, '각회에서 처리된 정보는 베르니케 영역으로 송부되어 읽기의 경우에는 의미를 해석하고, 쓰기의 경우에는 바로 다음 단계인 브로카 영역으로 정보를 송부한다.'라고 하였다. 이에 따라 쓰기 과정에서 (다)의 '베르니케 영역'은 각회에서 처리된 정보를 받아 브로카 영역으로 송부하는 역할을 하는 것으로, 각회에서 처리한 정보를 받아 의미를 해석한다고 이해하는 것은 적절하지 않다.
④ 여섯 번째 문단을 보면, '브로카 영역'은 '문장이나 발화를 생성하는 역할 외에 말하기나 쓰기에 필요한 운동 프로그램을 만들어 운동 영역으로 송부하는 역할'을 한다고 하였다.
⑤ 여섯 번째 문단을 보면, '운동 영역'은 '브로카 영역에서 받은 운동 프로그램에 근거하여 말하기나 쓰기에 필요한 신경적 지시를 내리는 기능'을 한다고 하였다.

---

10. ⑤ 구체적 사례에 적용하기

① 세 번째 문단을 보면, A는 베르니케 영역에서 단어가 소리의 형태로 저장되어 있다고 보았기 때문에 〈보기〉의 단어, 문장, 문법에 맞지 않는 언어를 구사하는 환자를 보고 베르니케 영역이 손상되었다고 진단하기 어려울 것이다.
② '리시트하임'과 '게쉬윈드'는 브로카 영역에서 단어를 조합하여 문장이나 발화를 생성하는 역할을 담당한다고 보았기 때문에 A와 B 모두 브로카 영역이 손상되었다고 진단할 것이다.
③ B는 베르니케 영역은 듣기와 읽기에서는 수용된 자극에 해당하는 단어를 찾아 의미를 해석하고, 말하기와 쓰기에서는 의미를 형성한 뒤 해당 단어를 찾는 역할을 한다고 보았다.
④ A는 개념 중심부에서 의미를 형성하거나 해석하는 역할을 한다고 보았기 때문에 〈보기〉의 환자는 브로카 영역이 손상되었다고 진단할 것이다.
❺ 리시트하임과 게쉬윈드 모두 브로카 영역에서 단어를 조합하여 문장이나 발화를 만드는 역할을 한다고 보았으므로, 문장을 만드는 기능에 장애가 있는 〈보기〉의 환자에 대해 A, B 모두 브로카 영역이 손상되었다고 진단할 것으로 추측할 수 있다.

---

11. ② 단어의 문맥적 의미 파악하기

① ⓐ는 '사람, 사물, 사건 따위의 대상에 이름을 지어 붙이다.'의 의미로, 문맥상 '이름 붙이고'로 바꿔 쓸 수 있다.

❷ ⓑ는 '어떤 세력이나 현상이 새롭게 나타나다.'의 의미로, 문맥상 '생기면서'로 바꿔 쓸 수 있지만 '옮겨지면서'는 적절하지 않다.

③ ⓒ는 '어떠한 것을 받아들이다.'의 의미로, '받아들이는'으로 바꿔 쓸 수 있다.

④ ⓓ는 '어떤 일을 맡다.'의 의미로, '맡는다고'로 바꿔 쓸 수 있다.

⑤ ⓔ는 '어떤 사실이나 원리 따위에 근거하다.'의 의미로, '따르면'으로 바꿔 쓸 수 있다.

Day 06

본문 026쪽

1. ④	2. ⑤	3. ②	4. ②	5. ⑤
6. ②	7. ③	8. ①	9. ②	10. ①
11. ③	12. ④	13. ①	14. ⑤	

【1~5】박병철, '비트겐슈타인 철학으로의 초대'

■ 지문해설

비트겐슈타인의 철학에 대한 견해를 제시하고 있는 글로, 그가 명제와 사실과의 관계를 어떻게 보는지 진리함수이론을 통해 구체적인 예를 들어 설명하고 있다. 비트겐슈타인은 먼저 명제와 사실의 관계를 분명히 했다. 그는 하나의 명제는 하나의 사실과 대응하여 참 또는 거짓으로 판단할 수 있다고 보았다. 이를 '진리함수이론'을 통해 설명하였는데, '요소명제', '복합명제', '진리값', '진리가능성' 등의 개념을 제시하였으며 복합명제의 진리값은 복합명제를 구성하는 각각의 요소명제들의 진리값에 대한 진리연산을 통해 얻을 수 있다고 보았다. 비트겐슈타인은 복합명제를 진리표로 만들었을 때, 진리조건에 사실과 비교함으로써 참 또는 거짓을 판단할 수 있는 명제를 '의미 있는 명제'라고 불렀고 '말할 수 있는 것'의 영역에 포함된다고 보았다. 반면에 우리가 '말할 수 없는 것'의 영역에 포함되는 명제로 '무의미한 명제'와 '의미를 결여한 명제'를 제시했다. 결국 그는 진리함수이론을 통해 우리가 말할 수 있는 영역에는 참 또는 거짓으로 판단할 수 있는 '의미 있는 명제'밖에 없다는 것을 보여 주고 있다.

■ 비문학 지문 어떻게 이해할까?

1문단
비트겐슈타인의 철학에 대한 견해

2문단
명제는 사실과 대응한다고 봄.

3문단
진리함수이론을 통해 명제와 사실의 관계를 밝힘.

4문단
복합명제의 진리값은 진리연산을 통해 얻는다고 봄.

5문단
진리함수이론을 통해 '의미 있는 명제'에 대해 증명함.

■ 주제 : 진리함수이론을 통해 명제와 사실의 관계를 밝힌 비트겐슈타인의 철학

---

1. ④ 글의 전개 방식 파악하기

❹ 이 글은 비트겐슈타인의 철학에 대한 견해를 제시하고 있는데, 그가 명제와 사실과의 관계를 어떻게 보는지 진리함수이론을 통해 구체적인 예를 들어 설명하고 있다. 즉, 비트겐슈타인은 하나의 명제는 하나의 사실과 대응하여 참 또는 거짓으로 판단할 수 있다고 보았다. 또 '진리함수이론'을 통해 '요소명제', '복합명제'의 개념을 제시하며 복합명제의 진리값은 복합명제를 구성하는 각각의 요소명제들의 진리값에 대한 진리연산을 통해 얻을 수 있다고 보았다. 그리고 진리함수이론을 통해 우리가 말할 수 있는 영역에는 참 또는 거짓으로

로 판단할 수 있는 '의미 있는 명제'밖에 없다는 것을 보여 주고 있다.

---

2. ⑤ 핵심 개념 이해하기

① 세 번째 문단의 '요소명제는 더 이상 분석할 수 없는 최소의 언어 단위'에서 확인할 수 있다.

② 세 번째 문단의 '두 개 혹은 그 이상의 요소명제들로 구성된 명제를 '복합명제'라고 불렀다'는 내용에서 확인할 수 있다.

③ 세 번째 문단의 '그는 요소명제가 원자사실과 일치하면 '참(T)'이라는 진리값을, 일치하지 않으면 '거짓(F)'이라는 진리값을 갖는다고 보았다'는 내용에서 확인할 수 있다.

④ 세 번째 문단의 '요소명제의 진리가능성은 언제나 참과 거짓, 2개가 된다.'에서 확인할 수 있다.

❺ 마지막 문단의 '무의미한 명제는 그 명제에 대응하는 사실이 없어서 참과 거짓을 가려낼 수 없는 명제이다. 그리고 의미를 결여한 명제는 그 명제에 대응하는 사실은 없지만'을 보면, '무의미한 명제'와 '의미를 결여한 명제'는 둘 다 대응하는 사실이 없다는 것을 알 수 있다. 그런데 세 번째 문단을 보면 '명제와 사실의 관계에 있어 논리적 기초가 되는' 언어 단위이자 '원자사실'에 대응하는 '요소명제'가, 명제에 대응하는 사실이 없는 '무의미한 명제'를 '의미를 결여한 명제'와 구분하는 기준이 된다고 이해하는 것은 적절하지 않다.

---

3. ② 구체적 사례에 적용하기

① 네 번째 문단에서 '진리연산의 결과는 복합명제가 참이 되거나 거짓이 되는 조건을 말해주는 진리조건이 된다'라고 하였다. 이에 따라 〈보기〉의 [진리표 1]에서 진리연산의 결과인 진리조건은 TTTF라는 것을 알 수 있다.

❷ 세 번째 문단의 '그는 요소명제가 원자사실과 일치하면 '참(T)'이라는 진리값을, 일치하지 않으면 '거짓(F)'이라는 진리값을 갖는다고 보았다'라고 하였다. 이에 따라 진리함수이론에서 진리값은 요소명제가 원자사실과 일치하는지에 따라 정해지는 것이므로, 복합명제의 진리값이 거짓일 때는 p와 q에 대응하는 원자사실이 없는 경우라고 이해하는 것은 적절하지 않다. 참고로 무의미한 명제와 의미를 결여한 명제의 경우 그 명제에 대응하는 사실이 없다.

③ 마지막 문단에서 '비트겐슈타인은 이렇게 복합명제를 진리표로 만들었을 때, 진리조건에 T와 F가 함께 표기되는 명제, 즉 사실과 비교함으로써 참 또는 거짓을 판단할 수 있는 명제를 '의미 있는 명제'라고 불렀다'라고 하였다. 이에 따라 〈보기〉의 [진리표 1]의 진리조건에 T와 F가 함께 표기되어 있으므로, 이 복합명제는 '의미 있는 명제'라는 것을 알 수 있다.

④ 세 번째 문단의 '요소명제가 원자사실과 일치하면 ~ 경우의 수를 진리가능성'이라고 하였다. 이에 따라 〈보기〉의 [진리표 1]의 진리조건은 TTTF로, p∨q의 진리값은 p와 q의 진리가능성이 TT일 때 참, FT일 때 참, TF일 때 참이 된다는 것을 알 수 있다.

⑤ 세 번째 문단에서 '복합명제가 몇 개의 요소명제들로 이루어지느냐에 따라 요소명제의 수를 n이라고 보면, 복합명제의 진리가능성은 2^n개가 된다.'라고 하였다. 이에 따라 복합명제를 구성하는 요소명제가 하나 더 추가되면 이 복합명제의 진리가능성은 2^3개가 됨을 알 수 있다.

왜 말이 틀렸을까?

제시문의 내용을 사례에 적용해서 이해하는 문제로, 〈보기〉의 [진리표 1]은 요소명제 p와 요소명제 q에 대해 진리연산이 적용된 복합명제 p∨q가 p와 q의 진리가능성이 TT, FT, TF, FF가 되고, p∨q의 진리조건이 TTTF가 되는 것을 나타내고 있지. 두 번째 문단을 보면, 비트겐슈타인에 의하면 '명제는 사실과 대응한다. 그래서 그는 명제와 사실을 비교해서 명제가 사실과 일치하면 참, 사실과 일치하지 않으면 거짓이라고 보았다.'라고 했어. 이론의 근간이 되고 있는 내용이 명제와 사실의 관계에 있으니 핵심 내용을 놓치면 안 되겠지.

4. ② 자료를 바탕으로 이해하기

① 〈보기〉의 [진리표 1]의 진리함수는 p∨q이지만, [진리표 2]는 p→(q→p)이므로 진리함수가 서로 같다고 보는 것은 적절하지 않다.

❷ 〈보기〉의 [진리표 1]은 진리조건에 T와 F가 함께 표기되는 명제로 원자사실과 대응하는 요소명제가 2개인 '의미 있는 명제'의 진리표이다. 반면에 [진리표 2]는 요소명제와 대응하는 원자사실이 없지만, 진리연산과 상관없이 그 진리조건은 언제나 모두 참이거나 모두 거짓으로 표기되는 '의미를 결여한 명제'의 진리표이다. 따라서 [진리표 1]과 달리 [진리표 2]는 '의미를 결여한 명제'를 진리표로 만든 것이라고 이해하는 것은 적절하다.

③ 마지막 문단을 보면 '진리조건에 T와 F가 함께 표기되는 명제, 즉 사실과 비교함으로써 참 또는 거짓을 판단할 수 있는 명제를 '의미 있는 명제'라고 불렀다. 그리고 그는 의미 있는 명제가 바로 우리가 '말할 수 있는 것'의 영역에 포함된다고 보았다.'고 하였다. 따라서 [진리표 1]은 '말할 수 있는 것'의 영역에 포함되는 명제이지만 [진리표 2]는 의미를 결여한 명제로 '말할 수 없는 것'의 영역에 속하므로 적절하지 않다.

④ 〈보기〉의 [진리표 1]과 [진리표 2]의 진리함수를 보면 각각에 적용된 진리연산은 서로 다르다는 것을 알 수 있으므로 적절하지 않다.

⑤ 원자사실과 대응하는 요소명제의 수는 [진리표 1]에는 2개이지만, [진리표 2]에는 없으므로 적절하지 않다.

5. ⑤ 사례에 적용하여 이해하기

❺ 〈보기〉에 제시된 플라톤의 '이데아'는 영원하고 불변하는 사물의 본질적인 원형으로 '육안이 아니라 마음의 눈으로 통찰'된다고 하였다. 마지막 문단을 보면 비트겐슈타인은 사실과 비교함으로써 참 또는 거짓을 판단할 수 있는 명제를 '의미 있는 명제'라고 보았고, 대응하는 사실이 없어 참과 거짓을 가려낼 수 없는 명제를 '무의미한 명제'로 보고 있음을 알 수 있다. 따라서 비트겐슈타인의 입장에서는 이러한 ⓐ에 대해 대응하는 사실이 없어, 참과 거짓을 판단할 수 없기 때문에 '무의미한 명제'라고 볼 것이다.

【6~9】 강신주, '철학 VS 철학'

지문해설

중국 역사에서 인성론이 대두된 배경과 대표적인 세 가지 인성론을 통해 인간 본성에 대한 탐구를 넘어 사회적, 정치적 관점으로 해석, 변형된 배경에 대해 설명하고 있다. 인성론이 정치적 입장을 정당화하는 이념적인 수단으로 사용되는 사례를 보며

정치적 개념과 불가분의 관계에 놓여 있다는 사실을 확인할 수 있다. 고자는 성무선악설을 통해 인간이 가지고 있는 식욕과 같은 자연적인 욕구가 본성이므로 이를 정치적이면서 동시에 윤리적인 범주로서의 선과 악의 개념으로 다룰 수 없다고 주장하였다. 맹자는 인간의 선한 본성이 선천적으로 내재해 있다는 성선설을 통해 인간의 본성에는 선함도, 악함도 없다는 고자의 성무선악설을 비판하였다. 순자는 맹자의 주장을 비판하며 성악설을 통해 인간의 악한 본성과 이기적 욕망이 사회적 혼란을 초래하므로 외적 공권력의 필요성을 역설하였다.

분석 Plus

■ 비문학 지문 어떻게 이해할까?

1문단
인성론이 대두된 배경과 학설

2문단
이념적인 수단으로 사용

3문단	**4문단**	**5문단**
고자의 성무선악설	성선설을 통해 고자를 비판한 맹자	성악설을 통해 맹자를 비판한 순자

6문단
인간과 사회에 대한 순자의 견해

■ **주제** : 인성론과 사회적, 정치적 관점으로 해석된 배경

어휘풀이

• **점철되다(點綴)** 관련이 있는 상황이나 사실 따위가 서로 이어지다.
• **사변적(思辨的)** 경험에 의하지 않고 순수한 이성에 의하여 인식하고 설명하는 것.
• **순치(馴致)** 목적한 상태로 차차 이르게 함.
• **견지하다(堅持)** 어떤 견해나 입장 따위를 굳게 지니거나 지키다.

6. ② 논지 전개 방식 파악하기

① 인성에 대한 성무선악설, 성선설, 성악설의 견해가 제시되어 있으나, 각각이 갖는 장단점에 대한 비교는 드러나 있지 않다.

❷ 전국 시대의 혼란한 상황 속에서 여러 사상가들이 혼란한 정국을 수습하고 백성들을 고통에서 벗어나게 하기 위한 대안을 마련하는 과정에서 인성론이 대두하게 된 배경과 고자의 성무선악설, 맹자의 성선설, 순자의 성악설 등 주요 사상가들의 견해가 제시되어 있다.

③ 인성론의 역사적 의의와 한계는 드러나 있지 않다.

④ 인성론이 등장한 시대적 상황은 언급되어 있으나 구체적 자료는 제시되어 있지 않다.

⑤ 인성론의 두 견해를 절충한 새로운 이론이 소개되어 있지 않다.

7. ③ 핵심 개념 이해하기

① '인성론'은 사회의 발전을 위한 갈등 유지의 당위성

을 인정하지 않았다.

② [A]에서 권력자의 선악과 통치력의 상관관계는 드러나 있지 않다.

❸ [A]에 따르면, 맹자의 성선설은 호족들과 지주들이 국가 공권력에 저항하기 위한 논거로 사용되었고, 순자의 성악설은 군주가 공권력을 정당화하는 논거로 사용되었다고 드러나 있다. 이를 보면 인성론은 집단의 정치적 입장을 정당화하기 위한 이념적 근거로 작용하기도 하였다.

④ 초자연적 존재와 대비되는 인간 본성의 우위를 추구하지 않았다.

⑤ 인간의 본성을 유지하거나 수양하기 위해 인위적으로 노력할 수 있다고 보았다.

어휘풀이

• **배격(排擊)** 어떤 사상, 의견, 물건 따위를 물리침.

8. ① 다른 견해와 비교하여 이해하기

❶ 순자는 인간의 본성이 악하다고 전제하며 이를 바로잡을 외적인 강제력이 필요하다고 주장하였다. 〈보기〉에 제시된 홉스 또한 인간의 이기적 본성으로 인한 혼란을 극복하기 위해 계약에 의한 절대 권력이 필요하다고 역설하였다. 이를 볼 때 두 견해 모두 인간의 이기심이 사회의 혼란과 무질서를 초래한다는 입장을 보인다는 것을 알 수 있다.

② 두 견해 모두 국가 권력에 대해 긍정하는 입장을 가진다고 볼 수 있으므로 비판적 태도를 취하는 것은 적절하지 않다.

③ 순자는 무한한 욕망과 한정된 재화의 모순을 해결하기 위하여 예가 만들어졌다고 주장하였다. 하지만 〈보기〉에는 통치자의 권력 유지를 위하여 한정된 재화의 균등한 분배를 추구해야 한다는 내용은 드러나 있지 않다.

④ 순자는 인간의 본성대로 행할 때 혼란과 무질서가 존재한다고 하였고, 홉스는 인간의 이기적 본성에 따른 자연 상태에서는 비참하게 살아간다고 하였다. 따라서 대립적 상황의 해결을 위해 자연 상태로 돌아가야 한다는 진술은 적절하지 않다.

⑤ 홉스는 구성원들의 계약에 의해 국가가 성립한다고 하였지만 순자의 견해에는 제시되어 있지 않기 때문에 적절하지 않다.

9. ② 구체적 상황에 적용하기

① 장발장이 빵을 훔친 것은 배고픔 때문으로, 이러한 식욕은 고자가 주장하는 인간의 자연스러운 욕구에 해당한다.

❷ 장발장이 은촛대를 훔쳤음에도 불구하고 미리엘 주교가 장발장에게 선물로 준 것이라고 거짓을 말한 것은 장발장의 본성을 규격화하려는 행위로 볼 수 없다.

③ 미리엘 주교가 장발장에게 안식처를 제공한 것은, 불쌍한 타인을 목격할 때 저절로 내면 깊은 곳에서 흘러나온다고 맹자가 주장한 측은지심에서 비롯된 것이다.

④ 장발장이 선행을 베풀며 살아가는 모습에서, 인간은 스스로의 노력으로 본성을 실현할 수 있는 존재라는 맹자의 견해를 확인해 볼 수 있다.

⑤ 장발장이 빵을 훔친 잘못으로 감옥에 갇힌 것은 순자의 관점에서 악한 본성을 바로잡기 위한 사회 규범에 따른 것이다.

【10~14】 임일환 외, '감성의 철학'

지문해설

중심 화제인 '정서'에 대해 대비되는 두 이론인 감정 이론과 인지주의적 이론을 소개한 후 각 이론의 장단점을 제시하고 있다. 정서의 본질에 대한 논의는 '감정 이론'과 '인지주의적 이론'으로 나뉜다. '감정 이론'은 특정 정서를 그 정서가 내포하는 특정 감정 즉 자신도 모르게 생기는 느낌과 동일시하는 이론이다. 감정 이론은 사람들이 일상적으로 정서를 감정과 동일시하는 보편적인 성향을 잘 설명할 수 있다는 장점을 지닌다. 그러나 감정 이론은 정서들을 분류하는 데 한계를 지니고, 정서가 규범적 성격을 가질 수 있다는 점을 설명할 수 없다. 또한 그 정서의 규범적 적절성 여부, 즉 그 정서가 당위적인 가치 기준에 부합하는지 여부를 판단하는 것이 불가능하다. 이에 반해 '인지주의적 이론'은 정서의 인지적 요소를 정서와 동일시하거나 적어도 정서의 필수적인 요소로 인정하는 이론이다. 인지주의적 이론의 장점은 정서들을 개별 정서로 분류하는 것이 가능하며 정서가 규범적 성격을 가질 수 있다는 점을 설명할 수 있다. 그러나 인지적 요소만을 지나치게 강조하기 때문에, 사람들의 보편적인 성향에서 드러나는 감정적 요소를 경시하고 있다. 오늘날의 심리 철학은 두 이론과 달리 정서의 다면적 성격을 종합적으로 설명할 수 있는 새로운 이론적 틀을 마련하기 위해 노력하고 있다.

분석 Plus

■ **문단 구성**
1문단: 심리 철학에서 '정서'와 '감정'의 개념적 구분
2문단: 정서의 본질을 다루는 '감정 이론'과 '인지주의적 이론'
3문단: 감정 이론의 특징
4문단: 감정 이론의 장점과 한계
5문단: 인지주의적 이론의 특징
6문단: 인지주의적 이론의 장점과 한계
7문단: 새로운 이론적 틀 마련하기 위한 노력
■ **주제**: 정서의 본질을 다루는 '감정 이론'과 '인지주의적 이론'의 장단점

어휘풀이
• 경시하다(輕視) 대수롭지 않게 보거나 업신여기다.

10. ① 내용 전개 방식 파악하기

❶ 중심 화제인 '정서'의 본질에 대한 이론으로 서로 대비되는 두 이론인 감정 이론과 인지주의적 이론을 소개한 후 각 이론의 장단점을 제시하고 있다.

11. ③ 구체적 상황에 적용하기

① 세 번째 문단의 '감정 이론은 특정 정서를 ~ 느낌과 동일시하는 이론이다.'를 볼 때, 감정 이론은 감정과 정서를 동일시하므로 적절하다.
② 두 번째 문단의 '인지적 요소에 해당하는 것은 ~ 명제로 표현될 수 있는 판단이나 믿음이다'와 세 번째 문단의 '감정 이론은 앞의 예에서 ~ 인지적 요소는 배제한

다.'를 볼 때, 감정 이론은 정서를 이해하는 데 명제로 표현될 수 있는 판단이나 믿음이라는 인지적 요소는 배제하고 있으므로 적절하다.
❸ 다섯 번째 문단의 '인지주의적 이론은 정서의 인지적 요소를~정서의 필수적인 요소로 인정하는 이론이다.'를 볼 때, 인지주의적 이론은 인지적 요소를 정서와 동일시하거나 정서의 필수적인 요소로 인정하고 있으며, 다섯 번째 문단의 '감정 자체는 정서와 동일시될 수 없고 판단이나 믿음과 같은 인지적 요소들의 복합체에 의해 초래되는 결과일 뿐이다'를 볼 때, 인지주의적 이론에서 감정은 인지적 요소들의 복합체에 의해 초래되는 결과이므로 적절하지 않다.
④ 네 번째 문단의 '왜냐하면 감정 이론은, 어떻게 ~ 맞추기 때문이다.'와 다섯 번째 문단의 '인지주의적 이론은, 앞의 예에서 민호가 ~ 필수적인 요소로 인정한다.'를 볼 때, 인지주의적 이론은 정서를 설명하는 데 있어 상황에 대해 고려해야 한다고 설명하고 있으므로 적절하다.
⑤ 세 번째 문단의 '인지적 요소인 판단과 믿음은 앞의 예에서 민호가 연기를 보았다고 가정했을 때 그 '연기'와 같은 구체적인 대상을 전제하는데'와 다섯 번째 문단의 '인지주의적 이론은, 앞의 예에서 ~ 필수적인 요소로 인정한다.'를 볼 때, 인지주의적 이론에서 구체적인 대상을 전제로 하는 판단과 믿음은 정서의 필수적인 요소에 해당하므로 적절하다.

12. ④ 다른 이론과 비교하기

① 세 번째 문단의 '감정 이론에 따르면, 정서를 이해하는 것은 인지적인 요소가 아니라 감정적인 요소를 통해서 가능하다'고 설명하고 있다. 따라서 감정 이론에서 인지적인 요소가 정서의 필수적인 요소라고 보는 것은 적절하지 않다.
② 다섯 번째 문단의 '인지주의적 이론은 정서의 인지적 요소를 정서와 동일시하거나 적어도 정서의 필수적인 요소로 인정하는 이론'이라고 했으므로, 인간의 외적인 반응에 주목하여 설명한다는 내용은 적절하지 않다.
③ 세 번째 문단의 '감정 이론은 판단과 믿음을 배제'한다고 하였으므로 적절하지 않다.
❹ 네 번째 문단의 '왜냐하면 감정 이론은 ~ 정서 자체에 초점을 맞추기 때문이다.'를 볼 때, 감정 이론은 내적인 감정을 정서와 동일시하고 있으며, 〈보기〉의 '행동주의 이론에 따르면, 인간의 모든 기능은 ~ 현상으로 기술될 수 있다는 것이다.'로 보아, 행동주의 이론은 내적인 감정이 아니라 자극과 반응의 원리를 통해 정서를 설명하려 하고 있으므로 적절하다.
⑤ 〈보기〉에 따르면 행동주의 이론은 '인간의 모든 기능은 공통적으로 자극과 반응의 원리를 통해 설명될 수' 있다고 보고 있으므로 특수한 대상에 적용된다고 설명하는 것은 적절하지 않다.

13. ① 다른 이론과 비교하기

❶ 세 번째 문단의 '감정 이론은 판단과 믿음을 배제하기 때문에 정서의 지향적인 성격을 부정한다'를 볼 때, 감정 이론은 정서의 지향적인 성격을 부정하고 있으므로 적절하지 않다.
② 두 번째 문단의 '감정 이론은 전자를 중심으로 정서를 정의하는 이론이고', 세 번째 문단의 '감정 이론은 특정 정서를 ~ 동일시하는 이론이다.'를 볼 때, 감정 이론

은 느낌이라는 것을 중심으로 정서를 이해하고 있다. 이와 비교하여 〈보기〉의 '제임스는 이러한 느낌을 ~ 정서와 동일시한다.'를 볼 때, 제임스의 이론에서도 느낌이라는 것을 중심으로 정서를 이해하고 있다는 점에서 서로 유사하다.
③ 세 번째 문단의 '감정은 정서와 동일시되므로 의지에 의해 통제되기 힘든 감정의 속성은 그대로 정서의 속성이 된다'를 볼 때, 감정 이론에서 의지에 의해 통제되기 힘든 감정의 속성은 그대로 정서의 속성이 된다. 그리고 〈보기〉의 '이러한 물리적인 변화는 의지에 의해 통제되기 힘든 특정 느낌을 동반한다'와 '느낌들의 복합체, 즉 신체적 감각의 복합체를 공포라는 정서와 동일시한다'를 볼 때, 제임스는 물리적인 변화에 동반되는 특정 느낌들의 복합체를 정서로 보고 있는데 이는 의지에 의해 통제되기 힘든 속성을 가지고 있다는 점에서 유사하다.
④ 세 번째 문단의 '감정은 정서와 동일시되므로 의지에 의해 통제되기 힘든 감정의 속성은 그대로 정서의 속성이 된다'를 볼 때, 감정 이론은 감정과 정서를 동일시하기 때문에 감정의 속성은 정서의 속성이 된다.
⑤ 〈보기〉의 '신체적 감각의 복합체를 공포라는 정서와 동일시한다'를 볼 때, 제임스의 이론은 신체적 감각의 복합체를 정서와 동일시하고 있음을 알 수 있다.

14. ③ 내용을 바탕으로 추론하기

❸ 네 번째 문단의 '감정 이론은 감정 외적인 인지적 요소를 배제하고 감정적 요소만을 강조하기 때문에'를 볼 때, 감정 이론은 감정적 요소만을 강조하고 있다. 그리고 여섯 번째 문단의 '인지주의적 이론은 인지적 요소만을 지나치게 강조하기 때문에'를 볼 때, 인지주의적 이론은 인지적 요소만을 강조하고 있다. 또한 마지막 문단에서 '두 이론과 달리 정서의 다면적 성격을 종합적으로 설명할 수 있는 새로운 이론'을 찾는다는 내용을 볼 때, 두 이론은 정서를 이해하는 데 있어 특정 요소만을 강조하고 있어서 정서의 본질을 종합적으로 설명하지 못하고 있음을 알 수 있다.

어휘풀이
• 당위적(當爲的) 마땅히 그렇게 하거나 되어야 하는.

본문 036쪽

1. ② 2. ① 3. ② 4. ⑤ 5. ④
6. ⑤ 7. ③ 8. ① 9. ⑤ 10. ①

【1~4】 이준구, '미시경제학'

지문해설

양면시장은 플랫폼 사업자가 서로 구분되는 두 개의 이용자 집단에 플랫폼을 제공하고 이용자들은 플랫폼을 통해 상대 집단과 거래하면서 경제적 가치나 편익을 창출하는 시장으로, 대표적인 플랫폼으로는 신용 카드 회사가 제공하는 카드 결제 시스템이 있다. 플랫폼 사업자는 플랫폼 이용료를 통해 수익을 창출하기 때문에 양쪽 이용자 집단 모두를 플랫폼에 참여하도록 유도할 수 있는 가격구조를 결정하는데, 여기에는 간접 네트워크 외부성과 수요의 가격탄력성이 영향을 미친다. 또한 플랫폼 사업자가 수익을 창출하기 위해 사용하는 대표적인 전략으로 공짜 미끼와 프리미엄 등이 있다.

■ 비문학 지문 어떻게 이해할까?

1문단
양면시장의 개념 및 플랫폼의 개념과 특징

2문단
네트워크 외부성의 개념과 분류

3문단
플랫폼 사업자의 가격구조 결정

4문단	5문단
간접 네트워크 외부성이 가격구조에 미치는 영향	수요의 가격 탄력성이 가격구조에 미치는 영향

6문단
플랫폼 사업자가 수익 창출을 위해 사용하는 전략 – 공짜 미끼와 프리미엄

■ **주제** : 플랫폼의 가격구조에 영향을 미치는 요소와 플랫폼 사업자의 전략

1. ② 세부 내용 이해하기

① 첫 번째 문단에서 '대표적인 플랫폼으로 신용 카드 회사 카드 결제 시스템'이 있으며, 이 플랫폼의 '한쪽에는 카드로 결제하는 회원들이 있고, 플랫폼의 반대쪽에는 그것을 지불 수단으로 받는 가맹점들이 있다'고 한 것을 통해 알 수 있다.

❷ 첫 번째 문단에서 양면시장에 해당하는 '대표적인 플랫폼으로 신용 카드 회사 카드 결제 시스템'이 있고 '플랫폼 사업자인 신용 카드 회사 입장에서는 양쪽 이용자 집단인 카드 회원들과 가맹점들 모두가 고객'이라고 했으므로, 양면시장에서 신용 카드 회사와 카드 회원이 가맹점의 고객이라는 것은 적절하지 않다.

③ 세 번째 문단에서 플랫폼 사업자는 '양쪽 이용자 집단 모두를 플랫폼에 참여하도록 유도할 수 있는 가격구조를 결정'하며, 수익을 극대화하기 위한 전략으로 '한쪽 이용자 집단에 보조금을 지급하는 경우도 있다'고 한 것을 통해 알 수 있다.

④ 첫 번째 문단에서 '양면시장은 플랫폼 사업자가 서로 구분되는 두 개의 이용자 집단에 플랫폼을 제공하고 이용자들은 플랫폼을 통해 상대 집단과 거래하면서 경제적 가치나 편익을 창출하는 시장'이라고 한 것을 통해 알 수 있다.

⑤ 마지막 문단에서 프리미엄 전략은 '무료에서 유료로 전환한 이용자의 긍정적 경험이 무료 이용자에게 전파되어 그 중 일부가 유료 이용자로 전환되도록 하는 것'이라고 한 것을 통해 알 수 있다.

2. ① 내용 추론하기

❶ 세 번째 문단에서 '플랫폼 사업자는 플랫폼 이용료를 통해 수익을 창출하기 때문에 양쪽 이용자 집단 모두를 플랫폼에 참여하도록 유도할 수 있는 가격구조를 결정'하며, 이를 통해 '수익을 극대화할 수 있는 전략'을 추구한다고 한 것에서 알 수 있다.

② 세 번째 문단에서 '가격구조란 플랫폼 이용료를 각각의 이용자 집단에 어떻게 부과하느냐'를 의미함을 알 수 있다. 즉 가격구조가 '이용료 지불 수단'을 결정하는 방법인 것은 아니다.

③ 세 번째 문단에서 '양쪽 이용자 집단에 차별적인 가격을 부과하는 것이 일반적'이라고 했으므로, 가격구조가 양쪽 이용자 집단에 동일한 이용료를 부과하기 위한 원칙이라는 것은 적절하지 않다.

④ 두 번째 문단에서 플랫폼 사업자가 플랫폼을 제공하는 양면시장에서는 간접 네트워크 외부성이 필수적으로 작용하는데, 이때 간접 네트워크 외부성이란 '한쪽 이용자 집단의 규모가 커지면 반대쪽 이용자 집단의 효용이 증가하고, 한쪽 이용자 집단의 규모가 작아지면 반대쪽 이용자 집단의 효용이 감소'하는 것을 의미한다. 따라서 플랫폼이 양쪽 이용자 집단의 규모가 항상 고정되어 있음을 전제로 한다고 볼 수는 없다.

⑤ 세 번째 문단에서 플랫폼 사업자는 양쪽 이용자 집단에 차별적인 가격을 부과하는 것이 일반적인데 이때 한쪽 이용자 집단의 플랫폼 이용료를 아주 낮게 책정하는 경우도 있다고 했을 뿐, 이것이 규모가 큰 이용자 집단에는 이용료를 부과하지 못한다는 의미라고 볼 수는 없다.

3. ② 구체적 사례에 적용하기

① 여섯 번째 문단에서 '공짜 미끼 전략은 무료 서비스를 통해 한쪽 집단의 이용자 수를 늘리면서 반대쪽 집단 이용자의 플랫폼 참여를 유인하는 것'이라고 했다. 〈보기〉에서 P사는 더 많은 메신저 이용자들을 확보하기 위해 무료 이모티콘을 배포했다고 했으므로, 이는 무료 서비스를 통해 더 많은 이용자들의 플랫폼 참여를 이끄는 '공짜 미끼 전략'을 활용한 것으로 볼 수 있다.

❷ 〈보기〉에서 P사는 플랫폼 사업자로, 첫 번째 문단에서 플랫폼은 양쪽 이용자 집단의 연결 고리 역할을 하며 이용자 집단은 플랫폼을 통해 거래가 이루어지기까지의 시간이나 노력 등과 같은 거래비용을 절감하여 상대 집단과 거래함을 알 수 있다. 〈보기〉에서 P사가 이모티콘 사용에 익숙해진 이용자를 많이 확보한 것은 플랫폼에 이용자를 끌어들인 것일 뿐 메신저를 통해 적은 거래비용으로 이용자에게 이모티콘을 직접 판매하고자

하는 목적이라고 볼 수는 없다. 〈보기〉에서 P사는 이모티콘을 사용하는 이용자들이 점점 많아지자 메신저를 통해 이모티콘 공급 업체들이 유료 이모티콘을 판매할 수 있도록 했다고 한 것을 통해서도 이를 확인할 수 있다.

③ 세 번째 문단에서 '플랫폼 사업자는 플랫폼 이용료를 통해 수익을 창출'한다고 했는데, 〈보기〉에서 P사는 광고주들에게 '광고 비용'을, 이모티콘 공급 업체에게 '판매 수수료'를 부과한다고 했으므로 이는 P사의 수익 창출을 위한 플랫폼 이용료에 해당한다.

④ 네 번째 문단에서 제시한 카드 회사의 예에서, 카드 회원 수가 늘어나면 가맹점들의 효용이 증가하기 때문에 가맹점은 높은 결제 건당 수수료를 지불하더라도 카드 결제 시스템을 이용하게 된다고 했다. 이를 〈보기〉의 상황에 대입하면 〈보기〉에서 P사가 광고주들에게 원래보다 높은 광고 비용을 부과한 것은 메신저 이용자들의 수가 늘어 광고주들이 얻는 편익이 증가했다고 판단했기 때문이라는 것은 적절하다.

⑤ 두 번째 문단에서 '직접 네트워크 외부성이란 동일 집단 내에서 발생하는 것으로, 동일 집단에 속한 이용자의 규모가 커지면 집단 내 개별 이용자의 효용이 증가하는 특성'이라고 했다. 따라서 〈보기〉에서 P사의 메신저 이용자가 많아져 이용자들끼리 더 편하게 연락을 주고받을 수 있게 된 것은 메신저 이용자들 사이에 직접 네트워크 외부성이 존재하는 것임을 알 수 있다.

4. ⑤ 빈칸에 들어갈 내용 추론하기

❺ 제시된 상황은 ㉠ '메신저 이용자들'의 수요의 가격탄력성이 높고, ㉠이 ㉡ '광고주들'에 미치는 간접 네트워크 외부성이 클 때, P사가 무료이던 메신저 이용료를 유료로 전환한다고 가정하는 경우이다. 다섯 번째 문단에 제시된 카드 회사의 사례에 따르면, 수요의 가격탄력성이 높은 경우에는 연회비가 오를 때 카드 회원 수가 크게 감소한다. 이를 참고할 때 무료이던 메신저 이용료를 유료로 전환하면 수요의 가격탄력성이 높은 ㉠의 수는 감소(A)할 것이다.

두 번째 문단에서 양면시장에서는 간접 네트워크 외부성이 필수적으로 작용하는데, 이에 따르면 한쪽 이용자 집단의 규모가 작아지면 반대쪽 이용자 집단의 효용이 감소하게 된다. 따라서 광고 효과를 기대하고 P사와 계약한 ㉡의 효용은 ㉠의 수가 감소함에 따라 크게 감소(B)할 것이다.

네 번째 문단에 제시된 카드 회사의 사례에 따르면, 카드 회원들이 가맹점에 미치는 간접 네트워크 외부성이 클수록 카드 회사는 카드 회원 수를 늘리기 위해 낮은 연회비를 부과할 수 있다. 이를 참고할 때 ㉢ '이모티콘 공급 업체들'이 ㉣ '이모티콘 사용에 익숙해진 이용자'에 미치는 간접 네트워크 외부성이 크다고 한다면, P사가 ㉣에 부과하는 판매 수수료는 하락(C)할 것이다.

오H 많이 틀렸을까?

이 문제는 지문의 내용을 구체적 사례에 적용하여 빈칸에 들어갈 내용을 추론하는 유형이야. 플랫폼 사업자의 가격구조에 영향을 미치는 간접 네트워크 외부성과 수요의 가격탄력성이라는 개념에 대해 이해하고 이를 사례에 적용해야 해서 꽤 어렵게 느껴졌을 듯해. 특히 ③번을 고른 학생들이 많아 오답률이 높았는데, 이는 B, C에 들어갈 내용을 정답과 반대로 파악한 경우야. A는 수요의 가격탄력성과 관련해서, B와 C는 간접 네트워크 외부성과 관련해서 내용을 추론해야 했는데 간접 네트워크 외부성이 가격구조에 미치는 영향을 제대로 파악하지 못한 듯해. 이 지문에서는

핵심 내용을 사례를 통해 구체적으로 설명하고 있는 만큼, 지문의 사례에 〈보기〉의 사례를 대입해 봄으로써 문제에 접근해 본다면 보다 쉽게 이해할 수 있을 거야.

【5~10】(가) 김기태, '소셜미디어 시대에 꼭 알아야 할 저작권'

지문해설

저작권법에서 정의하는 저작물은 인간의 사상 또는 감정을 표현한 창작물로, 창작성이 있다면 저작권을 보호받을 수 있다. 이러한 원저작물을 번역·편곡·변형·각색한 것은 2차적저작물이라고 한다. 2차적저작물이 되기 위해서는 원저작물과 실질적 유사성을 유지해야 하는 등 몇 가지 조건을 충족해야 하며, 원저작물과 유사성이 없는 것은 독립저작물로서 인정받을 수 있다. 유사성 외에도 2차적저작물과 독립저작물을 구별하는 기준이 있는데, 바로 원저작물과 시장적 경쟁관계에 있으면 2차적저작물, 그렇지 않으면 독립저작물에 해당한다는 것이다.

■ 비문학 지문 어떻게 이해할까?

| 1문단 |
| 저작물이 갖추어야 할 조건 |

| 2문단 | 3문단 |
| 2차적저작물이 갖추어야 할 조건과 사례 | 독립저작물이 갖추어야 할 조건과 2차적저작물과의 차이 |

■ 주제 : 저작물과 2차적저작물, 독립저작물의 특징

어휘풀이

· 통념(通念) 일반적으로 널리 통하는 개념.
· 증감(增減) 많아지거나 적어짐. 또는 늘리거나 줄임.

(나) 오승종, '된다! 유튜브·SNS·콘텐츠 저작권 문제 해결'

지문해설

저작권은 저작인격권과 저작재산권으로 나뉜다. 저작인격권은 저작자가 가지는 인격적 권리인데, 저작자만 가질 수 있기 때문에 양도할 수도 없고 저작자가 사망하면 소멸한다. 반면 저작재산권은 재산적 이익을 보호하는 권리로, 양도가 가능하다. 저작재산권 안에는 2차적저작물 작성권이 있는데, 이것이 저작권 침해 사안과 깊이 관련되어 있다는 사실을 제시하면서 자세히 설명하고 있다. 2차적저작물 작성권은 저작자에게 있기 때문에 원저작자의 허락이 있어야 2차적저작물을 만들 수 있다. 반면 저작권은 원저작자의 허락 없이도 2차적저작물에 모두 부여될 수 있다는 특징이 있다. 더불어 원저작물을 기초로 만들어진 2차적저작물과 이를 기반으로 만들어진 또 다른 2차적저작물을 제작하는 경우라면, 원저작자와 2차적저작물의 저작자에게 모두 허락을 구해야 한다.

■ 비문학 지문 어떻게 이해할까?

| 1문단 |
| 저작인격권과 저작재산권의 의미와 특징 |

| 2문단 |
| 저작재산권 중 2차적저작물 작성권 |

| 3문단 |
| 2차적저작물의 보호 |

| 4문단 |
| 2차적저작물에 대한 원저작자의 권리 주장 |

| 5문단 |
| 또 다른 2차적저작물을 제작하는 경우 |

어휘풀이

· 양도(讓渡) 재산이나 물건을 남에게 넘겨줌. 또는 그런 일.
· 의거하다(依據-) 어떤 사실이나 원리 따위에 근거하다.
· 청구(請求) 남에게 돈이나 물건 따위를 달라고 요구함.

---

5. ④ 글의 내용 전개 방식 파악하기

① (가)의 세 번째 문단에서 원저작물과 시장적 경쟁 관계에 있는지의 여부에 따라 2차적저작물과 독립저작물을 구분하고 있다.
② (가)의 두 번째 문단에서 소설을 기초로 2차적저작물인 영화를 만드는 경우를 예로 들어 2차적저작물이 원저작물과 실질적 유사성을 유지해야 한다는 점과, 근대 소설을 현대 표기법으로 바꾼 것을 예로 들어 새로운 창작성이 있어야 한다는 점을 2차적저작물의 요건으로 설명하고 있다.
③ (나)의 첫 번째 문단에서 저작인격권과 저작재산권의 차이점을 밝혀 설명하고 있다.
❹ (나)의 세 번째 문단에서 '저작권법의 보호를 받을 수 있을까? 받을 수 있다.'와 같이 묻고 답하는 방식이 활용되었지만, 이를 통해 저작권 침해가 발생하는 경우를 나열한 것은 아니다.
⑤ (가)의 첫 번째 문단에서 '저작권법 제2조 제1호'에 근거하여 '저작물'을 설명하고 있고, (나)의 두 번째 문단에서 '저작권법 제22조'에 근거하여 '2차적저작물 작성권'을 설명하고 있다.

6. ⑤ 글의 세부 내용 파악하기

① (나)의 첫 번째 문단에서 저작인격권은 양도할 수 없고 저작자가 사망하면 소멸된다고 설명하였다.
② (나)의 첫 번째 문단에서 저작권은 저작자가 자신이 창작한 저작물에 대하여 가지는 권리라고 하였으며, 세 번째 문단에서 2차적저작물의 저작권은 원저작물의 저작권과는 별개로 인정받는다고 하였다. 따라서 2차적저작물의 저작권은 2차적저작물의 창작자가 갖게 된다는 것을 알 수 있다. 두 번째 문단에 따르면 2차적저작물 작성권은 원저작자가 갖는 권리이므로, 2차적저작물의 저작권을 갖는 사람과 2차적저작물 작성권을 가진 사람은 다르다.
③ (가)의 두 번째 문단에서 원저작물의 복제물에 가까운 것은 2차적저작물로 보기 어렵다고 하였다.
④ (가)의 첫 번째 문단에서 우연히 기존의 저작물과 유사하더라도 베끼지 않고 독자적으로 창작한 것이라면 저작권을 보호받을 수 있다고 하였다.
❺ (나)의 두 번째 문단에 따르면 2차적저작물 작성권은 저작재산권 중 하나이다. 따라서 2차적저작물 작성권에는 저작재산권의 특성이 포함되어 있다. (나)의 첫 번째 문단에서 저작재산권은 저작물을 일정한 방식으로 이용함으로써 발생하는 재산적 이익을 보호하는 권리라고 하였으므로, 이러한 특성이 2차적저작물 작성권의 특성이라고 볼 수 있다.

왜 답이 틀렸을까?

이 문제를 어려워하는 학생들의 공통적인 특징은 비슷한 성격의 단어들이 많이 나올 때, 그것들 사이의 관계를 파악하고 뜻을 구분하는 것이 어렵고 싫어서 쉽게 포기해 버린다는 거야. 그런데 이렇게 한번 생각해 보자. '저작권', '저작재산권', '2차적저작물 작성권' 등 비슷한 단어가 많이 나온다는 것은 비슷한 개념에서 출발하는, 즉 근본 개념이 같은 내용들이라는 것이니 더 이해가 잘 되지 않을까? 이들은 모두 저작물에 대해 갖는 권리라는 뜻에서 출발했으니 그 근본적인 개념을 놓치지 말고, 공통점을 기본으로 정리해 두고 차이점은 무엇이 있을까 생각하면서 개념 정리를 해 보면 문제가 쉽게 풀릴 거야.
반면에, 출제자들이 파놓은 함정도 조심할 필요는 있어. 비슷한 개념들이 나오는 지문에서 차이점을 숨겨 놓는 함정을 파는 거야. 선지 ②번을 보면 2차적저작물이라는 말이 두 번이나 반복되어 있어. 같은 개념일 거라 생각했는지 많은 친구들이 ②번을 정답으로 골랐더라고. 하지만 2차적저작물의 저작권과 작성권은 분명 다른 개념이지? 정리해 보면, 비슷한 말들이 반복되어 있는 지문일수록 근본 개념 하나를 중심에 두고 세부적인 개념들의 차이점을 생각하면서 지문을 읽어야 한다는 거야.

7. ⑤ 글의 세부 내용 파악하기

① (나)의 첫 번째 문단에서 원저작자는 저작재산권을 나누어 양도할 수 있다고 설명하였다. 이때 저작재산권 중 하나인 ⓒ의 작성권을 양도한다면, ㉠의 저작자와 ⓒ을 작성하여 이용할 수 있는 권리를 가진 사람은 다를 수 있다.
② (가)의 두 번째 문단에서 ⓒ은 ㉠을 기초로 만들어진다고 설명하였다.
③ (가)의 세 번째 문단에 따르면 원저작물과 2차적저작물은 시장적 경쟁관계에 있다고 본다. ⓒ은 ⓒ의 원저작물에 해당하므로, 이 둘은 시장적 경쟁관계에 있다고 볼 수 있다.
④ (나)의 다섯 번째 문단에서 ⓒ은 ㉠을 기반으로 창작된다고 하였으므로 ⓒ은 ㉠의 2차적저작물이라고 볼 수 있다. (가)의 두 번째 문단에서 2차적저작물과 원저작물은 실질적 유사성이 있다고 하였으므로, ⓒ과 ㉠ 사이에도 실질적 유사성이 존재할 것이다.
❺ (나)의 네 번째와 다섯 번째 문단에서 ⓒ과 ⓒ을 작성할 때에는 모두 ㉠의 2차적저작물 작성권을 가진 사람의 허락을 받아야 한다고 설명하였다.

8. ③ 글의 내용 추론하기

① (가)의 두 번째 문단에서 2차적저작물로 보호받으려면 원저작물과 실질적 유사성이 있어야 한다고 하였다. 따라서 원저작물을 떠올릴 수 없을 정도로 바뀌었다는 것은 ㉮의 이유가 될 수 없다.
② (가)에서 2차적저작물의 창작자가 원저작물의 저작자인지 아닌지에 대해서는 언급한 바가 없다.
❸ (가)의 첫 번째 문단에서 저작권법의 보호를 받는 저작물이 되려면 창작성이 있어야 한다고 하였다. 또한 두 번째 문단에서 2차적저작물이 독자적인 저작물로서 보호받으려면 새로운 창작성이 부가되어야 한다고 하였다. 따라서 ㉮의 내용처럼 2차적저작물이 독자적인

저작물로서 보호를 받는다는 것은 원저작물에 없는 새로운 창작성이 부가되어 있기 때문으로 추론할 수 있다.

④ (가)의 첫 번째 문단에서 창작성이란 예술적 수준이 높아야 한다는 것이 아니라고 하였으며, 2차적저작물이 원저작물에 비해 예술적 수준이 높다는 내용은 찾을 수 없다.

⑤ (가)에서 2차적저작물이 원저작자의 권리를 침해하는 경우에 대한 내용은 찾을 수 없다.

9. ⑤ 　구체적 사례에 적용하기

① (나)의 첫 번째 문단에서 저작권은 저작자가 자신이 창작한 저작물에 대해 갖는 권리라고 하였다. 또한 (나)의 세 번째 문단에 따르면 2차적저작물의 저작권은 원저작자의 허락이 있었는지 여부와 상관없이 발생하므로, A가 편곡하여 블로그에 올린 곡에 대한 저작권은 A가 가지고 있을 것이다.

② (나)의 네 번째 문단에 따르면, 원저작자의 허락 없이 2차적저작물을 작성하는 것은 원저작자의 권리를 침해한 것이므로 원저작자는 2차적저작물을 만든 사람에게 손해배상을 청구할 수 있다. 〈보기〉의 D는 원저작자인 영어 자막의 저작자의 허락을 받지 않았으므로 영어 자막의 저작자는 D에게 손해배상을 청구할 수 있다.

③ (가)의 두 번째 문단에서 원저작물을 번역·편곡·변형·각색 등의 방법으로 작성한 창작물을 2차적저작물이라 한다고 하였다. 따라서 기존 가요와 영어 자막은 원저작물에 해당한다.

④ (나)의 두 번째 문단에 따르면, 원저작자의 허락 없이 원저작물을 바탕으로 한 저작물을 작성하여 이용한다면 원저작자의 2차적저작물 작성권을 침해한 것이 된다. 〈보기〉의 A는 기존 가요의 저작권을 가지고 있는 B에게 허락을 받지 않고 기존 가요를 편곡하였으므로 B의 2차적저작물 작성권을 침해하였다. 하지만 C는 D가 작성한 한글 자막을 허락 없이 이용한 것은 맞지만, 이 한글 자막을 원저작물로 하여 2차적저작물을 작성하여 이용한 것은 아니므로 2차적저작물 작성권을 침해하지 않았다.

❺ (나)의 두 번째 문단에 따르면, 원자작자의 허락 없이 원저작물을 바탕으로 한 저작물을 작성하여 이용한다면 원저작자의 2차적저작물 작성권을 침해한 것이 된다. 〈보기〉의 A는 B의 허락 없이 B의 노래를 편곡하여 2차적저작물을 만들었으므로 B는 2차적저작물 작성권을 침해받은 것이다. 하지만 C는 D의 한글 자막을 이용하여 2차적저작물을 만든 것은 아니므로, D는 2차적저작물 작성권을 침해받았다고 볼 수 없다.

왜 말이 틀렸을까?

이런 문제를 구체적 사례 적용 문제라고 해. 〈보기〉에 구체적인 사례를 정리해 놓고, 지문에서 익힌 개념을 적용하는 문제지. 자 그런데 이렇게 〈보기〉에 사례 두 가지가 나올 때에는, 그 두 가지의 사례가 똑같지 않을 경우가 많아. 그리고 혹시 지문을 읽으면서 이 부분이 참 흥미롭지 않았니? 2차적저작물로 인정받아서 2차적저작물에 대한 저작권은 갖지만, 원작자가 갖는 2차적저작물의 작성권은 침해당한다는 사실 말이야. 이 부분을 다시 한번 잘 읽어 보고, 〈보기〉에 나타난 A~D의 입장이 어떻게 다른지 확인하고 차이점을 기억해 보도록 해.
또, 〈보기〉만이 아니라 선지를 독해하는 연습도 필요해. 선지 ①은 저작권, ②는 손해배상 이야기니까 저작물 작성권, ③은 원저작물, ④와 ⑤는 저작물 작성권에 대한 내용이네. 선지를 독해할 때는 각 선지가 어떤 개념과 관련이 있는지

정확히 나눠 두면 문제를 단순화하여 바라볼 수 있는 눈을 키울 수 있게 될 거야.

10. ① 　어휘의 문맥적 의미 파악하기

❶ '분류(分類)하다'는 '종류에 따라서 가르다.'라는 의미로, '저작인격권과 저작재산권으로 나눌 수 있다.'의 '나눌'과 바꾸어 쓸 수 있다.

② '변별(辨別)하다'는 '사물의 옳고 그름이나 좋고 나쁨을 가리다.'라는 의미이다.

③ '배분(配分)하다'는 '몫몫이 별러 나누다.'라는 의미이다.

④ '판별(判別)하다'는 '옳고 그름이나 좋고 나쁨을 판단하여 구별하다.'라는 의미이다.

⑤ '해석(解釋)하다'는 '문장이나 사물 따위로 표현된 내용을 이해하고 설명하다, 사물이나 행위 따위의 내용을 판단하고 이해하다.'라는 의미이다.

Day 08 　　　　　　　　　　본문 040쪽

| 1. ① | 2. ⑤ | 3. ④ | 4. ③ | 5. ④ |
| 6. ⑤ | 7. ① | 8. ③ | 9. ③ | 10. ④ |

【1~5】'가설 검정과 오류'

지문해설

이 글은 가설 검정에 사용되는 가설의 종류와 오류를 분석한 후, 가설 검정 시 유의할 사항을 제시하고 있다. 판단하는 이가 주장하려는 가설은 '대립가설'이고, 이에 반대되는 가설은 '귀무가설'이라고 한다. 이 글은 경영자가 가설을 검정하는 상황을 구체적인 예로 들어 귀무가설과 대립가설 중 어떤 것을 선택해야 하는지 자세히 설명하고 있다. 귀무가설이 참인데도 기각하는 경우를 '1종 오류', 귀무가설이 거짓인데도 기각하지 못하는 경우를 '2종 오류'라고 하는데 이 중 더 위험한 것은 '1종 오류'로, 이를 해결하려면 1종 오류가 발생할 확률의 최대 허용 범위인 유의 수준을 가급적 낮게 설정해야 한다.

■ 비문학 지문 어떻게 이해할까?

| 1문단 |
| 가설 검정에 사용되는 대립가설과 귀무가설 |

| 2문단 |
| 귀무가설과 대립가설이 선택되는 각각의 경우 |

| 3문단 |
| 경영자가 의사 결정을 하는 과정에서 발생하는 두 가지 오류 |

| 4문단 |
| 1종 오류가 더 심각한 문제를 일으키는 이유 |

| 5문단 |
| 가설 검정 과정에서 주의해야 할 점 |

■ 주제 : 가설 검정에 사용되는 가설의 종류와 오류를 해결하는 방법

어휘풀이

· 입증(立證) 어떤 증거 따위를 내세워 증명함.
· 기각(棄却) 소송을 수리한 법원이, 소나 상소가 형식적인 요건은 갖추었으나, 그 내용이 실체적으로 이유가 없다고 판단하여 소송을 종료하는 일.
· 결부(結付) 일정한 사물이나 현상을 서로 연관시킴.

1. ① 　핵심 정보 파악하기

❶ 가설 검정을 할 때에는 대립가설과 귀무가설을 세우고 시작하는데, 두 번째 문단에서 귀무가설을 기각해야 할 때에는 대립가설을 채택하면 된다고 설명하고 있다. 귀무가설을 기각할 때 새롭게 설정할 가설에 대한 설명은 이 글에 제시되지 않았다.

②, ③ 두 번째 문단을 보면, 전체를 대상으로 실험하는 것이 현실적으로 불가능하기 때문에 대립가설을 기준으로 가설 검정을 하지는 않는다고 설명하고 있다. 따라서 대립가설을 검정하여 채택 여부를 결정하기 위해서는 귀무가설을 사용한다.

④ 네 번째 문단에서 한쪽 오류를 줄이면 그만큼 반대쪽 오류는 늘어나기 때문에 두 가지 오류를 동시에 줄일 수는 없다고 설명하고 있다.

⑤ 네 번째 문단에서 오류들 중 더 심각한 문제를 초래하는 것은 1종 오류라고 하였다.

2. ⑤ 세부 내용 파악하기

①, ③ 두 번째 문단에서 귀무가설이 타당하지 않으면 귀무가설을 버리고 대립가설을 채택한다고 하였다.

② 세 번째 문단에서 대립가설의 기각 여부는 판사가 확보된 증거를 바탕으로 결정한다고 하였다.

④ 두 번째 문단을 통해 가설 검정에서 귀무가설을 참이라고 가정한 상태에서 귀무가설의 기각 여부를 결정한다는 것을 알 수 있다.

❺ 첫 번째 문단의 내용처럼 신약 개발을 하는 경영자라면 '신약이 효과가 있다'라는 대립가설을 주장하려고 할 것이다. 따라서 신약 개발을 하는 경영자가 채택하고 싶은 것은 대립가설이다.

3. ④ 세부 내용 추론하기

① 실제로 피고인이 죄를 저지르지 않은 것은 '피고인은 무죄이다.'라는 귀무가설이 참인 상황이므로 A와 C에 해당한다.

② 경영자가 신약의 효능이 없다고 판단하는 것은 귀무가설을 채택한 경우이므로 '귀무가설 기각 못함'의 경우인 A와 B에 해당한다.

③ 귀무가설이 참일 때 이를 기각하지 못한 경우와 귀무가설이 거짓일 때 이를 기각한 경우는 모두 올바른 판단을 내린 것이므로 오류가 발생한 경우가 아니다. 따라서 A와 D는 모두 오류가 발생하지 않은 경우이다.

❹ B의 경우는 '피고인은 무죄이다.'라는 귀무가설이 거짓인 상황에서 이를 기각하지 못한 경우이므로 2종 오류를 범한 것이다. 2종 오류를 줄이면 1종 오류가 늘어나므로, 법원이 B를 줄이면 유죄인 사람에게 무죄를 선고하는 경우(2종 오류)가 아니라 무죄인 사람에게 유죄를 선고하는 경우(1종 오류)가 늘어날 것이다.

⑤ C는 '신약이 효과가 없다.'라는 귀무가설이 참인데 이를 기각하여 신약이 효과가 있는 것으로 잘못 알려지는 경우이다. 따라서 제약 회사가 이를 줄이려는 것은 약의 효능이 없어 시장에서 신뢰를 잃는 상황을 심각하게 여기기 때문이다.

와! 많이 틀렸을까?

이번 시험에서 오답률이 가장 높았던 문제였어. 우선 신약 개발의 상황과 피고인을 판결하는 판사의 상황에서 '귀무가설'이 각각 어떻게 설정되어 있는지 정확하게 인지한 상태에서 문제를 풀지 않아서 이 문제를 어렵게 생각했을 수 있어. 신약 개발을 하는 상황에서는 '신약이 효과가 있다.'라는 가설은 대립가설이고, '신약이 효과가 없다.'라는 가설은 귀무가설이 되지. 그렇다면 판사의 입장에서는 어떨까? 판사는 피고인이 죄가 없다는 것을 기준으로 판단을 해야 해. 그러니까 판사의 입장에서의 귀무가설은 '피고인은 무죄이다.'가 되는 거지. 문제를 풀 때 이 내용을 표 위에 딱 적어 놓고 푸는 건 어떨까? 우리의 기억은 완벽하지 않으니 간단한 메모 기술을 익히는 게 좋을 것 같아. 한 가지 덧붙이자면, 이런 논리력을 요하는 문제는 긍정과 부정의 상황을 잘 구분해야 해. 선지 ④와 ⑤를 보면 '~을 줄이면,' '~ 줄이려는 이유는'과 같은 말이 나와. 이것은 해당 내용을 부정의 상황, 즉 반대의 상황으로 만들어 놓은 거야. 이런 경우 결과 또한 반대의 상황이 나와야 해. 지문에서 일차적으로 바로 확인할 수 없도록 이렇게 반대의 경우로 선지를 만들어 놓는 경우가 많아. 이것 또한 변별력을 만들기 위한 출제자들의 의도가 담겨 있다는 걸 잊지 않도록!

4. ③ 핵심 개념 확인하기

① 다섯 번째 문단에서 인권과 결부된 것이라면 유의 수준을 더 낮게 설정해야 한다고 하였다.

② 다섯 번째 문단을 통해 유의 수준은 1종 오류가 발생할 확률의 최대 허용 범위를 의미함을 알 수 있다.

❸ 유의 수준은 1종 오류가 발생할 확률의 최대 허용 범위인데, 이 범위 내에서는 1종 오류가 발생하더라도 우연히 일어난 일로 보고 대립가설을 채택한다고 하였다. 따라서 유의 수준을 낮게 정할수록 대립가설을 채택할 확률이 낮아진다는 설명은 적절하다.

④ 다섯 번째 문단에서 유의 수준은 실험을 하기 전에 미리 정한다고 하였다.

⑤ 유의 수준은 1종 오류가 발생할 확률의 최대 허용 범위이다. 가설을 판단할 때 사용할 자료 개수의 최대 허용 범위와는 관련이 없다.

와! 많이 틀렸을까?

많은 친구들이 오답으로 ②번을 골랐는데, 아마 유의 수준을 정의하는 내용 중에 '확률'이라는 말이 있으니까 자세한 내용을 보지 않고 그냥 이 선지를 골랐던 것 같아. 유의 수준을 낮게 설정하는 것이 좋다고 했는데, 이것을 우리가 아는 지식과 연결 지어 보자. 만약 선지 ②가 맞는 설명이라면 참일 확률과 거짓일 확률의 차이를 줄이는 것이 좋다는 이야기인데, 이 둘의 차이를 줄인다면 참과 거짓이 나타난 확률의 차이가 의미가 있을까? 참과 거짓의 경계가 모호한 것이 긍정적인 상황은 아니지. 우리는 귀무가설이 참이든 거짓이든 분명하게 결정이 되어야 대립가설을 선택할지 말지를 결정지을 수 있는 거니까. 겉으로 보기에는 어려운 내용 같아도 우리가 알고 있는 선에서 해결되는 부분도 많아. 겁먹지 말고 도전해서 풀어 보자.

5. ④ 문맥적 의미 파악하기

① '참'과 '거짓'은 모순 관계이기 때문에 이 둘이 동시에 가능한 경우는 없다. 따라서 ⓐ '모순된'은 '동시에 참이 되거나 동시에 거짓이 될 수 없는'으로 바꿔 쓸 수 있다.

② '신약이 효과가 없다.'라는 귀무가설이 거짓이었기 때문에 '병이 호전된(ⓑ)' 것이기 때문에 '귀무가설과 어긋난'으로 바꿔 쓸 수 있다.

③ 귀무가설은 '신약이 효과가 없다.'이기 때문에, ⓒ '귀무가설을 버리고'를 '"신약이 효과가 없다.'라는 가설을 기각하고"로 바꿔 쓸 수 있다.

❹ 귀무가설은 '피고인은 무죄이다.'이기 때문에, ⓓ '귀무가설'을 '"피고인은 유죄이다.'라는 가설"로 바꿀 수 없다.

⑤ ⓔ '두 가지 오류' 앞에서 1종 오류와 2종 오류를 설명하고 있으므로, 문맥의 흐름을 고려하면 ⓔ를 '1종 오류와 2종 오류'로 바꿔 쓸 수 있다.

【6~10】 배영달, '보드리야르의 『소비의 사회』 읽기'

지문해설

사회학자 보드리야르의 사물의 경제적 가치에 대한 이론을 설명하고 있다. 마르크스가 교환가치를 경제적 가치로 파악한 것과 달리, 보드리야르는 기호가치를 경제적 가치로 파악했다. 보드리야르에 따르면 대량 생산 기술이 급속하게 발전한 자본주의 사회에서 소비자는 자신이 속하고 싶은 집단과 다

른 집단 간의 차이를 부각하는 기호에 대한 욕구에 따라 소비하며, 이러한 욕구는 자유로운 선택이 아니라 사회적으로 강제된 욕구임을 강조한다. 보드리야르는 기호가치를 소비하는 현대 자본주의 사회를 소비사회로 명명하였으며, 그의 이론은 소비가 인간에 미치는 영향을 비판적으로 성찰해야 한다는 점을 시사한다.

■ 비문학 지문 어떻게 이해할까?

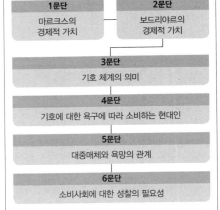

1문단	2문단
마르크스의 경제적 가치	보드리야르의 경제적 가치

3문단
기호 체계의 의미

4문단
기호에 대한 욕구에 따라 소비하는 현대인

5문단
대중매체와 욕망의 관계

6문단
소비사회에 대한 성찰의 필요성

■ 주제 : 기호가치를 소비하는 현대의 소비사회에 대한 성찰의 필요성을 주장하는 보드리야르의 이론

6. ⑤ 글의 세부 내용을 파악하기

① 첫 번째 문단을 보면, 마르크스는 소비를 생산에 종속된 현상으로 보았다. 그러나 사용가치와 교환가치가 동일하다고 주장하지는 않았다.

② 첫 번째 문단을 보면, 마르크스는 '소비를 생산에 종속된 현상으로 보고 소비의 자율성을 인정하지 않았다'고 했으므로 소비자의 욕구를 중요하게 생각하지 않았을 것이다.

③ 두 번째 문단을 보면, 보드리야르는 '사용가치가 경제적 가치를 결정'하며, 이때의 사용가치는 욕망의 대상으로서 기호가 지니는 기능적 가치를 의미한다고 하였다.

④ 다섯 번째 문단을 보면, 보드리야르는 개인이 '욕구에 따라 자유롭게 소비하는 것처럼 보이지만 사실은 강제된 욕구에 따르는 것에 불과하다'고 보았다. 또한 네 번째 문단에서 '이때 사물은 소비자가 속하고 싶은 집단과 다른 집단 간의 차이를 부각하는 기호로서 기능한다'고 했으므로, 현대 소비사회에서 소비를 통한 집단 간의 사회적 차이는 더욱 강화될 것이다.

❺ 두 번째 문단을 보면, 보드리야르는 사용가치, 즉 기호가치가 경제적 가치를 결정한다고 보았고, 네 번째 문단에서 소비자가 기호가치 때문에 사물을 소비한다고 보았다. 또한 다섯 번째 문단을 보면, 특정 사물의 상징은 기호 체계, 즉 사회적 상징체계 속에서 유동적이며, 상징체계 변화에 따라 욕구도 유동적이라고 하였다. 따라서 경제적 가치는 사회적 상징체계에 따라 결정되므로 기호가치가 소비의 원인이라는 내용은 적절하다.

7. ① 글의 세부 내용을 추론하기

❶ 세 번째 문단을 보면 기표는 문자나 음성같이 감각

으로 지각되는 부분으로 구체성을, 기의는 의미 내용 부분으로 추상성을 가지므로 적절하지 않다.

② 사물이 기표라면 그것이 상징하는 '특정한 사회적 지위'가 사물이 가지는 기의라고 할 때, 세 번째 문단의 내용에 따라 기표와 기의의 관계는 자의적임을 알 수 있다.

③ 다섯 번째 문단에서 기호가 다른 기호와의 관계 속에서 그 의미 내용이 결정된다고 하였다.

④ 네 번째 문단에서 소비자는 특정 계층 또는 집단의 일원이라는 상징을 얻기 위해 명품 가방을 소비한다고 설명하고 있다.

⑤ 세 번째 문단을 보면, 기호가치란 어떤 대상을 지시하는 상징의 기능적 가치이므로 구체적으로 감각되는 기표에 의해 결정되는 것은 아니다.

오H 많이 틀렸을까?

세 번째 문단에서 기표는 '문자나 음성같이 감각으로 지각되는' 것이고, 기의는 '의미 내용'이라고 설명했으므로 ①번이 틀린 설명이라는 것을 어렵지 않게 알 수 있었을 거야. 그런데 나머지 선지가 다소 어려웠던 탓에 오답률이 높았고, 특히 ②번과 ⑤번을 고른 비율이 높았어. [A]는 자본주의 사회의 소비를 기호 소비로 설명하고 있어. 기호 체계에 따르면 사물은 기표와 기의로 구성되는데, 이때 기표와 기의의 관계는 자의적이라고 했으니 ②번이 옳은 설명임을 알 수 있어. 그리고 [A]의 마지막 부분에서 소비의 원인은 사물이 상징하는 특정 사회적 지위, 즉 '기의'에 대한 욕구라고 한 것을 통해 ⑤번 역시 적절한 설명임을 알 수 있지.

---

8. ③ 글에 생략된 전제 파악하기

① 사물 자체의 유용성은 사용가치에 속한다. 이는 기호 체계와 관련된 상징체계 변화와 관련 짓기 어렵다.

② 다섯 번째 문단에서 보드리야르는 사람들의 욕구는 자유로워 보이지만 사실은 강제된 것이라고 하였다. 이에 따라 사물에 대한 욕구가 사람마다 제각기 다르다는 것은 ⓒ의 전제로 성립할 수 없다.

❸ 네 번째 문단을 보면, 사물의 기호가치가 변화하면 사물의 경제적 가치와 사물에 대한 욕구도 변화한다는 것을 확인할 수 있다. 또 특정 사물이 지닌 기호가치는 사회적 상징체계임도 알 수 있다. 따라서 ⓒ은 사물의 기호가치가 변화하면 사물에 대한 욕구도 변화한다는 전제에 따라 성립함을 추론할 수 있다.

④ 다섯 번째 문단을 보면, 보드리야르는 개인이 자연 발생적인 욕구가 아닌 강제된 욕구에 따른다고 보았다.

⑤ 네 번째 문단에서 보드리야르에 따르면 현대인의 소비의 원인은 사물이 상징하는 특정 사회적 지위에 대한 욕구라고 하였으므로, 사물이 지시하는 의미 내용과 사물에 대한 욕구는 독립적인 것이 아니라 서로 연관된다고 볼 수 있다.

---

9. ③ 구체적 사례에 적용하여 이해하기

① 보드리야르는 사물은 소비자가 속하고 싶은 집단과 다른 집단 간의 차이를 부각하는 기호로서 기능한다는 견해를 지니고 있다. 이에 따라 개인이 소속되길 바라는 집단의 차별화된 속성을 이용해 타인과 구별되는 개성을 드러내고자 한다는 견해를 보일 것이다.

② 보드리야르는 자본주의 사회에서 대량 생산 기술이 급속하게 발전하면서 소비자가 기호가치 때문에 사물을 소비한다고 보았다.

❸ 보드리야르는 현대인은 자연 발생적인 욕구에 따라

자유롭게 소비하는 것처럼 보이지만 사실은 사회적으로 강제된 욕구에 따르는 것에 불과하다고 주장했다. 이에 따라 '찢어진 청바지'는 개인의 자유로운 개성 추구처럼 보이겠지만, 보드리야르는 이를 개인만의 고유한 특성이 아니라 사회적으로 강제된 욕구로 볼 것이다.

④ 보드리야르는 현대인이 강제된 욕구에 따르고 있다고 보고 있다. 따라서 '차이'를 강조하는 광고 문구는 개인에게 차이를 드러내고자 하는 욕구를 강제하고 있다고 볼 것이다.

⑤ 보드리야르는 특정 사물에 대한 현대인의 욕망은 대중매체를 매개로 하여 자기도 모르는 사이에 강제된다고 하였다. 이에 따라 타투나 피어싱을 한 유명 연예인을 대중매체를 통해 보고 이를 따라하기 위해 돈을 지불하는 것은 대중매체가 제시하는 추상적 기호를 소비하는 것으로 볼 것이다.

오H 많이 틀렸을까?

〈보기〉에서는 현대 사회에서 개인이 개성을 추구하는 여러 사례를 제시하고 있어. 보드리야르는 자본주의 사회를 '소비사회'로 보았는데, 현대 사회에서의 개성 추구는 기호가치에의 욕구로부터 비롯된다는 견해를 보이고 있어. 개인은 자신이 소속되길 바라는 집단의 속성을 통해 타인과 구별되고자 하지. 그렇지만 현대인은 사회가 강제하는 욕구에 따르고 있다고 주장하고 있어. 이런 욕구는 대중매체를 통해 더 강화되는데, 대중매체를 통해 전달되는 현실은 현실 그 자체가 아니라 다른 기호와 조합될 수 있는 기호로 추상화되어 드러나.

---

10. ④ 단어의 문맥상 의미 파악하기

① '(현금을) 지니고'에서 '지니다'는 '몸에 간직하여 가지다'의 의미로 사용되었다.

② '(모습을) 지니고'에서 '지니다'는 '본래 모양을 그대로 간직하다'의 의미로 사용되었다.

③ '(책임을) 지녀야'의 '지니다'는 '어떠한 일 따위를 맡아 가지다'의 의미로 사용되었다.

❹ ⓐ '(기호가) 지니는'에서 '지니다'는 '바탕으로 갖추고 있다'라는 의미로 사용되었다. 이와 가장 유사한 의미로 사용된 것은 '(고정 관념을) 지니고'이다.

⑤ '(추억을) 지니고'에서 '지니다'는 '기억하여 잊지 않고 새겨 두다'의 의미로 사용되었다.

---

1. ④	2. ⑤	3. ②	4. ⑤	5. ③
6. ②	7. ②	8. ③	9. ④	10. ⑤
11. ②	12. ④	13. ⑤	14. ⑤	

【1~5】 박세민, '보험법'

지문해설

계약에서 정한 보험 사고가 발생했을 때 보험가입자 측에게 생긴 재산상의 손해를 보상하는 보험인 손해보험에 대해 설명하고 있다. 손해보험의 정의와 특징, 피보험자, 보험자, 피보험이익 등과 같은 관련 개념에 대해 설명하고 있다. 보상을 위한 요건으로 피보험이익의 인정 요건을 제시하였고, 보상의 기준과 범위를 설명하며 실손보상원칙과 이득금지원칙에 대해 설명하고 있다. 피보험이익의 산정 기준으로 보험가액과 보험금액의 개념과 관계에 대해서 밝히고 있으며 초과보험과 중복보험의 개념과 유의점에 대해서도 설명하고 있다.

■ **비문학 지문 어떻게 이해할까?**

1문단
손해보험의 정의, 특징

2문단
손해보험과 관련된 용어의 이해

3문단
피보험이익의 인정 요건

4문단
손해보험의 원칙

5문단
피보험이익의 산정기준

6문단
초과보험의 개념

7문단
중복보험의 개념

■ **주제** : 손해보험의 개념과 보상 요건, 기준, 범위, 종류

---

1. ④ 세부 정보 파악하기

① 여섯 번째 문단의 '보험금액이 보험가액을 현저하게 초과하는 경우를 초과보험이라 한다.'에서 확인할 수 있다.

② 네 번째 문단의 '실손보상원칙은 손해보험 계약의 도박화를 막고 보험 범죄를 방지하는 역할을 한다.'에서 확인할 수 있다.

③ 두 번째 문단의 '보험 사고가 발생할 때에 보험금을 받을 자를 피보험자, 보험금을 지급할 의무를 지는 자를 보험자라 한다.'에서 확인할 수 있다.

❹ 제시된 내용에서는 손해보험 계약이 보험 사고에 따른 보상이 이루어진 뒤에도 계속 효력이 유지되는지에 대한 내용은 언급하고 있지 않으므로 적절하지 않다.

⑤ 세 번째 문단에서 피보험이익으로 인정되려면 '객관적으로 금전으로 산정할 수 있는 경제적 가치를 가져야 한다'고 제시하며 정신적, 도덕적 이익이 피보험이익이 될 수 없는 이유를 설명하고 있다.

---

2. ⑤ — 세부 정보 이해하기

① 여섯 번째 문단에서 '손해보험에서 보험가액을 초과하는 부분에는 피보험이익이 존재하지 않는다'고 하였다.

② 두 번째 문단에서 '손해보험의 피보험자는 보험의 목적에 피보험이익을 가져야 한다.'라고 하였다.

③ 마지막 문단에서 중복보험은 '한 명의 피보험자가 동일한 피보험이익과 ~ 그 보험금액의 합계가 보험가액을 초과하는 경우'라고 하였다.

④ 두 번째 문단에서 피보험이익은 피보험자가 '보험의 목적'에 갖는 '경제상의 이익'이라고 하였고, '보험의 목적이란 보험 사고의 대상을 말한다'고 하였다.

❺ 세 번째 문단에서 피보험이익으로 인정되기 위해서는 '계약 체결 당시 그 가치가 객관적으로 확정되어 있거나 적어도 보험 사고가 발생할 때까지는 확정되어야 한다'고 하였으므로 적절하지 않다.

3. ② — 세부 내용 이해하기

① 다섯 번째 문단에서 보험가액이 '보험자가 보험금의 형태로 부담하게 되는 보상책임의 법률상의 최고 한도액'이라고 하였고, '보험금액은 보험금의 최고 한도'라고 하였다. 따라서 보험금은 보험가액을 초과할 수 없고 보험금액을 초과할 수도 없다.

❷ 다섯 번째 문단에서 '보험가액은 고정된 것이 아니며 경제상황 등에 따라 변동될 수 있다'고 하였고, 보험금액은 '보험 기간 중에는 이를 변경하지 않는 것이 원칙'이라고 하였다. 이에 따라 보험금액은 변동될 수 있으나 보험 기간 중 보험가액이 바뀌지 않는 것이 원칙이라는 진술은 적절하지 않다.

③ 다섯 번째 문단에서 보험가액이 '이득금지의 원칙과 관련해 피보험자에게 이득이 생겼는가 여부를 판단하는 기준이 된다'고 하였다.

④ 다섯 번째 문단에서 '보험가액은 피보험이익의 객관적인 금전적 평가액'이라고 하였고, '보험금액은 당사자 간 약정에 의하여 일정한 금액으로 정해'진다고 하였다.

⑤ 다섯 번째 문단에서 '보험 사고가 발생하였다고 해서 항상 보험금액만큼 지급되는 것은 아니'라고 하였다.

4. ⑤ — 핵심 내용 이해하기

① 두 번째 문단에서 '보험의 목적이란 보험 사고의 대상'을 가리키며, '보험 사고가 발생할 때에 ~ 보험금을 지급할 의무를 지는 자를 보험자'라고 밝히고 있다. 따라서 〈보기〉에서 화재보험인 ㉮와 ㉯의 보험의 목적은 건물 X로 동일하고, 보험 사고도 동일하다. 또한 ㉮의 보험자는 A, ㉯의 보험자는 B로 ㉮와 ㉯의 보험자는 서로 다른 보험이라는 반응은 적절하다.

② 〈보기〉의 ㉮와 ㉯의 보험금액의 합계는 가입 당시와 같이 현재에도 모두 1,000만 원이다. 그런데 ㉮와 ㉯의 보험가액인 X의 평가액은 가입 당시엔 1,000만 원이었으나 현재는 800만 원이므로, ㉮와 ㉯의 보험금액의 합계는 가입 당시와 달리 현재는 보험가액과 일치하지 않겠다는 반응은 적절하다.

③ 마지막 문단의 내용을 고려할 때 〈보기〉의 ㉮와 ㉯는 가입 당시에는 보험금액의 합계와 보험가액이 동일했으나 그 뒤 보험가액이 하락해 중복보험이 된 사례이다. ㉮와 ㉯는 의도성이 없는 단순한 중복보험이 된 경

우이므로 계약 전부가 무효로 되지 않을 것이라는 반응은 적절하다.

④ 두 번째 문단에서 피보험자가 '보험 사고가 발생할 때에 보험금을 받을 자'라고 하였다. 따라서 계약에서 정한 보험 사고가 발생하기 전이라면, 〈보기〉의 ㉮와 ㉯의 피보험자인 갑은 A와 B로부터 보상을 받을 수 없을 것이라는 반응은 적절하다.

❺ 〈보기〉에서 ㉮에 가입하지 않았다고 가정할 때 변동된 X의 보험가액은 800만 원이고 ㉯의 보험금액은 400만 원으로, 보험가액보다 ㉯의 보험금액이 적어서 초과보험이 아니다. 따라서 ㉯의 보험자가 보험가액의 변동을 근거로 보험금액의 감액을 청구할 수 있을 것이라는 진술은 적절하지 않다.

왜 많이 틀렸을까?

다섯 번째 문단을 보면 '보험가액은 피보험이익의 객관적인 금전적 평가액'이라고 했는데 〈보기〉에 X의 보험가액은 현재의 평가액인 800만 원이지. 초과보험에 대해서는 여섯 번째 문단에 상세하게 설명하고 있지. '보험계약 체결 당시엔 초과보험이 아니었으나 ~ 보험자는 보험금액의 감액을, 보험에 가입한 보험계약자는 보험자에 지급하는 보험료의 감액을 각각 청구할 수 있다.'라고 했어. ㉯가 단순한 초과보험이었다면 ㉯의 보험자는 보험금액의 감액을 청구할 수 있었을 거야. 하지만 ㉯의 보험금액이 400만 원이 변동된 보험가액인 800만 원보다 적어서 초과보험이 성립되지 않지.

5. ③ — 구체적 상황에 적용하기

❸ 〈보기〉에서는 건물 X의 시세가 하락해 단순한 중복보험이 된 경우인데, 보험 사고가 발생한 상황이다. 마지막 문단에서 '단순한 중복보험의 경우, 각 보험자가 보험금액의 비율에 따라 연대 책임을 지지만 그 보상액은 각각의 보험금액으로 제한된다.'라고 하였으므로 A는 실제 약정한 보험금액인 600만 원의 한도 내에서 연대 책임을 질 의무가 있다. 그리고 네 번째 문단을 보면 손해보험은 '실제 발생한 손해만을 보상하고 그 이상은 보상하지 않는'다는 실손보상원칙을 기본 원칙으로 삼는다고 하였으므로 화재로 인해 현재 평가액 800만 원인 X에 50% 손실이 일어났을 때 갑이 수령할 보험금은 400만 원이 된다. A와 B는 각각의 보험금액이 600만 원과 400만 원이어서 6:4의 비율로 보험금 합계 400만 원에 대한 연대 책임을 지므로, 각각 240만 원과 160만 원을 갑에게 보험금으로 지급해야 한다.

【6~9】 박수곤 외, '민법정론'

지문해설

법률행위를 하기 위해서는 의사능력이 필요하며 이는 의사무능력자와 대비되는 개념이다. 민법에서 인정하는 의사무능력자란 객관적인 기준에 따른 제한능력자 규정에 따라 만 19세 미만의 미성년자, 피성년후견인, 피한정후견인 등을 의미한다. 그런데 제한능력자의 계약 상대방이 불이익을 당할 경우도 있으므로, 이들을 위해 만든 제도로 상대방의 확답촉구권, 상대방의 철회권, 거절권, 제한능력자의 속임수 등이 있다. 우선 '상대방의 확답촉구권'이란 제한능력자의 계약 상대방이 1개월 이상의 기간을 정해서 계약 취소 여부에 대한 확답을 요구할 수 있는 권리이다. 두 번째로 '상대방의 철회권 혹은 거절권'은 제한능력자의 계약 상대방이 법률행위의

효력 발생을 원하지 않는 경우 제한능력자 측에서 행사할 수 있는 권리이다. 세 번째로 '제한능력자의 속임수'란 제한능력자가 속임수를 써서 자신을 행위능력자로 믿게 한 경우나 미성년자가 피한정후견인이 속임수를 써서 법정대리인의 동의가 있는 것으로 믿게 한 경우에는 제한능력자의 취소권을 박탈하는 것이다. 이처럼 민법은 제한능력자제도를 통해 제한능력자가 행한 재산상의 법률행위를 일정한 요건 하에 취소할 수 있게 하여 제한능력자를 보호하고 있으며, 제한능력자와 계약한 상대방이 입을 수 있는 손해를 최소화하는 제도를 마련하고 있다.

■ **주제** : 민법에서 인정하는 제한능력자제도와 제한능력자와 계약한 상대방을 보호하는 제도의 특징

6. ② — 글의 구조와 전개 방식 알기

❷ 두 번째 문단에서 제한능력자제도가 필요한 이유로 의사무능력자가 자기에게 불리한 법률행위를 무효화하려면 법률행위 당시 자신에게 의사능력이 없었다는 점을 증명해야 하기 때문이라고 밝히고 있다. 또한 민법에서 의사능력의 유무와 관계없이 일정하고 객관적인 기준에 따라 제한능력자를 규정하는 방안에 대하여 만 19세 미만의 미성년자, 가정법원으로부터 심판을 받은 피성년후견인과 피한정후견인 등으로 나누어 그 특징을 설명하고 있다. 이와 더불어 세 번째 문단부터 일곱 번째 문단에서, 민법이 제한능력자를 보호함으로써 불이익을 당하게 되는 상대방을 위해 '상대방의 확답촉구권', '상대방의 철회권·거절권', '제한능력자의 속임수'와 같은 제도를 마련하고 있음을 확인할 수 있으므로 적절한 설명이다.

7. ② — 세부 내용 파악하기

① 두 번째 문단에서 민법에서는 의사능력의 유무와 관계없이 나이나 법원의 결정이라는 일정하고 객관적인 기준에 따라 제한능력자를 규정하고 있으며, 만 19세 미만의 미성년자는 제한능력자에 해당된다고 하였다. 따라서 미성년자의 경우 따로 법원의 결정을 받지 않아도 제한능력자로 규정한다는 설명은 적절하다.

❷ 두 번째 문단에서 행위능력자가 독자적으로 완전하고 유효한 법률 행위를 할 수 있는 존재인 데 비해, 제한능력자는 자신의 의사무능력을 증명할 필요가 없다고 하였다. 즉, 제한능력자가 단독으로 재산상의 법률행위를 한 경우 10년 내에 취소권을 행사할 수 있으며 이를 제한능력자제도라고 하였다. 따라서 제한능력자의 경우 재산상의 법률행위를 법에 의해 보호받을 수 있으며, 의사능력이 있는 제한능력자의 경우 재산상의 법률행위를 법에 의해 보호받을 수 없다는 설명은 적절하지 않다.

③ 세 번째 문단에서 미성년자는 주민등록증과 가족관계등록부를 통해, 피성년후견인과 피한정후견인은 후견등기부를 통해 당사자가 제한능력자임을 확인할 수 있다고 하였다.

④ 세 번째 문단에서 제한능력자 측은 자신의 법률행위에 대해 10년 내에 취소할 수 있는 취소권을 갖고 있다고 설명하고 있다.

⑤ 두 번째 문단에서 민법에서는 의사능력의 유무와 관계없이 나이나 법원의 결정이라는 일정하고 객관적인

기준에 따라 제한능력자를 규정하고 있다. 구체적으로 만 19세 미만의 미성년자, 그리고 가정법원으로부터 심판을 받은 피성년후견인과 피한정후견인 등이 제한능력자에 해당되며 이들은 자신의 의사무능력을 증명할 필요가 없다.

---

8. ③   세부 내용 파악하기

① 두 번째 문단에서 제한능력자가 단독으로 재산상의 법률행위를 한 경우 10년 내에 취소권을 행사할 수 있으며 이를 제한능력자제도라고 한다. 이때 제한능력자의 법률행위의 취소 여부는 제한능력자 측, 즉 제한능력자 본인이나 그의 법정대리인의 의사에 따라서만 결정된다고 하였다. 한편 다섯 번째 문단에서 ⓑ는 제한능력자의 계약 상대방이 계약 당시 제한능력자와 계약한 사실을 알지 못했을 때 계약을 철회할 수 있는 권리로, 제한능력자의 계약 상대방이 법률행위의 효력 발생을 원하지 않는 경우 제한능력자 측에게 행사할 수 있다고 하였다. 따라서 ⓑ는 제한능력자의 계약 상대방이 제한능력자와 제한능력자의 법정대리인 모두에게 행사할 수 있다는 설명은 적절하다.

② 세 번째 문단에서 민법은 제한능력자를 보호함으로써 불이익을 당하게 되는 상대방을 위해 '상대방의 확답촉구권', '상대방의 철회권·거절권', '제한능력자의 속임수'와 같은 제도를 운영하고 있다고 하였다. 이와 더불어 다섯 번째 문단에서 상대방의 철회권·거절권은 제한능력자의 계약 상대방이 법률행위의 효력 발생을 원하지 않는 경우 제한능력자 측에게 행사할 수 있는 권리라고 하였으므로, ⓒ는 제한능력자의 계약 상대방이 법률행위의 효력 발생을 원하지 않는 경우에 사용한다는 설명은 적절하다.

❸ 네 번째 문단에서 ⓐ는 제한능력자의 계약 상대방이 1개월 이상의 기간을 정해 계약 취소 여부에 대한 확답을 요구할 수 있는 권리이다. 이때 확답촉구는 제한능력자에게는 할 수 없으며, 제한능력자의 법정대리인이나 제한능력자가 행위능력자가 된 경우에만 요구할 수 있다고 하였다. 반면 ⓒ는 제한능력자의 계약 상대방이 법률행위의 효력 발생을 원하지 않는 경우 제한능력자 측에게 행사할 수 있는 권리라고 하였으므로, ⓐ와 ⓒ 모두 제한능력자의 계약 상대방이 제한능력자에게 직접 행사하여 자신의 권리를 보장받을 수 있다는 설명은 적절하지 않다.

④ 다섯 번째 문단에서 ⓑ와 ⓒ는 제한능력자 측에서 해당 법률행위에 대해 취소권을 행사하지 않겠다는 의사를 표시하기 전까지만 권리가 인정된다고 하였다.

⑤ 세 번째 문단에서 민법은 제한능력자를 보호함으로써 불이익을 당하게 되는 상대방을 위해 '상대방의 확답촉구권', '상대방의 철회권·거절권', '제한능력자의 속임수'와 같은 제도를 운영하고 있다고 하였다.

왜 말이 틀렸을까?
이 문제는 제한능력자와 계약하여 법률상의 피해를 입은 상대방이 존재한다는 가정을 하는 것에서 시작해. 제한능력자에 해당하는 경우의 수가 몇 가지 있었잖아. 따라서 법률 상 그들과 계약을 함으로써 피해를 입은 상대방도 몇 가지 경우의 수가 존재하는 거지. 즉, 그들을 올바르게 짝지을 수 있는지를 묻는 문제였어.

---

9. ④   구체적 사례에 적용하기

① 세 번째 문단에서 제한능력자 측은 자신의 법률행위에 대해 10년 내에 취소할 수 있는 취소권을 갖는다고 하였다. 따라서 A가 악기를 구입한 시점은 17세였던 미성년이었고, A가 만 19세 이상의 성년이 되더라도 계약 취소가 가능할 것이다.

② 두 번째 문단에서 제한능력자의 법률행위의 취소 여부는 제한능력자 측, 즉 제한능력자 본인이나 그의 법정대리인의 의사에 따라서만 결정된다고 하였다. 따라서 A는 법정대리인의 동의를 얻지 않아도 악기 매매 계약을 취소할 수 있는 권리가 생길 것이다.

③ 두 번째 문단에서 제한능력자는 단독으로 재산상의 법률행위를 한 경우 10년 내에 취소권을 행사할 수 있으며 이때 제한능력자의 법률행위의 취소 여부는 제한능력자 측, 즉 제한능력자 본인이나 그의 법정대리인의 의사에 따라서만 결정된다고 하였다. 만약 제한능력자 측에서 취소권을 행사할 경우 법률행위는 처음부터 무효인 것으로 본다고 하였다. 〈보기〉에서 17세인 A가 악기를 1,000만 원에 구입하였고, 그 사실을 1년 뒤에 알게 된 A의 법정대리인은 판매자가 법정대리인의 동의 여부를 확인하지 않고 악기를 판매한 것을 근거로 판매자에게 계약 취소를 요구하였다고 하였다. 따라서 A의 법정대리인이 A의 악기 구매 사실을 1년 뒤에 알았다 하더라도 이 계약은 취소할 수 있다.

❹ 여섯 번째 문단에서 제한능력자가 속임수를 써서 자신을 행위능력자로 믿게 한 경우나 미성년자나 피한정후견인이 속임수를 써서 법정대리인의 동의가 있는 것으로 믿게 한 경우에는 제한능력자의 취소권을 박탈한다고 하였다. 따라서 A가 계약 당시에 법정대리인의 동의서를 위조하여 판매자를 속이고 계약을 했다면, A는 이 계약을 취소할 수 없다.

⑤ 두 번째 문단에서 의사무능력자가 자기에게 불리한 법률행위를 무효화하려면 법률행위 당시 자신에게 의사능력이 없었다는 점을 증명하기 위해 만 19세 미만의 미성년자,피성년후견인, 피한정후견인 등을 제한능력자로 지정하고 있다고 하였다. 이때 제한능력자의 법률행위의 취소 여부는 제한능력자 본인이나 그의 법정대리인의 의사에 따라서만 결정된다고 하였다. 따라서 판매자가 계약 취소를 인정하지 않더라도, A의 법정대리인이 취소권을 행사한다면 계약을 취소할 수 있다.

【10~14】'수요의 가격탄력성'

지문해설

상품의 가격 변화에 따른 수요량의 변화를 나타내는 지표인 수요의 가격탄력성에 대해 설명하고 있다. 수요의 가격탄력성에 영향을 미치는 대표적인 요인은 세 가지라고 꼽으며, 대체재의 존재 여부, 필요성의 정도, 소득에서 지출이 차지하는 비중으로 나누어 설명하고 있다. 또한 수요의 가격탄력성은 수요량의 변화율을 가격의 변화율로 나눈다는 산출하는 방식을 언급하며, 구체적인 사례를 들어 수요의 가격탄력성이 총수입에 미치는 영향에 대해 설명하고 있다.

■ 비문학 지문 어떻게 이해할까?

1문단
'수요의 가격탄력성'의 개념

2문단
수요의 가격탄력성에 영향을 주는 요인 세 가지

3문단
수요의 가격탄력성 계산 방법

4문단
총수입에 큰 영향을 미치는 수요의 가격탄력성

■ **주제** : 수요의 가격탄력성의 개념과 영향을 주는 요인과 계산 방법

---

10. ⑤   글의 내용 확인하기

① 첫 번째 문단에 '수요의 가격탄력성은 가격이 변할 때 수요량이 변하는 정도를 나타내는 지표다.'에서 확인할 수 있다.

② 세 번째 문단에 '수요의 가격탄력성은 수요량의 변화율을 가격의 변화율로 나눈 값이다'에서 확인할 수 있다.

③ 마지막 문단에 '상품의 가격에 거래량을 곱한 수치로 산출할 수 있다.'에서 확인할 수 있다.

④ 두 번째 문단에 '어떤 상품에 밀접한 대체재가 있으면, ~ 그 상품 수요의 가격탄력성은 탄력적이다.'에서 확인할 수 있다.

❺ 두 번째 문단을 보면 수요의 가격탄력성에 영향을 미치는 세 가지 요인으로 대체재의 존재 여부, 필요성의 정도, 소득에서 지출이 차지하는 비중에 관해 설명하고 있다. 그러나 그 세 요인들 간의 관계에 대해서는 언급하고 있지는 않다.

---

11. ②   구체적 사례에 적용하기

❷ 두 번째 문단을 보면 필요성의 정도를 기준으로, '필수재 수요의 가격탄력성은 대체로 비탄력적인 반면에, 사치재 수요의 가격탄력성은 대체로 탄력적이라고 했다. 그러므로 쌀을 주식으로 하는 갑국은 밀을 주식으로 하는 나라보다 쌀을 필수재로 인식하므로 쌀 수요의 가격탄력성은 비탄력적(㉮)이다. 한편 오토바이가 주요 이동 수단인 을국에서는 자동차를 주요 이동 수단으로 하는 나라보다 자동차를 사치재(㉯)로 인식하므로 자동차 수요의 가격탄력성은 탄력적(㉰)이다.

---

12. ④   세부 정보 추론하기

① 수요의 가격탄력성은 상품의 가격 변화에 따른 수요량의 변화와 그에 따른 총수입의 증감이므로 소비자의 소득 규모를 판단할 수 없다.

② 수요의 가격탄력성을 통해 판매 상품의 문제점을 파악할 수는 없다.

③ 수요의 가격탄력성을 통해 생산 단가의 예측을 가능하게 할 수는 없다.

❹ 마지막 문단을 보면, 일반적으로 수요의 가격탄력성이 비탄력적인 경우 가격이 상승하면 총수입이 증가하지만, 수요의 가격탄력성이 탄력적인 경우 가격이 상승하면 총수입은 감소한다고 했다. 이처럼 수요의 가격탄력성이 판매자의 총수입 증가 여부에 영향을 미칠 수 있어서 수요의 가격탄력성을 파악하는 것은 판매자에게 매우 중요한 일임을 알 수 있다.

⑤ 수요의 가격탄력성을 통해 판매자의 판매 수입과 소비자의 지출액 차이를 파악할 수는 없다.

---

13. ⑤   구체적 사례에 적용하기

① 김밥 가격의 변화율은 1/4이고, 수요량의 변화율은 1/5이므로, 김밥은 가격의 변화율이 수요량의 변화율보다 크다는 것을 알 수 있다.
② 영화 관람권 가격의 변화율은 1/5이고, 수요량의 변화율은 2/5이므로, 영화 관람권은 가격의 변화율이 수요량의 변화율보다 작다는 것을 알 수 있다.
③ 김밥 수요의 가격탄력성은 4/5로 1보다 작지만, 영화 관람권 수요의 가격탄력성은 2이므로, 모두 1보다 작다고 이해하는 것은 적절하지 않다.
④ 가격의 변화율에 대한 수요량의 변화율이 김밥은 4/5이고, 영화 관람권은 2이다. 따라서 두 대상의 가격의 변화율에 대한 수요량의 변화율은 같지 않다.
❺ [A]에 제시된 수요의 가격탄력성의 계산방법은 수요량의 변화율(수요량 변분/기존 수요량)을 가격의 변화율(가격 변분/기존 가격)로 나누는 것이다. 그러므로 김밥 수요의 가격탄력성은 김밥 수요량의 변화율인 1/5(20개/100개)을 가격 변화율인 1/4(500원/2,000원)로 나누면 4/5가 된다. 4/5는 1보다 작으므로 김밥 수요의 가격탄력성은 비탄력적이다. 영화 관람권 수요의 가격탄력성은 수요량의 변화율인 2/5(1,000장/2,500장)를 가격 변화율인 1/5(2,000원/10,000원)로 나누면 2이다. 그러므로 영화 관람권 수요의 가격탄력성은 탄력적이다.

14.⑤　단어의 사전적 의미 파악하기

① ㉠은 '자극에 빠르게 반응을 보이거나 쉽게 영향을 받음.'을 의미한다.
② ㉡은 '아주 가깝게 맞닿아 있음.'을 의미한다.
③ ㉢은 '변화의 움직임 따위가 급하고 격렬함.'을 의미한다.
④ ㉣은 '일의 결과로서 어떤 현상을 생겨나게 함.'을 의미한다.
❺ ㉤은 '계산하여 냄'을 의미하는데, '어떤 일에 필요한 돈이나 물자 따위를 내놓음'을 뜻하는 단어는 '출자(出資)'이므로 적절하지 않다.

 Day 10

| 1. | ④ | 2. | ④ | 3. | ① | 4. | ⑤ | 5. | ③ |
| 6. | ② | 7. | ⑤ | 8. | ⑤ | 9. | ⑤ | 10. | ① |

【1~5】 이근, '경제추격론의 재창조'

지문해넘

산업의 주도권 이동이 기업들 사이에서 어떻게 이루어지는지 설명하고 있는 글이다. 산업의 주도권이 선발 기업에서 후발 기업으로 이동하는 현상을 설명하는 추격 사이클 이론이 있다. 산업의 주도권 이동과 관련하여 기업에는 세 가지 기회의 창이 열릴 수 있다. 첫 번째는 새로운 기술의 등장, 두 번째는 시장의 갑작스러운 변화, 세 번째는 정부의 규제 혹은 직접적인 지원이다. 이런 기회의 창과 관련해 산업의 주도권 이동은 '정상 사이클', '중도 실패 사이클', '슈퍼 사이클'이라는 세 가지 종류의 추격 사이클로 설명이 가능하다. 정상 사이클은 제1단계는 진입 단계, 제2단계는 점진적 추격 단계, 제3단계는 추월 단계, 제4단계는 추락 단계이다. 점진적 추격 단계에 도달한 후발 기업이 고부가 가치 제품 시장으로 이동하지 못하면 다음 단계로 넘어가지 못하는 상태인 중도 실패 사이클이라 한다. 하지만 제3단계에서 후발 기업이 환경 변화 등에 민첩하게 대응하는 경우 산업의 주도권을 오랫동안 유지할 수 있는 상태를 슈퍼 사이클이라고 이른다. 결국 기업의 추격 사이클은 기회의 창들에 대한 기업의 전략적 선택에 따른 결과라고 할 수 있다.

■ 비문학 지문 어떻게 이해할까?

1문단
추격 사이클 이론

2문단
산업의 주도권 이동과 관련한 기업의 세 가지 기회의 창

3문단
세 가지 종류의 추격 사이클의 특성

4문단
외부적 요인과 주체적 요인에 영향을 받는 추격 사이클 이론

■ 주제 : 산업의 주도권 이동과 관련한 기업의 추격 사이클에 영향을 주는 요인

1.④　글의 중심 내용 파악하기

① 추격 사이클 이론에 대한 비판의 쟁점은 이 글에서 찾아볼 수 없다.
② 기업의 전략적 선택이 정부 정책에 미치는 영향이 아니라, 정부 정책이 기업에 미치는 영향에 대해 설명한 내용은 확인할 수 있다.
③ 시장의 갑작스러운 변화가 산업의 주도권 이동을 초래하는 경우에 대해 설명한 내용은 확인할 수 있지만, 이 글에서 산업의 주도권 이동이 국제 경제의 위기를 초래한 경우에 대해서는 찾아볼 수 없다.
❹ 이 글은 '추격 사이클' 이론을 화제로 제시하고 있는데, 산업의 주도권 이동과 관련하여 기업에게 열릴 수 있는 기회의 창과 연관된 세 가지 종류의 추격 사이클에 대해 설명하고 있다. 따라서 이 글은 산업의 주도권 이동이 기업들 사이에서 어떻게 이루어지는지에 대해

설명하고 있다는 것을 알 수 있다.
⑤ 이 글에서 산업의 주도권을 가진 기업이 각종 경제 규제를 극복해 내는 내용에 대해서는 찾아볼 수 없다.

2.④　글의 세부 내용 이해하기

❹ 세 번째 문단의 '국영 기업 혹은 ~ 비용 우위를 누린다.'를 보면 국영 기업은 후발 기업으로 나타날 때 선발 기업에 대한 정부의 보조금으로 비용 우위를 누리기 어렵다는 진술은 적절하지 않다.

3.①　맥락에 맞게 바꿔쓰기

❶ 마지막 문단에서 추격 사이클 이론의 특성에 대해 '결국 기업의 추격 사이클은 기회의 창들에 대한 기업의 전략적 선택에 따른 결과라고 할 수 있다.'라고 규명하고 있다. 이는 ㉠의 내용과 대응되는데 ㉠의 '외부적 요인'은 '기회의 창'에 해당하고 '주체적 요인'은 '기업의 전략적 선택'에 해당한다는 것을 알 수 있다. 그러므로 ㉠을 '기업에 주어지는 기회와 이에 대한 기업의 전략적 선택을 모두 고려한다고 할 수 있다.'라는 진술로 바꾸어 쓰는 것은 적절하다.

4.⑤　구체적인 상황에 적용하기

① [B사 중심의 추격 사이클]을 보면 ㉮에서 B사는 진입 단계로 A사보다 시장 점유율이 낮았지만, [상황]을 보면 B사는 정부의 보조금으로 성장하였으므로 비용 우위를 누렸다는 것을 알 수 있다.
② [B사 중심의 추격 사이클]을 보면 ㉯에서 B사는 점진적 추격 단계로 진입 단계보다 시장 점유율이 점차 높아졌다. 이는 [상황]을 보면 B사의 주주들의 협조로 이윤의 상당 부분을 투자를 위해 확보하였기 때문임을 알 수 있다.
③ [B사 중심의 추격 사이클]을 보면 ㉰부터의 A사 시장 점유율 변화 양상과 ㉱부터의 B사 시장 점유율 변화 양상은 감소한다는 점에서 유사하다. [상황]을 보면, A사는 휴대전화 카메라 기능의 향상을 원하는 청년층이라는 새로운 소비자층의 요구에 민첩하게 대응하지 않은 결과이고, B사는 휴대전화 게임의 그래픽 기능 향상을 원하는 청소년층이라는 새로운 소비자층의 등장에 민첩하게 대응하지 않은 결과임을 알 수 있다.
④ [B사 중심의 추격 사이클]을 보면 ㉯와 ㉰ 사이에서 A사와 B사의 시장 점유율 우위가 바뀌고, ㉱ 이후에 B사와 C사의 시장 점유율 우위가 바뀐 것을 알 수 있다. [상황]을 보면, B사는 휴대전화 카메라 기능을 향상시킨 신기술을 채택하여 시장 점유율을 높일 수 있었지만, 그 후 B사가 휴대전화 게임의 그래픽 기능 향상을 가능하게 한 신기술을 채택하지 않아 매출이 감소하게 되었음을 알 수 있다. 따라서 각각의 경우 새로운 기술에 대한 B사의 선택 여부가 영향을 주었다.
❺ [B사 중심의 추격 사이클]을 보면 ㉰와 ㉱ 사이에서 B사와 C사의 시장 점유율은 증가하고 A사의 시장 점유율은 감소하고 있다. 따라서 ㉰와 ㉱ 사이에서 A사의 시장 점유율과 달리 B사와 C사의 시장 점유율은 증가하기 때문에, A사는 새로운 도전자로서 부상하는 움직임을 보였다는 진술은 적절하지 않다.

5.③ 상황을 가정하여 추론하기

①, ②, ⑤ 세 번째 문단의 '고부가 가치 제품 시장으로 이동하지 못하면 다음 단계로 넘어가지 못할 가능성이 높은데, 이 경우를 중도 실패 사이클이라 한다.'고 했으므로 B사가 ⓐ를 생산하지 못한 경우 중도 실패 사이클을 경험할 가능성이 높다는 것을 알 수 있다.

❸ 세 번째 문단의 '그런데 제3단계에서 선발 기업을 추월한 ~ 이 경우를 슈퍼 사이클이라고 한다.'라고 했으므로, B사가 ⓐ를 생산했고, 만약 ⓑ에 민첩하게 대응했다면 슈퍼 사이클을 경험할 가능성이 높겠다는 진술은 적절하다.

④ B사가 ⓐ를 생산했고 만약 ⓑ에 민첩하게 대응한 경우 산업의 주도권을 오랫동안 유지할 가능성이 높다는 것을 알 수 있다.

【6~10】이준구, '경제학원론'

지문해설

이 글은 은행이 고객들의 돈을 맡아주면서 어떻게 이익을 창출하는지를 알기 쉽게 설명하는 글이다. 과거에 금세공업자가 금을 보관하고 보관증을 발급하면서 금을 융통하는 것이 수익 구조의 기원이 되었고 은행의 기능 역시 이와 크게 다르지 않다고 하였다. 은행의 기능은 여러 가지가 있는데 우선, 금융중개 기능은 거래비용을 낮추고, 자금의 흐름 조정, 조성된 자금이 투자되도록 유도한다. 두 번째는 예금을 창조하고 통화량을 증가하게 하는 기능이 있다. 가장 중요한 화폐 창출과정의 근원은 지급준비제도에서 오는 것으로, 이로 인해 경제의 유동성은 증가하나, 사람들이 갚아야 할 빚도 늘어나게 된다. 이 과정을 대차대조표를 제시하며 이해를 돕고 있다. 은행은 예금 이자보다 대출 이자를 높게 책정하여 이익을 얻고 있으며 이와 함께 은행은 신용위험 관리를 필수적으로 해야 한다.

■ 비문학 지문 어떻게 이해할까?

1문단
은행의 첫 장을 연 금세공업자

2문단
은행의 기능 1 - 금융중개 기능

3문단
은행의 기능 2 - 예금창조 기능

4문단
화폐 창출의 근원인 지급준비제도

5문단	6문단
대차대조표를 통해 살펴본 은행의 예금 창조 기능	은행의 대차대조표로 살펴본 예금 통화 창출 과정

7문단
은행이 이익을 얻는 구조와 신용위험 관리의 필요성

■ 주제 : 은행의 기능과 수익 창출 구조

6.② 글의 세부 정보 파악하기

① 두 번째 문단에서 은행은 돈의 여유가 있는 사람으로부터 자금을 조성하여 이를 필요로 하는 사람에게 융통해 주는 금융 중개의 기능을 하며 이를 통해 금융 시장의 거래비용을 낮춘다고 하였다.

❷ 여섯 번째 문단에서 은행의 예금은 은행의 중요한 자금 조달 원천으로 대차대조표에서 '예금'으로 기재된다고 하였다. 대차대조표에서 기타 부채로 기재되는 것은 은행이 다른 금융 기관이나 중앙은행으로부터 자금을 빌려 온 내역에 해당하므로 잘못된 설명이다.

③ 일곱 번째 문단에서 은행은 주로 예금으로 자금을 조달하고 대출로 자금을 운영하는데, 통상 예금 이자에 비해 대출 이자가 높으므로 양 이자의 차이로 발생한 예대 금리 차가 은행의 주된 수익원이 된다고 하였다.

④ 다섯 번째 문단에서 은행의 대차대조표란 은행의 일정 시점의 총체적 재무 상태를 기록해 둔 것으로, 자금의 조달 원천을 나타내는 자본 및 부채의 내역은 대차대조표의 오른편에 기록되고 자금의 운영 상태를 나타내는 자산의 내역은 왼편에 기록된다고 하였다.

⑤ 두 번째 문단에서 은행은 금융중개의 기능과 동시에 자금 수요자의 수익성과 안전성을 평가할 수 있는 안목과 정보를 통해 조성된 자금이 한층 더 건전하고 수익성 높은 곳으로 투자되도록 유도한다고 하였다.

7.⑤ 세부 내용 파악하기

❺ 여섯 번째 문단에서 은행의 중요한 자금 조달 원천은 예금이기 때문에 은행은 예금을 많이 유치하려고 한다고 하였다. 금을 맡기는 사람에게 사례하는 것은 금을 보유한 이가 세공업자에게 많이 맡길수록 세공업자가 취할 수 있는 이득이 커지기 때문이다. 따라서 금을 맡기는 사람에게 사례하는 것은 예금을 하는 고객에게 이자를 부과하는 것에 해당한다.

오H 많이 틀렸을까?

문제를 풀 때에는 항상 본문과 선택지만 참고해서 푸는 것이 정확해. 내가 알고 있는 배경 지식을 활용하되, 이 지문에서 말하고자 하는 바와 내가 아는 것이 같은 이야기인지 확인하는 작업이 필요하거든. 여기서는 간단하게 예금(금)을 많이 맡길수록 은행(금세공업자)은 이득을 보게 된다는 거야. 그럼 그 예금을 유치하기 위해 은행은 어떠한 방법을 쓰는지를 묻는 문항이었어.

8.⑤ 세부 내용 추론하기

① 네 번째 문단을 통해 은행은 예금창조 기능을 갖고 있으며 이는 예금의 일부만을 지급준비금으로 보유하는 지급준비제도에서 비롯된 것이라고 하였다. 화폐 창출 과정이 이루어지면 화폐의 양이 늘어 경제의 유동성은 증가한다고 하였으므로, 경제의 통화량은 늘어남을 알 수 있다.

② 네 번째 문단에서 은행은 예금의 일부만 보유하고 그 나머지를 대출하면서 예금통화라는 화폐를 창출하게 되고, 대출 받은 사람들은 재화와 서비스를 구입할 수 있는 능력이 커지게 된다. 이러한 화폐 창출 과정이 이루어지면 통용되는 화폐의 양이 늘어난다고 하였으므로 창출되는 예금통화는 늘어난다.

③ 대출을 받은 사람들이 그 돈을 다른 은행에 예금으로 맡긴다면 시중에서 활용되는 통화량은 늘어날 것임을 알 수 있다.

④ 은행에 새로운 예금이 만들어 지는 것을 예금창조로 볼 수 있는데 이는 예금의 일부만을 지급준비금으로 보유하는 지급준비제도에서 비롯된 것이다. 여섯 번째 문단에서 은행의 중요한 자금 조달 원천은 예금이며 은행

의 입장에서 예금은 돈을 맡긴 이의 요구가 있으면 언제든 지급해야 하는 부채의 성격을 갖는다고 할 수 있다. 따라서 은행이 새로운 예금을 만들어낼 때 은행에 돈을 맡긴 사람들이 부담해야 하는 부채가 늘어나는 것이 아니라, 은행이 부담해야 하는 부채가 늘어나는 것으로 보아야 한다.

❺ 네 번째 문단에서 은행은 예금의 일부만 보유하고 그 나머지를 대출하면서 예금통화라는 화폐를 창출하게 되고, 대출 받은 사람들은 재화와 서비스를 구입할 수 있는 능력이 커지게 된다. 결국 이 재화와 서비스는 대출을 통해 나온 것이므로, 교환의 매개수단으로 쓰이는 화폐의 양이 늘어 경제의 유동성은 증가하지만, 경제가 종전에 비해 더 부유해지는 것은 아니라고 볼 수 있다.

9.⑤ 구체적 상황에 적용하기

① ○○은행은 예대금리 차에 의해 (1,000억 원×4%)-(900억 원×2%)에 해당하는 22억 원의 수익이 발생하였고, 12억 원은 경상 운영비로 사용하였으므로, ○○은행의 영업 이익은 22억-12억인 10억 원이다.

② 2019년 ○○은행의 자산은 1,000억 원인데, 이 자산은 모두 대출로 구성되어 있으며 이 중 900억 원이 예금이라고 하였으므로, (1,000억 원×4%)-(900억 원×2%)와 같이 주로 예금으로 자금을 조달하고 대출로 자금을 운영하여 수익이 발생하였음을 알 수 있다.

③ [A]에서 대출 이자가 더 높은 이유로, 차입자가 원금과 이자를 갚지 못하는 대출 손실이 일어날 수 있어, 차입자의 신용도에 맞춰 위험 할증금을 부과하기 때문이라고 하였다. 따라서 ○○은행의 대출 금리가 평균 4%로 평균 예금 금리보다 높은 것은 대출 손실에 대한 위험 할증금이 반영된 것이다.

④ 2019년 ○○은행의 자산은 1,000억 원인데, 이 자산은 모두 대출로 구성되어 있다. 이 중 900억 원은 예금으로, 100억 원은 자본금으로 조달한 것이라고 하였다. [A]에서 은행은 대출 손실을 영업 이익보다 적게 유지해야만 안정적으로 이득을 얻을 수 있으며 대출 손실이 영업 이익을 넘어선다면 은행은 자본금까지 잠식당하게 된다. ○○은행의 영업 이익은 예대 금리 차에 의한 수익에서 경상 운영비를 차감한 10억 원이므로, 만약 대출 손실이 12억 원 발생한다면 ○○은행의 자본금은 잠식될 것이다.

❺ 이 은행의 예금 금리는 평균 2%이고, 대출 금리는 평균 4%이다. ○○은행은 예대금리 차에 의해 (1,000억 원×4%)-(900억 원×2%)에 해당하는 22억 원의 수익이 발생하였다고 하였다. 12억 원은 경상 운영비로 사용하였으므로, ○○은행의 영업 이익은 22억-12억인 10억 원이다. 만약 ○○은행이 평균 2%인 예금 금리를 올린다면 수익은 더욱 줄어드는 구조가 될 것이다.

10.① 어휘의 사전적 의미 파악하기

❶ ⓐ는 '조성(造成)'으로 '무엇을 만들어서 이룸'이라는 뜻으로, '어떤 기준이나 실정에 맞게 정돈함'과는 의미가 다르다.

② ⓑ는 '유도(誘導)'로 '사람이나 물건을 목적한 장소나 방향으로 이끎'이라는 뜻이다.

③ ⓒ는 '보유(保有)'로 '가지고 있거나 간직하고 있음'이라는 뜻이다.

④ ⓓ는 '조달(調達)'로 '자금이나 물자 따위를 대어 줌'
이라는 뜻이다.
⑤ ⓔ는 '요구(要求)'로 '받아야 할 것을 필요에 의하여
달라고 청함'이라는 뜻이다.

Day 11

본문 052쪽

1. ②   2. ②   3. ③   4. ③   5. ③
6. ⑤   7. ①   8. ②   9. ⑤   10. ③

【1~5】장영재, '경영학 콘서트'

지문해설

2002년 월드컵 때 유행하였던 'Be the Reds' 티셔츠의 수요와 공급을 예로 들어 '최종 소비자-소매점-도매점-제조업체-원자재 공급업체'로 이어지는 공급 사슬망을 설명하는 글이다. 공급 사슬망이란 상품의 흐름이 고리처럼 연결되어 있고, 이들의 상관관계 또한 서로 긴밀하게 연결되어 있는 것을 뜻하며 공급 사슬망에서 이와 같이 수요 변동 폭이 확대되는 현상을 공급 사슬망의 '채찍 효과'라고 하였다. 이러한 채찍 효과가 생기는 이유를 세 가지로 나누어 설명하는데 그 이유로 수요의 왜곡, 공급 사슬망에서 최종 소비자로부터 멀어질수록 대량 주문 방식을 선택하는 것, 주문 발주에서 도착까지의 발주 실행 시간에 의한 시차를 제시하고 있다. 채찍 효과로 인해 발생하는 재고는 기업 입장에서는 큰 부담이므로, 수요와 공급처는 정보를 공유하여 재고를 줄이는 것이 필요하다고 강조하고 있다.

■ 비문학 지문, 어떻게 이해할까?

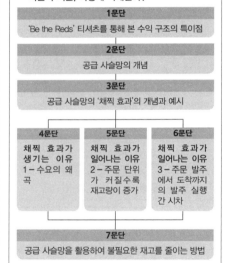

1문단
'Be the Reds' 티셔츠를 통해 본 수익 구조의 특이점

2문단
공급 사슬망의 개념

3문단
공급 사슬망의 '채찍 효과'의 개념과 예시

4문단
채찍 효과가 생기는 이유 1 - 수요의 왜곡

5문단
채찍 효과가 일어나는 이유 2 - 주문 단위가 커질수록 재고량이 증가

6문단
채찍 효과가 일어나는 이유 3 - 주문 발주에서 도착까지의 발주 실행 간 시차

7문단
공급 사슬망을 활용하여 불필요한 재고를 줄이는 방법

■ 주제 : 공급 사슬망의 채찍 효과를 통해 본 유통 구조

---

1. ②   내용 전개 방식 파악하기

① 첫 번째 문단에 'Be the Reds' 티셔츠로 인한 수익 구조의 특이성을 지적하며 이와 관련한 '채찍 효과'를 설명하고 있으나, 이론의 문제점을 지적한 부분은 없다.
❷ 첫 번째 문단에 월드컵 기간 동안 'Be the Reds' 티셔츠로 인한 수익을 본 업체가 정품을 생산하여 대리점에서 판매하는 업체가 아닌 모조품을 제조하는 업체와 판매하는 업체라는 것을 제시하며 그 원인으로 두 번째 문단부터 마지막 문단까지 공급 사슬망의 '채찍 효과'의 개념을 통해 설명하고 있으므로 적절하다.
③ 채찍 현상이 생기는 개념과 설명하고, 이러한 현상이 생기는 원인을 세 가지로 나누어 제시하고 있을 뿐,

현상과 관련된 원인을 역사적 변천 과정에 따라 설명하는 부분은 없다.
④ 첫 번째 문단에 월드컵 기간 동안 'Be the Reds' 티셔츠로 인한 수익을 본 업체가 정품을 생산하여 대리점에서 판매하는 업체가 아닌 모조품을 제조하는 업체와 판매하는 업체라는 것을 제시하고 그 원인으로 채찍 현상의 개념과 원인을 설명하고 있을 뿐, 원인에 대한 대립적 의견들 간의 공통점과 차이점을 설명하고 있는 부분은 없다.
⑤ 사회 현상의 원인을 파악하기 위한 가설을 설정하고 실험을 통해 타당성을 검증하고 있는 부분은 없다.

2. ②   세부 내용 파악하기

① 세 번째 문단에서 주문 변동폭은 '최종 소비자-소매점-도매점-제조업체-원자재 공급업체'로 이어지는 공급 사슬망에서 최종 소비자로부터 멀어질수록 더 증가한다고 하였으므로, 원자재 공급업체에 가까워질수록 커진다고 할 수 있다.
❷ 세 번째 문단에서 기저귀에 대한 수요를 예로 들며, 소비자 수요가 일정한 상품이라 할지라도 소매점 및 도매점 주문 수요는 일정하지 않은 경우가 있으며 주문 변동폭은 공급 사슬망에서 최종 소비자로부터 멀어질수록 더 증가한다고 하였다. '채찍 효과'는 공급 사슬망에서 수요 변동폭이 확대되는 현상을 가리키므로, 소비자의 수요가 일정한 상품에서도 채찍 효과는 나타날 수 있다.
③ 세 번째 문단에서 물건에 대한 수요가 일정하면 이를 기준으로 생산이나 마케팅의 자원을 적절히 분배하여 계획할 수 있으나, 물건의 주문 변동폭이 크면 계획이나 운영을 원활하게 수행하기 어렵다고 하였다.
④ 다섯 번째 문단에서 주문 단위가 커질수록 재고량이 증가하게 되고, 재고량 증가는 변화에 민첩하게 대응하지 못하게 하는 원인이 된다고 하였다.
⑤ 여섯 번째 문단에서 물건을 주문하더라도, 주문 발주에서 도착까지의 발주 실행 시간의 차이가 있으며 주문 처리 시간과 물류 이동 시간이 걸린다고 하였다.

3. ③   글의 내용 추론하기

① 다섯 번째 문단에서 채찍 효과가 커질수록 기본 주문 단위가 커지고 재고량은 증가한다고 하였다. 재고량의 증가는 기업 측에서는 부담이므로 적정 재고량을 유지했다는 설명은 적절하지 않다.
② 공급 사슬망은 '최종 소비자-소매점-도매점-제조업체-원자재 공급업체'로 ㉠의 스포츠 브랜드 업체는 소매점에 해당한다. 따라서 공급 사슬망에서 벗어났기 때문이라는 설명은 적절하지 않다.
❸ 네 번째 문단에서 공급 사슬망에서 최종 소비자로부터 멀어질수록 수요의 왜곡이 더욱 심하게 발생하며 이러한 왜곡 현상은 공급자가 시장에서 제한적일 때 더 크게 발생하며 그 이유는 공급자가 한정된 상황에서는 더 많은 양을 주문해야 제품을 공급받기가 수월하기 때문이라고 하였다. 티셔츠의 수요가 늘어나면 물건을 공급받기 위해 업체들은 경쟁적으로 더 많은 주문을 할 것이며 그 결과 '수요의 왜곡'이 발생한다고 하였으므로 적절한 설명이다.
④ 일곱 번째 문단에서 채찍 효과로 인해 발생하는 재고는 물건을 보관할 공간을 마련하거나 그에 필요한 비용이 필요하며 이는 기업에게 부담이 되므로 불필요한 재고를 줄이는 것이 좋다고 하였다. 수익보다 재고 관

리 비용이 적었다면 브랜드 업체 입장에서는 이익을 거둘 것임을 알 수 있다.
⑤ 여섯 번째 문단에서 발주 실행 시간이 길어지면 주문량이 많아지고, 이는 재고량 증가로 이어진다고 하였다. 스포츠브랜드 업체들은 물건을 발주하고 주문한 물건을 받을 때까지 시간이 오래 걸렸을 것이다. 따라서 발주 실행 시간이 물건을 공급받기에 짧았다는 설명은 적절하지 않다.

---

4. ③   글의 내용 추론하기

① 일곱 번째 문단에서 재고는 기업 입장에서는 재고를 쌓아둘 공간을 마련하거나 재고를 관리하는 데 큰 비용이 들게 되므로 불필요한 재고를 줄여야 한다고 하였다. 〈보기〉는 공급 사슬망에서 재고는 한쪽에서 발생된 불확실성의 충격이 다른 곳으로 전이되는 것을 완화시켜주는 기능을 한다고 하였으므로 이 둘을 통해 공급 사슬망에서 재고는 긍정적 측면과 부정적 측면이 있음을 확인할 수 있다.
② 네 번째 문단에서 소비자의 수요가 갑자기 늘면 소매점은 앞으로의 수요 증가를 기대하며 평소보다 더 많은 양을 도매점에 주문하고, 도매점 역시 같은 이유로 소매점 주문량보다 더 많은 양을 제조업체에 주문하며 공급 사슬망의 주체들은 물건을 확보하기 위해 더욱 경쟁하게 되며 이로 인해 물량의 확보에 대한 부담, 재고가 남을 경우 처리 비용을 부담해야 하는 등의 문제가 생길 수 있으므로 적절한 설명이다.
❸ 공급 사슬망은 '최종 소비자-소매점-도매점-제조업체-원자재 공급 업체'를 뜻하는데 공급 사슬망에서 최종 소비자로부터 멀어질수록 주문 변동폭이 더 증가한다고 하였다. 원자재 공급 업체가 제공하는 물건의 양은 한정되어 있으므로, 주문량은 '최종 소비자〈소매점〈도매점〈제조업체' 순으로 커지게 된다. 따라서 공급자가 최종 소비자로부터 가까울수록 주문량이 많다는 설명은 적절하지 않다.
④ 소비자의 수요가 갑자기 늘어나면 공급 사슬망의 주체는 소비자의 늘어난 수요를 감당하기 위해 공급자에게 실제 필요한 양보다 더 많은 양의 물건을 주문하게 되며 이로 인해 전반적인 수요의 왜곡 현상과 불확실성의 전이가 나타날 수 있다.
⑤ 공급 사슬망의 주체인 '최종 소비자-소매점-도매점-제조업체-원자재 공급업체' 중 도매점은 소매점으로부터 평소보다 많은 양의 물건을 주문받는 수요의 왜곡을 겪은 후, 다음 주문부터는 더 많은 수요를 감당하기 위해 기존 주문량보다 더 많은 양의 주문을 고려할 것이다.

---

5. ③   구체적 사례에 적용하기

① A전자와 B통신은 '협력 공급 기획 예측(CPFR) 프로그램'을 활용하여 적기에 필요한 물량을 재고, 생산 계획의 정보를 공유할 것이므로 B통신이 A전자 휴대폰을 항상 대량 주문할 것이라는 예측은 적절하지 않다.
② A전자와 B통신은 CPFR 프로그램을 이용하여 판매, 재고, 생산계획의 정보를 실시간으로 공유하며 적기에 필요한 물량을 공급하고 재고를 최소화하기로 하였으므로 A전자와 B통신의 휴대폰 재고량은 늘어날 것이라는 예측은 적절하지 않다.
❸ '협력 공급 기획 예측(CPFR) 프로그램'은 제조사와

이동 통신 사업자 간 협력을 통해 물량 수요 예측을 조정해 나가는 프로세스이므로 A전자와 B통신이 서로 정보를 공유함에 따라 적절한 양을 주문할 것이며, 과잉 주문은 줄어들 것이다.
④ B통신이 A전자 휴대폰 공장 근처로 이전한다는 정보는 〈보기〉를 통해 확인할 수 없다.
⑤ A전자와 B통신 간의 물량 공급, 판매, 재고, 생산계획의 정보를 실시간으로 공유하게 되지만 이를 통해 국내 이동통신 시장에서 돌발적인 수요 변화가 줄어들 것인지는 알기 어렵다.

【6~10】 남종현 외, '국제 무역론'

지문해설

관세 정책이 국내 경기 및 국제 교역에 미치는 영향을 구체적 사례를 통해 설명하고 있다. 관세는 수입되는 재화에 부과되는 조세로서, 정부는 조세 수입을 늘리거나 국내 산업을 보호하기 위한 목적으로 관세를 부과한다. 경제학의 수요와 공급의 원리에 따르면 가격이 상승하면 재화에 대한 공급량이 증가하고 재화에 대한 수요량은 감소한다. 이와 달리 가격이 하락하면 재화에 대한 공급량은 감소하고, 재화에 대한 수요량은 증가한다. 이러한 수요 공급의 원리를 바탕으로 할 때, 가격이 하락하면 소비자의 이득에 해당하는 소비자 잉여는 증가하고 생산자 잉여는 감소한다. 그리고 가격이 상승하면 생산자의 이득에 해당하는 생산자 잉여는 증가하고, 소비자 잉여는 감소하게 된다. 그런데 관세를 부과하면 재화의 가격이 상승하게 되므로 생산자 잉여는 늘고 소비자 잉여는 줄어든다. 하지만 늘어난 생산자 잉여보다 줄어든 소비자 잉여가 더 크기 때문에 생산자 잉여와 소비자의 잉여의 합인 사회적 잉여는 관세를 부과하기 전에 비해 줄어들게 되므로, 관세 부과는 자국의 경기에 부정적인 영향을 끼치게 된다. 또한 관세 정책이 장기화되었을 때에는, 관세가 부과된 수입품을 원료로 하는 국내 제품의 가격이 상승하기 때문에 이에 대한 소비가 줄어들어 국내 경기가 침체에 빠질 수도 있다. 이처럼 국내 산업을 보호할 목적으로 부과된 관세는 국내 소비를 감소시키고 국제 교역을 감소시켜 국제 무역 시장을 침체시킬 수도 있다. 이러한 이유로 대다수의 경제학자들은 과도한 관세에 대해 부정적 입장을 취한다.

■ 비문학 지문 어떻게 이해할까?

1문단
관세의 개념과 영향

2문단
가격에 따른 수요와 공급의 원리

3문단
재화의 가격 변화로 인한 소비자와 생산자 잉여에의 영향

4문단
자유 무역 거래가 국내 경기에 미치는 구체적 사례

5문단
관세가 국내 경기 및 국제 무역에 미치는 영향

6문단
관세 정책이 장기화될 경우의 영향

7문단
과도한 관세 부과의 부작용

■ 주제 : 관세 정책이 국내 경기 및 국제 무역 시장에 미치는 영향

---

6. ⑤   내용 전개 방식 이해하기

① 이 글은 수요와 공급의 원리를 바탕으로 관세 정책이 국내 경기 및 국제 무역 시장에 미치는 영향을 설명하고 있을 뿐, 관세 정책과 관련하여 상반된 두 입장에 대한 내용은 제시되어 있지 않다.
② 마지막 문단에서 과도한 관세는 국제 무역 분쟁을 야기할 소지도 있다는 문제 상황은 언급하고 있으나 그 해결책을 구체화한 부분은 없다.
③ 관세가 국내 경기에 미치는 영향을 설명하기 위해 수요와 공급의 원리에 대한 이론을 제시하고 있지만, 그 한계를 제시하지는 않았다.
④ 관세 정책에 대한 학설이 나타난 배경이나 학문적 성과는 제시되어 있지 않다.
❺ 관세 정책이 국내 경기 및 국제 무역 시장에 미치는 영향을 구체적인 사례를 들어 설명하고 있는 글이다. 따라서 원리를 설명한 후 구체적 사례를 들어 이해를 돕고 있다는 설명은 적절하다.

---

7. ①   글의 세부 내용 이해하기

❶ 두 번째 문단을 보면, '수요 곡선은 재화의 가격에 따른 수요량의 변화를 나타내는데, 그래프에서 가격은 재화 1단위 추가 소비를 위한 소비자의 지불 용의 가격을 나타내기도 한다.'라고 하였다. '수요와 공급의 원리에 따르면 재화의 균형 가격은 수요 곡선과 공급 곡선이 만나는 P_0에서 형성된다. 재화의 가격이 P_1로 올라가면 수요량은 Q_1로 줄어들고 공급량은 Q_2로 증가'한다고 하였다. 이를 볼 때 소비자의 지불 용의 가격은 균형 가격보다 항상 높다는 설명은 적절하지 않다.
② 두 번째 문단의 '재화의 균형 가격은 수요 곡선과 공급 곡선이 만나는 P_0에서 형성된다.'라고 하였으므로 균형 가격에서는 재화의 수요량과 공급량이 동일하다는 것을 알 수 있다.
③ 여섯 번째 문단에서 '밀가루의 가격이 상승하면 밀가루를 원료로 하는 제품들의 가격이 줄줄이 상승'한다는 내용으로 볼 때, 원료의 가격은 이에 기반한 재화의 가격에 영향을 미친다는 것을 알 수 있다.
④ 첫 번째 문단과 마지막 문단에서 과도한 관세는 국제 무역 분쟁의 원인이 될 수 있다고 언급하고 있다.
⑤ 마지막 문단에서 관세는 사회적 잉여를 감소시키고, 국내 소비를 줄어들게 하며, 국제 교역을 감소시켜 국제 무역 시장을 침체시킬 뿐만 아니라 국제 무역 분쟁을 야기할 소지도 있다. 이러한 이유로 대다수의 경제학자들은 과도한 관세에 대한 우려를 드러내고 있다고 언급하고 있다. 따라서 대다수의 경제학자들은 과도한 관세에 대해 부정적 입장을 취하고 있다는 것을 알 수 있다.

---

8. ②   글의 내용을 바탕으로 이유 추론하기

① 소비자 잉여 감소분이 생산자 잉여 증가분과 같은 것은 ㉠의 이유로 보기 어렵다.
❷ 다섯 번째 문단에서 관세를 부과하게 되면 생산자 잉여는 증가하고 소비자 잉여는 감소한다고 설명하면

서. '증가한 생산자 잉여가 감소한 소비자 잉여보다 작기 때문에 소비자 잉여와 생산자 잉여의 총합인 사회적 잉여는 수입 밀가루에 관세를 부과하기 전에 비해 작아지게 된다.'라고 하였다. 따라서 관세가 사회적 잉여를 감소시키는 이유는, 소비자 잉여 감소분이 생산자 잉여 증가분보다 크기 때문이라는 것을 알 수 있다.

9. ⑤ 구체적 자료에 적용하여 이해하기

① 〈보기〉에 제시된 그래프는 P국의 바나나 국내 수요 및 국내 공급, 관세 부과 전과 후의 바나나 가격을 나타내고 있다. 두 번째 문단에서 '균형 가격'은 수요 곡선과 공급 곡선이 만나는 지점에서 형성된다고 하였는데 이를 고려한다면, 바나나를 수입하기 전 P국의 바나나 국내 균형 가격은 톤당 1,000만 원이었음을 알 수 있다.

② 네 번째 문단에서 '국내 수요량에서 국내 공급량을 뺀 나머지 부분만큼 밀가루를 수입하게 된다.'라고 하였다. 이를 참고하며 〈보기〉의 경우 'P국 수요량(250톤)−P국의 국내 공급량(50톤)=관세를 부과하기 이전 수입되는 바나나의 수량(200톤)'이 된다.

③ 〈보기〉를 보면 관세를 부과하기 전 P국의 바나나 국내 가격이 톤당 500만 원이고, 관세를 부과한 후 P국의 바나나 국내 가격이 톤당 700만 원이다. 따라서 P국에서 부과한 관세는 톤당 200만 원임을 알 수 있다.

④ 〈보기〉를 보면 관세를 부과하기 전 P국의 바나나 국내 공급량은 50톤이고, 관세를 부과한 후의 국내 공급량은 100톤이다. 따라서 관세를 부과한 결과 P국 생산자는 바나나의 공급량을 50톤에서 100톤으로 늘렸음을 알 수 있다.

❺ 네 번째 문단에 '국내 수요량에서 국내 공급량을 뺀 나머지 부분만큼 밀가루를 수입하게 된다.'라고 하였다. 이에 따라 〈보기〉에서는 관세를 부과하기 전에 수입되는 바나나의 수량은 P국의 국내 수요량인 250톤에서 P국의 국내 공급량인 50톤을 뺀 200톤이 된다. 그리고 관세를 부과한 후 수입되는 바나나의 수량은 P국의 국내 수요량 200톤에서 P국의 국내 공급량 100톤을 뺀 100톤이 된다. 따라서 관세를 부과한 결과 수입되는 바나나의 수량은 이전보다 50톤이 줄어든다는 내용은 적절하지 않다.

10. ③ 핵심 개념 비교하기

① 다섯 번째 문단을 보면, 관세를 부과할 경우 수입품의 국내 판매 가격은 오른다고 하였다. 따라서 A는 수입품의 가격을 상승시키는 원인으로 작용할 것이다.

② 〈보기〉에서 '특정 재화를 수입할 수 있는 양을 제한'한다고 설명하고 있다.

❸ A와 B 모두 국내 생산자를 보호하는 기능을 한다고 밝히고 있다. 따라서 관세는 수입 할당제와 달리 정책 시행 시의 혜택을 국내 생산자가 본다는 설명은 적절하지 않다.

④ 첫 번째 문단에서 '조세 수입을 늘리거나 국내 산업을 보호하기 위한 목적으로 관세를 부과한다.'라고 하였다. 〈보기〉에서 B는 '제한된 할당량까지는 자유 무역 상태에서 수입하고 그 할당량이 채워지면 수입을 전면적으로 금지'한다고 하였으므로, B는 A와 달리 수입품에 대한 정부의 조세 수입이 없다는 것을 알 수 있다.

⑤ 마지막 문단에서 국내 산업을 보호할 목적으로 부과된 관세는 '국제 교역을 감소시'킨다는 내용을 확인할

수 있고, 〈보기〉에서 수입 할당제는 '수입되는 재화의 양을 제한'한다고 언급하고 있다. 따라서 A와 B 모두 보호 무역 정책으로서 국제 무역 규모의 감소를 유발한다는 것을 알 수 있다.

본문 056쪽

Day 12

1. ⑤   2. ①   3. ③   4. ④   5. ①
6. ③   7. ⑤   8. ①   9. ②   10. ②
11. ⑤   12. ③   13. ②

【1~5】김일태 외 공역, '조직경제학 입문'

지문해설

'거래비용이론'을 통해 기업들의 규모 변화와 관련된 내용을 설명하고 있는 글이다. '거래비용'이란 재화를 생산하는 데 드는 생산비용을 제외한, 경제 주체들이 재화를 거래하는 과정에서 발생하는 모든 비용을 말한다. 거래비용이론에서는 기업은 시장에서 재화를 거래할 때 발생하는 거래비용인 '시장거래비용'을 줄이기 위해, 재화를 자체적으로 생산하는 것에 대해 고려하게 된다고 보았다. 시장거래비용과 조직내거래비용을 합친 것을 '총거래비용'이라고 하며, 기업은 총거래비용을 고려하여 기업의 규모를 결정하게 된다. 기업은 총거래비용이 최소가 되는 지점까지 내부 조직의 규모를 확대하여 부품을 자체 생산할 수 있고, 이 지점이 바로 기업의 최적규모라고 할 수 있다. 거래비용이 발생하는 요인에는 '인간적 요인'과 '환경적 요인'이 있다.

■ 비문학 지문 어떻게 이해할까?

1문단
'거래비용이론'을 통해 본 기업의 규모 변화

2문단
거래비용의 개념과 예

3문단
'총거래비용'의 개념과 거래비용의 종류

4문단
기업의 규모와 거래비용과의 관계

5문단
거래비용이 발생하는 요인 ① – 인간적 요인

6문단
거래비용이 발생하는 요인 ② – 환경적 요인

■ 주제: '거래비용이론'을 통해 본 기업의 규모 변화와 거래비용 발생 요인

1. ⑤ 제시된 내용 파악하기

① 세 번째 문단을 통해 거래비용의 종류에는 '시장거래비용'과 '조직내거래비용'이 있음을 알 수 있다.

② 세 번째 문단에서 '시장거래비용'과 '조직내거래비용'을 합친 것을 '총거래비용'이라고 설명하고 있다.

③ 세 번째 문단에서 기업은 '시장거래비용'을 줄이기 위해, 재화를 자체적으로 생산하는 것에 대해 고려하게 된다고 언급하고 있다.

④ 첫 번째 문단에서 기업들은 새로운 내부 조직을 만들거나 다른 기업과 합병하는 등의 방식을 통해 기업의 규모를 변화시키기도 한다고 하였고, 네 번째 문단을 보면 기업은 시장거래비용을 줄이기 위해 내부 조직의 규모를 확대하기도 한다고 하였으므로 이러한 내용을 통해 기업의 규모가 변화하는 이유를 알 수 있다.

❺ 이 글은 기업의 규모 변화를 거래비용이론을 통해

설명하고 있는 글로, 기업의 규모와 생산비용의 관계에 대한 내용을 확인할 수 없으므로 적절하지 않다.

2. ① 핵심 개념 이해하기

❶ 두 번째 문단에서 '거래비용'은 '경제 주체들이 재화를 거래하는 과정에서 발생하는 비용을 말한다'고 하였는데, 제시된 상황에서는 자유재를 이용하여 본인의 노동력을 들여 재화를 만들고 있다. 이 과정에서는 거래 상대방과 거래 과정이 드러나지 않아 거래비용이 발생하는 상황이라고 볼 수 없으므로 적절하지 않다.
② 제시된 상황은 경제 주체가 거래 의사와 능력을 가진 상대방을 탐색하는 과정으로 거래비용이 발생한다고 볼 수 있다.
③ 제시된 상황은 가격이나 교환 조건을 상대방과 협상하는 과정으로 거래비용이 발생한다고 볼 수 있다.
④ 제시된 상황은 상대와 계약을 하는 과정으로 거래비용이 발생한다고 볼 수 있다.
⑤ 제시된 상황은 계약 후 계약 이행 여부를 확인하는 과정으로 거래비용이 발생한다고 볼 수 있다.

3. ③ 자료를 통해 이해하기

① 네 번째 문단을 보면, '기업이 부품을 자체 생산하여 내부 거래를 증가시키면 시장거래비용은 감소하지만, 조직내거래비용은 증가하게 된다.'고 하였다. 이에 따라 ⓐ에서 ⓑ로 조직내거래비용이 증가했다면 기업은 시장에서 조달했던 부품의 일부를 자체 생산하겠다는 결정을 한 것으로 볼 수 있다.
② 기업이 내부 거래를 증가시키면 시장거래비용이 감소한다고 하였으므로, ⓒ에서 ⓕ로 시장거래비용이 감소했다면 기업이 내부 거래를 증가시켰기 때문임을 알 수 있다.
❸ ⓐ에서 ⓔ로 총거래비용이 줄어든 것은 시장거래비용은 감소하고 조직내거래비용은 증가하고 있기 때문이다. 네 번째 문단을 보면 '이때 기업은 총거래비용이 최소가 되는 지점까지 내부 조직의 규모를 확대하여 부품을 자체 생산할 수 있다'고 했으므로 내부 조직의 규모를 축소했다고 이해하는 것은 적절하지 않다.
④ 네 번째 문단에서 '총거래비용이 최소가 되는 지점까지 ~ 바로 기업의 최적규모라고 할 수 있다'고 했으므로 총거래비용이 최소가 되는 지점인 ⓔ가 기업의 최적 규모라고 할 수 있다.
⑤ ⓕ는 조직내거래 100%인 지점으로, 기업이 모든 부품을 기업 내부적으로 제조하기 때문에 시장거래비용은 발생하지 않을 것이다.

4. ⑤ 구체적 사례에 적용하여 이해하기

① 마지막 문단에서 '자산특수성'은 특정 거래 주체와의 거래에서만 높은 가치를 갖는 자산의 속성을 말한다고 하였는데, 특정 기업을 선정하지 않고 다양한 기업을 통해 볼트를 조달하고 있는 A 기업이 조달하는 볼트는 자산특수성이 높지 않음을 알 수 있다.
② B 기업은 핵심 부품을 C 기업을 통해서만 조달하고 있으므로 자산특수성이 높은 경우이다. 자산특수성이 높으면 경제 주체들은 기회주의적으로 행동할 가능성이 커질 수 있기 때문에 이를 보완하고자 다양한 안전 장치를 마련한다고 하였는데, 두 기업이 장기간의 계약 기간을 명시한 것은 안정적인 생산과 조달을 위한 안전

장치를 마련한 방안으로 볼 수 있다.
③ B 기업과 C 기업이 거래하는 핵심 부품은 자산특수성이 높기 때문에 두 기업은 상대가 기회주의적으로 행동할 가능성을 염려했다고 볼 수 있다.
④ 정보가 불확실한 거래 상황일수록 거래 주체들은 상대의 정보를 알아내기 위한 노력을 할 것이고, 이로 인해 거래비용은 높아지게 된다고 하였다. E 기업이 D 기업에 원재료의 품질 정보를 세부적으로 제공하지 않았으므로 거래비용이 높아질 가능성이 있다.
❺ 다섯 번째 문단을 보면 '인간적 요인으로 인해 거래 상황 속에서 인간은 완벽한 선택을 할 수 없고, 거래 상대를 전적으로 신뢰할 수는 없으므로 거래의 과정 속에서 거래비용이 발생하게 된다'고 하였다. 따라서 E 기업이 D 기업을 탐색하는 과정에서 완벽하게 합리적인 선택을 하였다고 볼 수 없으므로 적절하지 않다.

5. ① 어휘의 사전적 의미 파악하기

❶ ㉠의 '이행(履行)'은 '실제로 행함.'이라는 사전적 의미를 가지지만, '둘 이상의 일을 한꺼번에 행함.'은 '병행(並行)'의 의미이므로 적절하지 않다.
② ㉡ '고려(考慮)'는 '생각하고 헤아려 봄.'의 의미를 가진다.
③ ㉢ '면모(面貌)'는 '사람이나 사물의 겉모습이나 그 됨됨이.'의 의미를 가진다.
④ ㉣ '보완(補完)'은 '모자라거나 부족한 것을 보충하여 완전하게 함.'의 의미를 가진다.
⑤ ㉤ '공유(共有)'는 '두 사람 이상이 한 물건을 공동으로 소유함.' 의 의미를 가진다.

【6~8】 앤 잰저, '플랫폼의 미래 서브스크립션'

지문해설

구독경제의 개념과 특징을 설명한 글이다. 소비자가 신청을 하면 정기적으로 원하는 상품을 배송 받거나, 필요한 서비스를 이용할 수 있는 구독경제는 정기 배송 모델, 무제한 이용 모델, 장기 렌털 모델 유형이 있다. 경제학자들은 소비자들이 한정된 비용으로 최대한의 만족을 얻기 위해 노력한 결과가 구독경제의 확산으로 이어졌다고 설명한다. 구독경제는 소비자의 입장에서 소유하기 이전에 상품을 사용해 볼 수 있고, 큰 비용을 들이지 않아도 되고, 상품 구매 행위에 들이는 불편함들을 해결할 수 있다는 장점을 누릴 수 있다. 생산자의 입장에서는 상품을 사용하는 고객들의 정보를 수집하고, 서비스를 제공하여 고객과의 관계를 지속적으로 유지할 수 있고, 매월 안정적으로 매출을 올릴 수 있다. 반면에 구독하는 서비스가 지나치게 많아질 경우 고정 지출이 늘어나 소비자는 경제적으로 부담이 될 수 있다. 생산자는 고객과의 관계를 지속적으로 유지하지 못할 경우 낮은 수익을 얻는 경우도 있다. 따라서 소비자와 생산자는 자신의 경제 활동에 도움이 되는 방향으로 구독경제를 활용할 필요가 있다.

분석 Plus

■ 비문학 지문 어떻게 이해할까?

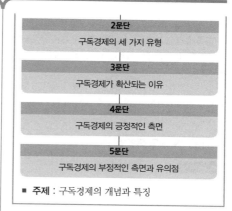

1문단
구독경제의 개념

2문단
구독경제의 세 가지 유형

3문단
구독경제가 확산되는 이유

4문단
구독경제의 긍정적인 측면

5문단
구독경제의 부정적인 측면과 유의점

■ 주제 : 구독경제의 개념과 특징

6. ③ 세부 내용 파악하기

① 네 번째 문단에서 생산자는 '상품을 사용하는 고객들의 정보를 수집하고, 이를 통해 개별화된 서비스를 제공한다'고 하였다.
② 네 번째 문단에서 구독경제를 이용하면 '상품 구매 행위에 들이는 시간과 구매 과정에 따르는 불편함 등의 문제를 해결할 수 있다'고 하였다.
❸ 첫 번째 문단에서 소비자가 구독경제를 이용하기 위해서는 회원 가입을 해야한다고 하였고, 네 번째 문단에서 생산자가 상품을 사용하는 고객들의 정보를 수집한다고 하였다. 따라서 소비자의 개인 정보는 생산자에게 제공된다는 것을 알 수 있다.
④ 네 번째 문단에서 생산자는 고객에서 '서비스를 제공하여 고객과의 관계를 지속적으로 유지'할 수 있고, '안정적인 매출을 올릴 수 있다'고 하였다.
⑤ 세 번째 문단에서 '소비자들이 한정된 비용으로 최대한의 만족을 얻기 위해 노력한 결과가 구독경제의 확산으로 이어졌다'고 하였다.

7. ⑤ 자료를 통해 다른 이론과 비교하기

① 공유경제는 상품이나 서비스를 여럿이 공유해 사용하는 방식이다.
② 구독경제는 서비스가 많아질 경우 경제적으로 부담이 될 수 있다.
③ 구독경제의 유형에는 정기 배송 모델이 있다.
④ ㉠과 ㉡ 모두 유형자원보다 무형자원을 더 많이 활용한다고 보기 어렵다.
❺ 세 번째 문단에서 '구독경제'의 확산 현상은 '소비자들이 상품을 소유함으로써 얻는 만족감보다는 상품을 사용함으로써 얻는 만족감을 더 중요시한다.'는 것을 보여 준다고 하였다. 〈보기〉에서는 '공유경제'가 한번 생산된 상품이나 서비스를 여러 사람이 공유해 사용하는 협력 소비를 통해 소비자의 만족도를 높인다고 하였다. 그러므로 ㉠과 ㉡은 모두 소비자의 부담을 줄이면서 상품을 사용함으로써 얻는 효용에 관심을 가진다는 것을 알 수 있다.

8. ① 구체적 사례에 적용하기

❶ 매월 일정 금액을 지불하고 정수기를 사용하는 서비스는 ⓒ '장기 렌털 모델'에 해당하므로 적절하지 않다.
② 월정액을 지불하고 주 1회 집으로 식재료를 보내 주는 서비스는 ⓐ '정기 배송 모델'에 해당한다.
③ 월 구독료를 내고 읽고 싶은 도서를 마음껏 읽을 수

있는 스마트폰 앱은 ⓑ '무제한 이용 모델'에 해당한다.
④ 정액 요금을 결제하고 강좌를 일정 기간 원하는 만큼 수강할 수 있는 웹사이트는 ⓑ '무제한 이용 모델'에 해당한다.
⑤ 월 사용료를 지불하고 정해진 기간에 집에서 사용할 수 있는 의료 기기는 ⓒ '장기 렌털 모델'에 해당한다.

【9~13】'제조물 책임법'

지문해설

소비자를 보호하기 위한 제도인 '제조물 책임법'의 주요 내용을 설명하고 있다. 제조물과 제조업자의 범위는 일상생활에서 사용하고 있는 거의 모든 물품이 포함된다. 그러나 미가공 농수축산물 등은 원칙적으로 제조물의 범위에서 제외된다. 제조물 책임은 제조물에 결함이 존재하는가 여부에 의해 결정되는데, 결함의 유형에는 제조상의 결함, 설계상의 결함, 표시상의 결함이 있다. 또한 소비자가 제조물을 통상적인 방법으로 사용하다가 사고가 발생했다는 사실만 입증하면 해당 제조물 자체에 결함이 있었고 그 결함으로 인하여 피해가 발생한 것으로 추정하도록 하고 있다. 한편 제조물의 결함으로 손해가 발생한 경우에 제조업자는 면책 사유 중에 하나를 입증하면 손해 배상 책임을 면할 수 있다. 제조물 책임법에 따른 제조업자의 배상 의무는 피해자의 생명·신체 또는 재산상의 손해에 대한 것으로 한정되고, 결함이 있는 제조물 자체는 민법에 따라 유통업자나 판매업자에게 구제받아야 한다.

분석 Plus

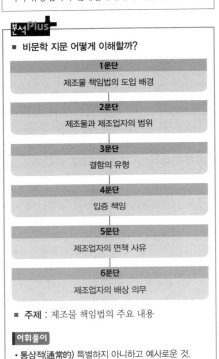

■ 비문학 지문 어떻게 이해할까?

1문단
제조물 책임법의 도입 배경

2문단
제조물과 제조업자의 범위

3문단
결함의 유형

4문단
입증 책임

5문단
제조업자의 면책 사유

6문단
제조업자의 배상 의무

■ **주제** : 제조물 책임법의 주요 내용

어휘풀이

• 통상적(通常的) 특별하지 아니하고 예사로운 것.

9. ② 세부 정보 파악하기

❷ 'ㄱ'은 첫 번째 문단에서 '소비자가 쉽게 피해 구제를 받을 수 있도록 하기 위해 제조물 책임법을 제정하여 시행하고 있다.'고 제시하고 있다. 'ㄷ'은 두 번째 문단의 '제조물과 제조업자의 범위를 살펴보면, 제조물은 공산품, 가공 식품 등의 제조 또는 가공된 물품을 의미하

는 것으로, 일상생활에서 사용하고 있는 거의 모든 물품이 포함된다.' 등에서 확인할 수 있다.

10. ② 구체적 상황에 적용하기

① 제조물 책임법은 소비자가 제조물을 통상적인 방법으로 사용하다가 사고가 발생했다는 사실만 입증하면 해당 제조물 자체에 결함이 있었고 그 결함으로 인하여 피해가 발생한 것으로 추정하도록 하고 있다.
❷ 마지막 문단에서 '결함이 있는 제조물 자체는 민법에 따라 유통업자나 판매업자에게 구제받아야 한다고' 하였으므로 A는 B사가 아니라 C마트로부터 환불받을 수 있다.
③ 전기 주전자 개폐 버튼의 결함으로 사고가 났기 때문에 B사가 '제조상의 결함' 제품을 생산했다고 할 수 있다.
④ 사용 설명서에 따라 승용차 탈취제를 사용하던 D는 E사의 LP가스를 포함한 탈취제로 인해 승용차에 화재가 발생하였으므로 E사에 손해 배상을 청구할 수 있다.
⑤ E사의 탈취제는 LP가스를 포함하였음에도 불구하고 화재 발생 위험 문구를 표시하지 않은 '표시상의 결함'을 지닌 제품이다.

11. ⑤ 다른 대상과 비교하여 추론하기

① ㉮는 '제조물 책임법'이고 〈보기〉의 ㉯는 '리콜제도'로 모두 소비자를 보호하기 위한 제도라는 공통점으로 묶을 수 있다. 그러나 ㉮는 '제조물의 결함으로 소비자가 피해를 입었을 때' 손해 배상 청구를 통해 피해를 배상 받도록 하므로 사후 피해 구제에 중점을 두고 있다. 반면 ㉯는 '위해를 끼치거나 끼칠 우려가 있는 제품이 발견된 경우' 결함 제품에 의한 피해 확산을 방지하고자 하는데 중점을 두고 있는 점에서 차이가 있다.
② ㉮는 제조물 결함으로 인한 소비자의 생명·신체·재산상의 손해에 대해 제조업자가 손해 배상 책임을 지도록 하는 제도인데 반해, ㉯는 결함 제품에 대해 수거·파기 등의 시정 조치를 취하는 제도이므로 적절하다.
③ 〈보기〉를 통해 ㉯는 '제품의 결함 내용을 소비자에게 알리는' 제도임을 알 수 있으나 ㉮는 그러한 내용은 없다.
④ 〈보기〉에서 ㉯는 제조업자 스스로 혹은 정부의 강제 명령에 의해 시행될 수 있다는 점을 알 수 있으나, ㉮는 피해자가 손해 배상을 청구해야만 한다는 차이점이 있다.
❺ ㉮는 제조물의 결함으로 인한 손해 발생이 필수적 요건이 되지만 ㉯는 '위해를 끼치거나 끼칠 우려가 있는 제품이 발견된 경우'에도 해당되므로 필수적 조건이 되는 것은 아니다.

12. ③ 세부 정보 파악하기

① 두 번째 문단에서 미가공 농수축산물은 원칙적으로 제조물의 범위에서 제외된다고 했으므로 '고등어'는 제조물이 아니다.
② 두 번째 문단에 따르면 공산품인 '중고 자동차'는 제조물에 포함되고 제조물 수입을 업으로 하는 자는 제조업자에 해당된다.
❸ '복숭아 통조림'은 복숭아를 원료로 가공된 물품이므로 제조물에 포함되고, 이를 제조한 자는 제조업자에 속한다. 그러나 미가공 농수축산물은 제조물에 속하지

않으므로 복숭아를 생산한 자는 제조업자에 해당되지 않는다.
④ '부품'도 제조물에 해당하므로 결함이 있는 '자동차 부품'을 만든 자는 제조업자에 해당되고 손해 배상 책임이 있다.
⑤ 다섯 번째 문단을 보면, 제조업자가 해당 제조물을 공급한 때의 과학·기술 수준으로는 결함의 존재를 발견할 수 없었다는 사실을 입증하면 손해 배상 책임을 면할 수 있다.

13. ② 어휘의 문맥적 의미 파악하기

① '알아서 (처리하다)'의 '알다'는 '사람이 어떤 일을 어떻게 할지 스스로 정하거나 판단하다'라는 뜻이므로 적절하지 않다.
❷ ㉠의 '(결함을) 알다'는 '어떤 사실이나 존재, 상태에 대해 의식이나 감각으로 깨닫거나 느끼다'의 뜻이다. 이는 제시된 '(추운 것을) 알았다'와 의미가 같다.
③ '할 줄 (알았다)'의 '알다'는 '어떤 일을 할 능력이나 소양이 있다'라는 뜻이므로 적절하지 않다.
④ '(공부만) 알지'의 '알다'는 '어떤 사람이나 사물에 대하여 소중히 생각하다'라는 뜻이므로 적절하지 않다.
⑤ '(농담으로) 알고'의 '알다'는 '어떤 사람이나 사물에 대하여 그것을 어떠한 성격을 가진 것으로 여기다'라는 뜻이므로 적절하지 않다.

과학

Day 13

1. ⑤	2. ①	3. ④	4. ④	5. ④
6. ①	7. ⑤	8. ④	9. ③	10. ③

【1~5】박정일, '추상적 사유의 위대한 힘'

지문해설

튜링이 고안한 튜링 기계의 원리를 설명한 글이다. 튜링 기계는 사람이 계산할 때 일어나는 사고 과정을 응용한 가상의 기계이다. 튜링 기계는 5순서열의 형식으로 표시되는 작동규칙이 주어지면 튜링 기계의 상태와 헤드로 판독한 기호에 따라 작동하는데, 이때 5순서열은 여러 개가 모여 5순서열의 모임을 이룰 수도 있다. 튜링은 5순서열을 어떻게 조합하느냐에 따라 다양한 튜링 기계의 알고리즘을 만들 수 있으며, '보편 튜링 기계'를 통해 아무리 복잡한 알고리즘도 간단한 단위로 분해해서 처리할 수 있다고 주장했다. 이러한 튜링의 발상은 현대 컴퓨터의 발명에 기본적인 착상을 제공한 것으로 평가받는다.

■ 비문학 지문 어떻게 이해할까?

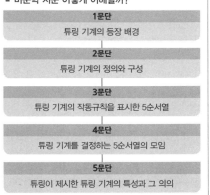

| **1문단** |
| 튜링 기계의 등장 배경 |
| **2문단** |
| 튜링 기계의 정의와 구성 |
| **3문단** |
| 튜링 기계의 작동규칙을 표시한 5순서열 |
| **4문단** |
| 튜링 기계를 결정하는 5순서열의 모임 |
| **5문단** |
| 튜링이 제시한 튜링 기계의 특성과 그 의의 |

■ 주제 : 튜링 기계의 구성과 원리 및 의의

1. ⑤ 개괄적인 내용 파악하기

① 첫 번째 문단에서 수학자 힐베르트가 제기한 문제에 대한 답을 찾는 과정에서 튜링이 튜링 기계를 고안하게 되었다고 한 것을 통해 튜링 기계가 등장하게 된 배경을 알 수 있다.

② 세 번째 문단에서 튜링 기계의 작동규칙은 (A, 1, P0, R, B)와 같이 표시할 수 있으며, 이와 같은 형식을 5순서열이라고 함을 알 수 있다.

③ 마지막 문단에서 보편 튜링 기계는 테이프 한 칸에 튜링 기계의 알고리즘 하나하나가 들어가 복잡한 알고리즘도 간단한 단위로 분해해서 처리할 수 있는 기계인데, 현대의 컴퓨터 역시 복잡한 알고리즘을 아주 간단한 단위로 분해해서 수행하는 것이라는 점에서 보편 튜링 기계와 공통점이 있음을 알 수 있다.

④ 세 번째 문단에서 '튜링 기계는 작동규칙이 주어지면 튜링 기계의 상태와 헤드로 판독한 기호에 따라 작동'된

다고 한 것과, 네 번째 문단에서 '튜링 기계는 테이프의 시작 모습, 기계의 시작 상태, 그리고 테이프에서 헤드의 시작 위치가 정해지면 주어진 5순서열의 모임 중 수행 가능한 5순서열이 있을 경우, 이에 따라 작동하게 된다'고 한 것에서 튜링 기계가 작동되기 위해 필요한 조건들을 알 수 있다.

⑤ 마지막 문단에서 보편 튜링 기계는 테이프 한 칸에 튜링 기계의 알고리즘 하나하나가 들어가는 것으로, 아무리 복잡한 알고리즘도 간단한 단위로 분해해서 처리할 수 있다고 하였을 뿐, 그를 통해 처리하지 못하는 알고리즘의 종류는 제시하고 있지 않다.

2. ① 세부 내용 추론하기

❶ 두 번째 문단에서 '테이프는 좌우 양방향으로 무한히 많은 칸을 갖고 있다고 가정'한다고 했는데, 이는 튜링 기계가 '사람이 계산할 때 일어나는 사고 과정을 응용한 가상의 기계'라는 점을 바탕으로 하므로 적절하다.

② 두 번째 문단에서 상태 기록기(ⓒ)는 튜링 기계의 상태를 나타낸다고 했으므로 상태 기록기가 기호를 판독한다는 것은 적절하지 않다. 테이프에 기록된 기호를 읽는 것은 헤드(ⓛ)이다.

③ 네 번째 문단에서 튜링 기계는 테이프의 시작 모습, 기계의 시작 상태, 그리고 테이프에서 헤드의 시작 위치가 정해지면 주어진 5순서열의 모임 중 수행 가능한 5순서열이 있을 경우, 이에 따라 작동하게 된다고 했다. 즉 테이프(ⓐ)의 시작 모습은 튜링 기계에 주어지는 것으로, 헤드(ⓛ)의 위치 변경을 지시하는 기호에 따라 결정된다고 볼 수 없다.

④ 네 번째 문단에 따르면 헤드(ⓛ)의 시작 위치는 튜링 기계에 주어지는 것이므로, 그 시작 위치가 정해지는 것이 상태 기록기(ⓒ)가 나타내는 튜링 기계의 상태와 관련이 있다고 볼 수 없다.

⑤ 세 번째 문단에서 5순서열의 첫 번째 자리와 다섯 번째 자리에는 A, B, C 등의 임의의 기호가 사용되어 튜링 기계의 상태를 나타낸다고 했는데, 이때 임의의 기호를 사용하는 것이 테이프(ⓐ)에 기록된 기호가 항상 달라진다는 것을 의미한다고 볼 수는 없다.

오H 많이 틀렸을까?

이 문제의 선지는 지문에서 잘못된 내용을 추론하기보다는 알 수 없는 내용, 관련 없는 내용을 연결하여 오히려 판단이 애매했던 듯해. ②번의 경우 상태 기록기는 기호를 읽는 것이 아니라 상태를 나타내는 부분이므로 ⓒ이 기호를 판독한다는 진술이 적절하지 않음을 쉽게 파악할 수 있어. 그런데 ③~⑤번의 경우 관련이 없는 내용이 연결되어 오히려 착각하기 쉬웠던 것 같아. 튜링 기계를 구성하는 각 부품의 역할을 정리하고, 선지의 내용을 이끌어 낼 수 있는 근거를 지문에서 찾을 수 있는지 우선 파악하고, 찾을 수 있다면 그것을 토대로 옳은 추론인지를 판단하되 지문에서 알 수 없는 내용, 인과 관계가 없는 내용을 연결해 놓은 경우 그것은 옳지 않은 내용임을 판단할 수 있어야 해.

3. ④ 구체적 사례에 적용하기

① 세 번째 문단에서 5순서열의 첫 번째 자리는 튜링 기계의 현재 상태를, 다섯 번째 자리는 다음 상태를 나타낸다고 했는데, ㉮ (X, 1, P1, R, X)는 튜링 기계의 현재 상태와 다음 상태가 모두 'X'이므로 동일하다.

② 세 번째 문단에서 5순서열의 두 번째 자리는 헤드가 읽는 기호를, 세 번째 자리는 헤드가 기록할 기호를 나

타낸다고 했는데, ㉯ (Z, 1, P□, N, Z)는 튜링 기계의 헤드가 읽는 기호와 기록할 기호가 각각 '1'과 '□'이므로 서로 다르다.

③ ㉮ (X, 1, P1, R, X)와 (X, □, P1, R, Y)는 두 번째 자리에 제시된 헤드가 읽는 기호가 각각 '1'과 '□'이므로 서로 다르다.

④ ㉯ (X, □, P1, R, Y)와 ㉰ (Y, □, P□, L, Z)는 세 번째 자리에 제시된 헤드가 기록할 기호가 각각 '1'과 '□'로 다르게 지정되어 있다.

⑤ 세 번째 문단에서 5순서열의 네 번째 자리에는 헤드의 위치 변경을 지시하는 기호로 L, R, N이 사용되는데, L은 헤드를 왼쪽으로 한 칸, R은 헤드를 오른쪽으로 한 칸 이동하는 것을 나타낸다고 했다. ㉯ (Y, 1, P1, R, Y)와 ㉰ (Y, □, P□, L, Z)는 튜링 기계의 헤드가 이동할 방향이 각각 'R'과 'L'로 다르게 지정되어 있다.

4. ④ 자료를 바탕으로 이해하기

① 세 번째 문단에 따르면 5순서열에서 첫 번째 자리의 현재 상태를 나타내는 기호와 다섯 번째 자리의 다음 상태를 나타내는 두 기호가 같으면 현재 상태가 유지되며, 네 번째 자리의 R은 헤드가 오른쪽으로 한 칸 이동하는 것을 나타낸다고 했다. 따라서 ⓐ에서 튜링 기계의 상태가 X일 때, ㉮ (X, 1, P1, R, X)에 따라 헤드는 오른쪽으로 한 칸 이동하고 기계의 상태는 현재 상태인 X를 유지하게 된다.

② 세 번째 문단에 따르면 5순서열에서 현재 상태를 나타내는 기호와 다음 상태를 나타내는 두 기호가 다르면 다음 상태로 바뀌며, 세 번째 자리는 기록할 기호를 나타낸다고 했다. 따라서 ⓑ에서 튜링 기계의 상태가 X일 때, ㉯ (X, □, P1, R, Y)에 따라 헤드는 빈칸에 1을 기록하고 기계의 상태는 다음 상태인 Y로 바뀌게 된다.

③ ⓒ에서 튜링 기계의 상태가 Y일 때, ㉯ (Y, 1, P1, R, Y)에 따라 헤드는 오른쪽으로 한 칸 이동하고 기계의 상태는 현재 상태인 Y를 유지하게 된다.

❹ 세 번째 문단에 따르면 5순서열에서 세 번째 자리는 기록할 기호를 나타내는데 만약 P□가 사용되면 이는 □를 기록하라는 뜻으로, 테이프에 기록된 기호가 있을 경우에는 이를 지우게 된다고 했다. 따라서 ⓓ에서 튜링 기계의 상태가 Z일 때, ㉯ (Z, 1, P□, N, Z)에 따라 헤드는 테이프에 기록된 1을 지우고 기계의 상태는 현재 상태인 Z를 유지하게 된다.

⑤ 세 번째 문단에 따르면 5순서열에서 네 번째 자리의 L은 헤드가 왼쪽으로 한 칸 이동하는 것을 나타낸다고 했다. 따라서 ⓔ에서 튜링 기계의 상태가 Y일 때, ㉰ (Y, □, P□, L, Z)에 따라 헤드는 왼쪽으로 한 칸 이동하고 기계의 상태는 다음 상태인 Z로 바뀌게 된다.

5. ④ 어휘의 의미 파악하기

① '고안(考案)하다'는 '연구하여 새로운 안을 생각해 내다.'라는 의미이므로, ⓐ '고안하게'는 '생각해 내게'로 바꾸어 쓸 수 있다.

② '구성(構成)되다'는 '몇 가지 부분이나 요소들이 모여 일정한 전체가 짜여 이루어지다.'라는 의미이므로, ⓑ '구성된다'는 '이루어진다'로 바꾸어 쓸 수 있다.

③ '조합(組合)하다'는 '여럿을 한데 모아 한 덩어리로 짜다.'라는 의미이므로, ⓒ '조합하느냐에'는 '짜느냐에'로 바꾸어 쓸 수 있다.

④ '분해(分解)하다'는 '여러 부분이 결합되어 이루어진

것을 그 낱낱으로 나누다.'라는 의미이다. 따라서 ⓓ '분해해서'를 '퍼뜨려서'로 바꾸어 쓰는 것은 적절하지 않다.
⑤ '공헌(貢獻)하다'는 '힘을 써 이바지하다.'라는 의미이므로, ⓔ '공헌한'은 '이바지한'으로 바꾸어 쓸 수 있다.

【6~10】 '청각의 원리'

지문해설

이 글은 청각의 원리와 이를 적용한 장치에 대해 소개하고 있다. 소리가 내이에 도달하는 방식으로는 '공기 전도'와 '골전도'가 있다. 이 중 골전도는 귀 주변 뼈를 매질로 소리가 내이에 바로 전달되는 것인데, 특정 주파수의 소리는 공기 전도로는 잘 전달되지 않아 녹음된 자신의 목소리를 스피커로 들으면 골전도를 통해 듣던 소리가 잘 들리지 않아 어색함을 느끼게 된다. 한편 골전도를 이용한 이어폰은 일반적인 이어폰과 달리 귀를 막지 않고 사용하기 때문에 여러 장점이 있지만, 장기간 사용하면 내이에 자극을 줄 수 있어 주의가 필요하다.

■ 비문학 지문 어떻게 이해할까?

1문단
소리의 의미와 소리가 들리는 과정을 알아야 하는 이유

2문단
소리의 의미와 소리가 들리는 방식의 종류

3문단	4문단
소리가 들리는 방식 ① – 공기 전도	소리가 들리는 방식 ② – 골전도

5문단
골전도 이어폰의 작동 원리

6문단
골전도 이어폰의 장점과 주의 사항

■ **주제** : 소리를 전달하는 방식과 이를 이용한 이어폰

어휘풀이

• **매질(媒質)** 어떤 파동 또는 물리적 작용을 한 곳에서 다른 곳으로 옮겨 주는 매개물. 음파를 전달하는 공기, 탄성파를 전달하는 탄성체 따위가 있다.
• **섬모(纖毛)** 세포의 표면에 돋아나 있는 가는 실 모양의 구조.
• **인력(引力)** 공간적으로 떨어져 있는 물체끼리 서로 끌어당기는 힘.
• **척력(斥力)** 같은 종류의 전기나 자기를 가진 두 물체가 서로 밀어내는 힘.

6. ①   내용 전개 방식 파악하기

❶ 두 번째 문단에서 소리가 내이에 도달하는 방식으로 '공기 전도'와 '골전도'를 제시한 후, 이것을 이어폰에 적용한 내용을 소개하고 있다.
② 이어폰 기술에 적용된 골전도의 원리가 나타나 있긴 하지만, 이러한 과학적 원리의 발전 방향이 예측되어 있지는 않다.
③ 청각의 두 가지 원리가 제시되어 있을 뿐, 이에 대한 관점은 없을 뿐만 아니라 두 관점을 절충한 새로운 관점도 제시하지 않았다.

④ 골전도 현상이 나타나 있긴 하지만, 이에 대한 서로 다른 견해를 분석한 내용은 나타나지 않았다.
⑤ 청각에 이상이 생기는 사례와 예방 방안 모두 나타나지 않았다.

7. ⑤   세부 내용 파악하기

① 다섯 번째 문단에서 전류의 방향이 바뀌는 주기를 짧게 할수록 주파수가 높아져 높은 음의 소리가 난다고 하였다. 따라서 주파수가 낮아지면 반대로 낮은 음의 소리가 날 것이다.
② 세 번째 문단에서 고막의 진동은 청소골에서 더욱 증폭된다고 하였다.
③ 세 번째 문단에서 공명 주파수는 외이도의 길이에 반비례한다고 하였다. 따라서 외이도의 길이가 짧을수록 공명 주파수는 높아질 것이다.
④ 다섯 번째 문단에서 보이스코일에 전류를 세게 할수록 진폭이 커져 음량이 높아진다고 하였다.
❺ 네 번째 문단에서 20~1,000Hz의 소리는 골전도로는 잘 전달되지만 공기 전도로는 잘 전달되지 않는다고 하였다. 그러나 이 소리가 물체의 진동에 의해서 발생할 수 없는 것은 아니다. 소리는 기본적으로 물체의 진동에 의해 발생한다.

8. ④   세부 내용 추론하기

① 우리가 평소에 소리를 들을 때 공기 전도를 통해 전달된 소리와 골전도를 통해 전달된 소리를 모두 듣고 있으므로 골전도로 전달되는 소리를 들을 기회가 적었다는 설명은 적절하지 않다.
② 공기 전도와 골전도 모두 소리가 내이를 거치게 되어 있다. 스피커에서 나온 목소리는 특정 주파수의 소리를 제외하고 공기 전도를 통해 듣게 되므로 내이를 거치지 않고 뇌에 전달된다는 설명은 옳지 않다.
③ 전자 장치의 전기적 에너지가 청각 신경에 주는 자극의 크기는 이 글에서 설명된 바 없다.
❹ 네 번째 문단을 보면 대화할 때 들리는 자신의 목소리에는 공기 전도로 전달되는 소리와 골전도로 전달되는 소리가 함께 있다. 그러나 녹음된 자신의 목소리를 스피커로 들을 때에는 골전도로 전달되는 20~1,000Hz의 소리는 잘 들리지 않아 어색함을 느끼게 된다고 하였으므로 적절하다.
⑤ 외이에서 공명이 일어나는 소리는 공기 전도로 전달되는 소리이다. 자신이 말할 때 듣는 목소리에는 공기 전도로 전달되는 소리와 골전도로 전달되는 소리가 함께 있으므로 외이에서 공명이 일어나는 소리가 빠져 있다는 설명은 적절하지 않다.

9. ③   구체적 상황에 적용하기

① 여섯 번째 문단에서 골전도 이어폰을 장시간 사용하면 청각 신경이 손상될 수 있다고 하였다. 감각 신경성 난청은 청각 신경의 이상으로 발생한다는 〈보기〉의 내용을 연결해 보면, 골전도 이어폰을 장시간 사용하였을 때 감각 신경성 난청이 발생할 위험이 있다.
② 〈보기〉에 나타난 청각 신경의 이상으로 인한 난청은 감각 신경성 난청인데, 이는 소리가 커져도 알아듣는 정도가 좋아지지 않는다고 하였다.
❸ 자신이 말하는 목소리는 공기 전도와 골전도를 통해 들을 수 있다. 만약 외이와 중이에 이상이 있어도 골전도를 통해 소리를 들을 수 있는 것이다. 그런데도 자신이 말하는 목소리가 들리지 않는다면 달팽이관의 청각 세포나 청각 자극을 뇌로 전달하는 청각 신경 또는 중추 신경계에 이상이 발생했다는 것을 의미한다. 이러한 이상으로 발생하는 난청은 감각 신경성 난청이다.
④ 고막에 이상이 있어도 골전도를 통해 소리를 들을 수 있기 때문에 고막에 이상이 있는 사람이 골전도의 원리를 이용한 보청기를 사용하면 효과를 볼 수 있다.
⑤ 전음성 난청은 외이와 중이에 문제가 있어 발생하는데, 이런 경우 골전도를 이용한 이어폰을 사용하면 소리를 들을 수 있다.

10. ③   핵심 정보 파악하기

① 다섯 번째 문단에서 일반적인 이어폰(㉠)은 보이스코일에 교류 전류를 가하면 내부 자기장에 인력과 척력이 교대로 작용하여 진동이 발생하고, 이 진동이 공기를 통해 내이에 도착한다고 하였다.
② 다섯 번째 문단에서 골전도 이어폰(㉡)은 귀 주변 뼈에 진동판을 밀착하여 진동을 내이로 직접 전달한다고 하였다.
❸ 두 번째 문단에서 공기 전도와 골전도 모두 섬모가 흔들려 발생한 전기 신호가 청각 신경을 따라 뇌에 전달된다고 하였다. 따라서 일반적인 이어폰(㉠)과 골전도 이어폰(㉡) 모두 섬모의 흔들림을 유발하여 전기 신호를 발생시킨다.
④ 여섯 번째 문단에서 골전도 이어폰(㉡)은 일반적인 이어폰(㉠)과 달리 귀를 막지 않기 때문에 주변의 소리를 들을 수 있어 위험한 상황에 잘 대처할 수 있다고 하였다.
⑤ 다섯 번째 문단에서 이어폰 내부에서 교류 전류에 의해 자기장이 만들어지고 이를 통해 인력과 척력이 작용하여 진동이 발생한다고 하였다. 이 진동을 공기를 통해 전달하는 방식은 일반적인 이어폰(㉠)의 방식이고, 귀 주변 뼈에 진동판을 밀착시켜 내이로 직접 전달하는 방식은 골전도 이어폰(㉡)의 방식이다. 따라서 이어폰 내부의 자기장과 교류 전류로 인해 인력과 척력이 발생하는 특징은 ㉠과 ㉡에 모두 해당하는 사항이다.

Day 14
본문 068쪽

1. ① 2. ③ 3. ④ 4. ④ 5. ②
6. ⑤ 7. ① 8. ① 9. ⑤ 10. ③

【1~5】 '식욕의 작용 원리'

지문해설

식욕 중추와 전두 연합 영역을 중심으로 식욕의 작용 원리에 대해 설명하고 있는 글이다. 식욕은 시상 하부의 식욕 중추에 있는 섭식 중추와 포만 중추의 작용으로 자연스럽게 조절된다. 탄수화물이 포함된 식사 전후에 혈액 속을 흐르는 물질인 포도당, 인슐린, 지방산 등이 식욕 중추에 영향을 끼친다. 이때 포도당과 인슐린은 포만 중추의 작용은 촉진하고 섭식 중추의 작용은 억제하며, 지방산은 섭식 중추의 작용은 촉진하고 포만 중추의 작용은 억제한다. 한편 전두 연합 영역 또한 식욕에 큰 영향을 끼친다. 영양분의 섭취만이 아니라 취향이나 기분에 좌우되는 식욕은 전두 연합 영역의 영향을 받는데, 흔히 더 이상 못 먹겠다고 생각하면서도 디저트를 먹는 현상을 통해 이해할 수 있다.

■ 비문학 지문 어떻게 이해할까?

1문단
식욕의 개념과 작용 원리

2문단
식욕 중추와 몸속 영양분의 관계

3문단
전두 연합 영역의 특성과 기능

4문단
전두 연합 영역의 여러 기능

■ 주제 : 식욕 중추와 전두 연합 영역의 영향을 받는 식욕의 작용 원리

1. ① 핵심 정보 파악하기

❶ 이 글은 '식욕 중추와 전두 연합 영역'을 중심으로 '식욕의 작용 원리'를 서술하고 있는 글이므로 적절하다.
② 첫 번째 문단에 '식욕의 개념과 특성'을, 두 번째 문단에 '영양소의 종류와 역할'에 대해 언급하고 있다. 하지만 전체 내용을 포괄하고 있지 못하므로 적절하지 않다.
③ '식욕이 생기는 이유'는 표제로 적절하지만, 두 번째 문단에 언급된 '탄수화물과 지방'은 그 '영향 관계'가 드러나지 않으므로 부제로 적절하지 않다.
④ 세 번째에서 네 번째 문단에 걸쳐 '전두 연합 영역의 특성'을 설명하고 있지만 전체 내용을 포괄하고 있지 않아 표제로 적절하지 않다. 또 전두 연합 영역의 영향과 관련된 '디저트의 섭취'에 관해 언급되어 있지만 '소화 과정'은 드러나지 않기 때문에 부제로도 적절하지 않다.
⑤ 세 번째 문단부터 '전두 연합 영역의 여러 기능'이 언급되어 있고, 두 번째 문단에서 '포도당과 지방산'이 각각 포만 중추와 섭식 중추의 작용에 미치는 영향을 언급하고 있다. 하지만 전체를 아우르는 내용으로 볼 수 없으므로 각각 표제와 부제로 적절하지 않다.

2. ③ 세부 내용 파악하기

① 첫 번째 문단에 '식욕은 음식을 먹고 싶어 하는 욕망으로, 인간이 살아가는 데 필요한 영양분을 얻기 위해서 반드시 필요'하다고 설명하고 있다.
② 첫 번째에서 두 번째 문단에 걸쳐, 인간의 뇌에 있는 시상 하부는 인간의 식욕에 영향을 끼친다고 설명하고 있다.
❸ 네 번째 문단에 '전두 연합 영역의 신경 세포가 '맛있다'와 같은 신호를 섭식 중추로 보내면, 거기에서 '오렉신'이라는 물질이 나온다.'고 했다. 따라서 위의 운동에 관여하는 오렉신은 전두 연합 영역이 아니라 섭식 중추에서 분비된다는 것을 알 수 있다.
④ 네 번째 문단을 보면, 사람들이 '이젠 더 이상 못 먹겠다'고 생각하는 이유 중 하나로 배가 차지는 않았지만 특정한 맛에 질렸기 때문이라고 언급하고 있다.
⑤ 세 번째 문단에서 전두 연합 영역은 '정신적이고 지적인 활동을 담당하는 곳'이지만 식욕에 큰 영향을 미친다'고 설명하고 있다.

3. ④ 세부 내용 추론하기

❹ 실제로 배가 찬 상태(ⓑ)에서 '이젠 더 이상 못 먹겠다'고 생각하는 이유는 배가 부른 느낌을 들게 하는 '포만 중추'의 작용이 활발하기 때문이다. 그러므로 배가 찬 상태에서 디저트를 먹는 현상(ⓐ)은 모순적이라 볼 수 있다.

4. ④ 정보 간의 관계 파악하기

① 두 번째 문단을 보면, 식사를 통해 섭취된 탄수화물은 소장에서 분해되어 포도당으로 변하고, 이로 인해 췌장에서 인슐린이 분비된다고 하였다. 따라서 혈관 속에 포도당(㉠)의 양이 늘어나면 인슐린(㉡)이 분비된다.
② 포도당과 인슐린은 혈액을 타고 시상 하부로 이동하여 포만 중추의 작용을 촉진한다고 하였다. 따라서 혈관 속에 포도당(㉠)과 인슐린(㉡)의 양이 많아지면 배가 부른 느낌이 든다.
③ 포도당과 인슐린은 혈액을 타고 시상 하부로 이동하여 포만 중추의 작용은 촉진하고 섭식 중추의 작용은 억제한다고 하였다. 따라서 포도당(㉠)과 지방산(㉢)은 시상 하부의 명령을 식욕 중추에 전달하는 역할을 하지 않는다.
❹ 식사 후 공복 상태가 길어지면 중성지방이 분해되어 지방산이 생긴다고 했으므로, 혈관 속에 포도당(㉠)의 양은 줄어들고 지방산(㉢)의 양은 늘어난다는 것을 알 수 있다.
⑤ 지방은 피부 아래의 조직에 중성지방의 형태로 저장되어 있다고 했다. 하지만 인슐린(㉡)은 피부 아래의 조직에 중성지방으로 저장되지 않는다.

5. ② 구체적 상황에 적용하기

① 네 번째 문단을 보면, '오렉신'은 위(胃)의 내용물을 밀어내고 다시 새로운 공간을 마련한다고 하였는데 이러한 영향으로 A는 배가 불러도 후식을 더 섭취할 수 있었음을 알 수 있다.
❷ 세 번째 문단을 보면, '전두 연합 영역'은 음식의 맛, 냄새 등 음식에 관한 다양한 감각 정보를 정리해 종합적으로 기억한다고 했다. 따라서 섭식 중추가 아니라 전두 연합 영역의 작용으로 A는 뷔페의 과자가 맛있었

다고 떠올렸다고 이해하는 것이 적절하다.
③ 세 번째 문단을 보면, 영양분의 섭취와 상관없이 취향에 좌우되는 식욕이 있다고 하였다. 따라서 B는 이러한 식욕에 따라 자신이 좋아하는 떡볶이를 먹고 싶다고 생각하였음을 알 수 있다.
④ 세 번째 문단을 보면, 전두 연합 영역은 먹는 행동을 이성적으로 조절하는 일을 하기도 한다고 했는데 이러한 작용으로 B는 건강을 위해 입맛에 맞지 않는 녹차를 마셨음을 알 수 있다.
⑤ 첫 번째 문단을 보면, 섭식 중추는 식욕을 느끼게 하는 작용을 하고 영양분의 섭취가 늘어나면 포만 중추가 작용해서 식욕이 억제된다고 하였다. A와 B는 디저트를 둘러보기 전까지 식사를 하였으므로 배가 점점 불러서 섭식 중추의 작용이 점점 억제되었음을 알 수 있다.

【6~10】 Raymond A. Serway 외, '일반물리학'

지문해설

핵분열과 핵융합이 일어나는 원리와 이 과정에서 에너지가 어떻게 발생하는지를 설명한 글이다. 핵분열이란 질량수가 큰 하나의 원자핵이 질량수가 작은 두 개의 원자핵으로 쪼개지는 것이고, 핵융합이란 질량수가 작은 두 개의 원자핵이 결합하여 질량수가 큰 하나의 원자핵이 되는 것을 가리킨다. 핵분열이나 핵융합은 핵자당 결합 에너지를 통해 설명할 수 있으며 '질량-에너지 등가 원리'에 따르면 질량과 에너지는 상호 간의 전환이 가능하고 이때 에너지는 질량에 광속의 제곱을 곱한 값과 동일하다. 핵분열과 핵융합에서 발생하는 에너지를 발전에 이용할 수 있는데 이때 중성자의 속도를 느리게 해야 하며 감속재를 사용하여 속도를 느리게 만든다. 태양이 에너지를 생성하는 방법이 바로 핵융합인데, 지구는 태양과 물리적 조건이 달라서 태양의 핵융합을 똑같이 재현할 수 없다. 따라서 가장 많이 시도하는 방식은 D-T 핵융합이다. 지구에서 핵융합을 일으키는 것은 쉽지 않은 과정으로 물질을 원자핵과 전자가 분리된 상태인 플라스마 상태로 만들어서 이를 1억℃ 이상으로 가열하여 핵융합의 확률을 높이는 것이 중요하다.

■ 주제 : 핵분열과 핵융합의 원리와 지구에서 핵융합 실험을 하는 과정

6. ⑤ 글의 세부 정보 파악하기

① 첫 번째 문단에서 '질량수'란 원자핵을 구성하는 양성자와 중성자의 질량이 아닌 개수를 모두 더한 것을 가리킨다고 하였으므로 잘못된 설명이다.
② 여덟 번째 문단에서 양(+)의 전하를 띤 원자핵은 음(-)의 전하를 띤 전자와 전기적 인력에 의해 단단히 결합되어 있다고 하였다. 따라서 원자핵과 전자 사이에 척력이 작용하여 서로 단단하게 결합되어 있다는 설명은 적절하지 않다.
③ 두 번째 문단에서 원자핵의 결합 에너지란 원자핵을 개별 핵자들로 분리할 때 가해야 하는 에너지라고 하였으며, 원자핵의 결합 에너지를 질량수로 나눈 것이 핵자당 결합 에너지라고 하였다.
④ 두 번째 문단에서 '질량-에너지 등가 원리'에 따르면 질량과 에너지는 상호 간의 전환이 가능하고, 이때

에너지는 질량에 광속의 제곱을 곱한 값과 같다고 하였다. 따라서 질량이 에너지에 광속의 제곱을 곱한 값이라는 설명은 옳지 않다.

❺ 두 번째 문단에서 핵자들의 결합에서 줄어든 질량은 에너지로 전환되는데, 이 에너지는 원자핵의 결합 에너지와 그 크기가 같다고 하였다. 또한 원자핵의 결합 에너지는 원자핵을 개별 핵자들로 분리할 때 가해야 하는 에너지이므로 적절한 설명이다.

7.① 글의 핵심 정보 파악하기

❶ 네 번째 문단을 통해 우라늄-235(²³⁵U) 원자핵을 사용하는 핵분열 발전의 경우, 우라늄 원자핵에 전자를 흡수시키는 것이 아니라 중성자를 흡수시켜 핵분열을 일으키는 것임을 알 수 있다.

② 다섯 번째 문단에서 중성자의 속도를 느리게 만들기 위하여 물이나 흑연을 감속재로 사용한다고 하였다.

③ 다섯 번째 문단에서 연쇄 반응이 급격하게 일어나면 과도한 에너지가 발생하여 폭발이 일어날 수 있기 때문에 중성자를 흡수하는 장치인 제어봉을 사용한다고 하였다.

④ 네 번째 문단에서 우라늄-235 원자핵을 사용하여 핵분열 발전의 경우, 우라늄 원자핵에 중성자를 흡수시키게 되고 이는 질량수가 작고 핵자당 결합 에너지가 큰 원자핵들로 분열된다고 하였다.

⑤ 네 번째 문단에서 우라늄-235(²³⁵U) 원자핵을 사용하는 핵분열 발전의 경우 2~3개의 중성자가 방출되며 이 중성자는 다른 우라늄 원자핵에 흡수되어 연쇄 반응을 일으킨다고 하였다. 또한 다섯 번째 문단에서 핵분열 발전에서는 중성자의 속도를 느리게 해야 한다고 하였으므로 적절한 설명이다.

8.① 글의 정보와 새로운 정보를 연관 지어 이해하기

❶ 세 번째 문단에서 원자핵을 구성하는 핵자들은 핵자당 결합 에너지가 클수록 더 강력하게 결합되어 있고 이는 원자핵이 더 안정된 상태라는 것을 의미한다고 하였다. 〈보기〉에는 제시된 표를 분석하는 단서가 제시되어 있다. 철 원자핵은 모든 원자핵 중에서 핵자당 결합 에너지가 가장 크고 가장 안정된 상태라고 하였으므로, 헬륨-4 원자핵은 〈보기〉의 표에서 보듯이 철 원자핵보다 그래프의 왼쪽에 치우쳐 있다. 따라서 헬륨-4의 질량수는 철 원자핵보다 낮다. 또한 〈보기〉에서 철 원자핵보다 질량수가 작은 원자핵은 핵융합을, 질량수가 큰 원자핵은 핵분열을 통해 핵자당 결합 에너지가 높은 원자핵이 된다고 하였다. 따라서 헬륨-4 원자핵은 핵융합을 거치면 더 안정된 상태의 원자핵으로 변할 것이다.

② 〈보기〉의 그래프에서 중수소 원자핵과 삼중 수소 원자핵을 비교하였을 때, 이 둘의 양성자 수는 모두 1이므로 동일하다. 그러나 중수소 원자핵의 핵자당 결합 에너지보다 삼중 수소 원자핵의 핵자당 결합 에너지가 더 높으므로 더 안정된 상태인 것은 삼중 수소 원자핵이라고 할 수 있다.

③ 〈보기〉의 그래프에서 알 수 있듯이, 철 원자핵의 원자핵 질량수는 56, 양성자의 수는 26이다. 두 번째 문단에서 원자핵의 결합 에너지를 질량수로 나눈 것을 핵자당 결합 에너지라고 하였다. 즉, 철 핵자당 결합 에너지는 철 원자핵의 결합 에너지를 철의 원자핵 질량수인 56으로 나눈 값이다. 따라서 철 원자핵의 결합 에너지

는 철 원자핵의 핵자당 결합 에너지에 56을 곱한 값이 된다.

④ 〈보기〉에서 철 원자핵은 모든 원자핵 중에서 핵자당 결합 에너지가 가장 크고 가장 안정된 상태라고 하였으며 〈보기〉의 그래프 상에서 철 원자핵의 핵자당 결합 에너지가 9MeV이다. 따라서 우라늄-235 원자핵이 핵분열하여 생성된 원자핵들은 핵자당 결합 에너지는, 철 원자핵의 핵자당 결합 에너지보다 낮은 9MeV 이하가 될 것이다.

⑤ 〈보기〉에서 철 원자핵은 모든 원자핵 중 핵자당 결합 에너지가 가장 크고 안정된 상태라고 하였다. 우라늄-235 원자핵은 철 원자핵의 결합 에너지보다 낮은 수치를 기록하고 있으므로 우라늄-235 원자핵보다 철 원자핵을 구성하고 있는 핵자들이 강력하게 결합되어 있다.

오H 많이 틀렸을까?

이렇게 복잡해 보이는 표나 그래프가 제시되는 문항을 보면 한숨부터 쉬는 학생들이 있어. 길고 어려워 보이는 게 사실이지. 하지만 자세히 살펴보면 〈보기〉가 제시된다는 것은 그 문항에 대하여 문제에서 추가 설명을 해 주고 있는 것이나 마찬가지거든. 이 문항의 〈보기〉에서 핵심은 '철 원자핵은 모든 원자핵 중 핵자당 결합 에너지가 가장 크고 안정된 상태'라는 정보야. 나머지는 철 원자핵을 기준으로 어디쯤에 해당하는지를 가늠하면 풀 수 있는 내용이야.

9.⑤ 글의 세부 정보 간의 관계 파악하기

① 첫 번째 문단에서 핵융합이란 질량수가 작은 두 개의 원자핵이 결합하여 질량수가 큰 하나의 원자핵이 되는 것이라고 하였다. 또한 여섯 번째 문단에서 태양이 에너지를 생성하는 방법이 바로 핵융합이며, ⓐ는 수소(1H) 원자핵을 원료로 하는 태양의 핵융합이라고 하였다. ⓐ는 '중수소(²H) 원자핵 → 헬륨-3(³He)원자핵 → 헬륨-4(⁴He) 원자핵'이 되며 이 과정에서 줄어든 질량이 에너지로 전환된다고 하였다. 따라서 ⓐ의 과정에서 헬륨-4의 원자핵의 개수는 늘어난다.

② 일곱 번째 문단에서 지구에서 가장 많이 시도하는 핵융합 방식은 ⓑ라고 하였다. 이때 중수소 원자핵과 삼중 수소 원자핵을 핵융합 발전의 원료로 사용하며, 그 이유로 다른 원자핵들의 핵융합보다 반응 확률이 높고 질량 결손으로 전환되는 에너지도 크기 때문이라고 하였다.

③ 일곱 번째 문단에서 ⓑ의 방법으로 핵융합을 할 때, 중수소 원자핵과 삼중 수소(³H) 원자핵이 융합하여 헬륨-4 원자핵이 된다고 하였다. 이에 비해 ⓐ에서 2개의 헬륨-3 원자핵이 융합하여 헬륨-4 원자핵이 되는 것이라고 하였으므로 적절한 설명이다.

④ 두 번째 문단에서 '질량 결손'이란 핵자들이 결합하여 원자핵이 되면서 질량이 줄어든 것이며 핵자들의 결합에서 줄어든 질량은 에너지로 전환된다고 하였다. 따라서 ⓐ와 ⓑ에서는 모두 반응 전후로 질량 결손이 일어나고, 줄어든 질량을 에너지로 전환될 것이다.

❺ 여섯 번째 문단에서 태양이 에너지를 생성하는 방법이 핵융합이며 ⓐ는 주로 태양의 중심부에서 일어난다고 하였다. 한편 일곱 번째 문단에서 지구는 태양과 물리적 조건이 달라서 태양의 핵융합을 똑같이 재현할 수 없으며, ⓑ를 통하여 핵융합을 시도한다고 하였다. 따라서 ⓑ를 일으키기 위해서는 ⓐ가 일어나기 위한 물리적 조건과 동일한 조건을 만들어 주어야 한다는 설명은 옳지 않다.

10.③ 글의 세부 내용의 이유 추론하기

① 여덟 번째 문단에서 핵융합 반응을 일으키기 위해서는 물질을 원자핵과 전자가 분리된 상태인 플라스마 상태로 만들어야 한다고 하였다. 융합로에서 플라스마 온도를 높인 이후에는 고온 상태를 일정 시간 이상 유지하기 위해 자기장을 활용해서 플라스마가 벽에 닿지 않게 하여야 한다고 하였으므로, '원자핵'이 융합로의 벽에 접촉하지 않게 한다는 설명은 적절하지 않다.

② 자기장을 발생시켜 플라스마의 온도를 유지하는 것은 ⓛ의 과정을 거친 후, 자기장을 활용하여 플라스마가 고온을 유지할 수 있도록 하는 것이다.

❸ 여덟 번째 문단에서 원자핵은 양의 전하를 띠고 있어서 서로 가까이 다가갈수록 척력이 강하게 작용한다고 하였다. 척력을 이겨내고 원자핵이 융합하기 위해서는 플라스마의 온도를 1억 ℃ 이상으로 높여야 한다.

④ 핵융합 반응을 일으키기 위해서는 물질을 자핵과 전자가 분리된 상태인 플라스마 상태로 만들어야 한다고 하였다. 또한 척력을 이겨내려면 플라스마의 온도를 높여 '원자핵'이 고속으로 움직여야 한다고 하였다.

⑤ 원자핵은 양의 전하를 띠어 서로 가까울수록 척력이 강해진다고 하였다. 척력을 이겨내고 원자핵이 융합하게 하기 위해서는 플라스마의 온도를 높여야 한다고 하였으므로 원자핵들 사이에서 전기적 인력을 발생시킨다는 설명은 적절하지 않다.

Day 15
본문 072쪽

1. ⑤　2. ⑤　3. ③　4. ③　5. ⑤
6. ①　7. ③　8. ⑤　9. ①　10. ⑤

【1~5】 세이젤, '알기 쉬운 열전달'

지문해설

음식 조리 과정에서 일어나는 열의 전달을 과학적 원리를 이용해 설명하고 있다. 전도는 온도 차이가 있을 때 일어나는데, 한 물질 내에서 발생하기도 하며 서로 다른 물질들이 접촉하는 경우에도 발생한다. 열전달 과정에서 단위 시간 동안 열이 전달되는 비율을 열전달률이라고 한다. 전도에 의한 열전달률은 온도 차이와 면적에 비례하고, 거리에 반비례한다. 이러한 현상을 수식으로 처음 정리한 사람이 푸리에이기 때문에 이를 푸리에의 열전도 법칙이라고 부른다.

■ 비문학 지문 어떻게 이해할까?

1문단
전도에 의한 열전달

2문단
열전달률과 푸리에의 열전도 법칙

3문단
열전도 법칙으로 본 튀김 조리 과정 1

4문단
열전도 법칙으로 본 튀김 조리 과정 2

■ **주제** : 음식 조리 과정에서 전도에 의한 열전달

---

1. ⑤ 　글의 세부 내용 파악하기

① 첫 번째 문단에서 '전도란 물질을 이루는 입자들의 상호 작용을 통해 보다 활동적인 입자로부터 이웃의 덜 활동적인 입자로 열이 전달되는 현상'이라고 했으므로 적절하다.

② 첫 번째 문단에서 '조리 과정에서는 전도에 의한 열전달이 많이 일어난다'고 했으므로 적절하다.

③ 두 번째 문단에서 '이는 물질이 전도에 ~ 즉 열전도도가 물질마다 다르'다고 했으므로 적절하다.

④ 두 번째 문단에서 '열전달 과정에서 단위 시간 동안 ~ 음식의 조리에서 고려할 중요한 요소가 된다.'고 했으므로 적절하다.

❺ 첫 번째 문단의 '이러한 전도는 온도 차이가 있는 경우에 일어나는데, 한 물질 내에서 발생하기도 하며 서로 다른 물질들이 접촉하는 경우에도 발생한다.'라고 했으므로 전도는 한 물질 안에서도 발생하는 것을 알 수 있으므로 적절하지 않다.

---

2. ⑤ 　구체적인 상황에 적용하기

① 푸리에의 열전도 법칙에 따르면 '다른 조건이 같더라도 열전도도가 높은 경우 열전달률도 높게 나타난다.'라고 했으므로 지붕을 통한 열전달률을 낮추기 위해 지붕에 열전도도가 낮은 재료를 사용하자는 의견은 적절하다.

② 두 번째 문단에서 전도에 의한 열전달률은 면적에 비례한다고 했으므로, 창문을 통한 열전달률을 낮추기

위해 창문의 면적을 줄이자는 의견은 적절하다.

③ 전도가 일어나는 두 지점 사이의 거리가 멀어질수록 열전달률은 낮아진다고 했으므로, 건물 외벽을 통한 열전달률을 낮추기 위해 외벽을 두껍게 설계하자는 의견은 적절하다.

④ 전도에 의한 열전달률은 열이 전달되는 면적이 커질수록 열전달률을 높인다고 했으므로, 방바닥으로의 열전달률을 높이기 위해 난방용 온수 배관과 방바닥 사이의 접촉 면적을 넓히자는 의견은 적절하다.

❺ 푸리에의 열전도 법칙에 따르면 '다른 조건이 같더라도 열전도도가 높은 경우 열전달률도 높게 나타난다.'라고 했으므로 현관문을 통한 열전달률을 낮추려면 열전도도가 낮은 재료를 사용해야 하므로 적절하지 않다.

---

3. ③ 　핵심 내용 이해하기

③ 마지막 문단에서 '수분이 수증기의 형태로 튀김 재료에서 빠져나감에 따라 재료 안쪽의 수분들은 빈자리를 채우기 위해 표면 쪽으로 이동한다.'고 했으므로 적절하지 않다.

---

4. ③ 　핵심 내용 파악하기

③ 마지막 문단에서 '또한 튀김 재료 표면의 기포들은 재료와 식용유 사이에서 일종의 공기층과 같은 역할'을 한다고 했고 '식용유가 재료로 흡수되는 것을 막'고 '기포들을 거쳐 열전달이 일어'난다고 했으므로 적절하다.

---

5. ⑤ 　다의어의 의미 파악하기

① '(해안선을) 따라'는 '일정한 선 따위를 그대로 밟아 움직이다'의 의미로 사용되었다.

② '(어머니를) 따라'는 '다른 사람이나 동물의 뒤에서, 그가 가는 대로 같이 가다'의 의미로 사용되었다.

③ '(선생님의 동작에) 따라'는 '남이 하는 대로 같이 하다'의 의미로 사용되었다.

④ '(증가함에) 따라'는 '어떤 일이 다른 일과 더불어 일어나다'의 의미로 사용되었다.

❺ ⓐ '(법칙에) 따르면'은 '어떤 경우, 사실이나 기준 따위에 의거하다'의 의미로 사용되었으므로 '(규칙에) 따라'가 문맥적으로 가장 유사하다.

【6~10】 grotzinger 외 3명 저, 조석주 외 10명 옮김, '지구의 이해(understanding earth) 제 5판'

지문해설

방사성 동위원소를 이용한 지층 연대의 측정에 대해 상세히 설명한 글이다. 1905년 러더포드가 암석 내 우라늄의 양을 측정하여 한 암석의 연대를 계산했으며, 이것이 동위원소 연대측정법이다. 관련 내용을 전개하며 방사성 동위원소의 개념을 분석하고 '탄소-12'와 '탄소-14'를 예를 들어 설명한다. 더불어 불안정한 원자핵이 스스로 방사선을 방출하고 이를 통해 에너지를 잃고 안정된 상태로 가는 과정을 거치는 것을 방사성 붕괴(핵붕괴)라고 하는데 방사성 동위원소가 일정한 시간이 지나면 모원소의 개수가 원래 개수에서 절반으로 줄어드는 시간을

반감기라고 하며 이를 활용하여 암석이 만들어진 연대를 추정할 수 있음을 소개하고 있다.

■ 비문학 지문, 어떻게 이해할까?

1문단
지질학적 시간 척도의 성립과 기준

2문단
러더포드의 '동위원소 연대 측정법'의 발견

3문단
암석의 연령을 측정할 때 이용하는 방사성 동위원소의 특성

4문단	5문단
방사성 붕괴의 개념과 특성	반감기를 이용한 암석의 생성 시기의 원리

■ **주제** : 방사성 동위원소의 특성을 활용한 암석의 연령 측정

---

6. ① 　글의 전개 방법 파악하기

❶ 세 번째 문단에 방사성 동위원소란 같은 원소라고 하더라도 원자핵에 있는 중성자 수가 다른 것들이며 그 예로 '탄소-12'와 '탄소-14'를 비교하며 부연 설명하고 있으므로 적절한 설명이다.

② 세 번째 문단에 원자핵이란 물질의 원자 중심에 있는 것으로 양성자와 중성자로 이루어진 것이라는 개념을 제시하고 있으나, 원자핵의 구성 물질을 세부적 묘사를 통해 설명하고 있는 부분은 없다.

③ 네 번째 문단에서 불안정한 원자핵이 스스로 방사선을 방출하고 이를 통해 에너지를 잃고 안정된 상태로 가는 과정을 방사성 붕괴 또는 핵붕괴라고 지칭하며 방사성 동위원소인 '탄소-14'를 예로 들어 설명하고 있다. 그러나 방사성 동위원소의 붕괴 과정을 유추를 통해 설명하는 부분은 없다.

④ 두 번째 문단에서 최초의 지층 연대 측정 방법은 1905년 러더포드가 방사성 동위원소를 이용한 것이라고 제시하고, 그 후 수년간 더 많은 방사성 동위원소들이 발견되고 방사성 붕괴 과정의 심층적인 이해가 이루어졌다고 제시하였다. 그러나 지층 연대 측정 방법의 발전 과정을 유형별로 분류한 내용은 나타나지 않는다.

⑤ 첫 번째 문단에서 우리가 흔히 쓰는 지질학적 시간 척도인 '중생대 쥐라기'와 같은 '대', '기' 등은 19세기 초 지질학자들이 스테노와 스미스의 층서 원리를 적용하여 확립한 것이라고 설명하고 있으나, 지질학적 시간 척도의 특징을 전문가의 의견을 통해 인용한 부분은 나타나지 않는다.

---

7. ③ 　글의 세부 정보 이해하기

① 네 번째 문단에서 동위원소 중에는 양성자의 수가 중성자의 수에 비해 너무 많거나 적다는 이유로 본래 원자핵의 상태가 불안정한 원소들이 있으며, 이들이 스스로 방사선을 방출하여 에너지를 잃고 안정된 상태로 가는 과정을 거치는 것을 방사성 붕괴 또는 핵붕괴라고 하였다. 따라서 이를 통해 방사성 동위원소의 핵은 불안정하여 붕괴됨을 알 수 있다.

② 네 번째 문단에서 동위원소 중에는 원자핵의 상태가 불안정한 원소들이 있는데, 원자 핵이 불안정한 원인은 양성자의 수가 중성자의 수에 비해 너무 많거나 그 반

대의 경우라 고 하였다. '질소-14'는 방사성 동위원소인 '탄소-14'가 방사성 붕괴를 통해 중성자 1개가 붕괴되어 양성자로 바뀌고, 양성자 7개와 중성자 7개로 이루어진 원자핵을 가진 안정된 원소라고 하였다. 즉 양성자와 중성자가 각각 7개로 숫자가 일치함을 알 수 있다.

❸ 다섯 번째 문단에서 방사성 동위원소의 반감기란 모원소의 개수가 원래 개수의 절반으로 줄어드는 데에 걸리는 시간을 뜻하며 이때 반감기는 온도나 압력에 영향을 받지 않으므로 어떤 암석에 포함된 모원소와 자원소의 비율과 방사성 동위원소의 반감기를 이용하면 암석이 만들어진 연대를 추정할 수 있다고 하였다.

④ 첫 번째 문단에서 19세기 초 지질학자들은 전세계의 지질학적 연구 성과를 종합했으며 '대', '기'와 같은 지질학적 시간 척도를 확립하였으나, 이는 상대적인 척도에 해당하며 지층이 형성된 연도를 정확히 알 수 있는 것은 아님을 알 수 있다. 지층이 형성된 연도를 정확히 알 수 있게 된 것은 두 번째 문단에 제시된 내용인 1905년 러더포드가 방사성 동위원소를 이용한 것이 최초였으며 이는 20세기에 해당한다.

⑤ 네 번째 문단에서 자연계의 모든 물질은 불안정한 상태에서 안정한 상태로 가려는 성질이 있으며 동위원소 중에는 원자핵의 상태가 불안정한 원소들이 있으며 이들이 스스로 방사선을 방출하고 이를 통해 에너지를 잃고 안정된 상태로 가는 과정을 거친다고 하였다.

---

8. ⑤ 종합적으로 이해하기

① 네 번째 문단에서 붕괴 전의 방사성 동위원소를 '모원소', 모원소의 방사성 붕괴에 의해 생성된 안정된 원소를 '자원소'라 하였다. 〈보기〉의 방사성 동위원소 ㉮를 측정한 결과 모원소와 자원소의 비율이 1 : 3이라고 하였으므로 B는 자원소 함량의 변화에 해당한다.

② 다섯 번째 문단에서 모원소의 개수가 원래 개수의 절반으로 줄어드는 데에 걸리는 시간을 반감기라고 하고, 이때 줄어든 모원소의 개수만큼 자원소의 개수가 늘어난다고 하였다. 이를 통해 암석 S는 반감기를 두 번 거쳤음을 알 수 있으므로 암석 S의 생성 시기는 4억 년 전으로 추정할 수 있다.

③ 다섯 번째 문단에서 모원소의 개수가 원래 개수의 절반으로 줄어드는 데에 걸리는 시간을 반감기라고 하며, 첫 반감기 때 모원소의 개수는 처음의 반으로 줄고 두 번째 반감기에는 남은 모원수의 개수가 반으로 줄어 처음의 1/4로, 세 번째 반감기에는 또 남은 모원수의 개수가 반으로 줄어 처음의 1/8과 같은 식으로 줄어든다고 하였다. 따라서 4번의 반감기를 거치면 처음 A의 양은 1/16로 줄어들 것이다.

④ 다섯 번째 문단에서 모원소와 자원소의 개수의 비율이 첫 반감기에는 1 : 1로 같아진다고 하였고, 그림에서 모원소와 자원소의 비율이 1 : 1로 같아지는데 걸리는 시간은 2억 년임을 알 수 있다.

❺ 다섯 번째 문단에서 방사성 동위원소는 일정한 시간이 지나면 모원소의 개수가 원래 개수에서 절반으로 줄어드는 특성이 있으며 반감기 때에는 줄어든 모원소의 개수만큼 자원소의 개수가 늘어난다고 하였다. 따라서 시간이 지날수록 자원소와 모원소의 개수를 더한 값은 감소한다는 설명은 옳지 않다.

---

9. ① 단어의 문맥적 의미 파악하기

❶ '세찬 바람이 거친 파도를 일으켰다'의 '일으켰다'는

'물리적이거나 자연적인 현상을 만들어 내다'라는 뜻으로 ㉠과 의미가 유사하다.

② '그의 행동은 모두에게 오해를 일으켰다'의 '일으켰다'는 '생리적이거나 심리적인 현상을 생겨나게 하다'의 뜻으로 ㉠의 의미와 다르다.

③ '그는 혼자 힘으로 쓰러진 가세를 일으켰다'의 '일으켰다'는 '무엇을 시작하거나 흥성하게 만들다'의 뜻으로 ㉠의 의미와 다르다.

④ '아침에 몸이 피곤했지만 억지로 몸을 일으켰다'의 '일으켰다'는 '일어나게 하다'라는 뜻으로 ㉠의 의미와 다르다.

⑤ '그녀는 자전거를 타다 넘어진 아이를 일으켰다'의 '일으켰다'는 '일어나게 하다'라는 뜻으로 ㉠의 의미와 다르다.

---

10. ⑤ 내용을 바탕으로 추론하기

① 〈보기〉에서 식물 내 탄소-12와 탄소-14의 비율은 대기 중의 탄소-12와 탄소-14의 구성 비율과 일치한다고 하였다. 생물이 죽으면 더 이상 대기 중의 탄소를 흡수하지도 배출하지도 않으므로 죽은 생물 내 탄소-12와 탄소-14의 비율에 변화가 생긴다고 하였다. 이러한 점을 활용하여 탄소-14의 반감기를 이용하면 그 생물이 죽은 연대를 계산할 수 있는데, 탄소-14는 6만년이 지나면 측정하기 힘들 정도의 양만 남는다고 하였다. 따라서 탄소-14를 이용한 연대 측정법의 연대 측정 범위는 제한적일 것이다.

② 생물이 죽으면 더 이상 대기 중의 탄소를 흡수하지도 배출하지도 않으므로 죽은 생물 내 탄소-12와 탄소-14의 비율에 변화가 생긴다. 동위원소인 탄소-14가 질소-14로 변하고 생성된 질소14는 기체이므로 죽은 생물 내부에서 외부로 빠져 나간다고 하였으므로 시간이 지날수록 죽은 생물 내부에 있는 탄소-14의 개수가 줄어든다.

③ 생물이 죽고 나면 대기 중의 탄소를 흡수하지도 배출하지도 않으므로 죽은 생물 내 탄소-12와 탄소-14의 비율에 변화가 생긴다고 하였다.

④ 탄소-14를 이용한 연대 측정법은 생물이 죽은 후 죽은 생물 내 탄소-12와 탄소-14의 비율에 변화가 생기는 점을 이용한 것이므로, 살아있는 생물의 나이를 측정할 수 없다.

❺ 죽은 생물 내 탄소-12와 탄소-14의 비율에 변화가 생기며 탄소-14가 질소-14로 변하고 질소14는 기체이므로 죽은 생물 내부에서 외부로 빠져 나간다. 따라서 생물 유해나 화석의 탄소-12와 탄소-14의 비율을 측정하여 대기 중의 그 비율과 비교하면 그 생물이 죽은 연대를 계산할 수 있다. 그러나 다른 정보 없이 죽은 생물 안에 남은 질소-14의 양만 알고 있다면 생물이 죽은 연대를 정확히 추정할 수 없다.

왜! 틀렸을까?
길고 복잡해 보이는 〈보기〉의 글에 어리둥절했던 친구들이 있었을거야. 이 〈보기〉의 핵심은 한 마디로 '탄소-12와 탄소-14의 비율이 언제부터 변하느냐'에 대한 대답이라고 할 수 있어. 생물이 죽고 나면 그때부터 이 비율에 변화가 생기면서 비로소 연대를 측정할 수 있는 단서가 생긴다는 것을 찾아야 해!

Day 16

1. ⑤   2. ⑤   3. ③   4. ①   5. ①
6. ②   7. ③   8. ②   9. ④

【1~5】김래현 외, '지역난방 기초공학 및 에너지기술 실무교육'

지문해설

지역난방에서 활용되는 상변화 물질을 이용한 열 수송 과정을 설명하고 이러한 열 수송 방식의 장점과 한계점을 제시하고 있다. 지역난방에서는 근래에 열 수송의 효율성을 높이기 위해 상변화 물질을 활용하는 방식을 개발하고 있다. 열 수송에 사용되는 상변화 물질이란, 상변화를 할 때 수반되는 잠열을 효율적으로 사용하기 위해 활용되는 물질을 말한다. 열병합 발전소에서는 발전에 사용된 수증기를 열교환기로 보낸다. 액체가 된 상변화 물질이 섞인 물은 열교환기에서 나와 온수 공급관을 통해 인근 지역 공동주택 기계실의 열교환기로 이동한다. 데워진 공동주택의 물은 각 세대의 난방기로 공급되어 세대 난방을 하게 되고, 상변화 물질 캡슐이 든 물은 온수 회수관을 통해 다시 발전소로 회수되어 재사용된다. 상변화 물질의 특성을 이용하여 열 수송을 하면 현열과 잠열을 모두 사용할 수 있으므로 온수 공급관을 통해 보내는 물의 온도를 현저히 낮출 수 있어 열 수송의 효율성이 개선된다. 이때 상변화 물질 캡슐의 양이 일정 수준 이상으로 늘어나면 물이 원활하게 이동할 수 없으므로 캡슐의 양을 증가시키는 데에는 한계가 있다.

■ **비문학 지문 어떻게 이해할까?**

1문단
상변화 물질을 활용한 지역난방의 열 수송 방식

2문단
'상변화', '잠열', '현열'의 개념과 예

3문단
상변화 물질을 활용한 열 수송 과정 ①

4문단
상변화 물질을 활용한 열 수송 과정 ②

5문단
상변화 물질을 활용한 열 수송 방식의 장점과 한계

■ **주제** : 상변화 물질을 활용한 열 수송 방식의 장점과 한계

---

1. ⑤ 글의 세부 내용 파악하기

① 두 번째 문단에서 상변화란 '주변의 온도나 압력 변화에 의해 어떤 물질이 이전과 다른 상태로 변하는 것을 의미'한다고 제시하고 있다.

② 첫 번째 문단에서 '열병합 발전소에서 전기 생산을 위해 사용된 열을 회수하여 인근 지역의 난방에 활용'한다고 제시하고 있다.

③ 마지막 문단에서 '물이 원활하게 이동할 수 없으므로 캡슐의 양을 증가시키는 데에는 한계가 있다'고 밝히고 있다.

④ 마지막 문단에서 상변화 물질을 활용한 열 수송 방

식을 사용하면 '열 수송의 효율성이 개선된다'고 밝히고 있다.
❺ 마지막 문단에서 기존의 열 수송 방식과 달리 '온수 공급관을 통해 보내는 물의 온도를 현저히 낮출 수 있'다고 하였으므로 적절하지 않다.

2. ⑤ 핵심 개념의 특성 파악하기

① 두 번째 문단에서 '잠열은 물질마다 그 크기가 다르'다고 했다.
② 잠열은 '물질의 온도 변화로 나타나지 않는' 열이라고 했다.
③ 잠열은 '숨어 있는 열이라는 뜻이다'라고 했다.
④ 잠열은 '일반적으로 물질이 고체에서 ~ 경우에는 잠열을 방출한다.'라고 했다.
⑤ 상변화에 사용된 열은 '잠열'로, 이는 물질의 온도 변화로 나타나지 않는 열이라고 했다. 온도 변화로 나타나는 열은 '현열'이라고 했으므로, 잠열이 상변화하고 있는 물질의 현열을 증가시키는 역할을 한다고 볼 수 없다.

3. ③ 도식을 통해 글의 내용 파악하기

① 세 번째 문단에서 '물이 데워져 물의 온도가 상변화 물질의 녹는점 이상'이 된다고 했다. 따라서 Ⓐ에서 캡슐 속 상변화 물질의 온도는 상변화 물질의 녹는점 이상으로 올라갈 것임을 알 수 있다.
② 세 번째 문단에서 온수 공급관을 통해 이동하는 '과정에서 상변화 물질이 고체로 상변화되지 않도록 '물의 온도는 상변화 물질의 녹는점 이상으로 유지'한다고 했다. 따라서 이렇게 관리된 Ⓑ에서는 물에 있는 캡슐 속 상변화 물질의 상변화가 일어나지 않을 것임을 알 수 있다.
❸ 세 번째 문단에서 '액체가 된 상변화 물질'이 '온수 공급관을 통해' 이동한다고 했고 네 번째 문단에서 '캡슐 속 상변화 물질은 액체에서 고체로 상변화하면서 잠열을 방출'한 후 '온수 회수관을 통해 다시 발전소로 회수'된다고 했다. 따라서 Ⓑ와 Ⓔ속의 상변화 물질은 각각 액체와 고체로 상태가 서로 다르므로, 상변화 물질의 상태가 서로 같다는 진술은 적절하지 않다.
④ 네 번째 문단에서 '이동해 온 물의 현열과 캡슐 속 상변화 물질의 현열, 그리고 상변화 물질의 잠열'이 모두 공동주택의 찬물을 데우는 데 사용된다고 했다. 따라서 Ⓒ에서 공동주택의 찬물은 현열과 잠열에 의해 데워져 Ⓓ에 공급된 것임을 알 수 있다.
⑤ 네 번째 문단에서 '상변화 물질 캡슐이 든 물은 온수 회수관을 통해 다시 발전소로 회수되어 재사용된다'고 했다. 따라서 Ⓔ를 통해 회수된 물에 있는 상변화 물질은 Ⓐ에서 다시 상변화 과정을 거쳐 재사용될 것임을 알 수 있다.

4. ① 구체적 상황에 적용하기

❶ 제시된 조건을 보면 〈보기 1〉에서 상변화 물질의 녹는점이 15℃이며, 이를 이용하여 벽의 온도를 일정하게 하는 것이 목적이라고 했다. 〈보기 2〉에서는 이때 작용하는 상변화 물질의 상태와 잠열의 작용, 상변화 물질의 온도 변화에 대한 내용을 제시하고 있다. 이에 따라 세 번째 문단에서 온도가 '상변화 물질의 녹는점 이상'이

되면 상변화 물질은 액체로 상변화'한다고 했으므로 〈보기 2〉에서 벽의 온도가 15℃보다 높아지면 이 상변화 물질의 녹는점을 넘어서기 때문에 고체에서 액체(㉮)로 상변화하게 될 것이다. 또 두 번째 문단에서 물질이 고체에서 액체가 될 때에는 잠열을 흡수(㉯)한다고 하였고, 이러한 상변화에 사용된 잠열 때문에 물의 온도는 변화가 없으며 유지된다고 했으므로 상변화 물질의 온도가 계속 유지(㉰)될 것임을 알 수 있다.

5. ① 어휘의 문맥적 의미 파악하기

❶ ⓐ '(수증기를 열교환기로) 보낸다.'는 '사람이나 물건 따위를 다른 곳으로 가게 하다'의 의미로 사용되었으므로, '(선물을 동생 집으로) 보냈다.'와 문맥적 의미가 가장 유사하다.
② '(세월만) 보냈다.'는 '시간이나 세월이 지나가게 하다'의 의미로 사용되었다.
③ '(장가를) 보냈다.'는 '결혼을 시키다'의 의미로 사용되었다.
④ '(연주자에게 박수를 보냈다.)'는 '상대편에게 자신의 마음가짐을 느끼어 알도록 표현하다'의 의미로 사용되었다.
⑤ '(친구를) 보냈다.'는 '놓아주어 떠나게 하다'의 의미로 사용되었다.

【6~9】 이은희 외, '미래를 읽다 과학이슈'

지문해설

오토파지의 원리를 중심으로 오토파지의 개념, 기능, 과정 등을 제시하며 인체의 자연치유력을 설명하고 있다. 인체의 자연치유력 중 하나인 '오토파지'는 세포 안에 쌓인 불필요한 단백질과 망가진 세포 소기관을 분해해 세포의 에너지원으로 사용하는 현상이다. 우리 몸은 오토파지를 통해 생존에 필요한 아미노산과 에너지를 얻기도 하고 몸속에 침투한 세균이나 바이러스를 제거하기도 한다. 오토파지는 세포 안에 불필요한 물질이 쌓이면 세포는 세포막을 이루는 구성 성분을 이용해 이를 이중막으로 둘러싸 '오토파고솜'을 만든다. 오토파고솜은 리소좀을 만나서 합쳐지면 '오토파고리소좀'이 되는데 리소좀 안에 있는 가수분해효소가 오토파고솜 안에 있던 쓰레기들을 분해하여 쏟아내면 에너지원으로 쓰이거나 다른 세포 소기관을 만드는 재료로 재활용된다. 이러한 오토파지가 정상적으로 작동하지 않으면 세포 내 항상성이 무너져 노화나 질병을 초래한다. 자연치유력에는 오토파지 이외에도 '면역력', '아포토시스' 등이 있다.

분석 Plus+

■ 비문학 지문 어떻게 이해할까?

1문단
인체의 자연치유력 중 하나인 오토파지 현상

2문단
오토파지의 활동 사례

3문단
오토파지 현상의 과정

4문단
오토파지가 작동하지 않으면 나타나는 결과와 그 외 자연치유력 현상

■ **주제** : 인체의 자연치유력 중 하나인 오토파지 현상의 특징과 원리

어휘풀이

• **가수 분해 효소(加水分解酵素)** 생물체 안에서 가수 분해 반응의 촉매로 작용하는 효소를 통틀어 이르는 말. 미생물이나 고등 동물의 조직에 널리 분포하며 소화, 발효, 부패 따위에서 중요한 구실을 한다.

6. ② 표제와 부제의 적절성 파악하기

❷ 인체의 자연치유력의 개념을 정의하고 오토파지의 원리를 중심으로 설명하고 있는 글이다. 오토파지의 개념, 기능, 과정 등을 제시하면서 그 밖의 인체의 자연치유력에 대해 소개하고 있다. 따라서 이 글의 내용을 포괄하는 표제는 '인체의 자연치유력', 부제는 '오토파지의 원리를 중심으로'가 가장 적절하다.

7. ③ 자료를 통해 내용 이해하기

① 세 번째 문단에서 세포 안에 불필요한 단백질과 망가진 세포 소기관이 쌓이면 오토파지가 일어난다고 하였다.
② 세 번째 문단에서 오토파고솜은 불필요한 단백질과 망가진 세포 소기관을 이중막으로 둘러싸 작은 주머니를 만든다고 하였다.
❸ 세 번째 문단에서 오토파고솜(ㄴ)과 리소좀(ㄷ)이 합쳐지면 리소좀(ㄷ) 안에 있는 가수분해효소가 오토파고솜(ㄴ) 안에 있던 불필요한 단백질과 망가진 세포 소기관(ㄱ)을 잘게 분해한다고 하였으므로 적절하지 않다.
④ 분해가 끝나면 막이 터지면서 오토파고리소좀 안의 잘린 조각들이 쏟아져 나온다고 하였다.
⑤ 오토파고리소좀에서 나온 조각들은 에너지원으로 쓰이거나 재활용된다고 하였다.

8. ② 주요 정보 이해하기

① 아포토시스는 개체를 보호하기 위해 일어난다고 하였다.
❷ 오토파지는 세포 안에 쌓인 불필요한 단백질과 망가진 세포 소기관을 분해해 재활용하여 우리 몸의 항상성을 유지하는 현상이고, 아포토시스는 손상된 세포가 스스로 사멸함으로써 우리 몸의 항상성을 유지하는 현상으로 구분된다.
③ 아포토시스가 아닌 오토파지는 우리 몸에 영양 공급이 부족하거나 바이러스가 침투했을 때 발생한다고 하였다.
④ 두 번째 문단에서 영양분이 충분히 공급되지 않으면 우리 몸은 오토파지를 통해 생존에 필요한 아미노산과 에너지를 얻는다고 했을 뿐 다량으로 얻기 위해 작동하는 것은 아니다.
⑤ 세 번째 문단에서 오토파지는 세포의 일부를 분해하고, 분해된 조각들은 다른 세포 소기관을 만드는 재료로 활용된다고 하였다. 반면에 아포토시스는 개체를 보호하기 위해 손상된 세포가 사멸하여 우리 몸을 건강한

상태로 유지한다고 했으므로 다른 세포 소기관을 만드는 데 활용된다는 설명은 적절하지 않다.

9. ④   단어의 문맥적 의미 파악하기

① '(쾌재를) 불렀다.'는 '만세 따위를 소리 내어 외치다.'의 의미이다.
② '(바다가) 부른다.'는 '어떤 방향으로 따라오거나 동참하도록 유도하다.'의 의미이다.
③ '(값을) 불렀다.'는 '값이나 액수를 얼마라고 말하다.'의 의미이다.
❹ ⓐ '(주머니를 오토파고솜이라고) 부른다'는 '무엇이라고 가리켜 말하거나 이름을 붙이다.'의 의미로 '(혼돈 상태를 아노미라고) 부른다'와 같은 의미로 쓰였다.
⑤ '(친구를) 불렀다.'는 '말이나 행동 따위로 남을 오라고 하다.'의 의미이다.

Day 17

1. ②   2. ④   3. ⑤   4. ①   5. ④
6. ④   7. ①   8. ②   9. ⑤   10. ④
11. ③

【1~6】 홍준의 외, '살아 있는 과학 교과서'

지문해설

식물이 물을 뿌리에서 꼭대기의 잎까지 끌어 올리는 세 가지 힘에 대해 설명하고 있다. 아래 뿌리에서는 뿌리털 안과 흙 속의 농도 차이에 따라 삼투압이 발생한다. 물이 흡수될 때 밀고 들어오는 압력에 따라 뿌리압이 발생하고 그 힘에 의해 물이 위로 상승한다. 그리고 식물체 안의 가느다란 물관에서 모세관 현상이 발생한다. 모세관 현상은 가는 관 안의 물 분자가 벽과 결합하려는 힘에 의해 생긴다. 또한 증산 작용은 잎의 기공을 통하여 식물체의 수분이 수증기 상태로 증발하는 현상이다. 잎의 세포에서 물 분자가 증발되면서 아래쪽의 물 분자를 끌어 올리는 것이다. 증산 작용에 의한 힘은 잡아당기는 힘으로 식물이 물을 끌어 올리는 요인 중 가장 큰 힘이다. 이 세 가지 힘이 복합적으로 작용해 식물이 물을 뿌리에서 흡수해 잎까지 보낸다.

분석 Plus

■ 비문학 지문 어떻게 이해할까?

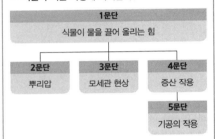

■ 주제 : 식물이 물을 끌어 올리는 원리

어휘풀이

• 기공(氣孔) 식물의 잎이나 줄기의 겉껍질에 있는, 숨 쉬기와 증산 작용을 하는 구멍. 잎의 뒤쪽에 많으며, 빛과 습도에 따라 여닫게 되어 있다.
• 세쿼이아(sequoia) 낙우송과의 상록 교목. 높이는 50~100미터이며, 잎은 어긋나고 송곳 모양의 작은 잎은 깃털 모양으로 길게 줄기 아래에 난다. 열매는 구과(毬果)로 타원형이다.

1. ②   세부 정보 파악하기

① 마지막 문단의 '기공의 크기는 식물의 종류에 따라 다르'다는 설명에서 확인할 수 있다.
❷ 두 번째 문단에서 뿌리압은 '물을 위로 밀어 올리는 힘'이라는 언급을 볼 때, 중력의 반대 방향으로 작용하는 것을 알 수 있다.
③ 첫 번째 문단에서 식물의 광합성에 물이 원료가 된다는 사실을 확인할 수 있다.
④ 마지막 문단에서 물 분자들이 사슬처럼 서로 연결되어 있다는 것을 확인할 수 있다.

---

⑤ 세 번째 문단에서 물관 안에서 모세관 현상이 일어난다는 것을 확인할 수 있다.

2. ④   핵심 정보 파악하기

① 뿌리털을 둘러싼 세포막을 통해 물 분자들이 흡수되므로 세포막은 선택적 투과성 막 역할을 한다고 볼 수 있다.
② 〈보기〉에서 삼투압의 용액의 농도에 따라 비례한다고 했으므로, 용액의 농도가 높아지면 삼투압이 비례하여 커진다는 것을 알 수 있다.
③ 배추를 소금물에 담그면 소금 입자가 이동하는 것이 아니라 배추의 물이 선택적 투과성 막인 세포막을 통해 소금물 쪽으로 이동한다.
❹ 삼투 현상이 일어나면 분자가 큰 것은 선택적 투과성 막을 통과하지 못하고 물 분자가 용액의 농도가 높은 쪽으로 이동하여 용액의 농도가 낮아지므로 진술의 내용이 적절하지 않다.
⑤ 물이 용액의 농도가 낮은 곳에서 높은 곳으로 이동한다. 뿌리털 안의 농도는 높고, 흙 속의 농도는 낮으므로 흙 속의 물이 뿌리털 안으로 이동한다. 소금물의 농도는 높고 배추 속은 농도가 낮아 배추의 물이 소금물 쪽으로 이동한다.

3. ⑤   핵심 정보 이해하기

① 세 번째 문단에서 모세관 현상은 관이 가늘어질수록 물이 올라가는 높이가 높아진다고 하였다.
② 네 번째 문단에서 증산 작용을 통해 식물체 내의 수분이 수증기로 증발하면서 주위의 열을 흡수하기 때문에 주변의 온도가 떨어진다고 하였다.
③ 증산 작용은 식물의 수분이 기공을 통해 빠져 나가며 수증기로 증발하는 것이므로 물의 상태가 바뀐다.
④ 모세관 현상은 물을 위로 밀어 올리는 힘이며, 증산 작용은 위에서 잡아당기는 힘으로 결합된 물 분자를 위로 끌어 올리고 있다.
❺ 마지막 문단에서 증산 작용에 의한 힘은 식물이 물을 끌어 올리는 원동력이며 가장 큰 힘이라는 것을 알 수 있으므로 적절하지 않다.

4. ①   구체적 사례 파악하기

❶ 나무 그늘에서 시원함을 느끼는 이유는 식물의 증산 작용으로 식물체의 수분이 외부로 빠져 나가며 열을 흡수하여 증발하면서 주변의 온도를 낮추는 현상 때문이다. 이와 비슷한 사례로 피부에 알코올 솜을 문지르면 알코올이 기화하여 날아가면서 피부의 열을 흡수하는 흡열 반응이 일어나는 현상을 들 수 있다.
② 액체가 고체로 굳어가면서 열을 외부로 내보내는 발열 반응으로 볼 수 있다.
③ 오래된 음식물이 산소와 반응하여 썩으면서 열이 발생하므로 발열 반응으로 볼 수 있다.
④ 얼음집 내부에 물을 뿌리면 액체가 고체로 되면서 열이 발생하므로 발열 반응으로 볼 수 있다.
⑤ 폭죽에 들어있는 화약이 터져 산화되면서 매우 높은 열이 발생하므로 발열 반응으로 볼 수 있다.

5. ④   구체적 사례에 적용하기

① (가)에는 식물의 잎이 없어서 증산 작용이 일어나지 않아 수증기가 나오지 않으므로 증산 작용이 일어나는 (나)의 비닐 안쪽 면에 더 많은 물방울이 맺힐 것이다.
② (가)는 (나), (다)와 달리 잎이 없어 증산 작용이 일어나지 않는다. 증산 작용은 엄청난 양의 물을 외부로 내보낸다. 그러므로 (나)와 (다)가 더 많은 물을 흡수할 것이므로 그만큼 용기에 담긴 물이 더 많이 줄어들 것이다.
③ (나)는 모세관 현상과 증산 작용에 의한 힘이 발생하고, (다)는 뿌리가 있어 삼투압 현상까지 더 일어난다. 따라서 (다)는 세 가지 힘에 의해 물이 이동한다.
❹ (가)에서 모세관 현상으로 물의 상승 작용이 일어나므로 물이 사슬처럼 연결되어 있고, (나)는 모세관 현상과 증산 작용, (다)는 삼투압, 모세관 현상, 증산 작용을 통해 식물의 물관에 있는 물 분자들이 사슬처럼 연결되어 물 기둥을 형성하고 있다.
⑤ (나)와 (다)에는 잎이 있어 기공을 통해 공기가 식물의 내부로 출입할 수 있다.

왜 틀렸을까?

지문의 내용을 구체적 사례에 적용하여 이해할 수 있는지 묻고 있는 유형인데, 정답률 36%를 보인 고난도 문제로 기록되고 있어. 46%의 학생들이 선택지 3번에서 많은 혼동을 겪은 모습을 보였어. 조건이 각기 다른 식물들이 제시되고 있는데 (가)는 모세관 현상이, (나)는 모세관 현상과 증산 작용이, (다)는 삼투압, 모세관 현상, 증산 작용이 일어나지. 각 각의 대상에서 일어나는 현상과 원인, 특징을 좀 더 세심하게 분석하고 이해해 볼 수 있어야 해.

6. ④ 문맥적 의미 파악하기

① ⓐ '삭제(削除)하고'는 '깎아 없애거나 지워버리다'라는 뜻이므로 적절하지 않다.
② ⓑ '투입(投入)된다'는 '사람이나 물자, 자본 따위가 필요한 곳에 넣어지다'라는 뜻이므로 적절하지 않다.
③ ⓒ '부착(附着)하면'은 '떨어지지 아니하게 붙이거나 달다'라는 뜻이므로 적절하지 않다.
❹ '다른데'는 서로 다르다는 뜻인 '상이(相異)한데'로 바꿔 쓸 수 있다.
⑤ ⓔ '조성(造成)하는'은 '무엇을 만들어서 이루다'라는 뜻이므로 적절하지 않다.

왜 틀렸을까?

문맥의 의미에 맞게 어휘를 바꿔 쓰는 문제 중에 39%의 정답률을 보인 문제는 흔치 않을 거야. 각 어휘의 뜻을 보면, ⓐ '떼다'는 '붙어 있거나 잇닿은 것을 떨어지게 하다.', ⓑ '들어오다'는 '일정한 지역이나 공간의 범위와 관련하여 그 밖에서 안으로 이동하다.' ⓒ '꽂다'는 '쓰러지거나 빠지지 아니하게 박아 세우거나 끼우다.', ⓔ '이루다'는 '어떤 대상이 일정한 상태나 결과를 생기게 하거나 일으키거나 만들다.'는 뜻을 가지고 있어. 각각의 어휘들이 문맥에서 어떤 의미로 쓰이고 있는지, 그리고 제시된 어휘들의 뜻을 잘 파악할 수 있어야 해.

【7~11】 이남영 · 정태문, '교양인을 위한 물리 지식'

지문해설

일상생활 속에서 위치 기반 서비스를 이용할 수 있게 해주는 위성 항법 장치 GPS(Global Positioning System)가 위치를 파악하는 원리에 대해 설명하고 있다. GPS는 GPS 위성과 GPS 수신기 등으로 구성되는데, GPS 위성은 현재 시각에

대한 정보와 자신의 현재 위치에 대한 정보를 신호로 보내고, GPS 수신기는 그 신호를 받은 시각과 위성이 신호를 보낸 시각을 비교해, 신호가 이동하는 데 걸린 시간을 구한다. 그렇게 구한 시간을 바탕으로 신호의 이동 속력인 빛의 속력을 곱하면 위성과 수신기 사이의 거리를 구할 수 있는데, 상대성 이론을 고려해야 거리를 정확하게 계산할 수 있다. GPS 수신기의 위치는 세 개 이상의 위성 위치를 알고, 각 위성과 수신기 사이의 거리를 구하면 그것을 바탕으로 삼변 측량법이라는 방법을 통해 구할 수 있다. 이는 세 개의 원의 교점이 하나인 것을 이용하여 평면에서 위치를 계산하는 방법이다. 다만 실제 우주 공간은 평면이 아니라 입체이기 때문에, 세 개의 구에서 두 개의 교점이 생기는데, 한 개의 교점은 지구 밖에 위치하기 때문에 GPS 수신기의 위치는 나머지 한 점이 된다.

분석 Plus

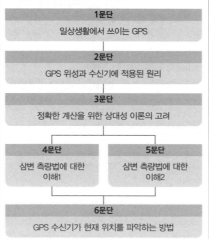

■ 비문학 지문 어떻게 이해할까?

1문단
일상생활에서 쓰이는 GPS

2문단
GPS 위성과 수신기에 적용된 원리

3문단
정확한 계산을 위한 상대성 이론의 고려

4문단
삼변 측량법에 대한 이해1

5문단
삼변 측량법에 대한 이해2

6문단
GPS 수신기가 현재 위치를 파악하는 방법

■ 주제 : GPS에 적용된 원리

어휘풀이

· 궤도(軌道) 행성, 혜성, 인공위성 따위가 중력의 영향을 받아 다른 천체의 둘레를 돌면서 그리는 곡선의 길.
· 수신기(受信機) 외부로부터 신호를 받아 필요한 정보를 얻는 장치. 일반적으로 무선 통신기를 이르며, 텔레비전 수상기 · 팩시밀리 따위가 있다.

7. ① 내용 전개 방식 이해하기

❶ 이 글은 GPS에 적용된 원리를 설명하고 있는 글로, GPS에서 수신기의 위치를 파악할 때 사용되는 원리인 상대성 이론과 삼변 측량법을 구체적으로 설명하고 있다.
② GPS의 발전 과정에 대해서 언급하고 있지 않을 뿐만 아니라, 이를 시간의 순서에 따라 제시하고 있지 않으므로 적절하지 않다.
③ GPS와 다른 대상을 비교하고 있지 않을 뿐만 아니라, 이의 장단점을 설명하고 있지 않으므로 적절하지 않다.
④ GPS의 종류를 일정한 기준에 따라 분류하고 있지 않으므로 적절하지 않다.
⑤ GPS의 유용성에 대해서는 설명하고 있다고 볼 수

있으나, 앞으로의 전망에 대해 제시하고 있지 않으므로 적절하지 않다.

8. ③ 세부 정보 파악하기

① 두 번째와 세 번째 문단의 내용을 통해서 GPS 위성은 약 20,000km 이상의 상공에서 일정한 속력으로 정해진 궤도를 돈다는 것을 알 수 있다.
② 첫 번째 문단의 내용을 통해서 스마트폰이나 내비게이션으로 현재 위치를 파악하는 것이 GPS를 이용한 것이라는 사실을 알 수 있다.
❸ GPS 수신기는 GPS 위성으로부터 신호를 받아서 위성과 수신기까지의 거리를 파악하고, 이를 이용하여 자신의 위치를 파악한다. GPS 위성은 신호를 보내고 GPS 수신기는 이를 받기만 하므로, GPS 수신기가 GPS 위성에 신호를 보낸다는 설명은 적절하지 않다.
④ 두 번째 문단을 통해 이동 거리는 이동 시간에 이동 속력을 곱해서 구할 수 있으며, GPS 위성이 보낸 신호의 속력은 빛의 속력이라는 것을 알 수 있다. 따라서 GPS 위성과 수신기 간의 거리를 빛의 속력으로 나누면 위성의 신호가 수신기에 도달하는 데 걸린 시간이 된다는 것을 알 수 있다.
⑤ 네 번째 문단의 내용을 통해서 삼변 측량법은 기준점의 위치 및 대상과 기준점 사이의 거리를 이용하여 대상의 위치를 파악하는 방법이라는 것을 알 수 있다.

왜 틀렸을까?

세부 내용을 정확하게 이해하는지 묻는 문제에서 36%의 정답률을 보였어. 정확한 내용이었던 ①번 선택지를 고른 학생들이 33%에 달했는데, 두 번째 문단을 보면 'GPS 위성은 일정한 속력으로 정해진 궤도를 돌면서', 그리고 세 번째 문단에서 '위성은 약 20,000km 이상의 상공에 있기 때문에'라는 내용을 복합적으로 이해하기가 어려웠던 모양이야. 그리고 ③번의 내용에서 헷갈렸던 내용이 위성과 수신기의 기능이었지. 위성에서 신호를 보내고 수신기는 신호를 받는 역할만 하는 것을 인지하지 못해서 아깝게 놓친 문제였어. 다음에는 이러한 사소한 내용도 세심하게 따지면서 해결해 보렴.

9. ⑤ 정보의 인과 관계 파악하기

① 세 번째 문단의 '또한 위성은 약 20,000km 이상의 상공에 있기 때문에 중력이 지표면보다 약하게 작용해'를 통해 GPS 위성은 지표면보다 높은 곳에 있어 중력이 약하게 작용한다는 사실을 알 수 있으므로 적절하지 않다.
② 세 번째 문단의 '위성은 지구의 자전 속력보다 빠르게 지구 주변을 돌고 있기 때문에 지표면에 비해 시간이 느리게 흘러'를 통해 GPS 위성은 지구의 자전 속력보다 빠르게 돌고 있다는 사실을 알 수 있으므로 적절하지 않다.
③ GPS 위성의 원자시계가 빠르게 흐르는 데 영향을 주는 요소는 속력과 중력이기 때문에, 지구의 자전 방향과 관련지을 수 없다.
④ GPS 수신기가 GPS 위성의 신호를 받는 과정에서 시간의 차이가 생기는 것은 GPS 수신기와 위성 사이의 거리 때문이므로 GPS 위성에 있는 원자시계의 시간이 지표면에 비해 빨라지는 이유와는 관련이 없다.
❺ 세 번째 문단을 보면, 물체의 속력과 물체에 작용하는 중력은 시간의 흐름에 영향을 준다는 사실을 알 수 있다. 상대성 이론에 따르면 빠른 속력으로 이동하면

시간이 느리게 흐르고 중력이 약하게 작용하면 시간이 빠르게 흐른다. 그런데 원자시계의 시간은 지표면의 시간에 비해 매일 약 $38.6\mu s$씩 빨라진다. GPS 위성은 지구의 자전 속력보다 빠르게 지구 주변을 돌고 있기 때문에 지표면에 비해 시간이 느리게 흘러 위성의 시간은 하루에 약 $7.2\mu s$씩 느려진다. 그리고 위성은 높은 고도에 있기 때문에 중력이 지표면보다 약하게 작용해 지표면에 비해 시간이 하루에 약 $45.8\mu s$씩 빨라지게 된다. 이러한 GPS 위성에는 시간을 빠르게 하는 요소와 느리게 하는 요소가 모두 작용하는데, 시간이 빨라지는 이유는 중력으로 인해 시간이 빨라지는 영향이 더 크기 때문임을 알 수 있다.

10. ④ 구체적 사례에 적용하기

① 두 번째 문단을 통해 GPS 위성은 '자신의 위치 정보 및 시각 정보를 담은 신호를 지구로 송신한다.'는 사실을 알 수 있다.

② 두 번째 문단을 통해 GPS 위성과 GPS 수신기의 거리는 GPS 위성이 보낸 신호가 수신기에 도달하는 데 걸리는 시간을 통해 계산한다는 사실을 알 수 있다. 따라서 $r_1 \sim r_3$의 값이 변하지 않는다는 것은 GPS 위성과 수신기 사이의 거리가 일정하다는 것을 의미하기 때문에, 이는 GPS 위성이 보낸 신호가 Px에 도달하는 데 걸리는 시간이 달라지지 않는다는 것을 의미한다.

③ GPS 위성에서 보낸 신호가 GPS 수신기에 도달하는 데 걸린 시간이 실제보다 짧게 계산된다는 것은, $r = t \times c$에서 t값이 작게 계산되었다는 것이다. 따라서 신호가 이동한 시간이 실제보다 짧게 계산되면 그만큼 r값도 실제보다 작게 계산된다.

❹ P_1과 Px 사이의 거리인 r_1이 P_2와 Px 사이의 거리인 r_2보다 짧으므로, P_1이 송신한 신호가 Px에 도달할 때까지 걸린 시간이 P_2가 송신한 신호가 Px에 도달할 때까지 걸린 시간보다 길다는 설명은 적절하지 않다.

⑤ 마지막 문단을 통해 세 구의 교점은 두 개가 나오고, 그 중 지표면에 가까운 교점이 GPS 수신기의 위치가 된다는 것을 알 수 있다.

11. ③ 문맥에 맞게 어휘 바꿔 쓰기

① ⓐ '탐색(探索)하거나'는 '드러나지 않은 사물이나 현상 따위를 찾아내거나 밝히기 위하여 살피어 찾다.'는 의미이므로 '찾거나'와 바꿔 쓸 수 있다.

② ⓑ '표시(標示)하면'은 '표를 하여 외부에 드러내 보이다.'의 의미이므로 '나타내면'과 바꿔 쓸 수 있다.

❸ ⓒ '탑재(搭載)된'은 '배, 비행기, 차 따위에 물건을 실음.'의 의미이므로, '탑재된'은 '실린'으로 바꾸어 써야 하며 '태운'은 적절하지 않다. '태우다'는 '탈것에 몸을 얹게 하다.'의 의미이고, '싣다'는 '물건을 운반하려고 차·배·수레·짐승 따위에 얹다.'의 의미이다. 일반적으로 물건을 대상으로 할 때는 '싣다'로, 사람 등을 대상으로 할 때는 '태우다'가 적절한 표현이다.

④ ⓓ '연결(連結)'은 '사물과 사물 또는 현상과 현상이 서로 이어지거나 관계를 맺다.'의 의미이므로 '이으면'과 바꿔 쓸 수 있다.

⑤ ⓔ '동일(同一)한'은 '어떤 것과 비교하여 똑같음.'의 의미이므로 '같은'과 바꿔 쓸 수 있다.

기술

본문 086쪽

1. ③ 2. ④ 3. ① 4. ③ 5. ①
6. ① 7. ② 8. ⑤ 9. ④ 10. ④

【1~5】 이종호, '과학 삼국유사'

지문해설

조상들이 얼음을 보관할 때 사용했던 '석빙고'의 원리가 무엇인지 설명하고 있다. 우선 얼음이 녹아 물이 될 때, 융해열이라는 숨은열을 흡수하기 때문에 주변이 차가워져서 얼음을 보관할 수 있다. 또한 밀도가 낮고 온도가 높은 공기가 천장의 통풍구로 빠져나가게 만들고, 얼음과 얼음 사이에 단열재를 넣으며, 석빙고 외부에 흙을 덮는 등의 방법을 써서 얼음을 보관할 수 있었다. 석빙고에는 이러한 조상들의 지혜가 깃들어 있다.

■ 비문학 지문 어떻게 이해할까?

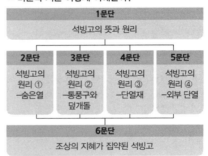

1문단
석빙고의 뜻과 원리

2문단	3문단	4문단	5문단
석빙고의 원리 ① ―숨은열	석빙고의 원리 ② ―통풍구와 덮개돌	석빙고의 원리 ③ ―단열재	석빙고의 원리 ④ ―외부 단열

6문단
조상의 지혜가 집약된 석빙고

■ 주제 : 조상의 지혜가 집약된 석빙고의 원리

1. ③ 글의 세부 내용 파악하기

① 다섯 번째 문단에서 풀을 심어 태양의 복사 에너지로 인해 내부의 온도가 상승하는 것을 막을 수 있다고 하였다.

② 첫 번째 문단에서 석빙고는 겨울철에 입구를 개방하여 내부를 냉각시킨 후 얼음을 저장했다고 하였으므로, 석빙고에 얼음을 저장하기 전에 내부를 차갑게 하는 과정이 필요함을 알 수 있다.

❸ 세 번째 문단에서 석빙고 내부의 온도가 높은 공기가 아치형 천장의 움푹 들어간 공간을 통해 그 위의 통풍구로 빠져나간다고 하였다. 이러한 에너지의 이동에 의해 내부의 차가움이 유지되는 것이지, 외부 공기를 이용하는 것이 아니다.

④ 다섯 번째 문단을 보면, 얼음을 저장하는 빙실은 온도 유지를 위해 주변 지반에 비해 낮게 만들었다고 되어 있다.

⑤ 세 번째 문단을 보면, 통풍구에는 얼음에 영향을 줄 수 있는 직사광선이나 빗물을 차단하기 위해 덮개돌을 설치했다고 되어 있다.

2. ④ 글의 내용 추론하기

① 에너지는 높은 곳에서 낮은 곳으로 이동한다. 물은

얼음보다 에너지가 큰 상태이므로 얼음으로부터 물이 에너지를 전달받을 수 없다.

② 얼음이 녹아 생긴 물을 에너지의 이동을 방해하는 물질로 보는 것은 적절하지 않다.

③ 물이 상태변화를 통해 내부의 온도 상승에 영향을 주려면 얼음이 되어 응고열을 방출해야 한다. 하지만 녹은 물로 인해 주변 에너지가 커져 있는 상황이므로 다시 얼음으로의 상태변화는 일어나기 어렵다.

❹ 얼음이 물이 되는 상태변화가 일어날 때 주변으로부터 에너지를 흡수하는데, 이로 인해 주변 공기가 차가워진다. 그렇다면 녹은 물의 에너지가 얼음보다 큰 상태가 되므로, 물의 에너지가 얼음으로 전달되어 얼음이 녹는 것을 막기 위해 물을 빨리 제거하여야 함을 알 수 있다.

⑤ 녹은 물은 얼음보다 에너지가 큰 상태이고, 내부 공기는 더 큰 에너지를 가지고 있었기 때문에 물을 녹였을 것이다. 이처럼 에너지의 차이가 있는 상태에서 에너지의 평형을 이루었다는 설명은 적절하지 않다.

3. ① 글의 세부 내용 파악하기

❶ 두 번째 문단을 보면, 여름철 석빙고 안에서는 얼음이 녹아 물이 되는 용해(㉮)가 일어난다. 이때 물이 주변에서 융해열을 흡수하여 주변 물질의 에너지는 감소(㉯)하게 된다. 또한 두 번째 문단에 따르면 상태변화가 일어나는 동안 물질의 온도는 유지된다(㉰).

4. ③ 구체적 사례에 적용하기

① 다섯 번째 문단을 보면 A의 외부 흙은 외부로부터의 열을 막는 것이지만, B의 얼음 벽은 내부의 에너지가 외부로 유출되는 것을 막는 것이므로 적절하다.

② 네 번째 문단에서 A의 짚에 포함된 공기구멍은 단열 효과가 있다고 하였고, B의 얼음 속 공기층은 빠져나가지 못하고 얼음 속에 갇혀 에너지 전달을 방해한다고 하였으므로 적절하다.

❸ B의 물은 눈 벽돌 사이를 메우면서 얼어 얼음 벽을 만들어, 외부와의 공기 출입을 막는 역할을 한다. 하지만 네 번째 문단에 따르면 A의 얼음 사이의 짚은 접촉하고 있는 얼음과 얼음 사이의 에너지 전달을 막아 얼음이 녹지 않게 하는 것이므로 외부와의 공기 출입과는 관련이 없다.

④ 세 번째 문단에서 A는 공기의 온도가 올라가면 밀도가 낮아져 에너지를 동반하여 위로 올라가는 현상을 내부 온도 유지에 활용한다고 하였다. B는 눈 벽돌을 쌓아 올린 후 불을 피워서 내부 공기의 온도를 높여 공기가 순환하게 된다. 따라서 A와 B 모두 공기의 밀도 변화에 따른 에너지의 이동이 나타난다는 설명은 적절하다.

⑤ 첫 번째 문단에서 A는 겨울철에 입구를 개방하여 내부를 냉각시킨다고 하였고, B는 출입구를 열어 내부의 눈 벽돌 사이의 물이 얼게 만든다고 하였다. 따라서 A와 B 모두 내부의 온도를 낮추기 위해 출입구를 활용했다는 설명은 적절하다.

왜 많이 틀렸을까?

사람들은 최근에 본 정보를 더 잘 기억한다는 연구 결과가 있어. 이 문제를 많이 틀린 친구들은 아마 이 연구 결과에 딱 부합하는 친구들이 아니었을까? 우리가 지문을 읽으면서 이미 석빙고는 겨울철에 문을 열어 내부를 냉각시킨다고 이해하고 있었어. 심지어 이 내용은 30번 문제의 ②번 선지에서도 만나봤던 내용이야. 그런데 지문에서 자꾸 외부의 직사광선과 빗물을 막기 위해 덮개돌을 설치한다는 내용을 읽으니까 앞서 읽은 내용을 기억하지 못한 거지. 〈보기〉에서 이글루에 대한 내용을 읽는데, 여기에서의 문은 내부의 온도를 낮춘다고 하니 둘 사이의 극명한 대조가 머릿속에 남았을 거야.
그래서 지문 안에서 이질적인 내용이 나오면 표시를 해 두는 것이 좋아. 이렇게 출제가 될 정도의 지문이라면 지문 안에서 일관성이 유지되어야 하는 것 같지? 하는 생각이 든다. 그 부분은 출제 포인트가 될 거야. 표시해 두고, 이렇게 이질적이라고 생각되는 이유를 꼭 정리해 두면서 독해를 해 보자.

5.① 어휘의 문맥적 의미 파악하기

❶ ⓐ '떨어지지'는 '다른 것보다 수준이 처지거나 못하다'라는 의미로 쓰였으므로, '그의 실력은 평균보다 떨어지는 편이다.'의 '떨어지는'과 의미가 가깝다.
② '명령이나 허락 따위가 내려지다.'라는 의미로 쓰였다.
③ '정이 없어지거나 멀어지다.'라는 의미로 쓰였다.
④ '함께 하거나 따르지 않고 뒤에 처지다.'라는 의미로 쓰였다.
⑤ '말이 입 밖으로 나오다.'라는 의미로 쓰였다.

【6~10】 박기현, '데이터 통신과 네트워크'

지문해설

컴퓨터 네트워크의 데이터 전송 과정에서 나타날 수 있는 데이터 오류를 검출하는 방법에 대해 설명하고 있다. 데이터의 오류를 검출하기 위해서 송신기는 오류 검출 부호를 포함한 데이터를 전송하고, 수신기는 수신한 데이터를 검사하여 오류가 있으면 재전송을 요청한다. 데이터의 오류를 검출하는 방식으로는 패리티 비트를 활용하는 패리티 방식, 생성 부호를 사용해서 오류 검출 부호를 생성하는 CRC 방식이 있다. 패리티 방식은 전송할 데이터에 패리티 비트라는 오류 검출 부호를 추가하는 방법으로, 짝수 패리티와 홀수 패리티가 있으며 송·수신기는 반드시 같은 방식을 사용해야 한다. CRC 방식은 미리 선택된 생성 부호를 사용해서 오류 검출 부호를 생성하는 방식으로, 자릿수가 제한된 상태에서 나머지를 구하는 연산인 '모듈로-2 연산'을 사용한다. CRC 방식은 여러 개의 오류가 동시에 생겨도 이를 검출할 수 있기 때문에 오류 검출 확률이 높다는 장점이 있다.

■ 비문학 지문 어떻게 이해할까?

1문단
데이터 오류를 검출하기 위한 송수신기

2문단	4문단
데이터 오류 검출 방식 -패리티 방식	데이터 오류 검출 방식 -CRC 방식

3문단	5문단
패리티 비트를 활용하여 데이터의 오류를 검출하는 방법	생성 부호를 사용해서 오류 검출 부호를 생성하는 방법

■ 주제 : 데이터 오류를 검출하는 두 가지 방식

6.① 세부 정보 파악하기

❶ 네 번째 문단에 'CRC 방식은 미리 선택된 생성 부호를 사용해서 오류 검출 부호를 생성하는 방식'이라고 했으므로 적절하지 않은 설명이다. 모듈로-2 연산은 생성 부호가 아닌 오류 검출 부호를 생성하는 데 사용된다.
② 두 번째 문단에서 패리티 검사에는 짝수 패리티와 홀수 패리티 방식이 있고 송신기와 수신기는 모두 같은 방식을 사용해야 한다고 언급하고 있다.
③ 마지막 문단에서 CRC 방식에서 오류 검출 부호가 들어갈 자리에 생성 부호의 비트 수보다 하나 작은 비트 수만큼 0을 추가한다고 하였으므로, 이는 곧 생성 부호의 비트 수는 오류 검출 부호의 비트 수보다 하나가 더 많다고 언급한 것이다.
④ 두 번째 문단에서 패리티 검사는 패리티 비트를 추가하여 데이터의 1의 개수를 짝수나 홀수로 만드는 방식이라고 하였다. 짝수 패리티를 사용한다면 송수신기는 항상 데이터의 1의 개수를 짝수로 만들어야 한다.
⑤ 마지막 문단에서 'CRC 방식은 복잡하지만 여러 개의 오류가 동시에 생겨도 이를 검출할 수 있어서 오류 검출 확률이 높다'고 하였다.

7.② 핵심 정보 파악하기

① '패리티 검사'는 전송할 데이터에 오류 검출 부호인 패리티 비트를 추가하여 데이터의 1의 개수를 짝수나 홀수로 만든다. 반면 'CRC 방식'은 모듈로-2 연산을 통해 오류 검출 부호를 생성한다.
❷ '패리티 검사'와 'CRC 방식'은 모두 수신한 데이터를 검사하여 오류를 검출한다. 송신기는 오류 검출 부호를 생성해서 이를 데이터에 포함하여 전송하는 역할을 하는데, 패리티 검사와 CRC 방식 모두 송신기에서는 오류 검사를 하지 않는다.
③ '패리티 검사'는 수신기가 수신한 데이터의 각각의 행과 열의 1의 개수를 세어 오류를 검사하고, 'CRC 방식'은 수신기가 수신한 데이터를 모듈로-2 연산을 수행하여 나머지를 구해 오류를 검출한다.
④ '패리티 검사'와 'CRC 방식'은 모두 송신기가 데이터를 전송하기 전에 오류 검출 부호를 생성한다. 즉 '패리티 검사'는 패리티 비트를, 'CRC 방식'은 미리 선택된 생성 부호를 사용한다.
⑤ '패리티 검사'는 데이터가 같더라도 짝수 패리티나 홀수 패리티 중 어떤 방식을 사용하는가에 따라 패리티 비트가 달라질 수 있다. 'CRC 방식'은 미리 정해진 생성 부호에 따라 송신기의 모듈로-2 연산의 나머지가 달라질 수 있다. 따라서 두 방식 모두 전송할 데이터가 같더라도 오류 검출 부호는 다를 수 있다.

8.⑤ 이유 추론하기

① 송신기가 패리티 비트를 생성하는 것은 불가능하지 않으며, 이는 전송 과정에서 발생하는 데이터 오류와는 관련이 없다.
②, ③ 전송되는 데이터에 포함되는 1의 개수는 사용하는 패리티 방식에 따라 짝수나 홀수로 나타난다고 설명하고 있다. 어떤 방식을 사용하더라도 수신한 데이터에 짝수 개의 비트에 오류가 동시에 있으면 수신기는 오류를 검출할 수 없다.
④ 패리티 비트는 송신기가 데이터를 전송하기 전에 생

성되는 것이므로 그 크기가 달라지지 않는다.
❺ 두 번째 문단에 따르면, 만약 짝수 패리티를 사용하여 1의 개수가 짝수가 되도록 패리티 비트를 생성해서 전송했을 때, 수신한 데이터에 오류가 있어서 1의 개수가 홀수가 되어 있으면 오류라고 판단하는 것이다. 하지만 짝수 개의 비트에 오류가 발생하면 전송할 데이터와 수신한 데이터가 달라지더라도 수신한 데이터의 1의 개수는 짝수로 나타나고, 패리티 비트는 전송할 데이터가 짝수일 때를 기준으로 생성되었기 때문에 데이터의 1의 개수의 짝·홀수 여부는 달라지지 않는다. 따라서 수신한 데이터가 정상일 때와 패리티 비트가 동일하여 수신기가 오류를 검출할 수 없다.

9.④ 구체적 사례에 적용하기

① 〈보기〉에서 첫 번째 행의 패리티 비트를 포함한 데이터의 1의 개수가 3개로 홀수이다. 홀수 패리티를 활용하였다고 했으므로 수신기는 첫 번째 행에 오류가 없다고 판단했을 것이다.
② 〈보기〉에서 여섯 번째 열의 패리티 비트를 포함한 데이터의 1의 개수는 1개로 홀수이다. 홀수 패리티를 사용했으므로 수신기는 여섯 번째 열에 오류가 없다고 판단했을 것이다.
③ 세 번째 문단에서 전송할 데이터를 2차원 배열로 구성해서 패리티 비트를 생성하면 오류의 발생 여부뿐만 아니라 오류의 위치도 알아낼 수 있다고 하였다. 〈보기〉에서 ⓐ가 포함된 두 번째 행과 세 번째 열의 패리티 비트를 포함한 1의 개수는 각각 6개와 2개로 짝수이다. 홀수 패리티를 사용했으므로 수신기는 두 번째 행과 세 번째 열에 오류가 발생했다고 판단했을 것이다. 또한 행과 열의 교차 지점을 확인하는 것이 가능하기 때문에 오류가 발생한 ⓐ의 정확한 위치를 알아낼 수 있었을 것이다.
❹ 〈보기〉에서 수신한 데이터에서 ⓑ도 0으로 바뀌어서 수신되었다면 두 번째 행은 짝수 개의 비트에 오류가 발생했으므로 두 번째 행의 1의 개수는 5개로 홀수가 된다. 이때 홀수 패리티를 사용하고 있으므로 수신기는 두 번째 행에 대해서는 오류가 없다고 판단할 것이다. 하지만 일곱 번째 열의 1의 개수가 2개로 짝수가 되었으므로 여기에 대해서는 오류가 발생했다고 판단할 것이다. 두 번째 문단에서 짝수 개의 비트에 오류가 있으면 오류의 발생 여부를 검출할 수 있을 뿐 데이터 내 오류의 위치는 알아낼 수 없다고 하였다. 따라서 오류가 있는 행과 열의 교차 지점을 알 수 없기 때문에 오류의 정확한 발생 위치는 알 수 없지만, 일곱 번째 열에 오류가 있다는 것은 알 수 있기 때문에 오류 발생 여부는 검출할 수 있을 것이다.
⑤ 세 번째 문단에서, 짝수 패리티를 활용하면 전송할 데이터를 2차원 배열로 구성하고 모든 행과 열에 패리티 비트를 생성한 후 이를 포함한 데이터를 전송한다고 하였다. 즉 각각의 행과 열에 대해 패리티 비트를 포함한 1의 개수가 짝수가 되도록 패리티 비트를 생성해야 한다. 또한 패리티 비트는 전송할 데이터를 바탕으로 생성되기 때문에 오류가 발생하지 않은 상태를 기준으로 생성된다. 따라서 전송 데이터의 열에 대한 패리티 비트는 ⓒ와는 반대로 1010110으로 생성했을 것이다.

10.④ 구체적 사례를 통해 이해하기

① 마지막 문단에 CRC 방식에서의 연산 과정을 보면 '수신기는 수신한 데이터를 송신기와 동일한 생성 부호로 나눈다'고 하였다. 따라서 〈보기〉의 수신기는 송신기와 동일한 생성 부호인 '1011'을 사용하여 모듈로-2 연산을 한 것이다.

② 〈보기〉에서 수신기가 수신한 데이터의 오른쪽 끝의 111은 송신기의 모듈로-2 연산으로 생성된 오류 검출 부호인 111을 추가한 것이다.

③ 〈보기〉의 모듈로-2 연산을 보면 수신한 데이터의 오른쪽 끝에 생성 부호보다 하나 작은 비트 수만큼 0을 추가하지 않고 110101111을 바로 생성 부호로 나누고 있다는 것을 확인할 수 있다.

❹ 마지막 문단에서 '수신한 데이터는 전송할 데이터에 나머지를 추가했으므로 오류가 없다면 생성 부호로 나누었을 때 나머지가 0이 된다. 이때 나머지가 0이 아니면 수신한 데이터에 오류가 있다고 판단한다'고 했다. 이에 따라 수신기가 수신한 데이터에 오류가 없다고 판단한 이유는 모듈로-2 연산의 나머지가 0이기 때문이다.

⑤ 마지막 문단에 따르면, CRC 방식에서는 수신기의 모듈로-2 연산의 나머지가 0으로 나오면 수신한 데이터에 오류가 없다고 판단하고, 0이 아니면 오류가 있다고 판단한다. 따라서 〈보기〉의 모듈로-2 연산의 나머지가 0이 아니었다면 수신기는 수신한 데이터에 오류가 있다고 판단하고 송신기에 재전송을 요청했을 것이다.

왜 많이 틀렸을까?
이 문제는 ②번과 ③번을 고른 비율이 꽤 높았어. 마지막 문단에서는 CRC 방식에서 송신기는 전송할 데이터의 오른쪽 끝에 생성 부호의 비트 수보다 하나 작은 비트 수만큼 0을 추가한다고 설명하고 있었는데, 〈보기〉에서는 0을 추가하지 않았어. 많은 학생들이 이 부분을 제대로 파악하지 못하고 놓친 것 같아. 본문의 설명과 구체적 사례를 연결짓기 위해서는 세부 내용을 잘 확인하고, 구체적인 수치를 정확하게 적용하고 있는지를 잘 파악해야 해.

Day 19 본문 090쪽

1. ③   2. ④   3. ①   4. ③   5. ③
6. ①   7. ④   8. ④   9. ①

【1~4】 이선명, '수소전기차'

지문해설

환경 문제의 심각성이 화두가 되면서 온실가스와 오염 물질의 배출이 적은 친환경차가 주목을 받고 있다. 친환경차는 전기차, 수소전기차, 하이브리드차 등으로 나눌 수 있다. 이 중 전기차와 수소전기차는 전기에너지를 운동에너지로 변화하는 모터만으로 구동하는 경우이고, 하이브리드차는 연료를 연소시킬 때 발생하는 열에너지를 운동에너지로 바꿔주는 엔진을 사용하는 경우이다. 전기차, 수소전기차, 하이브리드차는 각각 에너지 공급 방법과 원리에서 차이점을 보인다. 우선 수소전기차는 연료 탱크에 저장된 수소를 연료전지를 통해 전기에너지로 변환하여 동력원으로 사용하는데, 수소전기차에 사용되는 수소는 에너지 효율이 높고 오염 물질이나 온실가스의 배출이 적다는 장점이 있으나, 고가인 백금과 고분자전해질막을 사용하므로 값이 비싸고 보관과 이동이 어렵다는 단점이 존재한다.

■ 주제 : 친환경차의 구동 원리와 에너지를 생성하는 과정

---

1. ③   세부 내용 파악하기

① 다섯 번째 문단에서 수소전기차에 사용되는 수소는 고압으로 압축해야 하므로 폭발할 위험성이 커 보관과 이동에 어려움이 있다고 하였다.

② 다섯 번째 문단에서 수소전기차는 수소와 산소의 반응을 이용하므로 오염 물질이나 온실가스의 배출이 적고 외부로부터 공급되는 공기를 필터로 정화하여 사용한 후 배출하므로 공기를 정화하는 기능을 한다고 하였다.

❸ 다섯 번째 문단에서 수소전기차는 가솔린의 세 배나 되는 단위질량당 에너지 밀도를 지니고 있으므로 에너지 효율이 높다고 하였다. 따라서 수소가 가솔린보다 에너지 효율이 낮다는 설명은 적절하지 않다. 한편 수소전기차는 수소와 산소의 반응을 이용하므로 오염 물질이나 온실가스의 배출이 적고 공기를 정화하는 기능도 한다고 하였으므로, 친환경적이라고 볼 수 있다.

④ 다섯 번째 문단에서 수소전기차는 에너지 효율이 높고, 친환경적이라는 장점에도 불구하고, 고가인 백금과 고분자전해질막을 사용해 연료전지를 제작해 가격이 비싸다는 문제점이 있다고 하였다. 따라서 백금과 고분자전해질막을 대신할 저가의 원료를 개발한다면 연료전지의 가격을 낮출 수 있을 것이다.

⑤ 네 번째 문단에서 수소전기차에 사용되는 연료전지는 차량 구동에 필요한 수준의 전기에너지를 발전시키기 위해 다수의 연료전지를 직렬로 연결하여 가로로 쌓아 만들며 이를 스택(stack)이라 하였으므로, 수소전기차를 구동할 수준의 전기에너지를 만들어 내려면 다수의 연료전지를 직렬로 연결해 만들어야 할 것이다.

---

2. ④   세부 내용 파악하기

---

① 세 번째 문단에서 물질이 전자를 얻거나 잃는 것을 이온화라고 하며, 물질이 전자를 얻으면 음이온이, 전자를 잃으면 양이온이 생성된다고 하였다. 이때 연료전지의 −극(ⓐ)과 +극(ⓓ)에 사용되는 촉매 속에 들어있는 백금은 −극에서는 수소의 산화 반응을, +극에서는 산소의 환원 반응을 활성화한다. 따라서 ⓐ와 ⓓ에 들어 있는 금속은 각각 수소와 산소의 이온화를 촉진할 것이다.

② 네 번째 문단에서 고분자전해질막(ⓒ)은 양이온의 이동은 돕고 음이온과 전자의 이동은 억제하는 역할을 한다고 하였다. 또한 전자가 외부 회로로 흐르며 전기에너지가 발생한다고 하였다. 따라서 외부 회로(ⓑ)를 통해 전자가 흘러가는 이유는 ⓒ가 전자의 이동을 억제하기 때문이다.

③ 세 번째 문단에서 물질이 전자를 얻거나 잃는 것을 이온화라고 하며, 물질이 전자를 얻으면 음이온이, 전자를 잃으면 양이온이 된다고 하였다. 따라서 고분자전해질막(ⓒ)을 통과하여 +극(ⓓ)으로 이동하는 수소 양이온은 −극(ⓐ)에서 전자를 잃고 이온화가 되었을 것이다.

❹ 네 번째 문단에서 연료전지는 저장된 수소와 외부로부터 공급되는 공기 속 산소가 만나 일어나는 산화·환원 반응 과정을 통해 전기에너지를 생성하며, 연료전지의 −극과 +극에 사용되는 촉매 속에 들어있는 백금은 −극에서는 수소의 산화 반응을, +극에서는 산소의 환원 반응을 활성화한다고 하였다. 따라서 −극(ⓐ)에서 수소와 분리된 전자는 외부 회로(ⓑ)를 통해 +극(ⓓ)으로 흘러가 전기에너지가 생성되고 +극(ⓓ)에서 산소와 전자가 결합하여 산소 음이온이 만들어진다. 따라서 −극(ⓐ)과 +극(ⓓ)에서 분리된 전자가 외부 회로(ⓑ)에서 만나 전기에너지를 생성한다는 설명은 적절하지 않다.

⑤ 다섯 번째 문단에서는 +극에서는 공급된 산소가 외부 회로를 통해 이동해 온 전자(e^-)와 결합해 산소 음이온(O^-)이 된 후, 수소 양이온(H^+)과 만나 물(H_2O)이 되어 외부로 배출된다고 하였다. 따라서 +극(ⓓ)에서는 산소와 전자가 결합하여 산소 음이온이 만들어지고, 고분자전해질막(ⓒ)을 통해 온 수소 양이온과 결합하여 물이 생성된다.

---

3. ①   세부 내용 파악하기

❶ 세 번째 문단에서 전기차는 고전압 배터리에 충전을 해 전기에너지를 모터로 공급하여 움직이고, 수소전기차는 연료 탱크에 저장된 수소를 연료전지를 통해 전기에너지로 변환하여 동력원으로 사용한다고 하였다. 따라서 ㉠ 중에서 수소전기차는 연료 탱크가 필요하다.

왜 많이 틀렸을까?
전기차, 수소전기차, 하이브리드차의 에너지 공급 방법과 구동 원리를 비교할 수 있는지를 묻는 문항이었어. 독서에서는 사실적 독해가 가장 기본적인 절차이자 핵심이라고 볼 수 있는데, 지문에 나온 정보들을 나의 가치관이나 배경지식에 구애받지 않고, '있는 그대로' 읽어 낼 수 있는지를 항상 염두에 두어야 해. 특히 생소한 개념이나 용어가 나올 때에는 지문 옆에 표나 그림을 통해 비교 분석하면서 중심 내용을 파악하는 연습을 꼭 해봐야 하겠지.

---

4. ③   단어의 의미 파악하기

① '주목을 받고 있다'의 '받고'는 '다른 사람이나 대상이 가하는 행동, 심리적인 작용 따위를 당하거나 입다'라는 의미인데 비해, '회사의 미래를 위해 신입 사원을 받아

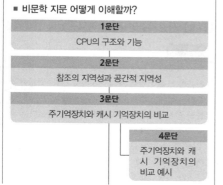

야 하겠군'의 '받아야'는 '사람을 맞아들이다'라는 뜻이
므로 일치하지 않는다.
② '주목을 받고 있다'의 '받고'는 '다른 사람이나 대상이
가하는 행동, 심리적인 작용 따위를 당하거나 입다'라는
의미인데 비해, '네가 원하는 요구 조건은 무엇이든지
받아 주겠다'의 '받아'는 '(-어 주다'와 함께 쓰여) 다른
사람의 어리광, 주정 따위에 무조건 응하다'라는 뜻이므
로 일치하지 않는다.
❸ '주목을 받고 있다'의 '받고'는 '다른 사람이나 대상이
가하는 행동, 심리적인 작용 따위를 당하거나 입다'라는
의미로, '그 아이는 막내로 태어나 집에서 귀염을 받고
자랐다'의 '받고'가 지닌 의미와 일치한다.
④ '주목을 받고 있다'의 '받고'는 '다른 사람이나 대상이
가하는 행동, 심리적인 작용 따위를 당하거나 입다'라는
의미인데 비해, '그는 좌회전 신호를 받고 천천히 차의
속도를 높였다'의 '받고'는 '요구, 신청, 질문, 공격, 도
전, 신호 따위의 작용을 당하거나 거기에 응하다'라는
의미이므로 일치하지 않는다.
⑤ '주목을 받고 있다'의 '받고'는 '다른 사람이나 대상이
가하는 행동, 심리적인 작용 따위를 당하거나 입다'라는
의미인데 비해, '예전에는 빗물을 큰 물통에 받아 빨래
하는 데 쓰기도 했다'의 '받아'는 '흐르거나 쏟아지거나
하는 것을 그릇 따위에 담기게 하다'라는 의미이므로 일
치하지 않는다.

【5~9】 임석구·홍경호, '최신 컴퓨터 구조'

지문해설

CPU는 컴퓨터의 중앙처리장치로 주기억장치와 데
이터를 주고 받는다. 캐시 기억장치란 '블록(block)'
단위로 데이터가 저장되는 것이고, 주기억장치는
'워드 단위로 데이터가 저장되는 곳이다. 주기억장
치의 데이터가 캐시 기억장치에 저장되는 장소를
'라인(line)'이라고 한다. 캐시 기억장치의 용량은
주기억장치보다 훨씬 작기 때문에 캐싱을 위해서는
주기억장치의 여러 블록이 캐시 기억장치의 하나의
라인을 공유하여 사용한다. 캐싱이란 캐시 기억장
치에 주기억장치의 데이터 중 자주 사용되는 데이
터의 일부를 복사해 두고 CPU가 이 데이터를 사용
하도록 하는 과정이다. 주기억장치의 데이터를 캐
시 기억장치에 저장하는 방식에는 여러 가지가 있
는데 그중 하나가 직접 매핑이다. 직접 매핑은
CPU가 요청한 데이터가 캐시 기억장치에 있는지
확인할 때 해당 라인만 검색하면 되기 때문에 검색
속도가 빠르고 시스템을 구성하는 비용이 저렴하다
는 장점이 있으나, 캐시 미스가 반복될 수 있다는
단점이 있다. 이를 보완하기 위해 '완전 연관 매핑',
'세트 연관 매핑' 등을 활용한다.

■ 비문학 지문 어떻게 이해할까?

1문단
CPU의 구조와 기능

2문단
참조의 지역성과 공간적 지역성

3문단
주기억장치와 캐시 기억장치의 비교

4문단
주기억장치와 캐시 기억장치의 비교 예시

5문단
주기억장치의 데이터 주소 – '태그 필드, 라인 필드, 워드 필드'

6문단
주기억장치의 데이터를 캐시 기억장치에 저장하는 방식 – 직접 매핑 방식에서 캐싱이 이루어지는 과정

7문단
직접 매핑의 장단점과 보완

■ **주제** : CPU의 구조와 주기억장치와 캐시 기억
장치의 데이터 저장 방식

5. ③　　　세부 내용 파악하기

① 세 번째 문단에서 일반적으로 하나의 라인에 하나의
블록이 들어갈 수 있도록 설계되어 있기 때문에 주기억
장치에서 캐시 기억장치로 데이터를 전송할 때에는 블
록 단위로 데이터를 전송한다고 하였다.
② 첫 번째 문단에서 캐시 기억장치는 CPU 내에 또는
CPU와 주기억장치 사이에 위치한 기억장치로 주기억
장치보다 용량은 작지만 처리 속도가 매우 빠르다고 하
였다.
❸ 두 번째 문단에서 캐싱이 효율적으로 이루어지려면
CPU가 캐시 기억장치에 저장된 데이터를 반복적으로
사용하는 것이 중요하다고 하였다.
④ 두 번째 문단에 시간적 지역성은 CPU가 한 번 사용
한 특정 데이터가 가까운 미래에 다시 사용될 가능성이
높은 것이고, 공간적 지역성은 한 번 사용한 데이터 근
처에 있는 데이터가 곧 사용될 가능성이 높은 것을 말
한다고 하였다.
⑤ 첫 번째 문단에서 캐시 기억장치에 주기억장치의 데
이터 중 자주 사용되는 데이터의 일부를 복사해 두고
CPU가 이 데이터를 사용하도록 하는 과정을 '캐싱
(caching)'이라고 한다고 하였다.

6. ①　　　구체적 사례에 적용하기

❶ 블록/ 6비트/ 4개○
▶ 세 번째 문단에서 캐시 기억장치는 일반적으로 하나
의 라인에 하나의 블록이 들어갈 수 있도록 설계되어 있
으므로 주기억장치에서 캐시 기억장치로 데이터를 전송
할 때에는 블록 단위로 데이터를 전송한다고 하였다. 따
라서 ㉮에는 블록이 적절하다. 네 번째 문단에서 어떤
컴퓨터의 주기억장치의 데이터 용량을 워드 2^n개, 캐시
기억장치의 데이터 용량을 워드 M개이고, 주기억장치
의 블록 한 개가 K개의 워드로 이루어져 있다고 하면
이 주기억장치의 총 블록 개수는 $2^n/K$개가 되며 각 워
드는 n비트의 주소로 지정된다고 하였다. 또한 캐시 기
억장치의 각 라인은 K개의 워드로 채워지므로 캐시 기
억장치에는 총 M/K개의 라인이 만들어진다고 하였다.
따라서 주기억장치의 데이터 용량(2^n)이 64(2^6)개의 워
드이고 하나의 블록을 이루는 워드 수(K)가 4일 때, 이
주기억장치의 데이터는 총 16($2^6/4$)개의 블록이고, 각
워드는 6(n)비트의 주소로 지정될 것이다. 하나의 라인
에는 하나의 블록만 들어갈 수 있다고 하였으므로 캐
시기억장치의 데이터에는 워드의 수(M) 16이 해당한다.
따라서 라인(M/K)은 4(16/4)개가 만들어진다.

7. ④　　　자료를 바탕으로 원리 이해하기

① 여섯 번째 문단에서 CPU가 '태그 필드, 라인 필드,
워드 필드'로 이루어진 주소를 통해 데이터를 요청하면,
우선 요청 주소의 라인 필드를 이용하여 캐시 기억장치
의 해당 라인을 확인한다고 하였다. 따라서 〈보기〉는
CPU가 주소 '001011'의 데이터를 요청한 상황이므로 요
청 주소의 라인 필드인 '10'을 확인하고, 캐시 기억장치
의 해당 라인(10)에 데이터가 있는지를 확인해야 한다.
② 여섯 번째 문단에서 해당 라인에 CPU가 요청한 데
이터가 저장되어 있으면 그 라인의 태그와 요청 주소의
태그를 비교하여 두 태그의 값이 일치하면 주소의 워드
필드를 이용하여 라인 내 워드들 중에서 해당 데이터를
찾아 CPU에 보내 준다고 하였다. 따라서 〈보기〉의 데
이터의 태그 필드 값(10)을 CPU가 요청한 주소의 태그
필드 값(00)과 비교한다. 그 결과 두 태그 필드의 값은
불일치하므로 캐시 미스가 발생할 것이다.
③ 여섯 번째 문단에서 캐시 미스가 일어나면 요청 주
소에 해당하는 블록을 주기억장치에서 복사하여 캐시
기억장치의 지정된 라인에 저장한다고 하였다. 따라서
〈보기〉의 주기억장치에서 요청한 주소의 데이터인 'b,
l, u, e' 블록을 복사하여 캐시 기억장치의 해당 라인
(10)에 저장할 것이다.
④ 여섯 번째 문단에서 주소의 태그를 그 라인의 태그
필드에 기록하고 요청된 데이터를 CPU에 보낼 때 만약
그 라인에 다른 블록이 저장되어 있다면 그 블록은 지
워지고 새롭게 가져온 블록이 저장된다고 하였다. 따라
서 캐시 기억장치의 라인인 10에 'g, o, a, l' 블록으
로 저장되어 있으므로 이 데이터가 삭제될 것이다.
⑤ 앞선 과정을 통해 최종적으로 CPU로 보내지는 데이
터는 'e'가 될 것이다.

8. ④　　　정보 간의 관계 파악하기

① ㉠의 방식은 CPU가 '태그 필드, 라인 필드, 워드 필
드'로 이루어진 주소를 통해 데이터를 요청하면, 우선
요청 주소의 라인 필드를 이용하여 캐시 기억장치의 해
당 라인을 확인한다고 하였다. ㉡은 주기억장치의 블록
이 캐시 기억장치의 정해진 라인에 저장되는 것이 아니
기 때문에 주기억장치의 주소는 태그 필드, 워드 필드
로 이루어진다. 따라서 ㉠과 달리 ㉡은 주기억장치의
주소에 태그 필드가 있다는 설명은 적절하지 않다.
② ㉡은 필요한 데이터 위주로 저장할 수 있기 때문에
매핑 방식 중에 캐시 히트의 확률이 가장 높으나 검색
시간이 가장 오래 걸린다고 하였다.
③ ㉡은 블록이 교체될 때 어떤 블록을 삭제할지를 결정
하는 블록 교체 알고리즘이 별도로 필요하다고 하였다.
❹ ㉠은 주기억장치의 데이터를 블록 단위로 캐시 기억
장치의 지정된 라인에 저장하는 방식이다. 이에 비해
㉡은 캐시 기억장치에 블록을 저장할 때 라인을 지정하
지 않고 임의로 저장하는 방식이라고 하였으므로 적절
한 설명이다.
⑤ ㉠은 해당 라인만 검색하면 되기 때문에 검색 속도
가 빠르고 회로의 구조가 단순한 것에 비해, ㉡은 회로
의 구조가 복잡해서 시스템을 구성하는 비용이 높다고
하였다.

왜 답이 틀렸을까?
복잡하고 긴 지문일수록 지문의 주어를 잘 표시해 두어야
겠지. 이 문항은 주기억장치와 캐시 기억장치의 요소를 분

석하고 비교하면서 각각의 장단점을 설명하고 있는 부분이라는 것을 잊지 않았다면 틀리지 않았을거야.

9. ①   어휘의 문맥적 의미 파악하기

❶ '엔진의 성능이 떨어져서 큰일이다'의 '떨어져서'는 '다른 것보다 수준이 처지거나 못하다'는 뜻으로 @와 유사하다.
② '소매에서 단추가 떨어져서 당황했다'의 '떨어져서'는 '달렸거나 붙었던 것이 갈라지거나 떼어지다'는 의미이다.
③ '감기가 떨어지지 않아 큰 고생을 했다'의 '떨어지지'는 '병이나 습관 따위가 없어지다'의 의미이다.
④ '해가 떨어지기 전에 이 일을 마치기로 했다'의 '떨어지기'는 '해, 달이 서쪽으로 지다'는 의미이다.
⑤ '굵은 빗방울이 머리에 한두 방울씩 떨어지기 시작했다'의 '떨어지기'는 '위에서 아래로 내려지다'는 의미이다.

Day 20
본문 094쪽

| 1. ① | 2. ② | 3. ③ | 4. ⑤ | 5. ① |
| 6. ④ | 7. ③ | 8. ③ | 9. ④ | |

【1~4】 서사범, '철도공학의 이해'

지문해설

안전거리를 확보하면서도 운행 간격을 줄이고 운행 속도를 높이는 것이 열차 운행의 중요한 과제임을 밝히고, 이를 실현하기 위한 다양한 안전장치의 종류와 작동 원리를 설명하고 있다. 하나의 구간에는 한 대의 열차만 운행하도록 하는데, 이러한 구간을 '폐색구간'이라고 한다. 열차와 선로에는 다양한 안전장치들이 설치되어 있는데 '자동폐색장치'는 궤도회로를 이용하여 열차 위치에 따라 신호를 자동으로 제어하는 장치이다. 또 정지 신호를 오인하여 발생하는 충돌 사고를 예방하는 것은 '자동열차정지장치(ATS)'가 있다. ATS는 선로 위의 지상장치와 열차 안의 차상장치로 구성된다. 정지를 의미하는 적색등이 켜지면 벨이 5초 이상 울리면 ATS는 이를 위기 상황으로 판단하고 제동장치에 비상 제동을 명령하여 자동으로 열차를 멈춰 서게 한다. '자동열차제어장치(ATC)'는 신호에 따라 여러 단계로 나누어진 열차 제한 속도 정보를 지상장치에서 차상장치로 전송한다. ATC는 송수신장치, 열차검지장치, 속도신호생성장치, 속도검출기, 처리장치, 제동장치 등으로 구성되어 있다. 열차 사이의 안전거리를 확보하면서도 운행 간격을 최대한 단축하고 열차의 운행 속도를 높이는 기술에 대한 연구가 지속적으로 이루어지고 있다.

분석 Plus+

■ **문단 구성**
  1문단: 열차와 선로의 안전장치들
  2문단: 자동폐색장치(ABS)
  3문단: 자동열차정지장치(ATS)
  4문단: 자동열차제어장치(ATC)
  5문단: 속도신호생성장치
  6문단: 자동 제한 속도 처리 장치와 기관사의 운전 조정
  7문단: 열차의 안전 운행을 위한 지속적인 연구
■ **주제** : 열차와 선로의 다양한 안전장치

어휘풀이

• **연산하다(演算)** 식이 나타낸 일정한 규칙에 따라 계산하다.
• **제동(制動)** 기계나 자동차 따위의 운동을 멈추게 함.

---

1. ①   표제와 부제 파악하기

❶ 대체로 표제에서는 지문 전체를 통틀어 이야기하려는 핵심 견해를 제시하고, 부제에서는 각 문단의 중심 내용을 연결시켜야 한다. 이 글에서는 열차를 신속하게 운행하면서도 열차끼리의 충돌 사고를 방지하기 위한 다양한 안전장치의 종류와 작동 원리를 설명하고 있다. 안전거리를 확보하면서도 운행 간격을 줄이고 운행 속도를 높이는 것이 열차 운행의 중요한 과제임을 밝히고

있으므로 표제는 '열차 운행의 과제', 부제는 '안전장치의 종류와 작동 원리를 중심으로'가 가장 적절하다.
②, ③, ④, ⑤ 표제와 부제 모두 제시문의 중심 내용을 다루어야 하는데, 제시된 내용은 중심 내용과는 거리가 멀다.

2. ②   세부 내용 이해하기

① 첫 번째 문단의 '하나의 구간에는 한 대의 열차만 운행하도록 하는데, 이러한 구간을 '폐색구간'이라고 한다.'에서 확인할 수 있다.
❷ 정지 신호를 오인하여 발생하는 충돌 사고를 예방하는 것은 '자동열차정지장치'이다.
③ 두 번째 문단에서 '자동폐색장치'는 '궤도회로를 이용하여 열차 위치에 따라 신호를 자동으로 제어하는 장치'라고 하였다.
④ 세 번째 문단의 'ATS는 선로 위의 지상장치와 열차 안의 차상장치로 구성'된다는 설명에서 확인할 수 있다.
⑤ 세 번째 문단의 정지를 의미하는 적색등이 켜지면 벨이 5초 이상 울리면 'ATS는 이를 위기 상황으로 판단하고 제동장치에 비상 제동을 명령하여 자동으로 열차를 멈춰 서게 한다.'에서 확인할 수 있다.

3. ③   자료에 적용하여 이해하기

① @ '열차검지창지'는 선로 위에 있는 B열차의 위치를 파악한다.
② ⓑ '송수신장치'를 통해 B열차의 운행 제한 속도가 차상장치에 주기적으로 전달된다.
❸ '속도검출기'는 열차의 현재 속도를 측정하는 장치이다. 열차의 위치를 바탕으로 주행해야 할 속도를 연산하여 제한 속도를 결정하는 것은 '속도신호생성장치'이다.
④ ⓓ '계기판'을 통해 B열차의 기관사는 운행 제한 속도와 현재 속도를 확인할 수 있다.
⑤ ⓔ '제동장치'는 B열차가 제한 속도를 초과할 경우 처리장치에서 신호를 받아 열차의 속도를 줄여 준다.

4. ⑤   세부 정보 추론하기

❺ 세 번째 문단에서 ATS는 기관사가 신호기에 표시된 정지 신호를 잘못 인식하거나 확인하지 못하고 달리는 위기 상황으로 판단이 되면 제동장치에 비상 제동을 명령하여 자동으로 열차를 멈춰 서게 하여 충돌 사고를 예방하는 기능을 하고 있음을 알 수 있다. 그러나 여섯 번째 문단을 보면, 평상시에는 기관사가 열차의 가속과 감속을 직접 조절하여 앞 열차와의 안전거리를 유지해야 한다는 점에서 기관사에게는 부담이 남아 있다고 하였다.

【5~9】 시공기술연구단, '초고층빌딩 건축기술'

지문해설

수직 하중과 수평 하중을 견딜 수 있게 하는 초고층 건물의 건축 기법에 대해 설명하고 있다. 건물에 작용하는 힘에는 수직 하중과 수평 하중이 있는데, 건물의 안전성에 미치는 영향은 수직 하중보다는 수평 하중이 더 크다. 수직 하중을 견딜 수 있게 하는 구조로는 보기둥 구조가, 수평 하중을 견딜 수 있게 하는 구조로는 코어 구조, 아웃리거-벨트 트러스 구조가 설명되고 있다. 현대의 초고층 건물은 특수

한 설비를 이용하여 건물에 작용하는 수평 하중을 견딜 수 있게 하기도 하는데, 대표적인 예로 TLCD의 작동 원리를 소개하고 있다.

분석 Plus

■ 문단 구성

1문단: 건물에 작용하는 힘인 수직 하중과 수평 하중

2문단: 수직 하중을 견디기 위해 고안된 보기둥 구조

3문단: 초고층 건물의 안전을 위협하는 수평 하중

4문단: 수평 하중을 견디기 위해 고안된 코어 구조

5문단: 수평 하중을 견디기 위해 고안된 아웃리거-벨트 트러스 구조

6문단: 초고층의 흔들임을 방지하기 위한 특수 설비 TLCD

■ 주제 : 초고층 건물의 건축 기법

어휘풀이

• **접합(接合)** 한데 대어 붙임. 또는 한데 닿아 붙음.

• **풍속(風速)** 바람의 속도. 지상 10미터에서 어떤 시각의 10분 전에 측정한 것을 이른다.

• **트러스(truss)** 직선으로 된 여러 개의 뼈대 재료를 삼각형이나 오각형으로 얽어 짜서 지붕이나 교량 따위의 도리로 쓰는 구조물.

---

5. ① 글의 세부 정보 파악하기

❶ 세 번째 문단을 보면 수평 하중은 건물의 사방에서 작용하는 힘이지만, 수직 하중은 위에서 아래의 한 방향으로만 작용하는 힘이라고 하였으므로 적절하지 않다.

② 첫 번째 문단에서 수직 하중은 건물 자체의 무게로 인해 땅 표면에 수직 방향으로 작용하는 힘이라고 하였다. 건물이 높아지면 건물 자체의 무게가 무거워질 것이므로 수직 하중은 증가할 것이다.

③ 두 번째 문단을 통해 보기둥 구조에서는 설치된 보의 두께만큼 건물의 한 층당 높이가 높아지기 때문에 보의 두께가 건물의 한 층당 높이에 영향을 준다는 것을 알 수 있다.

④ 세 번째 문단을 통해 건물이 많은 도심에서는 넓은 공간에서 좁은 공간으로 바람이 불어오면서 풍속이 빨라진다는 것을 알 수 있다.

⑤ 세 번째 문단을 통해 공명 현상이 발생하면 건물이 매우 크게 흔들리게 된다는 것을 알 수 있다. 수평 하중은 바람이나 지진에 의해 건물에 사방으로 작용하는 힘이므로 공명 현상이 발생하면 건물에 가해지는 수평 하중이 증가할 것임을 알 수 있다.

---

6. ④ 글의 핵심 정보 파악하기

① 두 번째 문단을 통해 보기둥 구조에서는 기둥과 기둥 사이에 수평 구조물인 보를 설치하고 그 위에 바닥판을 놓는다는 것을 알 수 있다.

② 두 번째 문단을 통해 보기둥 구조에서, 보는 수직 하중이 기둥에만 집중되지 않게 하는 역할을 한다는 것을 알 수 있다.

③ 네 번째 문단을 통해 초고층 건물은 높이가 높아질수록 초고층에 작용할 수 있는 수평 하중이 커지

기 때문에 코어의 크기가 커져야 함을 알 수 있다.

❹ 다섯 번째 문단을 통해 아웃리거-벨트 트러스 구조의 트러스는 외부에서 작용하는 힘을 전체적으로 분산하는 역할을 한다는 것을 알 수 있다. 아웃리거와 코어의 결합력을 높이기 위해서는 아웃리거와 코어의 접합부를 강하게 연결해야 하지만, 이는 트러스와는 관련이 없다.

⑤ 다섯 번째 문단을 통해 아웃리거-벨트 트러스 구조는 코어 구조를 보완하는 구조이므로 코어 구조만 단독으로 쓸 때보다 코어 구조에 아웃리거-벨트 트러스 구조가 더해졌을 때 수평 하중을 견디는 힘이 더 클 것임을 알 수 있다.

---

7. ③ 공통점 추론하기

① 코어에 시설물을 설치하는 것이나 아웃리거를 특수한 위치에 설치하는 것은 건물 외부의 미관을 살리기 위한 목적으로 볼 수 없다.

② 만약 승강기나 화장실 등을 코어에 설치하지 않는다면 이러한 시설은 다른 공간에 설치해야 한다. 그렇기 때문에 코어의 빈 공간에 이를 설치하는 것이 건물의 건설 비용을 줄이는 것이라고 할 수 없다. 또한 아웃리거를 설비층이나 위층 바닥과 아래층 천장 사이의 공간에 설치하는 것도 건물의 건설 비용을 줄이는 것과 관련이 없다.

❸ 코어 구조에서 코어는 가운데가 비어 있으므로 이를 빈 공간으로 두기 보다는 이 공간에 승강기나 화장실 등을 설치하는 것이 공간을 효율적으로 활용하는 것임을 알 수 있다. 또한 아웃리거를 설비층이나 위층 바닥과 아래층 천장 사이의 공간에 설치하지 않으면 건물 내부를 가로지를 수밖에 없어서 공간의 효율적 이용을 저해하게 된다. 따라서 아웃리거를 설비층이나 위층 바닥과 아래층 천장 사이의 공간에 설치하는 것 역시 공간을 효율적으로 활용하는 방법이 될 수 있음을 알 수 있다.

④ 코어나 아웃리거는 건물에 작용하는 수평 하중을 잘 견딜 수 있게 하는 것이다. 코어의 빈 공간에 승강기나 화장실 등을 설치하게 되면 코어 자체의 무게가 늘어날 수 있기 때문에 건물에 작용하는 외부의 힘에 잘 견딜 수 있으나 아웃리거를 특수한 위치에 설치하는 것이 건물에 작용하는 힘을 약화시키는 것은 아니다.

⑤ 건물 내부 공간의 용도 변경은 코어 구조나 아웃리거와 관련이 없다.

---

8. ③ 구체적 사례에 적용하기

① ⓒ가 기울어지면 연동하여 U자형 관도 같은 방향으로 기울어지게 될 것이다. 이때 ⓑ는 관성의 법칙에 의해 제자리에 있으려 할 것이다.

② U자형 관이 왼쪽으로 기울면 반대쪽인 오른쪽 관의 ⓑ 높이가 왼쪽보다 높아지게 된다.

❸ 여섯 번째 문단을 보면 ⓐ 전체의 가로 폭이 넓어지면 수평 방향의 흔들림을 줄여 주는 효과가 크다는 것을 알 수 있다. 그러므로 ⓐ 전체의 가로 폭이 넓어질수록 ⓒ가 수평 하중을 견디는 효과가 작아진다는 설명은 적절하지 않다.

④ U자형 관 안의 ⓑ의 양이 많아지면 아래로 작용하는 수직 하중도 증가하게 된다.

⑤ U자형 관 안의 ⓑ가 무거우면 아래로 작용하는 중력도 클 것이므로 ⓒ의 수평 방향의 흔들림을 줄여주는 효과도 커질 것임을 알 수 있다.

---

9. ④ 사전적 의미 파악하기

① ⓐ '작용'은 '어떠한 현상을 일으키거나 영향을 미침.'을 의미한다.

② ⓑ '고안'은 '연구하여 새로운 것을 생각해 냄.'을 의미한다.

③ ⓒ '분산'은 '갈라져 흩어짐.'을 의미한다.

❹ ⓓ '지탱'은 '오래 버티거나 배겨 냄.'을 의미한다. 그런데 '어떤 상태나 현상을 그대로 보존함.'의 의미로 쓰이는 말은 '유지(維持)'이다.

⑤ ⓔ '견고'는 '굳고 단단함.'을 의미한다.

예술 및 복합

Day 21

1. ③ 2. ② 3. ⑤ 4. ④ 5. ④
6. ③ 7. ① 8. ④

[1~5] 유광열, '핵의학 기술'

지문해설

인체의 정보를 확인하기 위한 영상화 기술인 PET 과정을 설명하고 있다. 양전자 단층 촬영(PET)은 세포의 대사량 등 인체에 대한 정보를 확인하기 위해 몸속에 특정 물질을 주입하여 그 물질의 분포를 영상화하는 기술이다. 이때 대사량이란 사람의 몸속 세포가 생명 유지를 위해 필요로 하는 에너지의 총량으로 정상 세포와 비정상 세포는 대사량에서 차이가 난다. PET는 특정 물질과 비정상 세포의 반응을 이용하여 이들의 분포를 확인할 수 있다. PET를 통해 이를 확인하기 위해서는 우선 몸속에 방사성추적자를 주입해야 한다. 세포 내에 축적된 방사성추적자의 방사성 동위원소는 붕괴되면서 양전자를 방출한다. 방출된 양전자는 몸속의 전자와 결합하여 소멸하는데, 이때 두 입자의 질량이 에너지로 바뀐다. 이 에너지는 180도 각도를 이루는 한 쌍의 감마선으로 방출되어 몸 밖으로 나온다. 몸 밖으로 나온 감마선은 PET 스캐너를 통해 검출된다.

■ 비문학 지문 어떻게 이해할까?

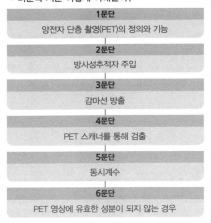

1문단
양전자 단층 촬영(PET)의 정의와 기능

2문단
방사성추적자 주입

3문단
감마선 방출

4문단
PET 스캐너를 통해 검출

5문단
동시계수

6문단
PET 영상에 유효한 성분이 되지 않는 경우

■ 주제 : 인체의 정보를 확인하기 위한 영상화 기술인 PET 과정

---

1. ③ 서술상 특징 파악하기

① 첫 번째 문단에서 'PET는 특정 물질과 비정상 세포의 반응을 이용'한다는 내용을 통해 확인할 수 있다.
② 네 번째 문단에서 '이때 한 쌍의 감마선이 도달한 검출기의 두 지점을 잇는 직선을 동시검출응답선'이라고 한다는 내용을 통해 확인할 수 있다.
❸ 네 번째 문단에서 '몸 밖으로 나온 감마선은 PET 스캐너를 통해 검출'된다고 하였으므로, PET 스캐너는 감마선을 방출한다는 진술은 적절하지 않다.

④ 첫 번째 문단에서 양전자 단층 촬영(PET)은 '인체에 대한 정보를 확인하기 위'한 기술이라고 하였다.
⑤ 네 번째 문단에서 'PET 스캐너는 수많은 검출기가 검사 대상을 원형으로 둘러싸고 있는 구조'라고 하였다.

---

2. ② 세부 내용 이해하기

① 두 번째 문단에서 '대사량이 높아서 ~ 비정상 세포에 다량 흡수된다.'라고 하였고, 세 번째 문단에서 '세포 내에 축적'된다고 하였다.
❷ 두 번째 문단에서 방사성추적자는 '대사량이 높아서 많은 에너지원을 필요로 하는 비정상 세포에 다량 흡수'되고 '일반 포도당과 달리 세포의 에너지원으로 사용되지 않는다고 하였으므로 세포의 대사량을 평소보다 높이기 위해 사용된다고 한 것은 적절하지 않다.
③ 두 번째 문단에서 '포도당과 유사'하다고 하였고, '세포의 에너지원으로 사용되지 않는다고 하였다.
④ 두 번째 문단에서 '방사성동위원소를 결합한 ~ 이동 양상을 알아내기 위해 쓰인다'라고 하였다.
⑤ 두 번째 문단에서 '방사성 동위원소를 결합'하였다고 하였고, 세 번째 문단에서 '방사성추적자의 방사성 동위원소는 붕괴되면서 양전자를 방출한다'라고 하였다.

---

3. ⑤ 근거를 통해 추론하기

❺ 네 번째 문단에서 '그런데 한 쌍의 감마선이 각각의 검출기에 도달하는 시간에는 미세한 차이가 발생'하는데 '몸의 어느 지점에서 감마선이 방출되었는지에 따라 검출까지의 거리가 달라지기 때문이다.'라고 하였다. 따라서 ㉠의 이유는 감마선 방출 지점에 따라 두 감마선이 검출기까지 이동하는 거리가 서로 다르기 때문이라고 할 수 있다.

---

4. ④ 구체적 자료에 적용하기

① 마지막 문단에서 '한 지점에서 방출된 한 쌍의 감마선이 아무런 방해를 받지 않고 동시계수시간폭 내에 도달하는'것이 참계수라고 하였으므로 A는 참계수라고 할 수 있다.
② 마지막 문단을 참고하면 B의 경우 한 지점에서 방출된 감마선이지만 한 감마선의 진행 방향이 바뀌면서 검출되었고 시간 차가 동시계수시간폭인 12ns 내에 도달하였음을 알 수 있다.
③ 마지막 문단에서 '한 지점에서 방출된 두 개의 감마선 중 한 개의 감마선만이 검출기로 도달할 때, 다른 지점에서 방출된 한 개의 감마선과 동시계수시간폭 내에 도달하는 경우' 이를 랜덤계수라 하는데, 이는 PET 영상에 유효한 성분이 되지 않는 경우이다.
❹ 만약 동시계수시간폭을 8ns로 설정하였더라도 A는 5ns와 B는 7ns로 모두 동시계수시간폭 내에 도달한 경우로 산란계수인 B는 검출될 것이므로 적절하지 않다.
⑤ B의 경우는 산란계수이고 C의 경우는 랜덤계수로 마지막 문단에서 '이 두 경우는 모두 실제 감마선이 방출된 지점이 동시검출응답선 위에 존재하지 않는다고 하였다.

왜 많이 틀렸을까?

〈보기〉의 A는 한 지점에서 방출된 한 쌍의 감마선이 아무런 방해를 받지 않고 동시계수시간폭인 12ns 내에 도달한 참계수의 경우이지. B는 한 지점에서 방출된 감마선 중 하

나가 진행 방향이 바뀌면서 검출기에 도달하는 시간의 변화가 생겼으나 동시계수시간폭인 12ns 내에 도달한 산란계수의 경우로 볼 수 있어. C는 한 지점에서 방출된 두 개의 감마선 중 한 개의 감마선만이 검출기로 도달할 때, 다른 지점에서 방출된 한 개의 감마선과 동시계수시간폭인 12ns 내에 도달한 랜덤계수의 모습이야. 지문에 내용을 잘 적용해서 무엇을 뜻하는지 정확하게 구분해 내는 것이 중요한 문제야.

---

5. ④ 어휘의 사전적 의미 파악하기

① ⓐ '주입하다'의 사전적 의미는 '흘러 들어가도록 부어 넣다.'이다.
② ⓑ '방출하다'의 사전적 의미는 '입자나 전자기파의 형태로 에너지를 내보내다.'이다.
③ ⓒ '도달하다'의 사전적 의미는 목적한 곳이나 수준에 다다르다.'이다.
❹ ⓓ '간주하다'는 '상태, 모양, 성질 따위가 그와 같다고 보거나 그렇다고 여기다.'라는 의미인데, '유사한 점에 기초하여 다른 사물을 미루어 추측하다.'는 '유추하다'의 사전적 의미이다.
⑤ ⓔ '설정하다'의 사전적 의미는 새로 만들어 정해 두다.'이다.

[6~8] 김영운, '국악개론'

지문해설

국악의 장단의 개념과 역할에 대하여 알기 쉽게 풀어쓴 글이다. 국악의 장단이란 일정한 주기로 소리의 길이와 강약이 규칙적으로 되풀이되는 것으로 국악 연주에서 장단을 맡는 대표적인 악기로는 장구가 있다. 장구 장단을 정간보에 기보할 때는 각각의 점에 해당하는 부호를 사용하고, 점의 길이도 나타낼 수 있다. 장단을 칠 때에는 기본이 되는 장단 안에서 연주하지만 연주자의 해석에 따른 변주도 가능하다. 이러한 장단은 음악의 진행을 시간적으로 안배하는 역할 뿐 아니라, 연주자나 창자의 호흡을 조절하며 음악의 분위기를 이끌어 가는 역할도 한다. 따라서 국악을 깊이 있게 감상하려면 장단을 기본적으로 이해하여야 우리 음악에 담긴 흥을 더욱 잘 이해할 수 있다.

■ 주제 : 국악의 장단의 개념과 역할

---

6. ③ 세부 내용 파악하기

❸ 두 번째 문단에서 장구 장단을 정간보에 기보할 때는 각각의 점에 해당하는 부호를 사용하고, 악기에서 울려 나오는 특징적인 소리를 입으로 흉내 낸 구음을 부호 아래에 첨가한다고 하였다. 또한 네 번째 문단에서 정간보에는 점의 길이도 나타낼 수 있다고 설명하고 있으나, 정간보에 점의 강약을 나타내는 방법은 나타나지 않는다.

---

7. ① 세부 내용 파악하기

❶ 네 번째 문단에서 정간보를 통해 점의 길이도 알 수 있다고 하였다. 따라서 장구 장단을 칠 때, 정간보를 보면 연주할 점의 길이를 알 수 있을 것이다.

8. ④ 구체적 사례에 적용하기

① 네 번째 문단에서 한 정간에 점을 나타내는 부호 하나가 있고 그 다음 정간이 빈 칸으로 남아 있으면 그 점은 두 소박이 되는 식이라고 하였다. 〈보기〉의 'ㅣ(덕)'은 정간보에서 표시될 때, 모두 그 다음 정간이 비어있으므로, 'ㅣ(덕)'은 각각 두 소박으로 연주해야 한다.

② 세 번째 문단에서 채편을 한 번 치는 것을 '덕'이라 하고, 채편을 칠 때 짧은 꾸밈음을 붙여 치는 것을 '기 덕'이라고 한다고 하였다. 〈보기〉의 마지막 보통박에서는 채편으로만 연주하는 것이 맞다.

③ 세 번째 문단에서 장구의 채편과 북편을 동시에 치는 것을 '덩'이라 하고 이를 합장단이라고도 하며 주로 음악을 시작할 때 사용한다고 하였다. 또한 채편을 한 번 치는 것을 '덕'이라 하고 채편을 칠 때 짧은 꾸밈음을 붙여 치는 것을 '기덕'이라 부르며, '기덕'은 채편을 겹쳐 친다고 하여 겹채라고도 하였다. 〈보기〉에서 학생의 창작 장단의 시작은 '덩'으로, 마무리는 '기덕'으로 연주할 수 있다.

④ 첫 번째 문단에서 우리 민요 장단은 굿거리장단처럼 3개의 소박으로 이루어진 보통박이 4번 나타나는 3소박 4보통박으로 구성되는 경우가 많으며, 이를 정간보에 나타낼 때는 〈그림 1〉과 같이 12정간(칸)이 필요하다고 하였다. 〈보기〉는 총 12칸으로 3소박 4보통박으로 구성되어 있다고 하였으므로, 세 칸을 하나의 묶음으로 볼 수 있다. 따라서 첫 번째 보통박은 '덩'과 '기덕', 두 번째 보통박은 '쿵'과 '덕'이, 세 번째 보통박은 '쿵'과 '더 러러러', 네 번째 보통박은 '덕'과 '기덕'이 사용된다. 그러므로 세 번째 보통박은 종류가 다른 두 점을 연주해야 함을 알 수 있다.

⑤ 〈보기〉첫 번째 보통박은 '덩'과 '기덕'이, 네 번째 보통박은 '덕'과 '기덕'이 사용된다. 따라서 '기덕'은 모두 세 번째 소박에서 연주하는 것이 적절하다.

Day 22

1. ④   2. ②   3. ②   4. ⑤   5. ⑤
6. ①   7. ②   8. ④   9. ③

【1~4】 박홍순, '미래주의 회화 운동'

지문해설

산업화의 특성인 속도와 운동에 주목하고 이를 예술적으로 표현하려는 '미래주의 회화'에 대해 소개하고 있다. 20세기 초 이탈리아에서 산업화에 대한 낙관적 전망을 토대로 민족적 자존감을 고양시킬 수 있는 새로운 예술 운동으로 등장하였다. 미래주의 회화에서는 대상의 움직임의 추이를 화폭에 담아냄으로써 대상을 생동감 있게 형상화하려 하였다. 특히 연속 사진의 촬영 기법에 영향을 받은 '분할주의 기법'을 통해 대상의 역동성을 지향하고자 했다. 즉, 이미지의 겹침, 역선, 상호 침투의 방법을 활용해 움직이는 대상의 속도와 운동을 효과적으로 나타내었다. '이미지의 겹침'은 화면에 하나의 대상을 여러 개의 이미지로 중첩시켜서 표현하는 방식이고, '역선'은 힘의 선을 나타내며 대상의 움직임의 궤적을 나타낸다. '상호 침투'는 대상과 대상이 겹쳐 보이게 하는 방법으로, 대상의 사실적인 형태보다는 왜곡된 형태로 표현된다는 특징이 있다. 전통적인 서양 회화가 비례, 통일, 조화 등의 아름다움을 추구했다면 미래주의 회화는 이와 달리 대상의 속도와 운동이라는 미적 가치에 주목해서 새로운 미의식을 제시했다.

■ 비문학 지문 어떻게 이해할까?

1문단
미래주의 회화에 참여한 예술가와 등장 배경

2문단
미래주의 회화의 활용 기법

3문단
분할주의 기법의 특징과 표현 방식

4문단
미래주의 회화의 의의와 미의식

■ 주제 : 미래주의 회화의 특징과 분할주의 기법의 표현 방식

1. ④ 글의 핵심 내용 파악하기

① 첫 번째 문단에서 '시인 마리네티의 '미래주의 선언'을 시작으로, 화가 발라, 조각가 보치오니, 건축가 상텔리아, 음악가 루솔로 등이 참여'했음을 제시하고 있다.

② 첫 번째 문단에서 '산업화에 뒤처진 이탈리아는 산업화에 대한 열망과 민족적 자존감을 고양시킬 수 있는 새로운 예술을 필요로 하였다.'라고 언급하고 있다.

③ 두 번째와 세 번째 문단에서 미래주의 화가들은 시간의 흐름에 따른 대상의 움직임을 하나의 화면에 표현하는 '분할주의 기법'을 활용했다고 언급하고 있다.

④ 이 글은 미래주의 회화의 정의와 등장 배경, 활용 기법, 미의식 등을 설명하고 있지만, 발전해 온 과정에 대해서는 언급하고 있지 않다.

⑤ 마지막 문단에서 미래주의 회화는 '움직이는 대상의

속도와 운동이라는 미적 가치에 주목하여 새로운 미의식을 제시했다.'라고 언급하고 있다.

2. ② 글의 내용을 바탕으로 정보 추론하기

① 네 번째 문단을 보면 미래주의 회화가 움직이는 대상에서 미적 가치를 찾은 것은 맞지만 움직이는 대상이 주는 아름다움을 최초로 작품화한 것이 키네틱 아트라고 보기 어렵다.

❷ 네 번째 문단을 통해 움직이는 대상의 속도와 운동에 미적 가치를 부여한 미래주의 회화는 이후 '입체적 조형물의 운동을 보여 주는 키네틱 아트가 등장하는 데' 영향을 미쳤음을 확인할 수 있다. 따라서 미래주의 회화는 기존의 방식과 달리 미적 가치를 3차원에서 실제로 움직이는 대상을 통해 구현하려는 생각으로 영감을 제공했다고 추론할 수 있다.

③ 사진 촬영 기법을 회화에 접목시킨 것은 키네틱 아트와 관련이 없으며 미래주의 회화는 비례와 조화에서 영감을 얻었다고 볼 수 없다.

④ 첫 번째 문단을 보면 미래주의는 산업화의 특성인 속도와 운동에 주목한 예술이므로, 산업 사회의 역동적인 모습에서 벗어나려 했다는 것은 영감의 내용이 될 수 없다.

⑤ 제시된 내용을 통해서는 키네틱 아트가 예술적 대상의 범위를 추상적인 대상으로 확대하고자 한다는 것을 확인할 수 없다.

3. ② 구체적 사례에 적용하기

① 여인이 강아지를 데리고 산책하는 모습을 생동감이 느껴지게 그렸다는 점에서 속도와 운동이라는 미적 가치에 주목하는 미래주의 경향을 엿볼 수 있다.

❷ 〈보기〉는 분할주의 기법 중 하나인 역선의 방법으로 그려진 작품으로, 역선은 대상의 움직임의 궤적을 여러 개의 선으로 구현한다고 하였다. 이러한 역선을 통해 대상의 사실적인 형태를 강조했다고 볼 수 없다.

③, ④ 역선을 사용하여 대상의 모습을 나타내면 대상이 다른 대상이나 배경과 구분이 모호해지는 상호 침투가 발생해 대상이 사실적인 형태보다는 왜곡된 형태로 표현된다고 하였다. 강아지의 발을 중첩시켜 표현한 것은 이미지 겹침을 통해 시간의 흐름에 따른 대상의 움직임을 나타낸 것임을 알 수 있다.

⑤ 강아지를 끌고 가는 사람의 다리를 여러 개로 그린 것은 이미지의 겹침을 활용하여 걷는 이의 역동성을 강조한 분할주의 기법임을 알 수 있다.

4. ⑤ 단어의 사전적 의미 파악하기

① ⓐ의 사전적 의미는 '정신이나 기분 따위를 북돋워서 높임.'이다.

② ⓑ의 사전적 의미는 '시간의 경과에 따라 변하여 나감.'이다.

③ ⓒ의 사전적 의미는 '어떤 목표로 뜻이 쏠리어 향함.'이다.

④ ⓓ의 사전적 의미는 '사실과 다르게 해석하거나 그릇되게 함.'이다.

❺ ⓔ의 사전적 의미는 '관심을 가지고 주의 깊게 살핌.'이다. 제시된 '자신의 의견이나 주의를 굳게 내세움.'은 '주장(主張)'의 사전적 의미에 해당하므로 적절하지 않다.

【5~9】 연혜경, ‘니체의 예술 철학과 표현주의’

지문해설

니체의 철학적 견해가 예술에 미친 영향과 표현주의 회화의 특징을 설명하고 있다. 고대 그리스 철학자 파르메니데스는 존재의 생성과 변화, 소멸을 부정했으나 헤라클레이토스는 존재의 생성과 변화를 긍정했다. 존재에 대한 두 철학자의 견해는 플라톤의 이데아론에 영향을 주었다. 플라톤은 존재를 끊임없이 변하는 존재와 영원히 변하지 않는 존재로 나누었다. 현실 세계에 존재하는 모든 것의 근원을 이데아로 상정하고 이데아를 영원하고 불변하는 존재, 그 자체로 완전한 진리로 여겼다. 또한 이데아는 오직 이성에 의해서만 인식할 수 있다는 이성 중심의 사유를 전개했다. 그러나 플라톤의 견해를 바탕으로 한 서양 철학의 주류적 입장은 근대에 이르러 니체에 의해 강한 비판을 받았다. 니체는 영원히 변하지 않는 존재, 절대적이고 영원한 진리는 없다고 주장했다. 또한 우리가 살고 있는 현실 세계가 유일한 세계라고 주장했다. 그는 예술을 통해 생명력을 회복하고 허무를 극복할 수 있음을 강조했다. 이러한 니체의 철학적 견해는 20세기 초의 예술가들에게 많은 영향을 주었는데, 니체의 철학적 관점에서 예술을 이해한 표현주의 화가들은 예술의 목적을 대상의 재현이 아니라 인간의 감정과 충동을 표현하는 것으로 생각했다. 예술가로서의 감정적, 주관적인 표현을 예술이 추구해야 하는 가치로 보았다.

분석 Plus

■ 비문학 지문 어떻게 이해할까?

1문단
존재에 대한 철학자들의 견해

2문단
플라톤의 견해를 바탕으로 한 서양 철학의 주류적 입장을 부정한 니체

3문단
니체의 철학적 견해

4문단
니체의 철학적 견해가 예술에 미친 영향

5문단
표현주의 회화의 특징

■ **주제** : 니체의 철학적 견해가 예술에 미친 영향과 표현주의 회화의 특징

어휘풀이

• **이데아(idea)** 순수한 이성에 의하여 얻어지는 최고 개념. 플라톤에게서는 존재자의 원형을 이루는 영원불변한 실재(實在)를 뜻하고, 근세의 데카르트나 영국의 경험론에서는 인간의 주관적인 의식 내용, 곧 관념을 뜻하며, 독일의 관념론 특히 칸트 철학에서는 경험을 초월한 선험적 이데아 또는 순수 이성의 개념을 뜻한다.

5. ⑤ 내용 전개 방식 파악하기

① 표현주의 회화의 특징을 소개하고 있으나 예술 양식의 발전 단계에 따라 정리하고 있지 않다.
② 예술에 대한 니체의 견해가 시대에 따라 달리 평가받는다는 내용은 제시되지 않았다.
③ 예술에 대한 니체의 시각과 서양 철학의 주류적 입장의 장단점을 비교하지 않았다.
④ 예술에 대한 여러 철학자의 견해를 제시하지 않았다.
❺ 존재에 대한 철학자들의 견해와 플라톤의 철학적 견해를 바탕으로 한 서양 철학의 주류적 입장을 살펴보고, 근대에 와서 니체에 의해 강한 비판을 받았다고 설명하고 있다. 이후 니체의 이러한 철학적 견해가 예술에 미친 영향을 설명하고 있다.

6. ① 대상에 대한 관점 비교하기

❶ 첫 번째 문단에서 헤라클레이토스는 ‘존재하는 모든 것이 변화의 과정 중에 있으며 끊임없이 생성과 소멸을 반복하는 것’이라고 생각했고, 두 번째 문단에서 헤라클레이토스의 견해를 받아들인 니체는 영원히 변하지 않는 존재는 없다고 주장했다. 따라서 헤라클레이토스와 니체는 ‘존재’는 변화한다고 생각했음을 알 수 있다.
② 첫 번째 문단에서 파르메니데스에게 ‘존재는 영원하며 절대적이고 불변성을 가지는 것’이었다고 하였다.
③, ④ 첫 번째 문단에서 파르메니데스는 존재의 생성과 변화, 소멸을 부정했다고 했지만, 헤라클레이토스는 존재의 생성과 변화를 긍정했다고 하였다.
⑤ 첫 번째 문단에서 플라톤은 이데아론을 통해 모든 것의 근원을 이데아로 상정하고 오직 이성에 의해서만 인식할 수 있다고 주장했음을 알 수 있다.

7. ② 주요 정보 파악하기

① 네 번째 문단을 통해 표현주의 화가들은 인간의 ‘감정을 존재의 본질을 드러내는 것으로 보았’음을 알 수 있다.
❷ 네 번째 문단을 통해 ‘표현주의 화가들은 예술의 목적을 대상의 재현이 아니라 인간의 감정과 충동을 표현하는 것으로 생각했’기 때문에 존재와 진리의 참모습을 모방하는 것을 예술의 목적으로 받아들이는 재현의 미학이라고 지칭되는 사실주의 미학을 따르지 않았음을 알 수 있다.
③ 네 번째 문단을 통해 표현주의 화가들은 ‘인간의 감정은 시시각각 변화하며 생성과 소멸을 반복하는 것’으로 생각했다는 것을 알 수 있다.
④ 마지막 문단을 통해 표현주의 화가들은 ‘예술가로서의 감정적, 주관적인 표현을 예술이 추구해야 하는 가치로 보았’음을 알 수 있다.
⑤ 네 번째 문단을 통해 표현주의 화가들은 ‘작품에서 드러나는 공간이 현실 공간의 재현이 아니라 화가 자신의 감정을 표현하기 위한 상징과 의미를 생산하는 공간이라는 인식’을 드러냈음을 알 수 있다.

8. ④ 구체적 사례에 적용하기

① 세 번째 문단을 보면, 니체는 인간이 예술을 통해 생명력을 회복하고 허무를 극복할 수 있다고 보았으므로, 허무를 극복할 수 없다는 생각은 니체의 철학과 거리가 멀다.
② 두 번째 문단을 보면, 니체는 세계를 나누어 생각하지

않았고, 현실 너머의 이상 세계가 있다고 보지 않았다.
③ 두 번째 문단을 보면, 니체는 현실 세계가 유일한 세계라면서 신 중심의 초월적 세계, 합리적 이성 체계 모두를 부정했다.
❹ 니체는 본능에 내재한 감성을 바탕으로 하는 예술적 충동을 중시하였고, 예술을 통해 생명력을 회복할 수 있다고 보았다. 니체의 철학을 수용했던 표현주의 화가들은 인간의 감정과 충동을 표현하는 것을 예술의 목적이라고 생각했다. 이에 따라 대상의 비례와 고유한 형태를 왜곡하고, 색채도 실제보다 더 강하게 과장해서 그리거나 대비되는 원색을 대담하게 사용하는 등의 방법을 통해 자신의 감정과 충동을 표현하였다. 〈보기〉의 작품은 감성을 바탕으로 한 예술적 충동을 중요하게 여겼던 니체의 생각에 영향을 받은 것으로 볼 수 있다.
⑤ 세 번째 문단을 보면, 니체가 주장한 ‘힘에의 의지’는 인간이 주변인이나 사물을 자기 마음대로 지배하고 억압하려는 의지가 아니라 자기 극복을 이끌어 내고 생명의 상승을 지향하는 의지라고 여겼음을 알 수 있다.

9. ③ 단어의 사전적 의미 파악하기

① ⓐ ‘상정(想定)’은 ‘어떤 정황을 가정적으로 생각하여 단정함.’을 의미한다.
② ⓑ ‘직면(直面)’은 ‘어떠한 일이나 사물을 직접 당하거나 접함.’을 의미한다.
❸ ⓒ ‘회복(回復/恢復)’은 ‘원래의 상태로 돌이키거나 원래의 상태를 되찾음.’을 의미한다. ‘온전하게 보호하여 유지함.’을 의미하는 어휘는 ‘보전(保全)’이다.
④ ⓓ ‘수용(受容)’은 ‘어떠한 것을 받아들임.’을 의미한다.
⑤ ⓔ ‘반발(反撥)’은 ‘어떤 상태나 행동 따위에 대하여 거스르고 반항함.’을 의미한다.

Day 23

본문 107쪽

| 1. ⑤ | 2. ③ | 3. ⑤ | 4. ① | 5. ① |
| 6. ③ | 7. ① | 8. ② | 9. ④ | 10. ② |

【1~4】 '엑스레이 아트'

지문해설

예술과 과학 기술이 접목된 새로운 분야인, 엑스레이 사진을 활용하여 만든 예술 작품을 의미하는 엑스레이 아트를 소개하고 있는 글이다. 엑스레이 아트의 거장인 닉 베세이는 엑스레이를 활용하여 오브제 내부에 주목한 작품을 만들었다. 또한 엑스레이를 활용하여 인체의 외양이 드러나지 않는 점을 이용하여 현대 사회의 외모 지상주의를 비판하기도 했다. 엑스레이 아트의 창작 의도를 구현하기 위해서는 재질, 두께, 크기 등의 오브제의 특성을 고려해야 한다. 오브제의 재질과 두께에 따라 엑스레이의 투과율이 달라지기 때문이다. 오브제가 클 경우 오브제를 여러 부분으로 나누어 촬영하고, 창작 의도에 따라 오브제의 일부 구성 요소만 선택하여 활용하기도 한다. 엑스레이로 촬영된 사진은 컴퓨터 그래픽 작업을 거치는데, 창작 의도를 드러내기 위해 여러 장의 사진을 합성하기도 한다. 엑스레이 아트는 발상의 전환을 통해 감상자들에게 기존의 예술 작품과는 다른 미적 감수성을 불러일으킨다는 점에서 현대 예술의 외연을 넓히는 데 기여하였다는 평가를 받고 있다.

분석 Plus

■ 비문학 지문 어떻게 이해할까?

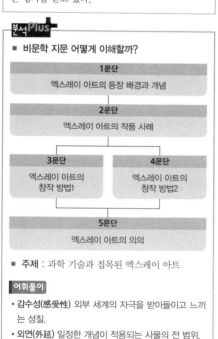

1문단
엑스레이 아트의 등장 배경과 개념

2문단
엑스레이 아트의 작품 사례

3문단
엑스레이 아트의 창작 방법1

4문단
엑스레이 아트의 창작 방법2

5문단
엑스레이 아트의 의의

■ **주제** : 과학 기술과 접목된 엑스레이 아트

어휘풀이

· 감수성(感受性) 외부 세계의 자극을 받아들이고 느끼는 성질.
· 외연(外延) 일정한 개념이 적용되는 사물의 전 범위.

1. ⑤ — 주요 내용 파악하기

① 첫 번째 문단에서 '엑스레이 아트는 ~ 작품을 의미한다.'에서 확인할 수 있다.
② 두 번째 문단에서 닉 베세이의 작품을 소개하고 있다.
③ 세 번째와 네 번째 문단에서 엑스레이 아트의 창작 의도를 구현하는 방법을 제시하고 있다.

④ 첫 번째 문단에서 '최근 예술 ~ 이루어지고 있다.'에서 확인할 수 있다.
❺ 이 글에서는 엑스레이 아트의 발전 양상에 대해서는 언급하고 있지 않다. 마지막 문단에서는 엑스레이 아트의 의의에 대해 제시하고 있다.

2. ③ — 구체적 사례에 적용하여 이해하기

① 〈보기〉는 물체를 투과하는 엑스레이를 이용하여 창작된 엑스레이 아트 작품이다. 이러한 작품을 통해 엑스레이의 특성을 이용해 일상적 시선으로는 볼 수 없는 버스 내부에 있는 사람들의 골격의 모습을 보여 주려는 의도를 확인할 수 있다.
② 세 번째 문단에서 창작 의도를 구현하는 데 오브제의 모든 구성 요소가 필요하지 않다면 오브제의 일부 구성 요소만 선택할 수 있다고 하였다. 이에 따라 〈보기〉에서 작가는 작품의 창작 의도를 구현하는 데 필요한 바퀴나 차체 등의 일부 구성 요소들만 선택하여 창작의도를 드러내고 있음을 알 수 있다.
❸ 세 번째 문단에서 오브제의 재질과 두께에 따라 엑스레이가 투과되지 않는 효과를 이용한다고 하였는데, 〈보기〉에서 버스의 측면이 보이도록 촬영한 것은 인체 골격의 다양한 모습을 보여주기 위한 것임을 알 수 있다. 이는 촬영 각도에 따라 엑스레이가 투과되지 않는 효과를 이용하기 위한 것으로 볼 수 없으므로 적절하지 않다.
④, ⑤ 네 번째 문단에서 여러 장의 사진으로 촬영한 사진이 한 번에 촬영한 사진처럼 보이는 것은 컴퓨터 그래픽 작업을 통해 각 사진의 명도를 보정하고 퍼즐처럼 맞추어 합성하였기 때문이라고 하였다. 〈보기〉에서도 엑스레이 필름보다 큰 실제 크기의 버스와 사람을 오브제로 선정하였기 때문에 여러 장의 사진으로 촬영하였고 사진의 명도를 보정한 결과임을 알 수 있다.

3. ⑤ — 글의 핵심 내용 이해하기

① 엑스레이 아트는 대상의 골격이나 구조를 노출하는 기술로 오브제의 실체를 감춘다고 볼 수 없다.
② 엑스레이 사진에 찍히는 실존하는 오브제를 대상으로 하고 있으므로 적절하지 않다.
③ 꽃의 보이지 않는 내부의 아름다움이나 인체의 외양이 드러나지 않는 점을 이용한다고 했으므로 인체나 사물의 외양을 있는 그대로 드러낸다고 볼 수 없다.
④ 엑스레이를 통해 대상의 감추어진 부분을 드러낸다고 했지만, 눈에 보이지 않을 만큼 작은 오브제를 가시화한다는 내용은 확인할 수 없다.
❺ 엑스레이 아트는 기존의 예술 작품과는 다른 미적 감수성을 불러일으킨다는 점에서 현대 예술의 외연을 넓히는 데 기여하였다는 평가를 받고 있다. 이로 보아 엑스레이 아트는 겉으로 드러나지 않는 오브제 내부를 의도적으로 보여 주어 예술의 영역을 확장한 예술이라고 평가할 수 있다.

4. ① — 어휘의 사전적 의미 파악하기

❶ '새로운 물건을 만들거나 새로운 생각을 내어놓음.'을 뜻하는 말은 '개발'이므로 적절하지 않다. ⓐ '개척'의 사전적 의미는 '새로운 영역, 운명, 진로 따위를 처음으로 열어 나감.'이다.

② ⓑ '주목'은 '관심을 가지고 주의 깊게 살핌.'의 뜻을 가진다.
③ ⓒ '구현'은 '어떤 내용이 구체적인 사실로 나타나게 함.'의 뜻을 가진다.
④ ⓓ '배치'는 '사람이나 물자 따위를 일정한 자리에 알맞게 나누어 둠.'의 뜻을 가진다.
⑤ ⓔ '기여'는 '도움이 되도록 이바지함.'의 뜻을 가진다.

【5~10】 안서원, '심리학, 경제를 말하다'

지문해설

심리학에 경제학을 접목시킨 새로운 이론인 행동 경제학을 소개한 글이다. 전통 경제학을 비판하며 심리학적 입장에서 인간의 선택 행동에 주목한 카너먼의 전망 이론을 구체적인 예를 통해 설명하고 있다. 전통 경제학에서는 인간은 합리적인 선택을 한다는 전제 아래, 시장에서 재화와 용역의 생산, 분배, 소비 활동을 연구한다. 전통 경제학의 대표적인 이론인 기대 효용 이론에 따르면, 인간은 대안이 여럿일 때 각 대안의 효용을 계산하여 자신에게 최대 이득을 주는 대안을 선택한다. 하지만 카너먼은 실제 인간의 행동에 나타난 다양한 양상을 연구한 결과, 이러한 전통 경제학의 전제에 반기를 들고, 이득보다 손실에 대해 민감하게 반응하는 인간의 심리가 선택 행동에 미치는 영향을 설명하는 전망 이론을 제안한다. 전망 이론에 따르면 같은 크기의 이득과 손실이 있을 때, 사람들은 이득감보다 손실감을 더 크게 느낀다. 이와 같은 이득과 손실에 대한 심리 반응의 차이로 인해 '틀 효과'가 발생한다. 이에 따르면 사람들은 여러 대안 중 하나를 선택할 때, 선택 상황이 자신에게 이득을 주는지, 손실을 주는지에 따라 '긍정적 틀'과 '부정적 틀'로 나눠 인식한다. 그 결과 긍정적 틀에서는 확실한 이득을 주는 대안을 선택하고, 부정적 틀에서는 불확실한 손실을 주는 대안을 선택한다. 즉, 이득의 영역에서는 확실한 이득을 추구하는 위험 회피 성향을, 손실의 영역에서는 불확실한 손실을 추구하는 위험 추구 성향을 나타낸다. 카너먼은 인간의 선택 과정에 영향을 주는 여러 요인에 주목하여 행동 경제학을 개척하였다.

분석 Plus

■ 비문학 지문 어떻게 이해할까?

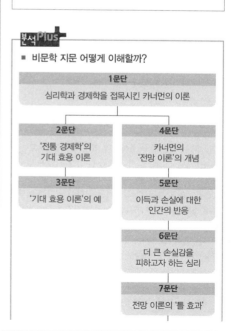

1문단
심리학과 경제학을 접목시킨 카너먼의 이론

2문단
'전통 경제학'의 기대 효용 이론

3문단
'기대 효용 이론'의 예

4문단
카너먼의 '전망 이론'의 개념

5문단
이득과 손실에 대한 인간의 반응

6문단
더 큰 손실감을 피하고자 하는 심리

7문단
전망 이론의 '틀 효과'

8문단
틀 효과를 구체적 상황에 적용

9문단
전통 경제학을 비판한 행동 경제학의 개척

■ **주제** : 인간의 선택 과정의 영향에 주목한 행동 경제학

어휘풀이
• **직감(直感)** 사물이나 현상을 접하였을 때에 설명하거나 증명하지 아니하고 진상을 곧바로 느껴 앎. 또는 그런 감각.
• **반기(叛起)** 배반하여 일어남.
• **액면가(額面價)** 화폐나 유가 증권 따위의 표면에 적힌 가격.

5. ① 글의 내용 이해하기

❶ 다섯 번째 문단의 '두 축이 교차하는 지점은 현재 '나'의 상황을 의미하는 준거점'이라는 설명과 첫 번째 문단의 '그는 실제 인간의 행동에 나타나는 다양한 양상을 연구하여', 마지막 문단의 '인간의 선택 과정에 영향을 주는 여러 요인에 주목하여' 등의 내용을 통해, 카너먼의 이론은 자신의 현재 상황을 준거로 하여 나타나는 선택 행동의 다양한 양상을 분석하고 있음을 알 수 있다. 이는 전통 경제학의 대표적 이론인 기대 효용 이론과는 관련이 없다.

② 두 번째 문단의 '전통 경제학의 대표적 이론인 기대 효용 이론에 따르면, 인간은 대안이 여러 개일 때 각 대안의 효용을 계산하여 자신에게 최대 이득을 주는 대안을 선택한다.'를 통해 확인할 수 있다.

③ 첫 번째 문단의 '심리학자인 카너먼은 인간이 논리적 사고 과정을 통해 합리적으로 문제를 해결하기보다는 직감에 의해 문제를 해결하는 경향이 강하다고 주장하였다.'를 통해 확인할 수 있다.

④ 첫 번째 문단에서 심리학적 연구 성과를 경제학에 접목시킨 새로운 이론을 제안했다는 내용을 통해 확인할 수 있다.

⑤ 첫 번째 문단의 카너먼은 '실제 인간의 행동에 나타나는 다양한 양상을 연구하여 인간은 합리적 선택을 한다는 전통 경제학의 전제에 반기를 들고'와 마지막 문단에서 카너먼은 전통 경제학의 전제를 비판한다는 내용을 통해 확인할 수 있다.

6. ③ 사례의 적절성 판단하기

① ㉠의 사례는 자주 접하거나 쉽게 떠올릴 수 있는 것과 관련된 것으로, 신이 없음을 증명한 사람이 없다는 이유와는 관련되지 않는다.

② 더 많은 숫자를 더하기 때문에 합이 크다는 판단은 자주 접하거나 쉽게 떠올릴 수 있는 것과 관련이 없다.

❸ 매체를 통해 교통사고 사망률을 더 많이 접한다는 이유를 들어, 교통사고의 사망률이 당뇨병으로 인한 사망률보다 높다고 판단하고 있다. 이는 해당 사례를 자주 접해서 발생 빈도수가 높다고 판단한 사례에 해당한다고 볼 수 있다.

④ 숫자를 어떻게 표기했느냐에 따라 지방의 함유 정도가 다르게 느껴지는 것은 자주 접하거나 쉽게 떠올릴

수 있는 것과 관련이 없다.

⑤ 더 많은 빵을 만드는 것이 힘든 일이라고 느끼는 것은 자주 접하거나 쉽게 떠올릴 수 있는 것과 관련이 없다.

7. ① 제시된 자료 이해하기

❶ 〈그림〉에 제시된 그래프를 보면, x의 값이 증가함에 따라 y의 값도 증가하는 증가함수이다. 그런데 이득 영역에서는 x의 값이 증가함에 따라 그래프의 기울기가 점점 완만해지는 것을 확인할 수 있다. 이는 이득 영역에서 성과가 동일한 크기로 증가할 때마다 성과에 대하여 부여하는 가치의 크기가 증가하는 폭이 작아진다는 것을 의미한다.

② x의 값이 증가함에 따라 그래프의 기울기가 점점 완만해지므로 가치의 크기가 증가하는 폭이 커진다는 설명은 적절하지 않다.

③ x의 값이 증가함에 따라 그래프의 기울기가 점점 완만해지므로 가치의 크기가 증가하는 폭이 같아진다는 설명은 적절하지 않다.

④, ⑤ x의 값이 증가함에 따라 y의 값도 증가하는 증가함수이므로 가치의 크기가 감소한다는 설명은 적절하지 않다.

8. ② 세부 내용 이해하기

① 카너먼의 전망 이론을 설명한 다섯 번째 문단을 보면, 사람들은 같은 크기의 이득과 손실이 있을 때 이득감보다 손실감을 더 크게 느낀다고 하였다. 이를 '상황1'과 '상황2'에 적용해 보면, ⑧안의 50만 원을 얻었을 때의 이득감보다 ⑩안의 50만 원을 잃었을 때의 손실감이 더 크다는 것을 알 수 있다. 따라서 ⑧안의 50만 원과 ⑩안의 50만 원에 대해 사람들이 부여하는 가치는 다르다는 것을 알 수 있다.

❷ 일곱 번째 문단에 의하면, 확실성을 추구하는 것은 위험 회피 성향을, 불확실성을 추구하는 것은 위험 추구 성향에 해당한다. Ⓐ안과 Ⓒ안을 선택한 사람은 불확실성을 추구하는 사람이므로 위험 추구 성향에 해당하고, ⑧안과 ⑩안을 선택한 사람은 확실성을 추구하는 사람이므로 위험 회피 성향에 해당한다. 따라서 Ⓐ안을 선택하는 사람들은 위험 추구 성향이므로, 이를 위험 회피 성향이라고 하는 설명은 적절하지 않다.

③ Ⓐ안과 Ⓒ안은 0.5의 확률로 돈을 받거나 잃는 상황이므로 불확실한 대안에 해당하고, ⑧안과 ⑩안은 1의 확률로 돈을 받거나 잃는 상황이므로 확실한 대안에 해당한다.

④ '상황1'에서 ⑧안을 선택한 사람들은 확실한 이득을 추구하는 위험 회피 성향을 나타낸다.

⑤ '상황2'에서 Ⓒ안을 선택한 사람들은 확실한 손실을 꺼리는 위험 추구 성향을 나타낸다.

9. ④ 내용을 바탕으로 추론하기

① 전망 이론에 의하면 사람들은 이득보다 손실에 더 민감하게 반응한다는 것을 알 수 있다. 그런데 제품을 사용하는 기간만큼 제품을 통해 얻는 이득감이 줄어들기 때문에 제품을 반품하지 않는다는 추론은 적절하지 않다.

② 제품에 대한 불만족은 심리적인 현상일 뿐이라는 설명은 전망 이론의 설명과는 관련이 없다.

③ 제품을 반품했을 때의 이득감이 제품을 그대로 사용했을 때의 이득감보다 더 크다면 제품을 반품하는 현상으로 나타났을 것이다.

❹ 소비자들이 구매 물품을 반품할 때 느끼는 손실감이 구매 금액을 환불받았을 때의 이득감보다 더 크게 느끼기 때문에, 실제로 제품을 반품하는 소비자는 소수에 지나지 않는 것으로 볼 수 있다.

⑤ 제품을 구매하는 과정에 투입된 시간과 노력을 계산했을 때, 제품을 반품하는 것이 합리적인 선택이라는 것은, 제품을 반품하지 않는 이유와는 관련이 없다.

10. ② 구체적 상황에 적용하여 이해하기

❷ 〈보기〉에 제시된 상황은 400명의 사람이 죽거나(프로그램 ㉮), 아무도 죽지 않을 확률이 3분의 1이고, 600명이 죽게 될 확률이 3분의 2(프로그램 ㉯)인 상황이다. 이는 손실을 주는 상황이므로 사람들은 이를 부정적 틀로 인식한다. 부정적 틀에서는 불확실한 손실을 주는 대안을 선택한다. 그 결과 불확실성을 추구하는 '위험 추구 성향'을 보인다고 했으므로, 많은 사람들이 손실이 확실한 프로그램 ㉮보다 손실이 불확실한 프로그램 ㉯를 선택하게 되리라고 예측할 수 있다.

미니 Test

본문 111쪽

Day 24

1. ④ 2. ② 3. ⑤ 4. ③ 5. ①
6. ② 7. ③ 8. ① 9. ④ 10. ③
11. ② 12. ③

---

1. ④ | 말하기 방식과 태도 파악하기

① 학생 1은 토의를 시작하며 동아리가 학교 축제 마지막 날 오후에 행사를 진행하게 된 것과 관련하여 그 행사를 어떻게 진행할지 토의하려고 한다며 토의의 배경과 주제를 제시하고 있다.
② 학생 1은 어떤 행사를 할지에 대한 학생들의 의견을 들은 뒤 '다들 플로깅 행사를 진행하는 데 동의하니까'라며 참여자들의 반응을 확인하고, '이제 코스에 대해 이야기해 보자.'라고 하며 다음 논의를 이어 가고 있다.
③ 학생 1은 ○○천 둘레길을 코스로 하는 것에 대한 학생 2의 우려를 듣고 '네 말이 맞겠다.'라며 동의하고 '주민들도 불편함을 겪을 거야.'라는 자신의 의견을 덧붙이고 있다.
❹ 학생 1은 자유롭게 의견을 말해 달라고 한 뒤 토의 참여자들의 발언에 따라 반응을 보이고 논의를 진행하고 있을 뿐, 발언을 할 토의 참여자를 지정하고 있지는 않다.
⑤ 학생 1은 학생들이 선택할 수 있도록 다양한 코스를 짜자는 학생 2의 의견을 듣고 '네 말은 친구들이 각자 ~ 참여도가 더 높아질 거라는 거지?'라며 발언을 재진술하고 상대의 의견을 확인하고 있다.

2. ② | 말하기 방식 파악하기

① [A]에서 학생 2는 많은 학생들이 참여할 수 있도록 마라톤 행사를 하자는 학생 3의 의견을 듣고 '많은 학생들이 참여할 수 있는 활동이면 좋겠'다고 인정하는 반응을 보였지만, 마라톤 행사의 문제점을 지적하고 있을 뿐 자신의 의견을 수정하고 있지는 않다.
❷ [A]에서 학생 2는 '지난번에 우리 동아리원끼리 피구 시합했었잖아.'라며 상대방과 공유하는 경험을 제시하고, 이를 바탕으로 그와 유사하게 학습 대항 축구 대회를 열자는 의견을 제시하고 있으므로 적절하다.
③ [A]에서 학생 2는 학급 대항 축구 대회를 열자는 의견을 제시하고 있을 뿐, 자신의 의견을 여러 개 제시하여 상대방에게 선택을 요구하고 있지는 않다.
④ [A]에서 학생 3은 학급 대항 축구 대회를 열자는 학생 2의 의견에 대해 '학급 간에 경쟁을 유발하기도 하고, 참여할 수 있는 인원이 제한적'이라는 문제점을 지적하고 있을 뿐, 그 장점을 언급하고 있지는 않다.
⑤ [A]에서 학생 3이 자신의 의문을 해소하기 위해서 상대방에게 보충 설명을 요청하는 부분은 찾을 수 없다.

3. ⑤ | 글쓰기에 반영된 요소 파악하기

① (가)에서 플로깅이 처음 들어 보는 말이라 낯설다고

한 것과 관련하여, (나)의 두 번째 문단에서 "플로깅'은 이삭줍기를 의미하는 스웨덴어 '플로카 업'과 영어 '조깅'이 합쳐진 말'이라며 용어를 풀어서 설명하고 있으므로 적절하다.
② (가)에서 참가 신청은 인터넷 사이트를 이용해서 받자고 한 것과 관련하여, (나)의 '신청 방법'에 '참여 링크'로 인터넷 사이트 주소를 제시하고 있으므로 적절하다.
③ (가)에서 체력에 맞게 코스를 선택할 수 있도록 다양한 코스를 짜서 홍보하자고 한 것과 관련하여, (나)의 세 번째 문단에서 '자신의 체력에 맞게 선택할 수 있도록 난이도에 따라 학교 주변을 중심으로 세 가지 코스로 운영될 예정'이라고 밝힌 뒤 도표를 통해 세 코스의 거리와 난이도를 제시하고 있으므로 적절하다.
④ (가)에서 많은 친구들이 제한 없이 참여할 수 있는 활동이 좋겠다고 한 것과 관련하여, (나)의 첫 번째 문단에서 '우리 학교 학생 누구나 참여할 수 있는 플로깅 행사를 개최'한다고 밝히고 있으므로 적절하다.
❺ (가)에서 '플로깅 행사를 통해 마을 쓰레기가 줄어들면 우리 지역 사회에도 도움이 될' 것이라는 의견이 제시되었으나, (나)에서 이와 관련하여 플로깅 행사가 지역 사회 주민과 연계하여 진행된다는 내용은 나타나 있지 않다.

4. ③ | 조건에 맞는 글쓰기

①, ⑤ 환경 측면에서의 기대 효과를 포함하지 않으며, 비유적 표현도 활용하지 않았다.
② 건강 측면에서의 기대 효과를 포함하지 않으며, 비유적 표현도 활용하지 않았다.
❸ '건강도 지키고'에서 건강 측면의 기대 효과를, '지역 환경도 살리는'에서 환경 측면에서의 기대 효과를 드러내고 있으며 '보석 같은 시간'에서 비유적 표현을 활용하고 있으므로, 주어진 〈조건〉을 모두 충족한 내용으로 적절하다.
④ 환경 측면에서의 기대 효과를 제시하며 '유리같이 깨끗한 지역 사회'라는 비유적 표현을 활용하고 있으나, 건강 측면에서의 기대 효과는 포함하지 않았다.

5. ① | 표준 발음법에 따른 발음 이해하기

❶ 〈보기 1〉의 표준 발음법 제11항 규정에 따라 겹받침 'ㄺ'은 자음 앞에서 [ㄱ]으로 발음하며, 제23항 규정에 따라 겹받침 'ㄺ' 뒤에 연결되는 'ㅈ'은 된소리로 발음한다. 이에 따라 〈보기 2〉의 ⊙'읽지'는 [익찌]로 발음하는 것이 적절하다.
② 〈보기 1〉의 표준 발음법 제14항 규정에 따라 겹받침이 모음으로 시작된 어미와 결합되는 경우, 뒤엣것만을 뒤 음절 첫소리로 옮겨 발음하므로 〈보기 2〉의 ⓛ'앉아'는 [안자]로 발음하는 것이 적절하다.
③ 〈보기 1〉의 표준 발음법 제11항 규정에 따라 겹받침 'ㄻ'은 자음 앞에서 [ㅁ]으로 발음하므로 〈보기 2〉의 ⓒ'옮겨'는 [옴겨]로 발음하는 것이 적절하다.
④ 〈보기 1〉의 표준 발음법 제11항 규정에 따라 겹받침 'ㄿ'은 자음 앞에서 [ㅂ]으로 발음하며, 제23항 규정에 따라 겹받침 'ㄿ' 뒤에 연결되는 'ㄱ'은 된소리로 발음하므로 〈보기 2〉의 ⓓ'읊고'는 [읍꼬]로 발음하는 것이 적절하다.
⑤ 〈보기 1〉의 표준 발음법 제10항 규정에 따라 'ㅄ'은 자음 앞에서 [ㅂ]으로 발음하며, 제23항 규정에 따라

'ㅄ' 뒤에 연결되는 'ㅈ'은 된소리로 발음하므로 〈보기 2〉의 ⓔ'값진'은 [갑찐]으로 발음하는 것이 적절하다.

6. ② | 단어의 품사를 파악하기

❷ 수사는 사물의 수량이나 순서를 나타내는 단어로 명사, 대명사와 함께 체언에 속하기 때문에 문장에서 조사와 결합이 가능하다. 한편 수 관형사는 사물의 수나 양을 나타내는 관형사로 '한, 두, 세, 네' 등이 해당한다. 수 관형사는 수사와 형태가 같은 경우가 많아 혼동하기 쉽다. 수 관형사는 수사와 달리 단위를 나타내는 의존 명사와 함께 쓰인다는 차이가 있다. 〈보기 2〉에 제시된 단어 중 '둘째', '여섯'은 수 관형사로 쓰이지만, 수사로도 쓰일 수 있는 단어이다. 또한 '하나'는 수량을 나타내는 수사로서 관형사로 쓰이지 않는다. 따라서 수 관형사로만 쓰이는 단어에 해당하는 것은 '세'이다.

> **왜 많이 틀렸을까?**
> 수사와 수 관형사는 문장에 단독으로 쓰이는지, 아니면 뒤의 명사를 수식하는 기능을 하는지에 따라 구분되지. 예를 들어 '사과 하나를 통째로 먹었다'에서 '하나'는 단독으로 쓰여 그 뒤에 조사 '를'이 직접 결합하는 양상을 보이니까 명사와 기능과 분포가 같다고 볼 수 있어. 따라서 이때의 '하나'는 수사라고 할 수 있지. 반면에 '사과 한 개를 통째로 먹었다'에서 '한'은 뒤의 '개'를 수식하며 조사가 결합하지 못하지. 다른 명사와 기능과 분포가 같지 않고 관형사와 같다는 점에서, 이런 경우의 '한'은 수 관형사로 볼 수 있어. 또 수사와 수 관형사는 '하나 둘 셋 넷'과 '한 두 세 네'처럼 형태가 다른 경우가 있지만, '다섯 여섯 일곱' 등과 같이 형태가 같은 경우도 있으니까 해당 문장에서 어떠한 기능을 하는지 확인해 보아야 해.

7. ③ | 지시 표현 이해하기

① ⓛ'차'는 '버스'의 상위어로서 ⊙'버스'를 가리킨다.
② ⓒ'이곳'과 ⓔ'여기'는 다른 단어이지만, 둘 다 대화를 나누고 있는 장소를 가리킨다.
❸ ⓓ'이'는 물병 두 개를 가리키며, ⓑ은 '물병'을 가리키는 지시 표현이므로 적절하지 않다.
④ ⓐ'우리'는 화자인 '경준'과 청자인 '지현'을 모두 포함한다.
⑤ ⓘ'자기'는 뒤에 언급하는 '민재'를 가리킨다.

[8~12] (가) 신흠, '방옹시여'

> **작품해설**
> 조선 시대 신흠이 계축옥사에 연루되어 김포에 방축되었을 때 쓴 것으로 추정되는 30수의 시조 모음 중 세 수를 제시한 것이다. ①은 산촌에서 자연을 벗 삼아 살아가겠다는 은둔을 지향하는 뜻을 밝히고 있다. ②는 가을 낙엽 소리에 '임'이 오셨는지 확인하기 위해 일어나는 화자의 모습을 통해 부재하는 대상에 대한 그리움을 나타내고 있다. ③은 어지러운 세상사를 살아가며 생기는 깊은 시름을 말로 다 못하여 노래를 통해 풀어보고자 하는 화자의 정서를 담고 있다. 참고로 이 작품의 제목을 여느 시조처럼 '방옹시여'라고 부르기에는 모호한 측면이 있다. 〈보기〉에서 설명했듯이 이 작품은 신흠이 쓴 시조 30수를 모아 놓은 것이다. 작품명을 이렇게 부르는 것은 진본 '청구영언'에 신흠의 시조 30수가 수록되어 있고 그 마지막에 작가가 '방옹시여서'라

고 서문을 적고 있기 때문이다. '방옹'은 작가가 스스로를 지칭하는 말이고 '시여'는 시조를 일컫는 말이다. 이 시조를 연시조로 보느냐, 연작 시조로 보느냐에 대해서는 여전히 연구 중이다.

[놓치지 말자!]

1
- **갈래** : 평시조, 서정시
- **성격** : 한정가(閑情歌), 탈속적
- **제재** : 겨울 산촌의 풍경
- **표현**
  - 영탄법, 설의법을 통해 화자의 심리를 효과적으로 드러냄.
  - 쓸쓸하고 차가운 시어를 배열하여 화자의 쓸쓸한 정서를 표현함.
  - 중장에서 드러나지 않는 청자를 등장시켜 말을 건네는 방식을 사용하고 있음.
- **주제**
  - 세상과의 단절을 통하여 자신의 정신세계를 지키고자 함.
  - 자연 속에서 유유자적하는 삶

2
- **갈래** : 평시조
- **성격** : 애상적
- **제재** : 임
- **표현** : 음성 상징어를 사용하여 화자의 심정을 드러냄.
- **주제** : 임에 대한 간절한 그리움

3
- **갈래** : 평시조, 서정시
- **성격** : 영탄적, 의지적
- **제재** : 노래
- **표현** : 연쇄법을 사용하여 시름을 노래로 풀어 보고자 하는 소망을 형상화함.
- **주제** : 노래로써 시름을 풀어 보고자 하는 마음

같은작가 다른기출
2017학년도 9월 모의 수능 '방옹시여'

(나) 오세영, '너의 목소리'

작품해설
부재하는 대상에 대한 간절한 그리움을 청각적 이미지를 통해 아름답게 형상화하고 있는 작품이다. 화자는 '너'를 꿈꾼 밤에 문 밖 인기척에 잠을 깨며 혹시 '너'가 온 것이 아닐까 귀 기울인다. 소리는 점점 발자국 소리, 나뭇가지 스치는 소매깃 소리로 들려오고 너의 목소리까지 들리는 듯하지만, 반가움에 문을 열고 나가 보았으나 결국 소리의 정체가 빗소리임을 안 후 슬픔과 허탈감을 느끼게 된다. 여기서 빗소리를 '너'의 기척으로 착각하게 된 근본적인 원인은 화자의 '너'에 대한 그리움에 있다.

[놓치지 말자!]
- **갈래** : 자유시, 서정시
- **시의 구조**
  - '너'에 대한 꿈을 꿈(그리움)
  - '너'가 오는 소리를 들음(반가움)
  - 빗소리를 '너'로 착각함.(허탈감, 안타까움)

■ **특징**
  - 장면을 초점화하여 서술함.
  - 청각적 이미지를 활용함.
  - 대상과의 거리감을 드러내고 있음.
■ **주제** : 부재하는 대상에 대한 그리움

같은작가 다른기출
2013학년도 9월 모의 수능 '자화상 2'

8. ① 작품 간 표현상 공통점 파악하기

❶ (가)의 **2**에서 '어즈버'는 '아'라는 의미의 감탄사로 영탄적 표현에 해당하고, **1**의 '긔 벗인가 하노라'와 **3**의 '시름도 하도 할샤(많기도 많구나)'에서 영탄적 표현을 살펴볼 수 있다. (나)는 '아아, 네가 왔구나', '오냐, 오냐'에서 영탄적 표현이 드러난다. 따라서 두 작품 모두에서 영탄적 표현을 활용하여 감정을 드러내고 있다.
② (나)의 '봄비 소리'에서 명사로 시상을 종결하고 있지만, (가)는 해당되지 않는다.
③ (가)의 **1**에서 '뉘 있으랴', **2**에서 '무슨 일이고' **3**에서 '풀었던가'를 통해 의문형 진술을 활용하고 있음을 확인할 수 있지만, (나)는 해당되지 않는다.
④ (가)의 **1**에서 대상이 드러나지는 않지만 '열지 마라'를 통해 말을 건네는 방식을 사용하고 있지만 친근감을 형성하지는 않는다. 그러나 (나)는 청자 '너'가 명시적으로 드러나는 작품으로 화자가 청자에게 말을 건네는 방식으로 시상을 전개하며 친밀함을 부각하고 있다.
⑤ (가)의 **1**에서 '일편명월'을 '긔 벗'이라 하며 자연물에 인격을 부여하고 있지만, (나)에서는 자연물에 인격을 부여하고 있지 않다.

왜 많이 틀렸을까?
두 작품 간의 공통점으로 영탄법(詠嘆法)이 제시되고 있는데, 영탄법은 극한 느낌, 심각한 고뇌, 고조된 정감 등을 주로 정서면에 호소하여 감상적으로 표현하는 수법이지. 대개는 '아아, 오오, 어머나, 아이구' 등과 같은 감탄사를 사용하여 기쁨, 노여움, 슬픔, 즐거움, 사랑, 증오, 욕망 등과 같은 감정을 강하고 격렬하게 나타내지만, '-이여, -이시여' 등 호격조사를 써서 직접적으로 감정을 표출하거나 '그런 일이 벌어지다니!', '괴롭구나!' 등과 같이 어구나 문장 전체에서 격렬한 감정을 드러내기도 한단다. 고전 시가의 표현상 특징을 묻는 문제에서 자주 언급되고 있으니 영탄법의 형태도 잘 알아두도록 해.

9. ④ 작품 간의 공통점 파악하기

① (가)의 **2**에서 '낙엽', (나)에서 '봄비'를 통해 계절적 이미지가 분위기 형성에 기여함을 엿볼 수 있다.
② (가)의 **2**의 화자는 '워석버석' 낙엽 밟히는 소리를 듣고 '임'이 온 것으로 기대하고 있다. (나)의 화자도 '나뭇가지 스치는 소리'라는 청각적 이미지를 통해 '너'가 온 것이라 판단하고 있음을 알 수 있다. 따라서 두 작품 모두 상황 판단의 근거로 감각적 현상을 제시하고 있다.
③ (가)의 **2**의 화자는 '임'이 왔다고 생각하여 일어나고 (나)의 화자는 '너'가 왔다고 생각하여 뛰쳐나가고 있다. 이러한 화자의 행동을 통해 상대방을 그리워하고 있음을 알 수 있다.
❹ (가)의 **2**와 (나)의 각각의 시적 화자는 부재하는 대상을 그리워하고 있다. 이 그리움으로 인해 '낙엽' 소리와 '빗소리'를, '임'이나 '너'가 오는 소리로 착각하고 있

는 모습이다. 따라서 외부 현상에 대해 착각하게 되는 근본 원인은 대상에 대한 그리움이라는 정서에 있는 것이지 '가을'이나 '봄', 혹은 '밤'이라는 시간적 배경에 있는 것이 아니다.
⑤ 두 작품에 각각 등장하는 화자는 모두 부재하는 대상에 대해 귀 기울이고 일어나 밖으로 나가 확인하지만 기다리던 대상이 아님을 알고 안타깝게 여기고 있는 과정이 드러나고 있다.

10. ③ 시구의 의미 이해하기

① ㉠에서 화자는 문을 열지 말 것을 명령하고 있고, ㉡에서 화자는 '너'를 만나기를 소망하고 있다.
② ㉡에 억울한 심정이 내재되어 있다고 보기는 어렵다.
❸ (가)의 **1**에서 화자가 '시비(사립문)를 열지 마라'는 것은 외부 세계를 차단하려는 뜻을 드러내고 있고, '날 찾을 이 뉘 있으랴'고 말한 것을 통해 ㉠에서의 단절감이 잘 드러난다고 할 수 있다. (나)에서 '문을 열고'는 문 밖에 '너'가 와 있으리라는 기대감에 나가려는 행동이다. 따라서 ㉡에는 화자의 기대감이 담겨 있다고 할 수 있다.
④ ㉠이 쌀쌀한 태도로 비웃는 냉소적 태도를 지녔다고 보기는 어렵다. 또한 ㉡은 그리움의 정서가 행동으로 표출되고 있는 작품이므로, 조용한 마음으로 대상의 본질을 바라보는 관조적 태도가 반영되어 있다고 볼 수 없다.
⑤ 두 작품에서 결핍 상태가 충족된 내면 심리 상태를 확인하기 어렵다.

11. ② 외적 준거를 통해 감상하기

① 〈보기〉의 "내 이미 전원으로 ~ 세상사에 지쳤기 때문이다."를 통해 '산촌'은 작가가 지향 하거나 은둔하고자 하는 공간임을 짐작할 수 있다. 따라서 '산촌'은 세상과 대비되는 공간을 의미한다고 볼 수 있다.
❷ 〈보기〉에 의하면, (가)는 관직을 박탈당하고 내쫓겼던 작가가 자연에 은둔하며, 임금을 그리워하고, 세상사에 대한 근심을 풀 길 없어 노래를 불러 보고자 하는 면면을 드러내고 있다고 볼 수 있다. 따라서 '일편명월'은 작가가 지향하고자 하는 자연 세계의 한 부분으로 자신의 고독한 처지를 부각하는 자연물이자, 유일하게 벗이 되어줄 만한 자연물로서의 '달'이라고 할 수 있다. 따라서 '일편명월'을 작가 자신을 상징하는 대상으로 이해하는 것은 적절하지 않다.
③ 〈보기〉에 의하면 **2**는 연군을 주제로 한 작품으로 볼 수 있으며, 이에 따라 '유한한 간장이 다 긋츨까 하노라'에는 임금에 대한 그리움과 안타까움을 담은 신하의 심정이 함축되어 있다고 볼 수 있다.
④ 〈보기〉를 통해 정계에서 축출된 작가의 처지를 고려한다면 '시름'은 어지러운 시대를 살아가며 생기는 세상사에 대한 염려나 작가의 복잡한 심경 등을 의미한다고 볼 수 있다.
⑤ **3**에서는 '노래'의 기능이 세상사의 시름을 풀어내는 데에 있음을 드러내고 있으며 이를 통해 작가의 우리말 시가에 대한 인식을 엿볼 수 있다.

왜 많이 틀렸을까?
신흠의 시조는 자연을 벗하며 살아가는 모습이 형상화되어 있다고 익히 알고 있었는데 〈보기〉를 통해 작가의 주제

의식이 자연을 지향하는 태도에만 국한되는 것이 아니라 세태 비판, 연군, 취흥 등 다양하다는 것을 알 수가 있었지. 정계에서 축출된 작가는 세속을 떠난 냉정한 심리 상태를 '산촌, 눈, 돌길, 시비, 일편명월' 등의 작품 속 소재들을 이용해서 드러내고 있어. 작가는 자신에게 벗이 되어 주는 대상물을 형상화 하거나 삶을 살아가는 태도에 대해서도 노래하고 우리에게 들려주고 있지. 작품 속에 혼란스러운 현실에 대한 비판을 담기도 했지만 창작 자체가 시름을 푸는 기능을 하기도 했다는 사실을 알 수도 있어. 주어진 자료를 통해 이러한 작가의 인식을 더욱 깊이 있게 이해하고 적용해 볼 수 있도록 해.

고전 시가 ▶ 현대어 풀이
신흠 '방옹시여(放翁詩餘)'

[1]
산골 마을에 눈이 내리기 돌길이 묻혔구나!
사립문을 여지 마라. 나를 찾아올 손님이 누가 있겠느냐?
다만 밤중에 찾아드는 한 조각 밝은 달만이 내 벗인가 싶구나.

[2]
창밖의 낙엽 밟는 소리에 임이신가 일어나 보니
난초 우거진 지름길에 낙엽은 무슨 일인가
아, 유한한 간장이 다 끊어질까 하노라.

[3]
노래를 처음 지은 사람 근심 걱정이 많기도 많구나.
말로 하려 하나 다 못하여 노래를 불러 마음에 맺힌 한을 풀었단 말이냐?
정말로 노래를 불러 풀릴 수 있다면 나도 불러 보리라.

참고자료

신흠(申欽, 1566~1628)
조선 중기의 문신으로, 호는 상촌(象村)이다. 선조의 신임과 사림의 신망을 얻었으며 시와 문장이 뛰어나 명나라로 보내는 외교 문서의 제작하였다. 또한, 시문의 정리, 각종 의례 문서를 작성하는 데에 참여하였다.

12. ③   작품의 의미 파악하기

① '너를 꿈꾼 밤'에 화자는 '너'에 대한 그리움으로 인해 빗소리를 '발자국 소리'로 착각하게 되었다고 볼 수 있다.
② '너'에 대한 그리움이 커갈수록 빗소리를 '인기척 소리, 발자국 소리'에서 '너의 목소리'로 보다 구체적으로 인식하게 됨을 짐작할 수 있다.
❸ '서역'은 '너'가 위치하는 공간이고 '이승'은 '화자'가 위치하는 공간임을 알 수 있다. 일반적으로 '서역'은 저승을 의미할 때가 많다. (나)에서 '너'가 화자가 있는 곳까지 오기 위해 '산 넘고 물 건너' 와야 한다는 것은 그만큼 멀고 험한 곳에서 온다는 뜻이다. 특히 '누런 해지지 않는 서역 땅'을 통해 '너'의 죽음을 짐작할 수 있다. 따라서 현재 들리는 '너의 목소리'는 실제가 아닌 '너'에 대한 그리움으로 인해 들리는 환청과도 같은 것이다. 화자는 '아아, 네가 왔구나.'라고 반가움을 표현하고 있으나 과거의 추억을 환기하고 있다고 보기는 어렵다.
④ 화자는 '너'를 만날 것이라는 기대감을 가지고 '문'을 열지만 그 순간 '너'의 부재를 더욱 확인할 뿐이다. 비는 하강의 속성을 지니고 있는데, '하염없이 내리는'에는 '너'를 만날 수 없다는 사실을 확인하게 된 화자의 좌절감이 그대로 투영되어 있다고 볼 수 있다.
⑤ '너'가 오는 소리라고 여기며 기대감이 고조되었던

만큼 '너의 목소리'가 빗소리라는 사실을 아는 순간의 허탈감이 더욱 크다고 할 수 있다. 이러한 화자의 심정이 '후두둑'을 통해 청각적 이미지로 부각되고 있음을 볼 수 있다.

어휘풀이
• 환기(喚起) 주의나 여론, 생각 따위를 불러일으킴.
• 조응(照應) 둘 이상의 사물이나 현상 또는 말과 글의 앞뒤 따위가 서로 일치하게 대응함.

시험 직전까지
꼭 챙겨 봐야 할
국어 오답 Note

끝난 시험도 다시 봐야 진짜 실력! 자신의 부족한 부분을 채워보세요.
채점 기록표와 자유 연습장으로 학습 효과를 2배로 높여주는 오답노트입니다.

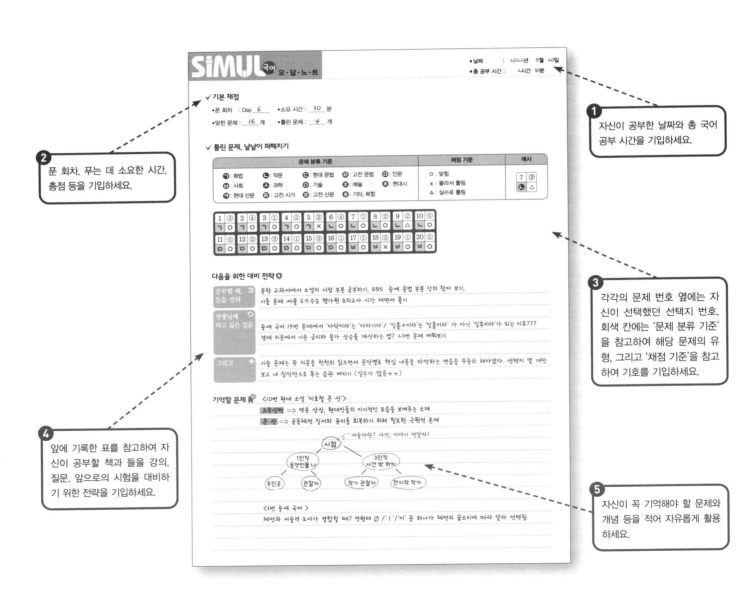

2 푼 회차, 푸는 데 소요한 시간, 총점 등을 기입하세요.

1 자신이 공부한 날짜와 총 국어 공부 시간을 기입하세요.

3 각각의 문제 번호 옆에는 자신이 선택했던 선택지 번호, 회색 칸에는 '문제 분류 기준'을 참고하여 해당 문제의 유형, 그리고 '채점 기준'을 참고하여 기호를 기입하세요.

4 앞에 기록한 표를 참고하여 자신이 공부할 책과 들을 강의, 질문, 앞으로의 시험을 대비하기 위한 전략을 기입하세요.

5 자신이 꼭 기억해야 할 문제와 개념 등을 적어 자유롭게 활용하세요.

뒷면에 있는 오답노트 양식을 가위로 잘라내 복사하거나, PDF 파일을 프린트하여 사용하세요.
골드교육 홈페이지(www.goldedu.co.kr)에서 오답노트의 PDF 파일을 무료로 다운받을 수 있습니다.

SiMUL 국어 오·답·노·트

•날짜 : 년 월 일
•총 공부 시간 : 시간 분

✓ 기본 채점

•푼 회차 : Day ______ •소요 시간 : ______ 분

•맞힌 문제 : ______ 개 •틀린 문제 : ______ 개

✓ 틀린 문제, 낱낱이 파헤치기

문제 분류 기준	채점 기준	예시
㉠: 화법 ㉡: 작문 ㉢: 현대 문법 ㉣: 고전 문법 ㉤: 인문 ㉥: 사회 ㉦: 과학 ㉧: 기술 ㉨: 예술 ㉩: 현대시 ㉪: 현대 소설 ㉫: 고전 시가 ㉬: 고전 산문 ㉭: 기타, 복합	○ : 맞힘 x : 몰라서 틀림 △ : 실수로 틀림	7 ③ ㉡ △

1	2	3	4	5	6	7	8	9	10
11	12	13	14	15	16	17	18	19	20

다음을 위한 대비 전략

공부할 책, 들을 강의

선생님께 하고 싶은 질문

그리고

기억할 문제

SIMUL 국어 오·답·노·트

✓ 기본 채점

- 푼 회차 : Day _____
- 소요 시간 : _____ 분
- 맞힌 문제 : _____ 개
- 틀린 문제 : _____ 개

✓ 틀린 문제, 낱낱이 파헤치기

문제 분류 기준					채점 기준	예시
ㄱ : 화법	ㄴ : 작문	ㄷ : 현대 문법	ㄹ : 고전 문법	ㅁ : 인문	O : 맞힘	7 ③
ㅂ : 사회	ㅅ : 과학	ㅇ : 기술	ㅈ : 예술	ㅊ : 현대시	x : 몰라서 틀림	ㄴ △
ㅋ : 현대 소설	ㅌ : 고전 시가	ㅍ : 고전 산문	ㅎ : 기타, 복합		△ : 실수로 틀림	

1	2	3	4	5	6	7	8	9	10

11	12	13	14	15	16	17	18	19	20

다음을 위한 대비 전략 🛡

공부할 책, ㅋ 들을 강의

_____

선생님께 하고 싶은 질문 ↻

_____
_____
_____

그리고 +

_____

기억할 문제 🔖

_____
_____
_____
_____
_____
_____
_____
_____
_____
_____